LAUREN
Der Teufe

## Buch

Andrea Sachs hat gerade das College absolviert und träumt von einer Karriere als Journalistin. Ihr großes Ziel ist es, eines Tages für den renommierten New Yorker zu schreiben, doch vorerst kann sie froh sein, überhaupt eine Anstellung zu ergattern. Daher fällt sie aus allen Wolken, als sie nach ihrem ersten Vorstellungsgespräch bereits einen Job in der Tasche hat – einen Job, um den Millionen junger Frauen sie beneiden würden: Andrea wird als Junior-Assistentin der sagenumwobenen Miranda Priestly angeheuert, der Chefredakteurin des Modemagazins Runway. Plötzlich befindet sie sich in einer Welt, in der alles Prada! Armani! und Versace! zu rufen scheint. Die Frauen sind dünner, blonder und perfekter als die Natur es gewollt hat, die Männer Fitness-Studio gestählte Adonis-Imitate. Und sie alle werden beherrscht von Miranda Priestly, die mit einem einzigen Blick Models, Fotografen oder Angestellte in ein wimmerndes Häuflein Elend verwandeln kann. Andreas Aufgabe besteht darin, Miranda noch den unsinnigsten Wunsch von den Augen abzulesen. Und zwar rund um die Uhr. Kein Wunder, dass sie bald befürchtet, nicht nur ihren vernachlässigten Freund sondern auch ihren Verstand zu verlieren ...

## Autorin

Lauren Weisberger hat an der Cornell University studiert und danach für die Modezeitschrift VOGUE gearbeitet. Sie war dort die persönliche Assistentin der Herausgeberin Anna Wintour. Lauren Weisberger lebt in New York.

*Von Lauren Weisberger außerdem bei Goldmann lieferbar:*
Die Party Queen von Manhattan. Roman (54234)

# Lauren Weisberger

# Der Teufel trägt Prada

Roman

Aus dem Amerikanischen
von Regina Rawlinson
und Martina Tichy

**GOLDMANN**

Die Originalausgabe erschien 2003 unter dem Titel
»The Devil wears Prada« bei Doubleday, New York.

Einmalige Sonderausgabe Februar 2007
Copyright © der Originalausgabe 2003
by Lauren Weisberger
Copyright © der deutschsprachigen Ausgabe 2004
by Wilhelm Goldmann Verlag, München,
in der Verlagsgruppe Random House GmbH
Umschlaggestaltung: Design Team München
Umschlagillustration: Natascha Römer/Agentur Die Kleinert
Druck und Bindung: GGP Media GmbH, Pößneck
Printed in Germany
ISBN 978-3-442-46371-8

www.goldmann-verlag.de

Den drei Menschen auf der Welt gewidmet,
die ernsthaft glauben, dass es mit *Krieg und Frieden*
konkurrieren kann:

*Für meine Mutter* Cheryl, *die Mom,*
*»für die Millionen junger Frauen ihr Leben geben würden«,*

*für meinen Vater* Steve, *einen attraktiven, geistreichen,*
*genialen und begnadeten Mann, der darauf bestanden hat,*
*seine Widmung selbst zu schreiben,*

*und für meine phänomenale Schwester* Dana,
*ihre Lieblingstochter (bis ich ein Buch geschrieben hatte).*

Man hüte sich vor Unternehmungen,
die neuer Kleidung bedürfen.

Henry David Thoreau, *Walden*, 1854

*1* Die Ampel am Broadway war noch gar nicht richtig auf Grün umgesprungen, da raste auch schon ein ganzes Rudel gelber Taxis an mir vorbei, während ich in der kleinen Todesfalle, die ich quer durch New York zu kutschieren hatte, die rechte Spur blockierte. *Kupplung treten, Gas geben, schalten* (vom Leerlauf in den Ersten? Oder vom Ersten in den Zweiten?), *Kupplung kommen lassen.* Wie ein Mantra betete ich mir diese goldene Regel immer und immer wieder vor, doch im hektisch-chaotischen Mittagsverkehr half sie mir leider auch nicht viel weiter. Zweimal bäumte sich meine Blechkiste wie ein wilder Mustang auf, um anschließend wie ein lahmes Kaninchen über die Kreuzung zu hoppeln. Mein Herz klopfte wie verrückt. Bis das Gehopse aufhörte, und ich in Fahrt kam. Mächtig in Fahrt. War ich tatsächlich noch im zweiten Gang? Ich warf einen Blick auf den Schalthebel – einen Blick zu viel. Als ich wieder auf die Straße sah, war ich so gefährlich dicht auf ein Taxi aufgefahren, dass mir nichts anderes übrig blieb, als voll in die Eisen zu steigen – und mir dabei den Absatz abzubrechen. Mist! Schon wieder ein Paar 700-Dollar-Schuhe im Eimer, ein Opfer meiner Ungeschicktheit – zum dritten Mal in diesem Monat. Ich war fast erleichtert, dass ich bei meinem halsbrecherischen Bremsmanöver den Motor abgewürgt hatte (anscheinend hätte ich die Kupplung treten müssen). So hatte ich wenigstens ein paar Sekunden Zeit, um mir, umtost von wütendem Gehupe und wüstem Gefluche, die Manolos auszuziehen und auf den Beifahrersitz zu pfeffern. Und wo sollte ich mir die schweißnassen Hände abwischen? Da blieb nur meine Gucci-

Hose, die so knalleng am Körper saß, dass sie mir das Blut abschnürte. Mich hineinzuzwängen und sie auch noch bis oben hin zuzuknöpfen, war das reinste Kunststück gewesen. Meine Finger hinterließen hässliche Streifen auf dem samtweichen Wildleder. Ich brauchte unbedingt eine Zigarette, sonst würde ich es niemals schaffen, dieses 84000-Dollar-Cabrio heil durch den Hindernisparcours der Straßen Manhattans zu manövrieren.

»Nun fahr schon, Alte!«, brüllte ein unappetitlicher Autofahrer im Feinrippunterhemd, aus dem höchst dekorativ die Brusthaare hervorquollen. »Was glaubst du eigentlich, wo du bist? In der Fahrschule? Aus dem Weg.«

Mit zitternder Hand zeigte ich ihm den Stinkefinger und erledigte erst mal die dringendste aller anstehenden Aufgaben: Mir möglichst schnell eine Fluppe anzustecken. Meine Hände waren schon wieder klitschnass, was ich besonders gut daran feststellen konnte, dass mir die Streichhölzer aus den Fingern flutschten. Als ich gerade – endlich – den ersten Zug nehmen wollte, sprang die Ampel wieder auf Grün um. Die Zigarette zwischen den Lippen und vom Tabaksqualm umwölkt, widmete ich mich erneut der Kunst des Anfahrens: *Kupplung treten, Gas geben, schalten* (vom Leerlauf in den Ersten? Oder vom Ersten in den Zweiten?), *Kupplung kommen lassen.* Es dauerte noch einmal drei Straßenblocks, bis der Wagen so gleichmäßig lief, dass ich es wagen konnte, die Zigarette wieder aus dem Mund zu nehmen, aber da war es schon zu spät. Die Asche war heruntergefallen und direkt neben dem Schweißfleck auf der Hose gelandet. Wahnsinn. Bevor ich mir richtig darüber klar werden konnte, dass ich – die Manolos mitgerechnet – innerhalb von drei Minuten Klamotten im Wert von 3100 Dollar ruiniert hatte, fing mein Handy an zu plärren. Und als ob es das Leben nicht sowieso schon übel genug mit mir meinte, bestätigte die Nummer des Anrufers auch noch meine schlimmsten Befürchtungen. Es war Ihre Majestät persönlich. Miranda Priestly. Meine Chefin.

»Aan-dreh-aa! Aan-dreh-aa! Hören Sie mich, Aan-dreh-aa?«, trompetete sie mir ins Ohr, sobald ich das Motorola aufgeklappt hatte – keine schlechte Leistung, wenn man bedenkt, dass ich sowieso schon alle Hände voll zu tun hatte – von meinen (nun nackten) Füßen ganz zu schweigen. Ich klemmte mir das Telefon zwischen Kinn und Schulter und schmiss die Zigarette aus dem Fenster, wobei ich um ein Haar einen Fahrradkurier erwischt hätte, der sich dafür mit einem derben, aber wenig originellen Fluch bedankte.

»Ja, Miranda. Ich verstehe Sie gut.«

»Aan-dreh-aa, wo ist mein Wagen? Haben Sie ihn schon in der Garage abgeliefert?«

Endlich war mir auf dieser Höllenfahrt auch einmal das Glück hold. Die nächste Ampel sprang auf Rot um. Ich hielt hoppelnd an, ohne auf irgendwen oder irgendwas aufzufahren, und atmete erst einmal tief durch. »Ich bin noch unterwegs, Miranda. Aber ich müsste gleich da sein.« Ich hängte noch ein paar beruhigende Sätze dran, um ihr zu versichern, dass es sowohl dem Cabrio als auch mir gut ging und wir in wenigen Minuten heil unser Ziel erreicht haben würden.

»Ja, ja, schon gut«, fiel sie mir brüsk ins Wort. »Bevor Sie wieder ins Büro kommen, müssen Sie noch Madelaine abholen und in die Wohnung bringen.« Klick. Gespräch beendet. Ich starrte einen Augenblick verdutzt auf das Handy, doch es blieb stumm. Offenbar war Miranda der Meinung, es sei alles Nötige gesagt. Madelaine. Wer zum Henker war Madelaine? Und wo steckte sie gerade? Wusste sie, dass ich sie abholen kam? Was sollte sie in Mirandas Wohnung? Und warum blieb diese Aufgabe mal wieder ausgerechnet an mir hängen, wo Miranda doch einen Chauffeur, eine Haushälterin und ein Kindermädchen beschäftigte?

Da in New York das Telefonieren am Steuer verboten ist, bog ich in die Busspur ein, fuhr rechts ran und schaltete die Warnblinkanlage ein. Das Letzte, was mir jetzt noch fehlte, war Zoff mit der Polizei. *Einatmen, ausatmen*, ermahnte ich mich. Ich dachte sogar noch daran, die Handbremse anzuziehen, bevor ich die Fußbremse losließ. Seit Ewigkeiten hatte ich keinen Wagen mit Gangschaltung mehr gefahren, seit fünf Jahren, um genau zu sein. Damals hatte mir ein Freund an der High School ein paar Stunden Unterricht gegeben, die aber kaum einen bleibenden Eindruck hinterlassen hatten. Für Miranda alles kein Problem und schon gar nicht einer Nachfrage wert, als sie mich vor anderthalb Stunden in ihr Büro zitiert hatte.

»Aan-dreh-aa, holen Sie meinen Wagen ab, und bringen Sie ihn in die Garage. Und zwar sofort. Wir brauchen ihn heute Abend, weil wir in die Hamptons fahren.« Ich stand wie angewurzelt vor ihrem riesigen Schreibtisch, aber sie nahm mich schon gar nicht mehr wahr. Dachte ich zumindest, bis sie mich dann doch noch mit einer abschließenden Bemerkung entließ. »Das wäre alles, Aan-dreh-aa. Erledigen Sie das«, fügte sie hinzu, ohne mich auch nur anzusehen.

*Aber klar doch, Miranda*, dachte ich und verließ das Büro. Ich war noch nicht ganz durch die Tür, da versuchte ich schon krampfhaft herauszufinden, was sie wohl genau mit diesem mysteriösen Auftrag gemeint hatte, der garantiert viele Fallstricke für mich bereithielt. So oder so musste ich als Allererstes austüfteln, wo ich den Wagen abholen sollte. Wahrscheinlich stand er in der Vertragswerkstatt, aber genauso gut konnte er auch in jeder anderen der zig Millionen New Yorker Werkstätten repariert worden sein. Vielleicht hatte sie ihn einer Freundin geliehen, und er wurde nun in irgendeiner sündteuren Garage an der Park Avenue gehätschelt. Natürlich war es auch nicht auszuschließen, dass sie einen neuen Wagen meinte, den sie eben erst gekauft hatte und den ich von einem mir völlig unbekannten Händler nach Hause überführen sollte. Wie auch immer, für mich bedeutete dieser Auftrag vor allem eins: jede Menge Detektivarbeit.

Also dann, ans Werk. Ich probierte es zuerst bei Mirandas Kindermädchen, aber bekam nur ihre Mailbox zu hören. Bei der Haushälterin hatte ich mehr Glück. Sie war nicht nur da, sie konnte mir sogar weiterhelfen. Sie verriet mir, dass es sich nicht, wie befürchtet, um einen nagelneuen Wagen handelte, sondern um ein dunkelgrünes Sportwagencabrio, das normalerweise in Mirandas Privatgarage abgestellt war. Die Marke allerdings wusste sie nicht, und ebenso wenig, wo er gerade stand. Als Nächstes versuchte ich es bei der Assistentin von Mirandas Ehemann. Von ihr erfuhr ich, dass die Eheleute ihres Wissens noch einen schwarzen Lincoln Navigator der Luxusklasse und einen kleinen grünen Porsche besaßen. Super! Meine erste heiße Spur. Noch ein Anruf in der Porsche-Werkstatt in der Eleventh Avenue, und der Fall war gelöst. Dort hatte man soeben einige kleinere Lackierungsarbeiten an Ms. Miranda Priestlys grünem Carrera 4 Cabrio durchgeführt und einen neuen CD-Wechsler eingebaut. Volltreffer!

Ich bestellte mir eine Limousine und ließ mich in die Werkstatt bringen, wo ich den Mechanikern eine eigenhändig gefälschte Vollmacht von Miranda übergab, die mich berechtigte, den Porsche in Empfang zu nehmen. Dass ich mit der Wagenbesitzerin weder verwandt noch verschwägert war, schien niemanden zu kümmern, genauso wenig wie die Tatsache, dass eine wildfremde Person hereinspaziert kam und sich ganz cool einen teuren Schlitten übergeben ließ, der ihr gar nicht gehörte. Sie warfen mir die Schlüssel zu und lachten bloß, als ich sie bat, mir den Wagen aus der Garage zu setzen, weil ich mir nicht sicher war, ob ich überhaupt den Rückwärtsgang finden würde. Nach einer geschlagenen halben Stunde hatte ich zwar schon sage und schreibe zehn Straßenblocks geschafft, wusste aber immer noch nicht, wo oder wie ich wenden sollte, um endlich in die richtige Richtung fahren zu können, zu der Privatgarage, deren Koordinaten mir Mirandas Haushälterin verraten hatte. Die Chancen, heil dort anzukommen, ohne mir selbst, dem Porsche, einem Radfahrer, Fußgänger oder anderen Fahrzeug etwas anzutun, standen bei null. Und Mirandas Anruf trug nicht gerade dazu bei, meine Nerven zu beruhigen.

Wieder startete ich einen Rundumschlag mit dem Handy. Diesmal antwortete das Kindermädchen, und mir fiel ein Stein vom Herzen.

»Tag, Cara. Ich bin's.«

»Hallo, was gibt's? Bist du unterwegs? Es ist so laut.«

»Gut geraten. Ich musste Mirandas Porsche aus der Werkstatt holen. Leider hat der verfluchte Wagen eine Gangschaltung, und schalten ist nicht gerade meine starke Seite. Und jetzt hat Miranda auch noch angerufen, und will, dass ich eine Madelaine abhole und in die Wohnung bringe. Wer ist diese Madelaine, und wo könnte sie stecken?«

Cara kriegte sich gar nicht wieder ein vor Lachen. »Madelaine ist ihre französische Bulldogge, und sie ist beim Tierarzt. Sie wurde heute sterilisiert. Eigentlich sollte ich sie nach Hause bringen, aber jetzt muss ich stattdessen die Zwillinge früher aus der Schule holen, damit sie alle in die Hamptons fahren können.«

»Das muss ein Witz sein. Ich soll mit diesem Porsche einen Köter abholen? Ohne einen Unfall zu bauen? Unmöglich.«

»Sie ist in der East Side Tierklinik, in der 52. Straße. Tut mir Leid, Andy, ich muss jetzt los, die Mädchen abholen. Aber ruf mich ruhig an, wenn ich noch etwas für dich tun kann.«

Kurz bevor ich endlich in die 52. einbog, war ich mit den Nerven fix und fertig und mit meiner Konzentration total am Ende. *Schlimmer kann es nicht mehr kommen,* dachte ich, als schon wieder ein Taxi bis auf zwei Zentimeter auf den Porsche auffuhr. Eine Schramme, ein Kratzer, und ich war mindestens meinen Job los, wenn nicht mein Leben. Darauf konnte ich Gift nehmen. Da nicht im Traum daran zu denken war, am helllichten Tag eine Parklücke zu finden – oder auch nur ein freies Plätzchen im Halteverbot –, rief ich in der Klinik an und bat, mir den Hund nach draußen zu bringen. Auf den letzten Metern kam prompt der nächste Kontrollanruf von Miranda, die wissen wollte, warum ich immer noch nicht wieder im Büro war. Wenigstens brauchte ich nicht lange zu warten. Ich hatte kaum angehalten, da erschien auch schon eine nette Frau mit einem winselnden, schnüffelnden Welpen auf dem Arm. Die Frau zeigte mir Madelaines Naht und riet mir, sehr, sehr vorsichtig zu fahren, da der Hund Schmerzen habe. Aber sicher, Lady. Ich fahre sehr, sehr vorsichtig, um meinen Job und möglicherweise nebenbei noch mein Leben zu retten. Wenn der Hund auch etwas davon hat, soll es mir recht sein.

Nachdem sich Madelaine auf dem Beifahrersitz zusammengerollt und ich mir eine Zigarette angesteckt hatte, rubbelte ich mir erst mal die eiskalten Füße warm, um Kupplungs- und Bremspedal überhaupt fühlen zu können. *Kupplung treten, Gas geben, schalten,* betete ich mir vor, während ich versuchte, die arme Madelaine zu ignorieren, die jedes Mal laut aufjaulte, wenn ich Gas gab. Wenn sie nicht jaulte, winselte oder schnaufte sie und wurde zu allem Überfluss immer hysterischer. Ich wollte sie trösten, aber sie spürte, dass ich es nicht ernst meinte. Außerdem hatte ich keine Hand frei, um sie zu streicheln oder ihr einen aufmunternden Klaps zu geben. Dafür also hatte ich vier Jahre meines Lebens mit der Analyse und Interpretation von Romanen, Theaterstücken, Kurzgeschichten und Gedichten verplempert – um einen kleinen, weißen, schlappohrigen Hund zu trösten, während ich mein Möglichstes tat, den wahnsinnsteuren Luxusschlitten meiner Arbeitgeberin nicht zu Schrott zu fahren. Tolles Leben. Genau das, was ich mir immer erträumt hatte.

Wider Erwarten gelang es mir, den Wagen ohne weitere Zwischenfälle in die Garage zu fahren und den Hund bei Mirandas Portier abzuliefern. Aber meine Hände zitterten immer noch, als ich endlich in die Limousine stieg, die mir kreuz und quer durch die ganze Stadt gefolgt war. Der Fahrer sah mich mitfühlend an und meinte, so eine Gangschaltung sei wirklich tückisch, doch mir war nicht nach Smalltalk zumute.

»Zurück zum Elias-Clark-Building«, seufzte ich bloß, als der

Wagen anrollte. Da ich diese Strecke jeden Tag mindestens einmal, manchmal aber auch zweimal fuhr, wusste ich, dass mir höchstens acht Minuten blieben, um ein paar Mal tief durchzuatmen, mich wieder zu beruhigen und mir zu überlegen, wie ich die Asche- und Schweißflecken kaschieren sollte, die auf dem Wildleder meiner Gucci-Hose zu permanenten Gestaltungsmerkmalen geworden waren. Und was die Schuhe anging – bei denen war sowieso Hopfen und Malz verloren. Die einzige Rettung wäre die Schusterbrigade, die bei *Runway* für genau solche Notfälle Gewehr bei Fuß stand.

Leider war die Fahrt diesmal schon nach sechseinhalb Minuten vorbei, und mir blieb nichts anderes übrig, als wie eine wackelige Giraffe auf einem gekappten und einem Stöckelabsatz ins Gebäude zu hinken. Bei einem schnellen Zwischenstopp in der Kleiderkammer staubte ich ein nagelneues Paar kastanienbraune kniehohe Jimmy Choos ab, die fantastisch zu dem Lederrock passten, den ich mir im Vorbeilaufen angelte. Die Lederhose landete auf dem Stapel für die »Couture-Reinigung« (wo die Preise bei 75 Dollar pro Kleidungsstück anfingen). Jetzt noch rasch in den Kosmetikraum. Eine der Redakteurinnen warf einen Blick auf mein verlaufenes Make-up und machte sich sofort mit einem Erste-Hilfe-Köfferchen an die nötigen Ausbesserungsarbeiten.

*Nicht übel*, dachte ich, als ich mich in einem der allgegenwärtigen hohen Spiegel betrachtete. Niemand hätte vermutet, dass ich noch vor wenigen Minuten kurz vor einem Amoklauf mit anschließendem Selbstmord gestanden hatte. Selbstbewusst betrat ich Mirandas Vorzimmer, setzte mich an meinem Schreibtisch und freute mich auf ein paar freie Minuten, bis sie vom Lunch zurückkam.

»Aan-dreh-aa«, rief sie aus ihrem spartanisch eingerichteten Büro, das den Charme einer Tiefkühltruhe verströmte. »Wo sind das Auto und der Hund?«

Ich schoss wie eine Rakete vom Stuhl hoch und lief, so schnell mich meine 12-Zentimeter-Absätze auf dem plüschigen Teppich-boden tragen wollten, hinüber. »Den Wagen haben ich beim Parkwächter in der Garage abgegeben und Madelaine bei Ihrem Portier, Miranda«, antwortete ich. Ich war stolz, beide Aufgaben erfüllt zu haben, ohne den Wagen, den Hund oder mich selbst ins Jenseits zu befördern.

»Und was haben Sie sich dabei gedacht?«, fragte sie und blickte tatsächlich von ihrer *Women's Wear Daily* hoch. »Ich hatte Sie doch ausdrücklich gebeten, den Wagen und den Hund hierher zu bringen. Die Mädchen können jede Minute da sein, und dann wollen wir gleich los.«

»Ach. Ich dachte, Sie hätten gesagt, ich soll…«

»Genug. Die Details Ihrer Inkompetenz interessieren mich nur peripher. Schaffen Sie mir den Wagen und den Hund her. Ich will in 15 Minuten fahren. Verstanden?«

15 Minuten? Hatte das Weib Halluzinationen? Ich brauchte ein, zwei Minuten, um mit dem Lift nach unten zu fahren und eine Limousine zu bekommen, sechs bis acht zu ihrer Wohnung und dann noch einmal circa drei Stunden, bis ich den Hund in dem 18-Zimmer-Palast aufgestöbert, den verfluchten Wagen aus der Garage geholt und mich wieder bis zu ihrem Büro durchge-kämpft hatte.

»Selbstverständlich, Miranda. In 15 Minuten.«

Kaum stand ich wieder im Vorzimmer, fing ich an zu zittern. Ich fragte mich, ob mein Herz wohl gleich im gesegneten Alter von 23 Jahren den Geist aufgeben würde. Unten auf der Straße schlotterte ich immer noch so heftig, dass mir die Zigarette, die ich mir als Erstes ansteckte, aus der Hand fiel und nicht etwa auf dem Betonboden, sondern genau auf einem meiner neuen Jimmys landete. Bevor sie herunterrollte, schaffte sie es noch, mir ein kreisrundes Loch ins Leder zu brennen. *Toll*, knurrte ich. *Das hat mir gerade noch gefehlt.* Ruinierte Kleidungsstücke im Wert von insgesamt 4000 Dollar an nur einem Tag, eine neue persönliche Bestleistung. *Vielleicht ist sie ja tot, bevor ich wie-*

*der zurück bin*, dachte ich. Ich hatte beschlossen, optimistisch zu bleiben. Vielleicht würde sie an einer seltenen exotischen Krankheit sterben. Das wäre für alle ihre Mitarbeiter eine Erlösung. Ich nahm noch einen letzten Zug von meiner zweiten Zigarette, trat sie auf dem Bürgersteig aus und rief mich zur Vernunft. *Du willst nicht, dass sie stirbt*, dachte ich. Wenn sie stirbt, hast du keine Chance mehr, sie selbst umzubringen. Und das wäre doch wirklich jammerschade.

2 Ich war ein ahnungsloser Engel, als ich zum ersten Vorstellungsgespräch meines Lebens antrat und in einen der berühmten Elias-Clark-Fahrstühle stieg, in denen sich alles, aber auch alles auf und ab bewegte, was in der Modewelt Rang und Namen hatte. Ich wusste nicht, dass die einflussreichsten Klatschkolumnisten, Societypersönlichkeiten und Medienmanager der Stadt wegen der perfekt geschminkten, atemberaubend gekleideten Wesen, die in den edlen Aufzügen geräuschlos nach oben entschwebten, schlaflose Nächte verbrachten. Ich hatte noch nie Frauen mit derart blondem Blondhaar gesehen und wäre nie auf die Idee gekommen, dass allein die Strähnchen vom Starfriseur 6000 Dollar im Jahr kosteten oder dass dem Eingeweihten ein einziger Blick genügte, um anhand der Farbgebung den Coloristen zu identifizieren. Ich hatte auch noch nie so schöne Männer gesehen, die ihre hart erarbeiteten, aber nicht *zu* muskelbepackten Traumfiguren in eng anliegenden Rollkragenpullovern und knackigen Lederhosen zu Schau stellten. Taschen und Schuhe, die ich noch niemals an einem lebenden Menschen zu Gesicht bekommen hatte, verkündeten stolz, wo sie herkamen: *Prada! Armani! Versace!* Von der Bekannten einer Bekannten – einer Redaktionsassistentin bei der Zeitschrift *Chic* – hatte ich gehört, dass es solchen Accessoires hin und wieder sogar vergönnt war, in diesen Fahrstühlen ihren Schöpfern zu begegnen, ein gewiss auch für Miuccia, Giorgio oder Donatella freudiges Wiedersehen mit einem Paar Stiletto-Pumps aus der Sommersaison 2002 oder einem tropfenförmigen

Handtäschchen aus der letzten Frühjahrskollektion. Als ich in den Elias-Clark-Aufzug stieg, wusste ich, dass in meinem Leben eine Veränderung bevorstand – bloß ob es eine Veränderung zum Besseren war, das wusste ich nicht.

Die ersten 23 Jahre meines Lebens war ich eine eher biedere Provinzpflanze gewesen, aufgewachsen in einer idyllischen Kleinstadt wie aus dem amerikanischen Bilderbuch. Kindheit und Jugend in Avon, Connecticut, verliefen nach dem üblichen Klischee: High-School-Sport, Jugendgruppe, harmlose »Saufgelage« bei Freunden, die eine sturmfreie Bude hatten. In der Schule trugen wir Jogginghosen, am Samstagabend schlüpften wir in unsere Jeans und warfen uns zum Tanztee oder für einen Ball mit braven Rüschenkleidern in Schale. Und dann aufs College! Es war wie eine neue, aufregende Welt, die sich nach der High School auftat. Dort war für jeden etwas geboten, ganz gleich ob Künstler, Aussteiger oder Computerfreak. Auf dem College standen mir sämtliche Möglichkeiten offen. Ich hatte die Qual der Wahl, welchen intellektuellen oder kreativen Interessen ich mich widmen, welches abseitige oder esoterische Orchideenfach ich studieren wollte. Nur ein Fach war im Vorlesungsverzeichnis nicht vertreten: die Haute Couture. Die vier Jahre in Providence, in denen ich Seminare über die französischen Impressionisten besuchte und mir ellenlange Hausarbeiten zur englischen Literatur abrang, bereiteten mich in keiner – nein, in keinster Weise – auf meine erste »richtige« Arbeitsstelle vor.

Ich schob den Augenblick der Wahrheit so lange wie möglich hinaus, indem ich mir nach dem Examen erst mal ein bisschen Geld zusammenpumpte und einen Trip über den großen Teich machte. Einen Monat lang klapperte ich mit dem Zug halb Europa ab, sah dabei aber, wie ich zugeben muss, wesentlich mehr Strände als Museen. Fast der Einzige, mit dem ich während dieser Zeit in Kontakt blieb, war mein Freund Alex, mit dem ich damals schon seit drei Jahren zusammen war. Er wusste genau, dass mir das Alleinreisen nach spätestens fünf Wochen auf den Keks gehen würde, und weil er seine Stelle als Lehrer erst im September antreten musste, überraschte er mich in Amsterdam. Bis dahin hatte ich Europa ziemlich abgegrast, und weil Alex im Sommer davor schon dort gewesen war, schmissen wir nach einem verrückten Nachmittag in einem Coffee Shop unsere Traveller Checks zusammen und kauften kurz entschlossen zwei Flugtickets nach Bangkok.

Dann reisten wir kreuz und quer durch Südostasien. Wir gaben am Tag kaum mehr als zehn Dollar aus und redeten über unsere Zukunftspläne. Er freute sich schon wahnsinnig darauf, an einer Schule unterrichten zu dürfen, die mitten in einem der sozialen Brennpunkte der Stadt lag, war begeistert von der Idee, junge Seelen zu formen und sich für die Armen und Benachteiligten einzusetzen. Typisch Alex. Ich verfolgte keine derart hehren, idealistischen Ziele. Im Gegenteil, ich hatte es mir in den Kopf gesetzt, für eine Zeitschrift zu arbeiten, und zwar nicht für irgendeine, sondern für den renommierten *New Yorker*. Und obwohl ich mir denken konnte, dass man in der Redaktion nicht gerade auf mich warten würde, war ich fest entschlossen, es bis zum fünften High-School-Klassentreffen geschafft zu haben. Für den *New Yorker* zu schreiben, war schon immer mein größter Wunsch gewesen. Das erste Heft hatte ich mir gekauft, nachdem sich meine Eltern einmal über einen besonders gelungenen Artikel unterhalten hatten. Meine Mutter: »Eine derart intelligente Schreibe findet man heute nirgends mehr.« Mein Vater: »Etwas Scharfsinnigeres gibt es nicht.« Ich war sofort hin und weg gewesen. Die peppigen Rezensionen und die witzigen Cartoons hatten mich regelrecht vom Hocker gerissen. Hinzu kam das Gefühl, einem erlesenen Zirkel anspruchsvoller Leser anzugehören. Seit nunmehr sieben Jahren hatte ich keine Ausgabe mehr verpasst, und ich kannte die Namen aller Redakteure und Autoren in- und auswendig.

Alex und ich standen also beide an der Schwelle zu einem

neuen Lebensabschnitt. Trotzdem hatten wir es nicht eilig, wieder nach Hause zu kommen. Irgendwie spürten wir wohl, dass dies unsere letzten unbeschwerten Tage sein würden, bevor uns die Wirklichkeit gnadenlos beim Schopf zu packen bekam, und so verlängerten wir in Delhi unsere Visa, um noch ein paar Wochen länger durch das exotische Indien zu reisen.

Eine Schnapsidee, wie sich zeigen sollte. Nichts ist tödlicher für die Romantik als eine Amöbenruhr. Eine Woche lang litt ich, von Alex liebevoll gepflegt, in einer dreckigen indischen Herberge vor mich hin, bis ich mich geschlagen gab und wir den Rückflug antraten. Nachdem meine Mutter mich am Flughafen auf den Rücksitz des Autos gepackt hatte, hörte sie auf der gesamten Fahrt nach Hause nicht mehr auf, mit dem Kopf zu schütteln. Auf eine gewisse Weise war der Traum einer jeden jüdischen Mutter nun auch für sie wahr geworden. Sie hatte einen Grund, mit mir von Arzt zu Arzt zu Arzt zu ziehen, um ganz sicherzugehen, dass sich auch nicht mehr der mickrigste Parasit in ihrem Töchterlein versteckt hielt. Es dauerte vier Wochen, bis ich wieder das Gefühl hatte, zu den Lebenden zu gehören, und zwei weitere, bis mir dämmerte, dass ich es zu Hause nicht mehr aushielt. Mom und Dad waren fantastisch, aber jedes Mal gefragt zu werden, wo ich hin wollte, wenn ich das Haus verließ, war auf die Dauer ätzend. Ich rief meine Freundin Lily an und fragte sie, ob sie mich in ihrem Miniapartment in Harlem aufnehmen würde. Aus reiner Herzensgüte sagte sie ja.

Schweißgebadet wachte ich in Lilys winziger Bude auf. Mir brummte der Schädel, der Magen grummelte, jeder Nerv war bis zum Äußersten gereizt. *O nein, nicht schon wieder!*, dachte ich entsetzt. *Die Parasiten sind zurück, und ich werde sie bis an mein Lebensende nicht mehr los!* Und wenn es womöglich etwas noch viel Schlimmeres war? Vielleicht hatte ich mir eine seltene, verzögert auftretende Form des Denguefiebers eingefangen? Oder Malaria? Oder gar Ebola? Still und starr lag ich da und bereitete mich innerlich schon auf mein baldiges Ableben vor, als plötzlich Bilder der vergangenen Nacht vor mir aufstiegen. Eine verräucherte Kneipe irgendwo im East Village. Ein infernalisches Geschepper, das sich Jazz Fusion Musik nannte. Ein knallrosa Cocktail in einem Martiniglas – igitt! Nur nicht daran denken. Freunde und Bekannte, die vorbeikamen, um mich in der Heimat zu begrüßen. Ein Trinkspruch, ein Pinkschluck, noch ein Trinkspruch. Gott sei Dank, es war weder Gelb-, Fleck- noch Schwarzwasserfieber, sondern bloß ein ganz ordinärer Kater. Ich hatte nicht daran gedacht, dass ich nach der überstandenen Ruhr mit zehn Kilo weniger auf den Rippen wohl nicht mehr ganz so viel Alkohol vertragen konnte wie vorher. Knapp 52 Kilo bei einer Körpergröße von 1,75 m verhießen für eine Nacht auf der Piste nichts Gutes (auch wenn sich im Nachhinein herausstellen sollte, dass diese Werte für einen Job bei einer Modezeitschrift idealer nicht hätten sein können).

Tapfer entfaltete ich auf Lilys Knochenbrechercouch, auf der ich seit einer Woche schlief, die schmerzenden Glieder und konzentrierte meine ganze Energie darauf, mich nicht zu übergeben. Sich wieder an Amerika zu gewöhnen – das Essen, die Umgangsformen, die herrlichen Duschen – war nicht allzu schwierig gewesen. Bloß das Hausen im Notquartier war auf die Dauer nichts für mich. Wenn ich sparsam lebte und meine letzten Baht und Rupien zusammenkratzte, blieben mir noch knapp anderthalb Wochen, bevor ich komplett abgebrannt war. Meine Eltern wären jederzeit bereit gewesen, mir auszuhelfen, aber diese Hilfe hatte einen kleinen Haken. Ich würde wieder bei ihnen einziehen und mir zu allem und jedem ihren Kommentar anhören müssen. Bei diesem Gedanken wurde ich schlagartig munter, und es hielt mich keine Sekunde länger auf der Mördercouch. Und so begann jener schicksalhafte Novembertag, an dem mich in weniger als einer Stunde das erste Vorstellungsgespräch meines Lebens erwartete. Die ganze letzte Woche hatte ich, noch immer leicht angeschlagen, bei Lily vor mich hin gegammelt, bis sie mich regelrecht aus dem Haus getrieben hatte, und sei es auch nur für ein paar Stunden am Tag. Ohne konkreten Plan hatte ich mir eine U-Bahn-Karte gekauft, war den ganzen Tag stadtauf- und stadtabwärts durch New York gefahren und hatte bei allen größeren Zeitschriftenverlagen meine Bewerbungsunterlagen abgegeben: meinen Lebenslauf und ein unausgegorenes Anschreiben, in dem ich erklärte, dass ich gern Redaktionsassistentin werden und erste journalistische Erfahrungen sammeln wollte. Ich war noch zu krank und erschöpft, um mich wirklich dafür zu interessieren, ob überhaupt jemand das Zeug las, und das Letzte, was ich mir davon versprach, war ein Vorstellungsgespräch. Aber dann hatte gestern Lilys Telefon geklingelt, und o Wunder!, jemand aus der Personalabteilung von Elias-Clark lud mich doch tatsächlich zu einem »kleinen Plausch« ein. Ich war mir nicht sicher, ob es sich dabei um ein offizielles Vorstellungsgespräch handelte – ein »kleiner Plausch« klang in meinem Zustand sowieso erträglicher.

Nachdem ich mit Magentropfen eine Kopfschmerztablette runtergespült hatte, stöberte ich erst mal in meinen Sachen. Ich fand ein Jackett und eine Hose, die als Ensemble zwar beim besten Willen nicht der Hit waren, aber wenigstens nicht sofort von meinem Klappergestell wieder herunterrutschten. Eine blaue Button-down-Bluse, ein halbwegs seriöser Pferdeschwanz und ein Paar leicht abgestoßene Halbschuhe komplettierten mein Outfit. Toll war es nicht, eher das Gegenteil, aber es würde reichen müssen. *Die werden die Entscheidung über meine Einstellung ja wohl nicht nur von meinen Klamotten abhängig machen*, dachte ich mir. Ich ahnungsloser Engel, ich!

Punkt elf war ich zur Stelle. In Panik geriet ich erst, als ich die Reihe langbeiniger, spindeldürrer Twiggy-Figuren sah, die zu den Fahrstühlen strömten. Sie plapperten in einer Tour, untermalt vom Klappern ihrer Pfennigabsätze auf dem Boden. *Klapperschnepfen*, dachte ich. *Das passt wie die Faust aufs Auge.* (Der Fahrstuhl kam.) *Einatmen, ausatmen. Du wirst dich nicht über-*

geben. *Du wirst dich nicht übergeben. Du bist nur hier, um ein bisschen über den Job einer Redaktionsassistentin zu »plauschen«, und
dann knallst du dich wieder auf Lilys Couch. Du wirst dich nicht
übergeben.* »Aber natürlich würde ich gern für Reaction arbeiten!
The Buzz? Auch gut. Wie bitte, ich darf es mir aussuchen? Ach, lassen Sie mich noch eine Nacht darüber schlafen, ich kann mich vor
Angeboten kaum retten. Entzückend!«

Sekunden später pappte ein »Besucher«-Aufkleber am Jackett
meines zusammengewürfelten Ensembles. (Als ich bemerkte,
dass alle anderen die Dinger einfach auf ihre Taschen klebten
oder in den nächsten Papierkorb schmissen und nur die ödesten
Verlierertypen sie tatsächlich trugen, war es schon zu spät.) Mit
dem Abzeichen meiner Unwissenheit auf der Brust folgte ich der
Menge und steuerte ebenfalls die Aufzüge an. Es ging hoch und
immer höher, eine Reise durch Raum und Zeit und unendliche
Schönheit, hinauf bis in die luftigen Höhen der Personalabteilung.

Während der Fahrt entspannte ich mich ein wenig. In der
Kabine hing ein nahezu erotisches Duftgemisch aus sinnlichem
Parfüm und würzigem Leder. Auf jeder Etage eine andere Zeitschrift, *Chic* und *Mantra*, *The Buzz* und *Coquette*. Lautlos glitt die
Tür zur Seite und gab den Blick frei auf sparsam möblierte Emp-
fangsbereiche. Schicke, weiße Möbel mit klaren, schlichten Li-
nien, die so aussahen, als ob es einer Mutprobe gleichkäme, tatsächlich auf ihnen Platz zu nehmen. Nicht auszudenken, wenn
man einen Fleck ins Polster machte! Da konnte man sich am
besten gleich erschießen. An den Wänden prangten in schwarzen Lettern die unverwechselbaren Namen der Zeitschriften,
die jedes Kind in Amerika kannte, aber niemals unter einem
einzigen Hochhausdach vermutet hätte. Dicke, undurchsichtige
Glastüren schützten die Redaktionen vor unwillkommenen Be-
suchern.

Obwohl ich selbst bis dahin höchstens ein paar Mal als Eisver-
käuferin gejobbt hatte, wusste ich doch von meinen Studien-

freunden, die nun seit einigen Monaten im Berufsleben standen, dass die Welt der Arbeit *so* nicht aussah, nirgends. Keine Spur von grellen Neonlampen oder von extrastrapazierfähigen Teppichböden. Wo sich unscheinbare Sekretärinnen hinter zerschrammten Schreibtischen hätten verschanzen müssen, thronten hier makellose Schönheiten mit markanten Wangenknochen hinter edlen Empfangstheken. Bürobedarf war ein Begriff, der nicht existierte! Terminplaner, Papierkörbe, Akten? Gab es nicht. Von Etage zu Etage wuchs mein Staunen über diese weiße Perfektion. Ich nahm nichts anderes um mich herum wahr, bis schließlich im sechsten Stock eine giftige Stimme an mein Ohr und zu mir durchdrang.

»Sie ist einfach unerträglich! So eine Zicke. Ich halte sie nicht mehr aus. Wer macht denn so was? Wer kommt denn bloß auf so eine Idee?«, zischelte vor mir eine schicke Mittzwanzigerin, die mit ihrem Schlangenlederrock und dem mikroskopisch kleinen Tank-Top besser in eine Disco als in ein Büro gepasst hätte.

»Wem sagst du das? Was meinst du, was ich mir in den letzten sechs Monaten alles gefallen lassen musste? Diese Megazicke. Und einen fürchterlichen Geschmack hat sie auch noch«, pflichtete ihre Freundin ihr bei und schüttelte dazu ihre fantastisch geschnittene Mähne.

Dann war ich endlich oben, und der Fahrstuhl gab mich frei. *Interessant*, dachte ich. Verglichen mit dem durchschnittlichen Tag einer durchschnittlichen College-Studentin war das Prädikat »interessant« allerdings wohl etwas zu kurz gegriffen. Stimulierend? Na, so weit wollte ich dann doch nicht gehen. Friedlich, freundlich, fürsorglich? Kaum. Befriedigend, motivierend? Total daneben. Wer aber das Hippe, Schicke, Schlanke, Coole, Trendige, Gestylte und Angesagte suchte, für den war Elias-Clark das Paradies.

Der elegante Schmuck und das perfekte Make-up der Empfangsdame trugen nicht gerade dazu bei, meine zunehmenden

Minderwertigkeitsgefühle zu lindern. Sie bot mir einen Platz an und sagte, ich dürfe gern »einen Blick in einige unserer Publikationen werfen«. Stattdessen versuchte ich verzweifelt, mir auf die Schnelle die Herausgeber möglichst vieler Zeitschriften des Verlagshauses einzuprägen – als ob man mich danach ausfragen würde. Ha! Stephen Alexander von *Reaction* kannte ich sowieso, und Tanner Michel von *The Buzz* konnte ich mir leicht merken. Und da dies sowieso die beiden einzigen interessanten Erzeugnisse des Verlags waren, fühlte ich mich relativ gut gewappnet.

Eine grazile Frau, die sich als Sharon vorstellte, holte mich ab. »Sie möchten also bei der Zeitung anfangen?«, fragte sie, während sie mich an einigen identisch aussehenden Elfenwesen vorbei in ihr karges, kaltes Büro führte. »Ganz schön schwierig, wenn man direkt vom College kommt. Da rangeln jede Menge Leute um eine Hand voll Jobs. Außerdem sind die wenigen offenen Stellen auch nicht gerade besonders gut bezahlt, wenn Sie verstehen, was ich meine.«

Ich sah an meinem billigen, zusammengestoppelten Anzug und den völlig unpassenden Schuhen hinunter und fragte mich, warum ich überhaupt zu dem Vorstellungsgespräch angetreten war. Es war wohl am gescheitesten, wenn ich mich mit einem ausreichenden Vorrat an Chips und Zigaretten eindeckte und mich für die nächsten 14 Tage erst mal wieder auf Lilys Couch verkroch. Ich war so vertieft in diese düsteren Zukunftsaussichten, dass ich kaum mitbekam, wie sie sagte: »Aber ich kann Ihnen etwas verraten. Ihnen bietet sich eine grandiose Gelegenheit. Allerdings müssen Sie sofort zugreifen, sonst ist sie weg.«

Hmm. Plötzlich gingen alle Warnlichter bei mir an. Eine Gelegenheit? Und noch dazu eine grandiose?? Mein Gehirn arbeitete fieberhaft. Sie wollte mir helfen? Sie mochte mich? Warum? Ich hatte doch noch keinen Pieps gesagt. Wie konnte sie mich da mögen? Und warum erinnerte sie mich auf einmal so verdächtig an einen Gebrauchtwagenhändler?

»Können Sie mir sagen, wie die Herausgeberin von *Runway* heißt?«, fragte sie und sah mir zum ersten Mal in die Augen, seit ich in ihrem Büro Platz genommen hatte.

Nichts. Watte im Kopf. Leere. Ich stand total auf dem Schlauch. Nicht zu fassen, ich wurde tatsächlich abgefragt!! Das durfte doch nicht wahr sein – ich hatte in meinem ganzen Leben noch keine *Runway* gelesen. Das war nicht fair. *Runway* zählte nicht. *Runway* war schließlich eine Modezeitschrift. Womöglich gab es darin noch nicht mal richtige Artikel, bloß halb verhungerte Models und Werbefotos. Ich schluckte ein paar Mal. Die Namen der Herausgeber, die ich mir eben erst ins Hirn gehämmert hatte, schwirrten mir wild durch den Kopf und fügten sich zu abstrusen Paarungen wieder zusammen. Ich war mir sicher, ich kannte die Frau. Diese Frau kannte jeder. Aber ich kam ums Verrecken nicht auf ihren Namen.

»Äh, im Moment kann ich es Ihnen leider nicht sagen. Aber ich weiß, wie sie heißt. Natürlich weiß ich das! Den Namen kennt doch jedes Kind. Ich habe ihn nur gerade nicht parat.«

Sie beobachtete mich, die großen braunen Rehaugen auf mein verschwitztes Gesicht geheftet. »Miranda Priestly«, sagte, nein flüsterte sie mit einer Mischung aus Ehrfurcht und Angst. »Sie heißt Miranda Priestly.«

Sie schwieg. Ich schwieg. Es kam mir vor, als ob wir uns eine volle Minute lang anschwiegen, dann hatte Sharon sich offenbar dazu durchgerungen, mir meinen Fehltritt noch einmal zu vergeben. Damals wusste ich nicht, wie verzweifelt sie darauf aus war, eine neue Assistentin für Miranda zu finden, und dass sie es einfach nicht mehr aushielt, von ihrer Chefin Tag und Nacht mit Anrufen bombardiert und nach den neuesten Bewerberinnen ausgefragt zu werden. Hauptsache, sie fand jemanden, irgendjemanden, der Miranda genehm war. Und wenn es auch nur die geringste Chance gab, dass möglicherweise *ich* dieser Jemand war, konnte sie es sich natürlich nicht leisten, allzu kleinlich zu sein.

Sharon ließ ein schmales Lächeln sehen und eröffnete mir, dass ich nun Mirandas Assistentinnen kennen lernen würde. *Hatte sie denn mehr als eine?*

»Ja, sie hat zwei«, bestätigte sie mir mit einem entnervten Augenaufschlag. »Natürlich braucht Miranda zwei Assistentinnen. Ihre derzeitige Seniorassistentin, Allison, wurde gerade zur Beauty-Redakteurin befördert, und Emily, die Juniorassistentin, wird Allisons Platz einnehmen. Das heißt, die Stelle der Juniorassistentin wird frei! Andrea, ich weiß, dass Sie frisch vom College kommen und mit den inneren Abläufen der Zeitschriftenwelt vermutlich nicht sehr vertraut sein werden.« Sie legte eine dramatische Kunstpause ein. »Aber ich habe das Gefühl, dass es meine Aufgabe, ja meine Pflicht ist, Ihnen zu sagen, was für eine geradezu unglaubliche Gelegenheit sich Ihnen hier bietet. Miranda Priestly ist…« Sie hielt erneut inne, als ob sie sich innerlich vor einem Götterstandbild verneigte. »Miranda Priestly ist die einflussreichste Frau in der Modebranche und eine der prominentesten Zeitschriftenherausgeberinnen der Welt. Der Welt! Für diese Persönlichkeit zu arbeiten, ihr bei ihrer Herausgebertätigkeit über die Schulter zu schauen, dabei zu sein, wenn sie berühmte Autoren und Models trifft, ihr dabei zu assistieren, die Herausforderungen des Tagesgeschäfts zu meistern, das ist eine einmalige Chance. Ich sage nur eins: Für diese Stelle würden Millionen junger Frauen ihr Leben geben.«

»Aha, so, so. Ja, das klingt fantastisch«, stammelte ich. Seltsam, dass Sharon glaubte, mir einen Job schmackhaft machen zu müssen, für den Millionen anderer Frauen ihr Leben gegeben hätten. Aber es blieb keine Zeit, lange darüber nachzudenken. Sie telefonierte noch kurz, und dann brachte sie mich auch schon zum Fahrstuhl. Für die nächste Runde des Vorstellungsgesprächs sollte ich mit Mirandas Juniorassistentin in den Ring steigen.

Schon Sharon hatte in meinen Ohren ein bisschen wie ein

Roboter geklungen, aber Emily schlug sie noch um Längen. Nachdem ich in den 17. Stock hinuntergefahren war und eine geschlagene halbe Stunde in dem blendend weißen Empfangsbereich von *Runway* gewartet hatte, trat schließlich eine gertenschlanke junge Frau durch die Glastür. Sie trug einen wadenlangen Hüftrock aus Leder, und ihr widerspenstiges rotes Haar war zu einem nachlässigen, aber doch eleganten Knoten hochgesteckt. Sie hatte einen Teint wie Schneewittchen und die ausgeprägtesten Wangenknochen, die ich je gesehen hatte. Ohne zu lächeln, setzte sie sich neben mich und musterte mich ernst, aber scheinbar ohne großes Interesse, von oben bis unten. Automatisch, wie eine Maschine. Da sie sich nicht damit aufhielt, sich vorzustellen, konnte ich nur vermuten, dass es sich bei ihr um Emily handelte. Aus heiterem Himmel fing sie plötzlich an, mir den Job zu beschreiben. Ihre monotonen Ausführungen verrieten mir mehr als alles, was sie sagte: Sie hatte diese Litanei anscheinend schon Dutzende Male heruntergeleiert, erwartete sich von mir auch nicht mehr als von den anderen Bewerberinnen und würde sich deshalb nicht länger als unbedingt nötig mit mir abgeben.

»Es ist kein Zuckerschlecken, so viel steht fest. Es kommt vor, dass der Arbeitstag 14 Stunden hat, nicht oft, aber oft genug«, ratterte sie los. »Und Sie müssen sich darüber im Klaren sein, dass Sie keine redaktionellen Aufgaben übertragen bekommen werden. Als Juniorassistentin sind Sie ausschließlich dafür verantwortlich, Miranda nach besten Kräften zu unterstützen und zu entlasten. Und darunter fällt alles, was Sie sich nur vorstellen können. Dass Sie zum Beispiel ihr Lieblingsbriefpapier bestellen oder sie beim Shopping begleiten. Abwechslungsreich ist es auf jeden Fall. Überlegen Sie bloß, Sie sind Tag für Tag, Woche für Woche mit dieser einzigartigen Frau auf Tuchfühlung. Und dass sie einzigartig ist, können Sie mir glauben«, hauchte sie. Zum ersten Mal kam so etwas wie Leben in ihre Züge.

»Klingt gut«, sagte ich – und es war mir ernst damit. Meine

Studienfreunde, die schon sechs Monate in der realen Arbeitswelt hinter sich hatten, klangen allesamt frustriert und enttäuscht, und zwar ganz egal, wo sie arbeiteten, bei einer Bank, einer Werbeagentur oder einem Buchverlag. Es war überall das gleiche trübe Bild, lange Arbeitszeiten, schreckliche Kollegen und innerbetriebliche Intrigen. Aber das Allerschlimmste war die Langeweile. Verglichen mit den Anforderungen des Studiums waren die Aufgaben, die man ihnen übertrug, stupide und sinnlos. Routinearbeiten für Schimpansen. Stundenlang tippten sie Zahlen in irgendwelche Datenbanken oder führten telefonische Anbahnungsgespräche mit Leuten, die nicht belästigt werden wollten. Sie katalogisierten überflüssige Informationen am Computer und recherchierten monatelang über irgendein unwichtiges Thema, nur um ihren Vorgesetzten zu beweisen, dass sie produktiv waren. Jeder von ihnen hatte das Gefühl, seit dem Studium verblödet und in einer Sackgasse gelandet zu sein. Zwar hatte ich nicht besonders viel mit Mode am Hut, aber bevor ich mir bis ans Ende meiner Tage einen öden Bürojob ans Bein band, machte ich doch lieber etwas Abwechslungsreiches.

»Ja, der Job ist toll. Einfach toll. Fantastisch. Es war nett, Sie kennen gelernt zu haben. Jetzt hole ich Allison, damit die Sie ebenfalls ein bisschen beschnuppern kann. Sie ist auch toll.« Sie hatte kaum den Satz beendet und war mit wehendem Rock und flatternden Locken hinter der Glastür verschwunden, als auch schon die nächste zarte Gestalt hereinschwebte.

Mirandas bisherige Seniorassistentin Allison, die soeben befördert worden war, war eine atemberaubende schwarze Schönheit. Ich staunte darüber, wie mager sie war, wie ihr Bauch sich nach innen wölbte, und ihre Hüftknochen hervorstachen. Fast noch mehr staunte ich allerdings darüber, dass sie im Büro überhaupt Bauch zeigen durfte. Sie trug eine schwarze Lederhose und ein flauschiges weißes Tanktop, das sich über den Brüsten spannte und fünf Zentimeter über ihrem Bauchnabel endete. Das lange, tintenschwarze Haar breitete sich wie eine glänzende Decke über ihren Rücken. Finger- und Zehennägel waren weiß lackiert und schienen von innen heraus zu leuchten. Ihre hochhackigen offenen Sandalen legten auf ihre 1,80 Meter Körpergröße noch einmal gute sieben Zentimeter drauf. Sie sah gleichzeitig sexy, halbnackt und edel aus. Vor allem aber ließ sie mich frösteln. Und zwar buchstäblich. Es war schließlich November.

»Hallo, ich bin Allison. Aber das wissen Sie bestimmt schon«, begann sie und zupfte sich ein paar Fasern Tanktop-Flaum von ihrer kaum vorhandenen Hüfte. »Ich bin gerade auf eine Redaktionsstelle befördert worden, und genau das ist das Tolle daran, wenn man für Miranda arbeitet. Ja, der Arbeitstag ist lang und hart, aber auch ungeheuer aufregend, und Millionen Mädchen würden für diesen Job ihr Leben geben. Miranda ist eine derart wunderbare Frau, Herausgeberin und Persönlichkeit, dass sie sich für ihre Girls persönlich einsetzt. Ein Jahr bei Miranda, und Sie ersparen sich jahrelanges Klinkenputzen bei anderen Zeitschriften. Sie bekommen von ihr den Anschub, den Sie brauchen, um nicht erst mühsam Sprosse um Sprosse auf der Karriereleiter nach oben kraxeln zu müssen. Wenn Sie Talent haben, können Sie es sofort bis weit nach oben schaffen ...« So ging es weiter und immer weiter, ohne dass sie sich auch nur die Mühe gemacht hätte, so etwas Ähnliches wie Begeisterung für ihre Ausführungen vorzutäuschen. Besonders dumm kam sie mir nicht vor, aber sie hatte einen leicht benebelten Blick, wie man ihn sonst nur bei Sektenjüngern beobachten kann oder bei Leuten, die einer Gehirnwäsche unterzogen wurden. Ich hatte den Eindruck, dass sie es nicht einmal bemerken würde, wenn ich einschlief, in der Nase bohrte oder einfach aufstand und ging.

Als auch diese Runde endlich vorbei war und Alison mich allein ließ, um den nächsten Sparringspartner für mich zu organisieren, war ich so erschöpft, dass ich mich auf dem wenig einladenden Sofa im Empfangsbereich am liebsten lang ausgestreckt hätte. Es ging alles so schnell, dass ich kaum wusste, wo mir der Kopf stand. Trotzdem war ich aufgeregt. Was machte es schon, dass ich Miranda Priestly nicht kannte? Alle anderen schienen von ihr zutiefst beeindruckt zu sein. Sicher, es ging nur um eine Modezeitschrift, nicht gerade prickelnd, aber es war immer noch um Klassen besser, bei *Runway* zu arbeiten als bei irgendeinem ätzenden Werbeblättchen. Eine Tätigkeit bei *Runway* im Lebenslauf vorweisen zu können, würde mir, wenn ich mich später beim *New Yorker* bewarb, bestimmt mehr nützen als zum Beispiel *Ein Herz für Hunde*. Außerdem: Würden nicht Millionen junger Frauen für diesen Job ihr Leben geben?

Nachdem ich mich eine weitere halbe Stunde in diesen und ähnlichen Gedanken ergangen hatte, betrat das nächste ranke, schlanke Geschöpf den Empfangsbereich. Zwar stellte sie sich vor, aber ich vergaß ihren Namen sofort wieder, hatte nur Augen für ihre umwerfende Erscheinung. Sie trug einen engen Jeansrock im Fetzenlook, ein durchsichtige weiße Bluse und silberne Riemchensandalen. Außerdem war sie perfekt gebräunt und maniküirt und trug so viel nackte Haut zur Schau, wie es kein normaler Mensch in einem eisigen New Yorker November jemals tun würde. Als sie mir bedeutete, aufzustehen und ihr durch die Glastür zu folgen, wurde mir zum ersten Mal wirklich bewusst, wie ich aussah mit meinem schrecklichen Outfit und den labbrigen Haaren: wie eine Vogelscheuche. Kein Accessoire, kein Schmuck, nur das nötigste Make-up. Bis zum heutigen Tag denke ich mit Grausen daran zurück, wie ich an jenem Schicksalstag angezogen war und dass ich sogar etwas Aktentaschenähnliches mit mir herumschleppte. Ich kriege immer noch einen knallroten Kopf, wenn ich mich daran erinnere, wie trampelig ich zwischen den elegantesten und schicksten Frauen in ganz New York umhertapste. Erst später, als ich selbst fast eine von ihnen geworden war, erfuhr ich, wie köstlich sie sich zwischen den einzelnen Gesprächsrunden über meine Jammergestalt amüsiert hatten.

Nach der unverzichtbaren Musterung von Kopf bis Fuß brachte mich die Umwerfende zu Cheryl Kenston, Chefredakteurin von *Runway* und liebenswerte Spinnerin in einem. Auch dieses Gespräch schien ewig zu dauern, aber diesmal hörte ich zum ersten Mal richtig zu. Und zwar deswegen, weil sie ihre Arbeit anscheinend tatsächlich liebte, so begeistert schwärmte sie von den Textbeiträgen, von den tollen Artikeln, die sie zu lesen bekam, von den Autoren, die sie betreute, und von den Redakteuren, für die sie verantwortlich war.

»Mit dem Modeteil der Zeitschrift habe ich nicht das Geringste zu tun«, verkündete sie stolz. »Wenn Sie dazu Fragen haben, wenden Sie sich lieber an jemanden, der sich damit auskennt.«

Als ich ihr anvertraute, dass mich eigentlich eher ein Job wie der ihre reizen würde, da ich mich weder besonders für Mode interessierte noch irgendwelche Vorkenntnisse in dem Bereich mitbrächte, lachte sie übers ganze Gesicht. »Dann sind Sie vielleicht genau die Richtige für uns, Andrea. Ich denke, es wird Zeit, dass Sie Miranda kennen lernen. Darf ich Ihnen einen kleinen Rat geben? Sehen Sie ihr in die Augen, und verkaufen Sie sich gut. So etwas imponiert ihr.«

Wie aufs Stichwort rauschte die Umwerfende herein, um mich in Mirandas Büro zu geleiten, ein Weg von höchstens 30 Metern, auf dem mich die Blicke sämtlicher Mitarbeiter verfolgten. Eine Schönheit am Fotokopierer drehte sich um und musterte mich kritisch, genau wie ein hinreißender, aber offensichtlich schwuler Mann, der sich nur für mein Outfit interessierte. Einen Meter vor der Glastür, die ins Vorzimmer führte, riss mir Emily die Aktentasche aus der Hand und feuerte sie unter ihren Schreibtisch. Die Botschaft war klar: *Mit dem Teil hast du keine Chance.* Noch ein paar Schritte und ich stand in Mirandas Büro: einem weiten, offenen Raum mit riesigen Fenstern, durch die hell das Licht hereinflutete. Ansonsten nahm ich an jenem Tag von meiner Umgebung nicht mehr das Geringste wahr: Ich hatte nur noch Augen für sie.

Da ich Miranda Priestly noch nicht einmal von irgendwelchen

Fotos kannte, war ich regelrecht geschockt darüber, wie mager sie war. Die Hand, die sie mir zur Begrüßung über ihren Schreibtisch hinstreckte, war zartgliedrig, feminin, weich. Sie musste den Kopf in den Nacken legen, um mir in die Augen sehen zu können, aber sie stand nicht auf. Ihr perfekt gefärbtes Blondhaar war zu einem eleganten Knoten nach hinten gerafft, locker genug, um leger zu wirken, doch gleichzeitig so straff, dass sich keine einzige Strähne lösen konnte. Obwohl sie nicht lächelte, machte sie auch keinen besonders Furcht erregenden Eindruck. Sie wirkte eher milde, eine relativ kleine Person, die fast hinter ihrem großen schwarzen Schreibtisch verschwand. Ich ließ mich nicht davon einschüchtern, dass sie mir keinen Platz anbot, sondern zog mir cool einen der unbequemen schwarzen Besucherstühle heran. Erst als ich saß, bemerkte ich es: Sie nahm mich ganz genau unter die Lupe und beobachtete aufmerksam meine unbeholfenen Versuche, mich möglichst souverän und distinguiert zu geben. In ihren Augen lag so etwas wie Belustigung. Sie mochte herablassend und schwierig sein, das ja, aber besonders fies oder gehässig kam sie mir nicht vor. Sie ergriff das Wort.

»Was führt Sie zu *Runway*, Aan-dreh-aa?«, näselte sie mit einem ausgeprägten englischen Oberschichtakzent, ohne mich auch nur eine Sekunde aus den Augen zu lassen.

»Ich hatte ein Vorstellungsgespräch bei Sharon. Sie sagte mir, dass Sie eine persönliche Assistentin suchen«, antwortete ich mit nun doch etwas zittriger Stimme. Als sie nickte, fasste ich etwas mehr Selbstvertrauen. »Und nachdem ich nun auch mit Emily, Allison und Cheryl geredet habe, habe ich einen guten Einblick in die Aufgaben bekommen, die mich in dieser Funktion erwarten würden. Ich denke, ich wäre genau die Richtige für den Job«, fuhr ich dreist fort, Cheryls guten Rat immer im Hinterkopf. Miranda schien amüsiert, aber völlig unbeeindruckt.

Und jetzt passierte das Merkwürdige. Auf einmal wollte ich die Stelle unbedingt haben, so wie man sich manchmal etwas wünscht, was vollkommen unerreichbar zu sein scheint. Mich reizte die Herausforderung – ich wurde zur Hochstaplerin, wenn auch zu keiner besonders guten. Mir war vom ersten Augenblick an klar gewesen, dass ich nicht zu *Runway* gehörte. Dass meine Kleidung und meine Frisur nicht hierher passten, lag sowieso auf der Hand, doch was am meisten störte, war meine Einstellung. Ich hatte von Mode nicht die leiseste Ahnung. Mode war mir schnuppe, wurst, total egal. Genau darum musste ich den Job unter allen Umständen haben. Und würden nicht Millionen junger Frauen ihr Leben dafür geben?

Ich beantwortete Mirandas Fragen mit einer Offenheit und einem Selbstbewusstsein, die mich selbst überraschten. Alles ging so schnell, dass ich überhaupt keine Zeit hatte, kalte Füße zu kriegen. Außerdem machte sie keinen unangenehmen Eindruck, und ich hatte bisher nichts Nachteiliges über sie gehört – was nur mal wieder beweist, wie ahnungslos ich war. Das Gespräch geriet erst ein wenig ins Holpern, als wir zu meinen Fremdsprachenkenntnissen kamen. Nachdem ich ihr eröffnet hatte, dass ich Hebräisch konnte, hielt sie inne, presste die Handflächen auf den Tisch und sagte eisig: »Hebräisch? Ich hatte auf Französisch gehofft oder wenigstens eine andere, etwas nützlichere Sprache.« Fast hätte ich mich entschuldigt, konnte mich aber noch im letzten Moment bremsen.

»Leider spreche ich kein Wort Französisch, aber das dürfte in der Praxis kein Problem sein.«

Sie faltete die Hände. »Wie ich sehe, haben Sie am Brown College studiert.«

»Ja, Englisch im Hauptfach. Ich habe mich besonders auf das kreative Schreiben konzentriert. Die Schriftstellerei war schon immer mein Traum!« Wie kitschig! Fiel mir wirklich nichts Besseres ein als *Traum*?

»Sie wollen Schriftstellerin werden? Heißt das, dass Sie sich nicht für Mode interessieren?« Sie trank einen Schluck Wasser und stellte das Glas wieder hin. Offenbar hatte ich eines der seltenen Exemplare der Gattung Frau vor mir, die trinken konnten, ohne den Glasrand mit Lippenstift zu verschmieren. Dieses Wesen würde immer perfekt geschminkte Lippen haben, ganz egal zu welcher Tages- oder Nachtzeit.

»Aber im Gegenteil! Ich bin ein regelrechter Modenarr«, log ich aalglatt. »Es dürfte hochinteressant sein, noch mehr darüber zu lernen. Ich kann mir nämlich gut vorstellen, eines Tages Modeartikel zu verfassen.« Was zum Teufel redete ich da? Langsam hatte ich das Gefühl, richtiggehend neben mir zu stehen.

Nachdem ich diese Klippe umschifft hatte, plätscherte das Gespräch harmlos dahin, bis sie zum Schluss noch von mir wissen wollte, welche Zeitschriften ich regelmäßig las. »Abonniert habe ich nur den *New Yorker* und *Newsweek*. Aber daneben lese ich regelmäßig *The Buzz*. Manchmal auch *Time*, aber das ist mir ein bisschen zu trocken, und die *U.S. News* sind mir zu konservativ. Ansonsten gönne ich mir hin und wieder noch *Chic*, und da ich gerade längere Zeit im Ausland war, kenne ich natürlich sämtliche Reisemagazine und…«

»Und lesen Sie *Runway*, Aan-dreh-aa?«, fiel sie mir ins Wort. Sie beugte sich über den Schreibtisch und fixierte mich noch kritischer als zuvor.

Jetzt hatte sie mich im letzten Moment doch noch auf dem falschen Fuß erwischt. Ich war so verdattert, dass ich weder nach Erklärungen noch nach Ausflüchten suchte.

»Nein.«

Zehn Sekunden eisiges Schweigen, dann bedeutete sie Emily, mich hinauszubegleiten. Und erstaunlicherweise war ich mir völlig sicher: Den Job hatte ich in der Tasche.

# 3

»Meinst du wirklich, du kriegst den Job?«, fragte Alex leise. Ich hatte den schmerzenden Kopf in seinen Schoß gebettet, und er zupfte spielerisch an meinem Haar. Nach dem Vorstellungsgespräch war ich erst mal schnurstracks zu ihm nach Brooklyn gedüst. Ich hatte keine Lust, noch eine Nacht auf Lilys Couch zu verbringen, und wollte ihm gleich brühwarm alles über mein Abenteuer berichten. Hin und wieder hatte ich schon mit dem Gedanken gespielt, ganz bei ihm einzuziehen, wollte mich aber nicht wie eine Klette an ihn hängen. »Ich wüsste auch gar nicht, warum du ihn haben willst.« Doch nach ein paar Minuten Schweigen hatte er seine Meinung geändert. Nachdenklich fuhr er fort: »Andererseits, warum nicht? Es hört sich nach einer einmaligen Gelegenheit an. Schließlich hat diese Allison auch als Mirandas Assistentin angefangen, und jetzt ist sie Redakteurin. Was will man mehr? Lass dir diese Chance ja nicht entgehen.«

Alex gab sich wirklich die größte Mühe, sich für mich zu freuen, das merkte ich ihm an. Wir kannten uns schon so lange, dass mir jeder Unterton seiner Stimme, jeder Blick, jede Geste ungeheuer vertraut waren. Er hatte erst vor ein paar Wochen als Lehrer an einer Grundschule in der Bronx angefangen und war schon so ausgepowert, dass er kaum noch die Kraft für ein Gespräch aufbrachte. Es schockte ihn, wie abgebrüht und zynisch seine Schüler mit ihren neun Jahren schon waren. Er fand es entsetzlich, dass sie offen über alle möglichen Sexualpraktiken daherredeten, zehn verschiedene Slangausdrücke für Marihuana beherrschten und damit angaben, wer die tollsten Sachen geklaut oder wessen Vetter im härtesten Kittchen saß. »Knastkenner«, hatte Alex sie getauft. »Sie könnten ein Buch darüber schreiben, wie sich Sing Sing von Rikers unterscheidet. Aber lesen? Kein Wort.« Er quälte sich mit der Frage herum, wie er an sie herankommen und etwas bewirken konnte.

Ich schob die Hand unter sein T-Shirt und kraulte ihm den Rücken. Der arme Kerl sah so niedergeschlagen aus, dass ich Skrupel hatte, ihn mit den Einzelheiten des Vorstellungsgesprächs zu belästigen, aber mit irgendjemandem musste ich einfach darüber reden. »Ich weiß. Mit Redaktionsarbeit hätte der Job wirklich nicht das Geringste zu tun, aber nach ein paar Monaten darf ich bestimmt auch mal einen Artikel schreiben«, sagte ich. »Oder meinst du, dass ich meine Ideale verkaufe, wenn ich bei einer Modezeitschrift anfange?«

Er drückte meinen Arm. »Schatz, so toll, wie du schreiben kannst, würdest du überall deinen Weg machen. Natürlich wäre es *kein* Ausverkauf deiner Ideale. Sieh es als eine Art Lehre. Du meinst, du kannst dir mit dem einen Jahr bei *Runway* drei Jahre Herumgekrebse bei einer anderen Zeitschrift ersparen?«

Ich nickte. »Das haben Emily und Allison gesagt. Es wäre eine ganz simple Sache: Wie du mir, so ich dir. Man hält ein Jahr bei Miranda durch, ohne gefeuert zu werden, dann klemmt sie sich ans Telefon und besorgt einem den Job, den man wirklich will.«

»Dann musst du es machen. Im Ernst, Andy. Du ziehst das eine Jahr durch, und dann fängst du beim *New Yorker* an. Das hast du dir doch immer gewünscht. Und mit dem Job bei *Runway* kommst du um einiges schneller ans Ziel.«

»Ja, du hast Recht.«

»Außerdem müsstest du dann nach New York ziehen, ein sehr verlockender Gedanke.« Er gab mir einen langen Kuss. »Mach dir keine Gedanken. Du sagst doch selbst, du weißt nicht, ob du wirklich so versessen auf den Job bist. Am besten lässt du erst mal alles auf dich zukommen.«

Wir schmissen uns eine Pizza in den Ofen, knallten uns vor den Fernseher und schliefen irgendwann erschöpft ein. Mitten in einem Traum von fiesen Neunjährigen, die es wie die Karnickel auf dem Schulhof miteinander trieben und sich dabei einen hinter die Binde gossen, klingelte das Telefon.

Benommen tastete Alex nach dem Hörer. Ohne die Augen aufzumachen oder ein Wort zu sagen, reichte er ihn an mich weiter.

»Hallo?«, murmelte ich und warf einen Blick auf die Uhr. Viertel nach sieben. Wer konnte das denn sein, um diese Uhrzeit?

»Ich bin's«, raunzte eine aufgebrachte Lily.

»Hi, ist was passiert?«

»Meinst du, ich würde dich anrufen, wenn nichts passiert wäre? Ich habe einen Mordskater. Die halbe Nacht habe ich über dem Klo gehangen, und als ich eben glücklich eingepennt war, holt mich irgendeine putzmuntere Tussi aus der Personalabteilung von Elias-Clark wieder aus dem Bett. Und warum? Weil sie dich sprechen will! Um viertel nach sieben! Ruf sie zurück, und sag ihr, sie soll meine Telefonnummer wegschmeißen.«

»Entschuldige, Lil. Ich habe ihr deine Nummer gegeben, weil ich doch noch kein Handy habe. Kaum zu glauben, dass sie um diese Uhrzeit anruft. Ob das wohl was Gutes oder was Schlechtes zu bedeuten hat?« Ich angelte mir das Telefon, schlich mich auf leisen Sohlen aus dem Schlafzimmer und zog leise die Tür hinter mir zu.

»Mir doch egal. Viel Glück. Sag mir Bescheid, wie's gelaufen ist. Aber nicht in den nächsten paar Stunden, okay?«

»Na klar doch. Danke. Und sorry.«

Auf den Schock musste ich mir erst mal einen Kaffee machen. Es war Viertel nach sieben, und ich sollte ein Gespräch führen, das über meine Zukunft entscheiden würde. Mit meiner Tasse hockte ich mich auf die Couch. Es musste sein. Jetzt oder nie. Ich hatte keine andere Wahl.

»Hallo, hier spricht Andrea Sachs.« Hoffentlich hörte man mir nicht an, dass ich eben erst aus den Federn gekrochen war.

»Andrea, einen wunderschönen Guten Morgen! Ich hoffe, es ist nicht zu früh für Sie«, trällerte Sharon mit einer Stimme wie eitel Sonnenschein. »Zu früh? Was rede ich da? Daran werden Sie sich bald gewöhnen müssen. Ich habe nämlich eine gute Nachricht für Sie, eine fantastische Nachricht! Miranda war sehr beeindruckt von Ihnen und freut sich schon darauf, mit Ihnen zusammenzuarbeiten. Ist das nicht herrlich? Meine herzlichsten Glückwünsche. Was ist das für ein Gefühl, Mirandas Priestlys neue Assistentin zu sein?«

Mir schwirrte der Kopf. Ich wollte mich von der Couch hochrappeln, um mir noch einen Kaffee zu holen oder ein Glas Wasser, ganz egal was. Hauptsache, ich konnte wieder klar denken. Aber ich versank nur noch tiefer in den Polstern. Wollte sie von mir wissen, ob ich den Job gern haben würde? Oder bot sie ihn mir offiziell an? Ich verstand überhaupt nichts mehr, bloß, dass ich Miranda Priestly gefallen hatte.

»Sie müssen begeistert sein. Wer wäre das nicht? Dann wollen wir doch mal sehen. Sie können am Montag anfangen? Miranda ist dann zwar im Urlaub, aber das wäre geradezu ideal, um sich in Ruhe einzuarbeiten und die anderen Girls richtig kennen zu lernen. Eine Supertruppe, das können Sie mir glauben!« Wie bitte? Kennen lernen? Montag anfangen? Supertruppe? Ich war so benebelt, dass ich kein Wort kapierte. Ich stürzte mich auf den einzigen Satz, den ich überhaupt begriffen hatte, und beantwortete ihn.

»Also, ich glaube nicht, dass ich schon am Montag anfangen kann«, sagte ich leise. Kaum hatte ich diese – hoffentlich halbwegs zusammenhängende – Antwort über die Lippen gebracht, war ich schlagartig hellwach. Gestern hatte ich das Elias-Clark-Building zum ersten Mal betreten, und nun holte mich jemand aus dem Tiefschlaf, um mir mitzuteilen, dass ich in drei Tagen zur Arbeit antreten sollte. Es war Freitag – sieben Uhr morgens! –

und sie wollten, dass ich am Montag anfing? Wozu die aberwitzige Eile? War diese Frau so wichtig, dass sie auf mich nicht verzichten konnte? Und warum klang Sharon so, als ob sie sich aus Angst vor Miranda fast in ihre Designerhose machte?

Am Montag konnte ich unmöglich anfangen. Ich hatte ja noch nicht mal ein Dach über dem Kopf. Meine Habseligkeiten waren überall in der Weltgeschichte verstreut. Die meisten von meinen Sachen lagen noch zu Hause bei meinen Eltern, wo ich notgedrungen nach dem Studium wieder untergeschlüpft war. Die halbwegs ansehnlichen Klamotten, die ich für eventuelle Vorstellungsgespräche nach New York mitgenommen hatte, türmten sich auf Lilys Couch. Und um meiner besten Freundin nicht auf den Geist zu gehen, hatte ich am Wochenende immer bei Alex kampiert. Meine Ausgeh-Outfits und das schicke Make-up lagerten also bei Alex in Brooklyn. Ich hatte in New York keine eigene Bleibe und fand mich in der Großstadt nur mit einem Stadtplan einigermaßen zurecht. Und jetzt verlangte diese Sharon von mir, dass ich am Montag anfing?

»Ich fürchte, am Montag geht es wirklich nicht. Ich wohne nämlich noch gar nicht richtig in New York«, erklärte ich und umklammerte den Hörer. »Ich bräuchte ein paar Tage, um mir eine Wohnung zu suchen und ein paar Möbel zu kaufen.«

»Tja, wenn das so ist. Ich denke, Mittwoch würde auch noch reichen«, schnaubte sie.

Nach einigem Hin und Her hatte ich sie auf den 17. November raufgehandelt, Montag in einer Woche. Das bedeutete, mir blieben gut acht Tage, um auf dem überdrehtesten Mietmarkt der Welt eine Bude zu finden.

Ich legte auf. Meine Hände zitterten so stark, dass ich das Telefon nicht mehr halten konnte. Eine Woche. Ich hatte eine Woche, bevor ich als Miranda Priestlys Assistentin anfangen musste. Aber Moment mal! Fehlte da nicht noch was? Ich hatte die Stelle ja gar nicht angenommen. Und warum nicht? Weil Sharon sie mir überhaupt nicht offiziell angeboten hatte. Und warum nicht? Weil sie damit gerechnet hatte, dass jeder halbwegs vernünftige Mensch das Angebot sowieso angenommen hätte. Auch das schöne Wörtchen »Gehalt« war bis jetzt noch von keiner Seite gefallen. Fast hätte ich laut gelacht. Ob das eine besondere Taktik war? Man wartete, bis das Opfer nach einem besonders anstrengenden Tag im Tiefschlaf lag, um es dann mit einer lebensentscheidenden Neuigkeit zu überrumpeln? Oder wollte Sharon sich nur die Zeit und Mühe sparen, mich lange zu fragen? Sie arbeitete schließlich bei *Runway* und konnte davon ausgehen, dass ich sofort zugreifen würde. Und natürlich hatte sie Recht, wie alle bei Elias-Clark. Alles war so schnell gegangen, dass ich gar nicht dazu gekommen war, in mich zu gehen und meine Entscheidung gründlich zu überdenken, was sonst eigentlich eher meine Art war. Aber ich hatte selbst das Gefühl, dass ich diese Gelegenheit auf keinen Fall verpassen durfte. Vielleicht war *Runway* ja tatsächlich die erste Etappe auf dem Weg zum *New Yorker*. Ich musste zugreifen. Eine solche Riesenchance würde ich so schnell nicht noch einmal bekommen.

Von neuer Energie nur so strotzend, kippte ich den Rest von meinem Kaffee runter und gönnte mir eine schnelle, heiße Dusche. Dann brachte ich Alex, der inzwischen auch wach war, eine Tasse Kaffee ans Bett.

»Sag bloß, du bist schon angezogen«, staunte er und tastete nach seiner Nickelbrille, ohne die er praktisch blind war. »Hat heute Morgen jemand angerufen, oder war das bloß ein Traum?«

»Kein Traum«, sagte ich und schlüpfte in Jeans und Pulli noch einmal unter die Bettdecke. »Das war Lily. Die Personalabteilung von Elias-Clark hat sie aus dem Bett geschmissen. Und weißt du, was sie wollten? Dreimal darfst du raten.«

»Du hast den Job?«

»Ich hab den Job!«

»Komm in meine Arme, du Superfrau!« Er knuddelte mich. »Ich bin so stolz auf dich. Was für eine gute Nachricht am frühen Morgen!«

»Dann meinst du wirklich, ich soll es machen? Die haben mir überhaupt keine Zeit gelassen, mich zu entscheiden. Für sie war es selbstverständlich, dass ich annehme.«

»Das ist *die* Chance deines Lebens. Außerdem gibt es auf der Welt Schlimmeres als Mode. Wer weiß? Vielleicht findest du es sogar ganz interessant.«

Ich streckte ihm die Zunge raus.

»Okay, okay, das ist vielleicht ein bisschen zu viel verlangt. Aber mit *Runway* im Lebenslauf und einem Empfehlungsschreiben von dieser Miranda und womöglich sogar dem einen oder anderen Artikelchen stehen dir alle Möglichkeiten offen. Der *New Yorker* wird sich um dich reißen.«

»Dein Wort in Gottes Gehörgang.« Ich sprang aus dem Bett und stopfte meine Sachen in den Rucksack. »Und du leihst mir wirklich deine Mühle? Je schneller ich zu Hause bin, desto schneller bin ich auch wieder zurück. Obwohl das aber bald auch schon keine Rolle mehr spielt, denn: *Ich ziehe nach New York!* Das ist jetzt amtlich.«

Weil Alex zweimal in der Woche nach Hause fuhr, um auf seinen kleinen Bruder aufzupassen, wenn seine Mutter länger arbeiten musste, hatte sie ihm ihren alten Wagen geschenkt. Aber er brauchte ihn erst wieder am Dienstag, und bis dahin war ich längst zurück. Ich hatte meine Eltern an diesem Wochenende sowieso besuchen wollen, und nun würde ich sie auch noch mit einer guten Nachricht überraschen können.

»Aber klar. Du kannst die Kiste gerne haben. Sie steht in der Grand Street, kurz vor der nächsten Kreuzung. Die Schlüssel liegen auf dem Küchentisch. Rufst du mich an, wenn du da bist?«

»Logo. Und du willst wirklich nicht mitkommen? Denk an das Essen – du weißt doch, meine Mutter lässt sich nur das Beste ins Haus liefern.«

»Klingt verlockend. Ich würde gerne mitfahren, aber ich habe für morgen ein Treffen der jüngeren Kollegen organisiert. Vielleicht ist es gut für den Teamgeist, wenn wir uns mal außerhalb der Schule auf einen Drink zusammensetzen. Da muss ich auf jeden Fall hin.«

»Du Wohltäter der Menschheit, du. Wenn du nicht jeden Tag eine gute Tat tun kannst, fehlt dir was. Sei froh, dass ich dich liebe, sonst würde ich mich beschweren.« Ich gab ihm einen Abschiedskuss.

Nachdem ich seinen kleinen Jetta gefunden hatte, dauerte es nur noch 25 Minuten, bis ich auf der Autobahn war. Es war ein eiskalter Novembertag, auf den Nebenstraßen herrschte stellenweise Glatteis. Aber die Wintersonne schien, strahlte so hell vom Himmel, dass ich die Augen zusammenkneifen musste. Und die frische Winterluft tat mir gut. Ich fuhr trotz meiner noch feuchten Haare die ganze Strecke mit offenem Fenster und hörte mir den Soundtrack von *Almost Famous* an. Zwischendurch musste ich mir die Hände warmpusten, um überhaupt noch das Lenkrad halten zu können. Erst sechs Monate vom College runter, und schon stand ich in den Startlöchern zu einer Karriere. Miranda Priestly, bis gestern eine Fremde für mich, aber eine der mächtigsten Frauen in der Verlagslandschaft, hatte mich persönlich erwählt, für ihre Zeitschrift zu arbeiten. Jetzt hatte ich einen konkreten Grund, Connecticut zu verlassen und ganz allein und als echte Erwachsene nach Manhattan zu ziehen. Als ich in die Einfahrt meines Elternhauses einbog, konnte ich mich vor Vorfreude kaum noch beherrschen. Meine Wangen leuchteten vom Fahrtwind wie Apfelbäckchen, meine Haare sahen aus wie die vom Struwwelpeter, mein Gesicht war ungeschminkt. Aber in diesem Augenblick fühlte ich mich schön. Stürmisch riss ich die Haustür auf. So leicht und unbeschwert wie an jenem Tag habe ich mich seitdem nie wieder gefühlt.

»In einer Woche sollst du anfangen? Ich kann mir beim besten Willen nicht vorstellen, wie du das schaffen willst«, sagte meine Mutter und rührte in ihrer Tasse. Wir hatten es uns am Küchen-

tisch gemütlich gemacht. Wie immer trank Mutter entkoffei-
nierten Tee mit Süßstoff, ich hingegen hatte einen großen Becher englischen Breakfast-Tea mit Zucker vor mir. Obwohl ich
nun eigentlich schon seit vier Jahren nicht mehr richtig bei meinen Eltern wohnte, reichten ein Pott Tee aus der Mikrowelle
und eine Hand voll Erdnussbutterplätzchen, um mir das Gefühl
zu geben, nie von zu Hause ausgezogen zu sein.

»Irgendwie muss es gehen. Und ich kann noch froh sein,
dass ich überhaupt eine Woche rausgeschlagen habe. Du hättest
mal hören sollen, wie mir diese Sharon die Pistole auf die Brust
gesetzt hat«, sagte ich. Sie sah mich skeptisch an. »Es lässt sich
nun mal nicht ändern. Aber dafür habe ich mir auch einen Job
bei einer der einflussreichsten Frauen in der Zeitschriftenbranche geangelt. Einen Job, für den Millionen junger Frauen ihr
Leben geben würden.«

Wir lächelten uns an, aber es war ein Lächeln, das von Me-
lancholie durchzogen war. »Ich freue mich so für dich«, sagte sie.
»Was für eine wunderbare, erwachsene Tochter ich doch habe.
Schatz, ich beneide dich. Dir steht ein ungeheuer aufregender
Lebensabschnitt bevor. Wenn ich zurückdenke an die Zeit, als
ich mit dem College fertig war und nach New York gezogen bin.
Ganz allein in dieser großen, verrückten Stadt. Es war wahn-
sinnig spannend. Du musst alles auskosten, die Theaterstücke,
Filme, Menschen, Geschäfte und Bücher. Das wird die schönste
Zeit in deinem Leben, das weiß ich genau.« Sie war so ergriffen,
dass sie sogar meine Hand nahm, was ihr gar nicht ähnlich sah.
»Ich bin ja so stolz auf dich.«

»Danke, Mom. Bist du stolz genug, um mir ein Apartment,
Möbel und eine komplett neue Garderobe zu kaufen?«

»Aber sicher doch«, sagte sie und verpasste mir eine Kopfnuss.
Dann ging sie zur Mikrowelle, um uns noch zwei Tassen Tee auf-
zubrühen. Sie hatte zwar nicht nein gesagt, aber dass sie gleich
freudig ihr Scheckheft gezückt hätte, konnte man auch nicht gerade behaupten.

Den Rest des Abends verbrachte ich am Telefon und vor dem Computer. Ich verschickte E-Mails an alle, die ich kannte, und rief Leute an, mit denen ich zum Teil seit Monaten nicht mehr gesprochen hatte. Immer die gleiche Frage: ob jemand eine Mitbewohnerin suchte oder vielleicht von einem freien Zimmer gehört hatte. Immer das gleiche Ergebnis: Fehlanzeige. Wenn ich mich nicht auf ewig bei Lily einnisten oder doch noch dem armen Alex auf die Bude rücken wollte, blieb mir nichts anderes übrig, als erst mal irgendwo übergangsweise zur Untermiete einzuziehen, bis ich mich in der großen Stadt besser zurechtfand. Am besten wäre ein möbliertes Zimmer, damit ich mich nicht auch noch mit dem Möbelproblem herumschlagen musste.

Kurz nach Mitternacht klingelte das Telefon. Ich hechtete so überstürzt zum Apparat, dass ich fast aus meinem Jungmädchenbett gekippt wäre. An der Wand hing noch ein gerahmtes Autogrammfoto von meiner Kindheitsheldin Chris Evert, direkt unter der Pinnwand, die mit Zeitungsartikeln über Kirk Cameron zugepflastert war. Ich musste schmunzeln.

»Hi, Champ. Ich bin's, Alex.« Seine Stimme verriet mir gleich, dass er eine Neuigkeit für mich hatte. Nur wusste man bei ihm leider nie, ob es eine gute oder eine schlechte war. »Ich habe gerade eine E-Mail bekommen, dass eine Claire McMillan eine Mitbewohnerin sucht. Sie hat in Princeton studiert. Ich glaube, ich habe sie mal kennen gelernt. Sie geht mit Andrew. Scheint ganz normal zu sein, nicht durchgeknallt oder irgendwie abgedreht. Was meinst du?«

»Warum nicht? Hast du ihre Telefonnummer?«

»Nein, nur die E-Mail-Adresse. Aber ich leite ihre Mail an dich weiter, dann kannst du dich selbst mit ihr in Verbindung setzen. Ich glaube, sie wäre die Richtige.«

Während ich mich noch ein bisschen mit Alex unterhielt, schickte ich schon die Mail an diese Claire los. Dann konnte ich endlich in meinem eigenen Bett einschlafen. Mit ein bisschen Glück hatte sich die Wohnungsfrage schon von selbst gelöst.

Pech gehabt: Mit Claire McMillan wurde es nichts. Ihre Wohnung war ein dunkles, deprimierendes Loch in einer nicht gerade einladenden Wohngegend. Als ich zur Besichtigung kam, hockte ein Junkie auf der Treppe. Auch sonst sah es nicht viel besser aus. Ein Angebot kam von einem Pärchen, das gleich durchblicken ließ, dass ich mich bei ihnen auf permanente und lautstarke Bettakrobatik gefasst machen müsste. Ein anderes von einer Künstlerin um die 30, die vier Katzen hatte und sich sehnlichst noch ein paar mehr wünschte. Ein Zimmer lag am Ende eines langen, finsteren Korridors und hatte weder Fenster noch Schrank. Und dann war da noch der 24-jährige Schwule »in seiner schlampigen Phase«, wie er selbst sagte. Nein, danke. Jede Bude, die ich mir ansah, sollte im Monat weit über 1000 Dollar kosten, und mein Gehalt belief sich auf sagenhafte 32 500 (im Jahr!). Obwohl ich noch nie ein Mathegenie gewesen war, konnte sogar ich mir leicht ausrechnen, dass allein die Miete davon mehr als 12 000 verschlingen und der Rest fürs Finanzamt draufgehen würde. Ach ja, und dann hatten mir Mom und Dad auch noch meine nur für Notfälle gedachte Kreditkarte abgeknöpft. Schließlich war ich jetzt erwachsen. Sollte auf meinen eigenen Füßen stehen. Super.

Nach drei Tagen Frust war es dann Lily, die einen Volltreffer landete. Da sie ein gewisses Eigeninteresse hatte, mich von ihrer Couch hinunterzubefördern, schickte sie eine Rundmail an alle Freunde und Bekannten, ob nicht jemand ein Zimmer für mich wüsste. Über drei Ecken erfuhr ich schließlich von zwei jungen Frauen, Shanti und Kendra, die auf der Upper East Side eine Mitbewohnerin suchten. Das Zimmer entpuppte sich als winzige Kammer, hatte aber wenigstens ein Fenster und einen Kleiderschrank und sogar eine schicke Backsteinwand. Für 800 Dollar im Monat. Es gab Küche und Bad, aber natürlich weder einen Geschirrspüler noch eine Wanne oder gar einen Lift. Na ja, wenn man das erste Mal allein wohnt, kann man natürlich kein Luxusapartment erwarten. Shanti und Kendra waren zwei liebe, stille Inderinnen, die gerade ihr Studium beendet hatten, bei einer Investmentbank arbeiteten und sich so ähnlich sahen wie ein Ei dem anderen. Jedenfalls konnte ich sie vom ersten bis zum letzten Tag nicht auseinander halten. Egal. Ich hatte ein Zuhause.

4 Auch nach drei Tagen in meiner neuen Bleibe kam ich mir noch immer wie eine Fremde in der Fremde vor. Das Zimmer war wirklich wahnsinnig winzig. Vielleicht eine Spur größer als der Geräteschuppen meiner Eltern, aber nicht viel. Darüberhinaus schrumpfte es noch einmal um die Hälfte, nachdem ich es eingerichtet hatte. Denn unerfahren wie ich war, hatte ich es bei der Besichtigung für einigermaßen normalgroß gehalten und beschlossen, mir ein Doppelbett, eine Kommode und vielleicht auch noch ein, zwei Nachtschränkchen zu kaufen. Lily und ich waren mit Alex' Wagen zu Ikea gedüst und hatten wunderschöne, helle Massivholzmöbel erstanden und einen Webteppich in den unterschiedlichsten Schattierungen von Hellblau, Dunkelblau, Königsblau und Indigo. Genau wie Mode zählte auch Innenausstattung nicht gerade zu meinen besonderen Stärken: Ich glaube, Ikea war gerade in seiner »Blauen Phase«. Wir kauften einen Bettbezug mit einem blauen Tupfenmuster und den kuscheligsten Überwurf, den wir kriegen konnten. Dann überredete Lily mich noch zu einem chinesisch angehauchten Nachttischlämpchen, und ich suchte mir ein paar gerahmte Schwarzweißbilder aus, die mir zu dem schlichten, dunklen Rot meiner so hoch gepriesenen Backsteinwand zu passen schienen. Elegant und leger, mit einer Prise Zen. Perfekt für mein erstes eigenes Zimmer in der Großstadt.

Perfekt zumindest so lange, bis die Sachen geliefert wurden. Ein Zimmer besichtigen ist anscheinend nicht ganz das Gleiche wie ein Zimmer ausmessen. Nichts passte. Nachdem Alex das

Bett zusammengebaut und an die nackte Backsteinwand geschoben hatte, war der Raum voll. Ich musste die Möbelpacker mit der Kommode, den süßen Nachttischchen und sogar mit dem großen Spiegel wieder zurückschicken. Immerhin gelang es Alex und den Packern, das Bett anzuheben, so dass ich den Teppich darunterlegen konnte. Unter dem hölzernen Monstrum lugte auf jeder Seite tatsächlich noch eine Handbreit Blau hervor. Da das chinesische Lämpchen nun weder auf einem Nachttisch noch auf der Kommode stehen konnte, parkte ich es einfach auf dem Fußboden, wo es zwischen dem Bettgestell und der Schiebetür des Wandschranks sage und schreibe fünfzehn Zentimeter Platz fand. Beim Aufhängen der Schwarzweißbilder versagte ich kläglich. Obwohl ich es mit Hammer und Nagel probierte, mit Isolierband, Schrauben, Drähten, Leim und doppelseitigem Klebeband, bekam ich sie nicht an die Wand. Nachdem ich mich drei Stunden lang damit herumgequält und mir die Fingerknöchel blutig geschürft hatte, kapitulierte ich und stellte sie auf die Fensterbank. Eigentlich die ideale Lösung. So konnte ich der Frau von gegenüber, die circa zwei Meter von mir entfernt auf der anderen Seite des Lichtschachts wohnte, ein bisschen die Sicht auf mein kleines Reich versperren.

Aber eigentlich spielte sowieso alles keine Rolle. Es war mir egal, dass ich nur in einen Lichtschacht gucken konnte, statt die Aussicht auf die New Yorker Skyline zu genießen, dass ich keine Kommode und damit auch keine Schubladen besaß oder dass in den winzigen Wandschrank gerade mit Ach und Krach ein Wintermantel hineinpasste. Es war mein Zimmer, und ich hatte es ganz allein nach meinem Geschmack eingerichtet, ohne dass mir meine Eltern oder irgendwelche Mitbewohner dreinreden konnten. Kurz gesagt: Ich war vernarrt in eine Besenkammer.

Am Abend vor meinem ersten Arbeitstag beschäftigte mich nur ein einziger Gedanke: Was sollte ich am nächsten Morgen bloß anziehen? Kendra schaute ab und zu herein und fragte freundlich, ob sie mir vielleicht helfen könnte. Da sie und ihre Freundin jeden Tag im ultrakonservativen Kostümchen in die Bank stöckelten, verzichtete ich lieber dankend auf ihre modischen Ratschläge. Ich tigerte im Wohnzimmer auf und ab – falls von »tigern« überhaupt die Rede sein kann, wenn man höchstens vier Schritte Platz hat – und zergrübelte mir das Hirn. Was trug man an seinem ersten Arbeitstag bei der schicksten Herausgeberin der schicksten Modezeitschrift der Welt? Dass ich schon einmal etwas von Prada, Louis Vuitton und – logisch – auch von Gucci gehört hatte, half mir leider nicht viel weiter, da ich natürlich kein einziges Designerstück aus diesen Häusern mein eigen nannte. (Im Gegensatz zu meinen Großmüttern, die Handtaschen von Louis Vuitton spazieren trugen, ohne auch nur zu ahnen, wie cool die Dinger waren.) Ich tigerte wieder auf mein Zimmer – beziehungsweise in meine Schlaflandschaft – und schmiss mich auf das schöne große Bett, wobei ich natürlich voll mit dem Fußknöchel gegen das Bettgestell knallte. Aua.

Nach vielem Hin und Her entschied ich mich schließlich für einen hellblauen Pullover, einen knielangen schwarzen Rock und die halbhohen schwarzen Stiefel. Da meine Aktentasche beim Vorstellungsgespräch nun nicht gerade der große Hit gewesen war, nahm ich jetzt eine schwarze Leinenhandtasche. Das letzte Bild, das ich von jenem Abend noch vor Augen habe, zeigt mich, wie ich im Rock, aber ohne Bluse in hochhackigen Stiefeln um das Bett stakse.

Irgendwann muss ich wohl vor lauter Nervosität eingeschlafen sein. Um 5:30 Uhr schreckte ich hoch. Wie von der Tarantel gestochen sprang ich aus dem Bett. Mir blieben genau anderthalb Stunden, um zu duschen, mich anzuziehen und mich mit den öffentlichen Verkehrsmitteln bis zum Elias-Clark-Building durchzuschlagen, eine Vorstellung, die mir immer noch nicht ganz geheuer war. Allein eine Stunde musste ich für die Fahrt einplanen. Für alles andere – anziehen und aufdonnern – hatte ich noch genau 30 Minuten.

Die Dusche war ein Albtraum. Sie gab ein schrilles Pfeifen und die ganze Zeit nur lauwarmes Wasser von sich. Erst als ich fertig war und gerade in das eiskalte Badezimmer hinaustreten wollte, überlegte sie es sich doch noch anders und hätte mich fast verbrüht. Es dauerte drei Tage, bevor ich das ideale morgendliche Badezimmermanöver ausgetüftelt hatte: Ich sprang aus dem Bett, drehte die Dusche auf volle Pulle, schlüpfte noch einmal für eine Viertelstunde unter die Decke und döste weiter, dreimal vom Schrillen des Weckers unterbrochen. Wenn ich mich dann zur zweiten Runde ins Badezimmer traute, war der Spiegel beschlagen und aus der Dusche kam herrlich heißes Wasser – wenn auch leider nur als lahmes Plätschern.

Ich schmiss mich in Schale und stand 25 Minuten nach dem Aufstehen vor dem Haus – eine persönliche Bestleistung. Anschließend dauerte es bloß zehn Minuten, bis ich die nächste U-Bahn-Station gefunden hatte. Natürlich hätte ich den Weg spätestens am Vorabend einmal abgehen müssen, aber ich war viel zu stolz gewesen, diesen Rat meiner Mutter zu befolgen. Und zum Vorstellungsgespräch vor einer Woche war ich mit dem Taxi gefahren. Vor dem U-Bahn-Labyrinth graute mir nämlich. Aber ich hatte Glück: In der Infobox hockte tatsächlich eine Mitarbeiterin, die des Englischen mächtig war und mir erklären konnte, mit welchem Zug ich bis zu welcher Station fahren musste, um in die 59. Straße zu kommen. Ich sollte in Fahrtrichtung rechts aussteigen und wäre dann nach der übernächsten Kreuzung am Ziel. Ein Kinderspiel. Ich stieg ein, die Bahn war fast leer. Außer mir war kaum einer so verrückt, Mitte November zu nachtschlafender Zeit durch die Stadt zu gondeln. So weit, so gut – alles kein Problem, bis es ans Aussteigen ging.

An der Oberfläche empfing mich ein kaltes, trübes Dunkel, nur erleuchtet vom Licht einiger mexikanischer Läden, die rund um die Uhr geöffnet hatten. Hinter mir das Kaufhaus Bloomingdale's, aber ansonsten war mir alles fremd. Elias-Clark. Elias-

Clark. Elias-Clark. Wo steckst du bloß? Ich drehte mich einmal um die eigene Achse und entdeckte ein Straßenschild: 60. Straße. Okay, von der 60. konnte es bis zur 59. nicht allzu weit sein. Die Frage war bloß, in welche Richtung? Mir kam nichts, aber auch gar nichts bekannt vor, schließlich hatte ich mich letzte Woche direkt vor dem Eingang absetzen lassen. Na, wenigstens hatte ich zeitlich genug Spielraum, um mich gründlich zu verlaufen. Ich ging ein paar Schritte weiter, bis ich vor einem Imbiss stand. Natürlich, erst mal brauchte ich einen Kaffee.

»Entschuldigen Sie bitte. Ich suche das Elias-Clark-Building. Könnten Sie mir vielleicht sagen, wie ich dahin komme?«, fragte ich den nervösen Mann hinter der Kasse. Ich verkniff mir ein allzu freundliches Lächeln, da mir alle, die New York kannten, dringend eingeschärft hatten, bloß nicht zu vergessen, dass ich nicht mehr in der Provinz war. Hier reagierten die Einheimischen auf nettes Benehmen misstrauisch. Der Mann musterte mich finster. Vielleicht hielt er mich für unhöflich. Was sollte ich machen? Ich strahlte ihn an.

»Ein Dollar«, sagte er und streckte die Hand aus.

»Heißt das, ich soll für die Auskunft bezahlen?«

»Ein Dollar, Milch oder schwarz. Was haben?«

Ich starrte ihn einen Augenblick verständnislos an, bis es mir dämmerte. Er beherrschte nur so viel Englisch, dass es für ein Gespräch über Kaffee reichte. »Mit Milch, danke.« Ich zahlte und ging wieder hinaus. Noch ratloser als vorher fragte ich Zeitungsverkäufer, Straßenfeger und einen Mann an einem Imbissstand nach dem Weg, aber keiner verstand mich gut genug, um mir auch nur die richtige Richtung zeigen zu können. Ich fühlte mich fast nach Delhi zurückversetzt. Trotzdem ließ ich mich nicht entmutigen. *Ich werde es finden*, dachte ich.

Nachdem ich ein paar Minuten durch das allmählich erwachende Geschäftsviertel geirrt war, fand ich mich plötzlich vor dem Elias-Clark-Building wieder. Hinter dem verglasten Eingang lag die beleuchtete Lobby, warm und einladend an diesem düsteren Novembermorgen. Aber als ich durch die Drehtür wollte, rührte sie sich nicht vom Fleck. Ich schob und drückte, doch es tat sich nichts. Erst als ich schon fast mit der Nase am Glas klebte, setzte sie sich in Bewegung, anfangs noch zögerlich, im nächsten Augenblick schon so schnell, dass ich von der Trennscheibe hinter mir einen Schubs bekam und fast kopfüber in die Lobby katapultiert worden wäre. Ich stolperte über meine eigenen Beine und hätte um ein Haar das Gleichgewicht verloren. Ein übergewichtiger Wachmann, der hinter der Absperrung hockte, amüsierte sich köstlich über meinen alles andere als würdevollen Auftritt.

»Fies, was? Sie sind nicht die Erste, der das passiert, und Sie werden auch garantiert nicht die Letzte sein«, lachte er, dass seine Hängebacken schwabbelten. »Da haben wir Sie aber echt kalt erwischt, was?«

Bei mir war es Antipathie auf den ersten Blick. Aber da die Abneigung offenbar auf Gegenseitigkeit beruhte, ließ ich mich nicht aus der Ruhe bringen und lächelte ihn freundlich an.

»Mein Name ist Andrea Sachs«, sagte ich, zog meinen Strickfäustling aus und gab ihm die Hand. »Ich bin Miranda Priestlys neue Assistentin.«

Er schüttete sich aus vor Lachen. »Miranda Priestlys neue Assistentin, hä? Ha! Ha! Ha! He, Eduardo, guck mal, was wir hier haben. Mirandas neue Sklavin! Wo kommen Sie denn her, Schätzchen? Vom Mond? Oder aus Kansas? Ich glaub's nicht, eine echte Unschuld vom Lande. So was wie Sie verspeist Miranda Priestly doch mit Haut und Haaren zum Frühstück. Ha, ha, ha!«

Bevor mir eine passende Antwort einfiel, kam sein Kollege zu uns herüber. Ich machte mich auf weitere Gemeinheiten gefasst, aber es kam nichts. Stattdessen sah er mich nur freundlich interessiert an.

»Ich heiße Eduardo«, stellte er sich vor. »Und dieser Scherzkeks hier ist Mickey. Hören Sie nicht auf ihn. Er will Sie bloß ärgern«, fuhr er mit seinem spanischen Akzent fort, während er in einem Anmelderegister blätterte. »Füllen Sie mir bitte diese Angaben aus, dann gebe ich Ihnen einen vorläufigen Ausweis. Richten Sie denen oben aus, dass Sie von der Personalabteilung eine Karte mit Foto brauchen.«

Ich muss wohl ein sehr dankbares Gesicht gemacht haben, denn er wurde plötzlich verlegen und schob mir das Register über die Theke zu. »Also dann, tragen Sie sich ein. Und viel Glück für Ihren ersten Tag. Sie werden es brauchen, Kindchen.«

Inzwischen war ich viel zu nervös und erschöpft, um auf seine kryptische Bemerkung einzugehen. Außerdem konnte ich mir halbwegs denken, worauf er hinauswollte. Bei aller Hektik der letzten Woche hatte ich mir nämlich die Zeit genommen, etwas mehr über meine neue Chefin in Erfahrung zu bringen. Bei meinen Recherchen im Internet hatte ich zu meiner Überraschung herausgefunden, dass Miranda Priestly als Miriam Princhek im Londoner East End das Licht der Welt erblickt hatte. Ihre Familie unterschied sich in nichts von anderen jüdisch orthodoxen Familien der Stadt: bettelarm und gottesfürchtig. Ihr Vater nahm zwar hin und wieder einen Aushilfsjob an, brachte aber ansonsten die meiste Zeit damit zu, jüdische Schriften zu studieren, so dass die Familie auf die Unterstützung durch die Gemeinde angewiesen war. Da die Mutter bei Miriams Geburt gestorben war, wurden die Kinder von ihrer Großmutter mütterlicherseits großgezogen. Insgesamt waren es elf Geschwister. Die meisten folgten dem Beispiel des Vaters, schlugen sich mit Gelegenheitsarbeiten durch und widmeten sich dem Studium frommer Texte. Einige schafften es bis auf die Uni. Sie studierten, heirateten jung und gründeten ihre eigenen Großfamilien. Miriam war die einzige, die aus der Familientradition ausscherte.

Miriam sparte das Geld, das ihr die älteren Geschwister hin und wieder zusteckten, und brach drei Monate vor dem Abitur die Schule ab, um bei einem aufstrebenden jungen Designer als Assistentin anzufangen. Nach wenigen Jahren hatte sie sich zum

Darling der Londoner Modeszene gemausert. Abends paukte sie Französisch, bekam bei der französischen Modezeitschrift *Chic* eine Stelle als Redaktionsassistentin und zog nach Paris. Mit ihrer Familie hatte sie zu dieser Zeit kaum noch etwas zu tun. Die Lebensverhältnisse waren einfach zu unterschiedlich. Ihr Vater und ihre Geschwister hatten kein Verständnis für ihre Ziele, und sie schämte sich ihrer biederen, frommen Herkunft. Die endgültige Abnabelung von der Familie kam kurz nach dem Umzug nach Paris, als aus der 24-jährigen Miriam Princhek Miranda Priestly wurde. Mit ihrem alten Namen legte sie auch ihren derben Cockney-Akzent ab und trainierte sich eine kultivierte, gebildete Aussprache an. Mit Ende 20 hatte Miranda die Verwandlung vom jüdischen Arbeiterkind zur Society-Lady vollendet. Ihr Aufstieg in der Welt der Modezeitschriften war nicht mehr zu stoppen.

Zehn Jahre lenkte sie die Geschicke der französischen *Runway*, bevor sie von Elias-Clark auf den Posten der Herausgeberin der amerikanischen Ausgabe berufen wurde – die Erfüllung eines Lebenstraums. Sie zog mit ihren beiden Töchtern und ihrem damaligen Ehemann, einem Rockstar, der in Amerika Fuß fassen wollte, in eine Penthouse-Wohnung in der Fifth Avenue. Für *Runway* begann eine neue Ära: die Priestly-Jahre, von denen nun schon fast sechs ins Land gegangen waren.

Ich hatte mehr Glück als Verstand: Mir blieb fast ein ganzer Monat, bevor Miranda wieder im Büro zurückerwartet wurde. Wie immer um diese Jahreszeit war sie für vier Wochen verreist. Normalerweise hielt sie sich eine Zeit lang in ihrer Londoner Wohnung auf, aber in diesem Jahr hatte sie Mann und Töchter für zwei Wochen in die Dominikanische Republik geschleift, in die Villa von Oscar de la Renta. Anschließend wollte sie Weihnachten und Neujahr im Pariser Ritz feiern. Dass sie nicht in New York war, bedeutete allerdings nicht, dass sie nicht arbeitete. Sie war zwar technisch »im Urlaub«, praktisch aber jederzeit erreichbar, und das Gleiche hatte natürlich auch für ihre

Mitarbeiter zu gelten. Um Miranda mit meinen unvermeidlichen Anfängerfehlern zu verschonen, sollte ich in Abwesenheit ihrer Majestät angelernt und in meine Aufgaben eingewiesen werden. Nachdem ich mich in Eduardos Register eingetragen hatte, ging ich durch das Drehkreuz und betrat um Punkt sieben die heiligen Hallen. »Kopf hoch!«, rief Eduardo mir noch nach, bevor sich die Fahrstuhltür hinter mir schloss.

Emily, die in ihrem zerknitterten weißen T-Shirt und der hypertrendigen Cargohose einen alles andere als eleganten Eindruck machte, erwartete mich am Empfang. Einen Becher Starbucks-Kaffee in der Hand, die Stöckelschuhe auf Glastischchen, blätterte sie in der druckfrischen *Runway*-Ausgabe. Durch den T-Shirt-Stoff zeichnete sich deutlich ein schwarzer Spitzen-BH ab. Ihr Lippenstift war ein wenig verschmiert, und das wellige rote Haar hing ihr zerstrubbelt bis auf die Schultern. Alles in allem sah sie so aus, als ob sie die letzten 72 Stunden im Bett verbracht hatte.

»Tag«, murmelte sie und musterte mich prüfend. »Schöne Stiefel.«

Mein Herz klopfte. Ein Kompliment! Ob sie es ernst meinte? Oder war es Sarkasmus? Ihr Ton verriet nichts. Meine Füße taten weh, meine Zehen fühlten sich an wie abgeschnürt, aber wer schön sein und von einer *Runway*-Mitarbeiterin Komplimente einheimsen wollte, der musste vermutlich leiden.

Emily schwang die Beine vom Tisch und seufzte dramatisch. »Na, dann wollen wir mal. Du hast wirklich Glück, dass sie zurzeit nicht da ist«, sagte sie. »Was natürlich nicht heißen soll, dass sie keine tolle Frau ist«, fügte sie blitzschnell hinzu. Das war meine erste Begegnung mit dem klassischen *Runway*-Rückzieher, den ich noch so gut kennen lernen würde. Sobald einer Klapperschnepfe ein Wort der Kritik über die Lippen kam – und sei es auch noch so berechtigt –, bekam sie Panik, dass Miranda davon erfuhr, und ruderte hektisch zurück.

Emily zog ihre Ausweiskarte durch das elektronische Lesegerät, und dann schritten wir schweigend durch die langen Korridore bis zu Mirandas Büro-Suite. Sie öffnete die Flügeltür zum Vorzimmer und deponierte ihre Tasche und ihren Mantel auf einem der beiden Schreibtische. »Du sitzt da drüben«, sagte sie und zeigte auf den zweiten. Auf dem glatten, L-förmigen Schreibtisch standen ein nagelneuer türkisfarbener iMac-Computer, ein Telefon und ein paar Ablagekörbe. In den Schubladen lagen Stifte, Büroklammern und Notizbücher. »Ich hab dir meine alten Sachen einfach dringelassen. Es ist einfacher, wenn ich das neue Büromaterial nur für mich bestelle.«

Emily war gerade zur Seniorassistentin befördert worden und hatte ihren Platz als Juniorassistentin für mich geräumt. Sie erklärte mir, dass sie nach zwei Jahren als Mirandas Chefassistentin direkt in die Moderedaktion bei *Runway* überwechseln würde. Die dreijährige Assistentinnenlaufbahn sei eine todsichere Garantie für eine Karriere in der Modewelt. Ich klammerte mich lieber an die Hoffnung, dass mein Jahr als Mädchen für alles für eine Stelle beim *New Yorker* ausreichen würde. Emilys Vorgängerin Allison, die bereits ihren neuen Posten in der Beauty-Abteilung angetreten hatte, war nun dafür verantwortlich, neue Make-ups, Feuchtigkeitscremes und Haarprodukte zu testen und darüber zu schreiben. Ich konnte mir zwar nicht vorstellen, wie sie sich als Assistentin für diese Aufgabe qualifiziert haben sollte, war aber trotzdem beeindruckt. Das Versprechen wurde gehalten: Wer für Miranda arbeitete, machte seinen Weg.

Die übrigen Mitarbeiter trudelten gegen zehn Uhr ein, insgesamt etwa 50 allein aus der Redaktion. Das größte Ressort war natürlich »Fashion« mit fast 30 Beschäftigten, darunter auch die vielen Ausstattungsassistentinnen. Features, Beauty und Art rundeten das Bild ab. Fast alle schauten kurz bei Emily herein, um mit ihr zu plaudern, sich den neuesten Klatsch über ihre Chefin anzuhören und die neue Kollegin zu beschnuppern. An meinem ersten Morgen lernte ich Dutzende von Leuten kennen, die mich mit perfektem Strahlegebiss anlächelten und sich tatsächlich für mich zu interessieren schienen.

Die Männer waren schwul und zeigten es auch. Sie steckten in knallengen Lederhosen und Rib-Shirts, die sich wie eine zweite Haut über ihren durchtrainierten Muskeln und Waschbrettbäuchen spannten. Der Art Director, ein älterer Mann mit champagnerblondem, etwas spärlichem Haar, der so aussah, als ob er Elton John nacheiferte, trug Halbschuhe aus Kaninchenfell – und hatte die Augen mit Eyeliner geschminkt! Niemand verlor auch nur ein Wort darüber. Von den Schwulen aus meinem Bekanntenkreis hätte es keiner gewagt, in einem derartig ausgeflippten Aufzug herumzulaufen. Es war, als wäre man vom Ensemble einer schwulen Seifenoper umgeben – nur natürlich in besseren Kostümen.

Die Frauen – beziehungsweise die »Girls« – waren eine schöner als die andere. Zum Anbeißen. Die meisten schienen um die 25 zu sein, kaum eine auch nur einen Tag älter als 30. Zwar trugen fast alle einen dicken Klunker am Ringfinger, das Abzeichen der Ehefrau, aber es schien undenkbar, dass auch nur eine von ihnen ein Kind in die Welt gesetzt hatte – oder sich irgendwann Nachwuchs zulegen würde. Sie glitten graziös herein, schwebten auf ihren Zehn-Zentimeter-Absätzen zu meinem Schreibtisch, streckten mir milchweiße Hände mit manikürten langen Nägeln hin und stellten sich vor als: »Jocelyn, ich arbeite mit Hope zusammen«, »Nicole aus dem Moderessort« oder »Stef, die für die Accessoires zuständig ist«. Nur eine einzige, Shayna, war unter 1,80 Meter dabei aber so mädchenhaft zart gebaut, dass man das Gefühl hatte, jeder Zentimeter extra hätte sie erdrückt. Keine der Frauen brachte mehr als 50 Kilo auf die Waage.

Während ich auf meinem Drehstuhl hockte und versuchte, mir die vielen Namen einzuprägen, kam plötzlich das schönste Mädchen des Tages hereingeweht – eine Erscheinung aus einer anderen Welt. Sie trug einen roséfarbenen Kaschmirpullover, der so aussah, als hätte man die Wolle dafür aus Schäfchenwolken gesponnen. Über ihren Rücken ergoss sich eine schlohweiße Haarpracht. So dünn wie sie war, war es erstaunlich, dass sie sich überhaupt aufrecht halten konnte, dabei bewegte sie sich mit der kraftvollen Anmut einer Tänzerin. Ihr Wangen leuchteten rosig, und ihr mehrere Karat schwerer, lupenreiner Verlobungsring funkelte hell wie ein Stern. Ich konnte die Augen kaum davon losreißen. Als ob sie mir meine Begeisterung ansah, hielt sie mir den Diamanten unter die Nase.

»Selbst entworfen«, verkündete sie mit einem stolzen Blick auf ihre Hand. Ich sah fragend zu Emily hinüber, doch die hing mal wieder am Telefon, gerade jetzt, wo ich eine kleine Erklärung gut hätte gebrauchen können, mit wem ich es hier zu tun hatte. Ich dachte, die Frau meinte den Ring, doch da fuhr sie auch schon fort: »Ist das nicht eine fantastische Farbe? Eine Lage Marshmallow und eine Lage Ballet Slipper. Eigentlich kam zuerst Ballet Slipper und dann zum Abschluss ein Decklack. Einfach perfekt – so hell und ohne dass es aussieht, als hätte man sich die Nägel mit White Out lackiert. Ich glaube, die Mischung nehme ich jetzt immer, wenn ich zur Maniküre gehe.« Damit machte sie auf dem Absatz kehrt und flanierte wieder hinaus. *Ganz meinerseits. Erfreut, Ihre Bekanntschaft gemacht zu haben*, schickte ich ihr als stummen Gruß hinterher.

Es hatte Spaß gemacht, meine Kollegen kennen zu lernen, alle wirkten nett und freundlich. Nur auf die bildschöne Spinnerin mit dem Nagellacktick hätte ich zur Not verzichten können. Emily war den ganzen Vormittag nicht von meiner Seite gewichen. Sie nutzte jede Gelegenheit, mich in die Feinheiten meiner neuen Stellung einzuweisen. Sie erklärte mir, wer wirklich wichtig war, wen man nicht vergrätzen durfte und mit wem man sich unbedingt anfreunden sollte, weil er die besten Partys schmiss. Als ich ihr von meiner Begegnung mit Miss Maniküre erzählte, strahlte sie.

»Ach!«, hauchte sie hingerissen. So begeistert hatte sie bis jetzt noch auf keinen unserer Besucher reagiert. »Ist sie nicht entzückend?«

»Ja, doch. Schien ganz okay zu sein. Aber viel geredet habe ich nicht mit ihr. Sie hat mir bloß ihren Nagellack gezeigt.«

Emily lächelte stolz. »Ja, ja. So kennt man sie.«

Ich zermarterte mir das Hirn. War sie vielleicht ein berühmter Filmstar, eine Sängerin oder ein Model? Aber ich konnte sie nicht einordnen. Toll, sie war also berühmt! Vielleicht hatte sie sich deshalb nicht vorgestellt, weil sie dachte, ich würde sie sowieso erkennen. Doch da hatte sie sich leider verrechnet. »Keine Ahnung, wer sie ist. Müsste man sie kennen? Ist sie prominent?«

Emily starrte mich an. In ihrem Blick mischten sich Staunen und Entsetzen. »Kann man wohl sagen«, antwortete sie mit einer Betonung, als ob sie sagen wollte: *Du Schwachsinnige.* »Das war Jessica Duchamps.« Sie sah mich gespannt an. Ich sah sie gespannt an. Aber es kam nichts, weder von ihr noch von mir. »Du hast doch sicher schon mal etwas von Jessica Duchamps gehört?« Wieder ging ich im Geiste verschiedene Promilisten durch. Fehlanzeige. Auch mit dieser neuen Information konnte ich nicht das Geringste anfangen. Ich wusste bloß, dass ich dem Namen noch nie im Leben begegnet war. Außerdem ödete mich Emilys Ratespielchen langsam an.

»Emily, ich habe die Frau noch nie gesehen, und ihr Name sagt mir auch nichts. Würdest du mir bitte verraten, wer sie ist?« Ich musste mich zusammennehmen, damit ich nicht aus der Haut fuhr. Dabei interessierte es mich im Grunde nicht die Bohne, wer die Nagellackfetischistin war, aber Emily würde bestimmt nicht eher lockerlassen, bis sie mich als komplette Vollidiotin hingestellt hatte.

Diesmal lächelte sie herablassend. »Aber natürlich. Warum hast du das denn nicht gleich gesagt? Jessica Duchamps ist … eine Duchamps! Hast du sicher schon mal gehört, das erfolgreichste französische Restaurant in ganz New York! Es gehört ihren Eltern. Ist das nicht toll? Sie sind wahnsinnig reich.«

»Ach ja?« Ich tat beeindruckt. War das etwa schon alles? Man musste diese Frau also deshalb kennen, weil ihre Eltern ein Restaurant betrieben? »Ist ja super.«

Ich lernte auch telefonieren. Obwohl mir die Standardfloskel »Büro Miranda Priestly« schon bald recht flüssig über die Lippen ging, war Emily nicht die Einzige, die Angst davor hatte, es könnte womöglich ein Anruf von Miranda persönlich kommen. Einmal geriet ich tatsächlich in Panik, als ich eine Frau mit einem starken britischen Akzent am Apparat hatte, die ihren Namen nicht nannte und irgendetwas Unverständliches von mir wollte. Kopflos warf ich Emily das schnurlose Telefon hinüber, obwohl ich das Gespräch auch einfach zu ihr hätte durchstellen können.

»Das ist sie«, flüsterte ich gepresst. »Rede du mit ihr.«

Und nun kam ich zum ersten Mal in den Genuss des Blickes, den Emily speziell für mich auf Lager hatte – eine Mischung aus Genervtheit und Mitleid zu gleichen Teilen.

»Miranda? Emily am Apparat.« Ein strahlendes Lächeln verbreitete sich auf ihrem Gesicht, als ob unsere Chefin jeden Augenblick durch den Hörer kommen würde. Schweigen. Ein Stirnrunzeln. »Ach, Mimi, Sie müssen schon entschuldigen! Unsere Neue dachte, Sie wären Miranda! Ja, ich weiß, zum Schießen. Die nächste Lektion: Nicht jeder britische Akzent bedeutet, es ist Miranda!« Sie sah mich vielsagend an und zog ihre stark gelichteten Augenbrauen noch eine Etage höher.

Während sie mit der Anruferin plauderte, nahm ich weitere Gespräche an und schrieb mir die Namen der Leute auf, die sie anschließend zurückrief, nur unterbrochen von Kommentaren über den Rang, den sie in Mirandas Leben bekleideten – so sie denn einen hatten. Gegen Mittag machte sich mit einem leisen Grollen mein Magen bemerkbar. Als ich zum x-ten Mal den Hörer abnahm, schnarrte mir ein britischer Akzent entgegen.

»Hallo, Allison? Sind Sie das?«, fragte eine eisige, aber königliche Stimme. »Ich brauche einen Rock.«

Erschrocken hielt ich die Sprechmuschel zu. »Emily, sie ist es. Diesmal ist sie es wirklich«, zischte ich und fuchtelte mit dem Hörer, um sie auf mich aufmerksam zu machen. »Sie braucht einen Rock!«

Emily drehte sich um, sah mein panisches Gesicht und legte sofort auf. Für ein »Ich rufe zurück« oder auch nur ein »Auf Wiedersehen« blieb keine Zeit. Sie stellte sich Miranda auf ihren Apparat durch und setzte als Erstes wieder ihre Strahlemaske auf.

»Miranda? Emily hier. Was kann ich für Sie tun?« Sie angelte sich ihren Stift und machte sich mit tief gerunzelter Stirn Notizen. »Ja, gewiss. Selbstverständlich.« Und dann war es auch schon wieder vorbei. Ich sah sie fragend an.

»Es sieht ganz so aus, als ob wir die erste Aufgabe für dich hätten. Miranda braucht unter anderem für morgen einen Rock. Das heißt für uns, er muss spätestens heute Abend an Bord einer Maschine in die Dominikanische Republik sein.«

»Okay, und was für einen Rock will sie haben?«, fragte ich entgeistert. Ich konnte es nicht fassen, dass sie nur mit den Fingern zu schnippen brauchte, um sich einen Rock einfliegen zu lassen.

»Darüber hat sie sich nicht näher ausgelassen«, murmelte Emily und griff zum Telefonhörer.

»Hi, Jocelyn. Ich bin's. Sie braucht einen Rock. Mrs. de la Renta nimmt ihn ihr heute Abend mit dem Flieger mit. Nein, keine Ahnung. Nein, hat sie nicht gesagt. Weiß ich wirklich nicht. Okay, danke.« Sie wandte sich zu mir und sagte: »Natürlich ist es schwieriger für uns, wenn sie keine genauen Angaben macht. Sie hat viel zu viel zu tun, um sich mit solchen Lappalien abzugeben. Das heißt, wir wissen nicht, welche Farbe, welches Material, welcher Stil oder welche Marke ihr vorschwebt. Aber das macht nichts. Jocelyn aus dem Mode-Ressort lässt schon eine Auswahl ins Haus kommen.« Ich stellte mir vor, wie die unterschiedlichsten Röcke, von Fanfarenklängen und Trommelwirbeln begleitet, hereinmarschierten.

Ganz so lief es dann doch nicht ab. Die Röcke kommen zu lassen, war meine erste Lektion in den Absurditäten, die mir mein *Runway*-Job abverlangte; eine Operation, die mit militärischer Präzision über die Bühne ging.

Im Falle eines Falles verständigten entweder Emily oder ich die Mode-Assistentinnen – ungefähr acht Frauen, die Kontakte zu ausgewählten Designern und Boutiquen unterhielten. Die Assistentinnen riefen sofort ihre Kontaktpersonen bei den jeweiligen Häusern an und sagten ihnen, dass Miranda Priestly – jawohl, DIE Miranda Priestly, jawohl, Miranda Priestly PERSÖNLICH – einen ganz bestimmten Artikel benötigt. In Minutenschnelle setzten die Werbeabteilungen von Michael Kors, Gucci, Prada, Versace, Fendi, Armani, Chanel, Barney's, Chloé, Calvin Klein, Bergdorf, Roberto Cavalli und Saks ihre Kuriere in Bewegung und schickten jeden verfügbaren Rock zu uns herüber, der Miranda Priestly unter Umständen gefallen könnte. Die Parade ging wie eine exakt einstudierte Choreographie über die Bühne, bei der jeder Beteiligte ganz genau wusste, welcher Schritt als Nächstes kam. Während die Operation, die ich von nun an fast jeden Tag erleben durfte, anlief, schickte Emily mich los, um die anderen Sachen zu besorgen, die wir zusammen mit dem Rock am Abend ins Flugzeug verfrachten mussten.

»Dein Wagen erwartet dich in der 58.«, sagte sie, während sie zwei Telefongespräche gleichzeitig führte und mir meine Anweisungen auf einen Bogen *Runway*-Briefpapier kritzelte. Sie hielt kurz inne, um mir ein Handy zuzuwerfen. »Hier, nimm das mit, für den Fall, dass ich dich erreichen muss oder du noch irgendwelche Fragen hast. Schalte es niemals ab. Beantworte jeden Anruf.« Mit Handy und Zettel bewaffnet, eilte ich nach unten. Als ich auf die 58. Straße hinaustrat, hatte ich nicht den leisesten Schimmer, wie ich »meinen Wagen« finden sollte. Oder was »mein Wagen« überhaupt bedeutete. Doch ich stand höchstens eine Sekunde ratlos auf dem Bürgersteig, als auch schon ein bulliger, grauhaariger Mann auf mich zukam, eine Pfeife zwischen den nikotingelben Zähnen.

»Sind Sie Priestlys Neue?«, krächzte er, ohne die Pfeife herauszunehmen. Ich nickte stumm. »Ich bin Nick. Für den Fuhrpark zuständig. Wenn Sie einen Wagen brauchen, wenden Sie sich an mich. Kapiert, Blondie?« Ich nickte noch einmal und schwang mich auf den Rücksitz eines bereitgestellten schwarzen Cadillac. Nick knallte die Tür zu und winkte.

»Wohin soll's denn gehen, Miss?«, fragte der Chauffeur. Schlagartig erwachte ich aus meinem ungläubigen Staunen. Ich merkte, dass ich ihm seine Frage beim besten Willen nicht beantworten konnte. Rasch zog ich den Zettel aus der Jackentasche.

*Erste Station: Tommy Hilfigers Studio,*
*57. Straße West 355, 6. Stock.*
*Frag nach Leanne. Von ihr kriegst du alles.*

Ich nannte dem Fahrer die Adresse und starrte aus dem Fenster. Es war ein Uhr nachmittags an einem eisigen Novembertag. Ich war 23 Jahre alt und wurde von einem Chauffeur in einer Limousine zu Tommy Hilfigers Studio kutschiert. Und ich hatte einen Bärenhunger. Im dichten Stoßverkehr brauchten wir für die kurze Strecke sage und schreibe 45 Minuten, meine erste Begegnung mit einem echten Großstadtstau. Der Fahrer setzte mich vor dem Eingang ab und sagte, er würde ein paar Mal um den Block fahren, bis ich fertig wäre. Als ich im sechsten Stock am Empfang nach Leanne fragte, kam eine maximal 18-jährige Schönheit die Treppe heruntergehüpft.

»Hi!«, rief beziehungsweise trällerte sie. »Sie müssen Andrea sein, Mirandas neue Assistentin. Wir sind alle ganz hingerissen von ihr. Also: Willkommen im Fanclub!« Sie lachte mich an, ich lachte zurück. Im nächsten Augenblick zauberte sie unter einem Tisch eine riesige Plastiktüte hervor, drehte sie um und kippte sie auf dem Teppichboden aus. »Hier ist Carolines Lieblingsjeans in drei verschiedenen Farben und dazu eine Hand voll T-Shirts. Und Cassidy ist doch so vernarrt in Tommys Khakiröcke, da gebe ich Ihnen einen in Oliv und einen in Stein mit.« Jeansröcke, Jeansjacken und sogar ein paar Knäuel Socken kamen aus der Tüte gepurzelt. Ich konnte bloß staunen: Die Sachen hätten für mindestens vier Kinder gereicht. *Wer zum Henker sind Caroline und Cassidy?*, rätselte ich, während ich wie ein Schaf auf den Klamottenberg starrte. Welcher Mensch, der auf sich hält, trägt Tommy Hilfiger Jeans – und noch dazu in drei verschiedenen Farben?

Anscheinend machte ich tatsächlich kein besonders intelligentes Gesicht, denn Leanne drehte mir taktvoll den Rücken zu, während sie die Sachen wieder einpackte, und sagte: »Mirandas Töchter werden begeistert sein. Wir kleiden sie schon seit Jahren ein, und Tommy sucht ihre Garderobe immer persönlich für sie aus.« Ich warf ihr einen dankbaren Blick zu und schwang mir die Tüte über die Schulter.

»Viel Glück!«, rief sie mir nach, als sich die Fahrstuhltür hinter mir schloss, ein warmes Lächeln auf dem Gesicht. »Gratuliere zu Ihrem Spitzenjob!« Sie brauchte den Satz nicht zu Ende zu sprechen, ich wusste auch so, wie er weiter ging: *Für den Job würden Millionen junger Frauen ihr Leben geben.* Und in diesem Augenblick, nachdem ich zum ersten Mal im Leben das Studio eines Modedesigners betreten hatte und Klamotten im Wert von Tausenden von Dollars wegschleppte, glaubte ich ihr sogar.

Als ich erst mal den Dreh raus hatte, verging der Rest des Tages wie im Fluge. Ein paar Minuten lang debattierte ich mit mir, ob wohl jemand etwas dagegen haben würde, wenn ich mir unterwegs ein Sandwich genehmigte, aber wenn ich auf dem Rücksitz der Limousine nicht ohnmächtig zusammenklappen wollte, blieb mir nichts anderes übrig. Seit einem Croissant zur nachtschlafenden Zeit um sieben Uhr früh hatte ich keinen Bissen mehr gegessen, und inzwischen war es schon fast zwei. Ich bat den Chauffeur, vor einem Delikatessenladen anzuhalten, ging hinein, suchte mir ein Sandwich aus und brachte ihm spontan auch eines mit. Ihm klappte der Unterkiefer runter, als ich es ihm nach vorne reichte, und ich hatte schon Angst, ihn in Verlegenheit gebracht zu haben.

»Sie haben doch sicher auch Hunger«, erklärte ich. »Wenn Sie den ganzen Tag durch die Stadt kurven, haben Sie bestimmt nicht viel Zeit, eine Mittagspause zu machen.«

»Danke, Miss. Vielen Dank. Ich fahre die Elias-Clark-Girls jetzt schon seit 20 Jahren, ich kenne sie. Sie sind nicht sehr nett. Im Gegensatz zu Ihnen«, sagte er mit einem starken, aber undefinierbaren Akzent und sah mich im Rückspiegel an. Ich lächelte. Plötzlich überkam mich so etwas wie eine böse Vorahnung, doch so schnell sie gekommen war, so schnell ging sie auch wieder vorbei. Wir standen im Stau, mampften gemütlich vor uns hin und hörten uns die Lieblings-CD des Fahrers an, für mich nicht viel mehr als das unverständliche, inbrünstige Kreischen einer Frau, untermalt von Sitarmusik.

Auf zur nächsten Station. Ich sollte ein Paar weiße Shorts abholen, die Miranda unbedingt zum Tennisspielen brauchte. Vielleicht bei Polo? Aber auf der Liste stand eindeutig Chanel. Bei Chanel gab es weiße Tennisshorts? Der Chauffeur brachte mich zu dem privaten Salon. Eine ältere Verkäuferin, die so oft geliftet war, dass von ihren Augen nur noch Schlitze übrig waren, händigte mir ein Paar weiße Hotpants aus Baumwollstretch aus, mit Stecknadeln an einen seidenbezogenen Kleiderbügel geheftet, das Ganze in einem Kleiderbeutel aus Samt. Die Shorts waren so winzig, dass man den Eindruck hatte, es würde keine Sechsjährige hineinpassen. Ich sah die Frau zweifelnd an.

»Meinen Sie wirklich, dass Miranda so etwas tragen würde?«, fragte ich zögernd. Die Verkäuferin hatte Kiefer wie ein Pitbull und sah aus, als ob sie mich in einem Stück verschlingen könnte. Sie funkelte mich böse an.

»Das will ich doch stark hoffen, Miss. Die Shorts sind ihr

schließlich nach ihrem Design speziell auf den Leib geschnei-
dert«, fauchte sie, während sie mir das Minipaket überreichte.
»Bitte richten Sie ihr Grüße von Mr. Kopelman aus.« *Wird gemacht, Lady.*

Als Nächstes stand J&R Computer World auf dem Programm, am anderen Ende der Stadt. Anscheinend war es das
einzige Geschäft in ganz New York, wo man »Warriors of the
West« kaufen konnte, ein Computerspiel, das Miranda dem
Sohn der de la Rentas schenken wollte. Die Fahrt dauerte über
eine Stunde. Unterwegs stellte ich fest, dass man mit meinem
Handy auch Ferngespräche führen konnte, eine Gelegenheit,
die ich mir natürlich nicht entgehen ließ. Ich rief sofort meine
Eltern an, um ihnen zu erzählen, wie toll mein neuer Job war.

»Dad? Hallo, ich bin's. Andy. Rate mal, wo ich gerade bin? Ja,
logisch bin ich in der Arbeit. Aber weißt du auch, *wo* ich arbeite? Ich sitze im Fond einer Limousine und lasse mich von einem
Chauffeur durch Manhattan kutschieren. Ich war heute schon
bei Tommy Hilfiger und bei Chanel. Jetzt muss ich nur noch
ein Computerspiel kaufen, und dann fahre ich in die Park Avenue und liefere den ganzen Krempel in der Wohnung von Oscar
de la Renta ab. Nein, die Sachen sind nicht für ihn! Miranda
ist in der Dom Rep, und Annette de la Renta fliegt heute Abend
hinterher. Mit einem Privatflugzeug, Dad! Dom Rep? Das ist die
Abkürzung für Dominikanische Republik.«

Er nahm meinen Bericht zwar etwas skeptisch auf, freute sich
aber, dass ich mich so gut amüsierte. Dass ich eigentlich nur ein
studierter Laufbursche war, störte mich kein bisschen. Nachdem
ich die Hilfiger-Klamotten, die Shorts und das Computerspiel
bei einem vornehmen Portier in der vornehmen Park Avenue
Lobby abgegeben hatte, fuhr ich zum Elias-Clark-Building zurück. Als ich ins Vorzimmer kam, hockte Emily wie ein alter
Indianer im Schneidersitz auf dem Fußboden und packte Geschenke ein. Weißes Papier, weißes Geschenkband. Sie war von
Hunderten, wenn nicht Tausenden von Schachteln umgeben,

alle rot-weiß, alle gleich groß. Es waren so viele, dass sich die Ausläufer der Lawine bis hinüber in Mirandas Büro ergossen. Staunend beobachtete ich Emily, die mich gar nicht bemerkte, bei der Arbeit. Für jede Schachtel brauchte sie nur zwei Minuten, plus 15 Sekunden für das weiße Satinband. Das Ganze ging ihr akkurat und flott von der Hand. Wenn sie ein Päckchen fertig hatte, legte sie es auf einen neuen Geschenkeberg, der sich hinter ihr auftürmte. Doch während dieser Berg stetig anwuchs, schien der andere überhaupt nicht kleiner zu werden. Es sah aus, als ob sie mindestens noch vier Tage brauchen würde, um ihn ganz abzutragen.

Ich musste laut ihren Namen rufen, um mich bei dem Gedudel der 80er-Jahre-CD, die auf ihrem Computer lief, verständlich zu machen. »Emily? Hi, ich bin wieder da.«

Sie drehte sich um und starrte mich im ersten Moment an wie eine Erscheinung. Aber dann erinnerte sie sich wieder an mich und fragte: »Na, wie ist es gelaufen? Hast du alles erledigt, was auf der Liste stand?«

Ich nickte.

»Hat es mit dem Videospiel auch geklappt? Als ich in dem Laden angerufen habe, hatten sie bloß noch ein einziges auf Lager.«

Ich nickte noch einmal.

»Und du hast alles beim Portier der de la Rentas in der Park Avenue abgegeben? Die Klamotten, die Shorts, alles?«

»Logo. Kein Problem. Alles lief wie am Schnürchen, und ich habe das Zeugs vor ein paar Minuten abgeliefert. Sag mal, diese Shorts… Würde Miranda so was tatsächlich…?«

»Gleich. Ich muss mal schnell aufs Klo. Ich habe nur auf dich gewartet. Kannst du einen Augenblick das Telefon hüten?«

»Du warst nicht mehr auf dem Klo, seit ich gefahren bin?«, fragte ich ungläubig. Ich war geschlagene fünf Stunden weg gewesen. »Warum denn das nicht?«

Emily band noch schnell die letzte Schleife zu Ende und musterte mich kühl. »Miranda besteht darauf, dass alle Gespräche von ihren Assistentinnen entgegengenommen werden. Und weil du nicht da warst, wollte ich das Büro nicht verlassen. Ich hätte bestimmt mal kurz rausschlüpfen können, aber ich weiß, dass Miranda heute einen hektischen Tag hat, und da wollte ich jederzeit für sie erreichbar sein. Das kannst du dir gleich für die Zukunft merken. Wir gehen weder aufs Klo noch sonst wohin, ohne dass wir es vorher miteinander abgesprochen haben. Wir müssen zusammenarbeiten, um unser Bestes für sie zu geben. Okay?«

»Klar«, sagte ich. »Du kannst ruhig gehen. Ich rühre mich nicht vom Fleck.« Sie wagte es wahrhaftig, mich allein zurückzulassen. Nicht zu glauben. Kein Klobesuch ohne Strategiebesprechung? Wo gab es denn so was? Hatte sie tatsächlich geschlagene fünf Stunden ausgehalten und besänftigend auf ihre Blase eingeredet, nur für den Fall, dass in den zweieinhalb Minuten, die sie brauchen würde, um aufs Klo zu flitzen, möglicherweise dieses Weib anrief, das sich in den Tropen amüsierte? Es hatte ganz den Anschein. Mir kam es ein bisschen dramatisch vor, aber wahrscheinlich war es nur Emilys Arbeitseifer. Es konnte einfach nicht sein, dass Miranda von ihren Mitarbeiterinnen so etwas verlangte. Bestimmt nicht. Oder etwa doch??

Ich nahm ein paar Blatt Papier aus dem Drucker. Es war eine Liste mit der Überschrift »Eingegangene Weihnachtsgeschenke«. Eins, zwei, drei, vier, fünf, sechs eng bedruckte Seiten, pro Zeile der Name des Schenkenden und eine Beschreibung des Geschenks. Insgesamt 256 Artikel. Darunter ein Bobby-Brown-Make-up-Set von Bobby Brown persönlich, eine Kate-Spade-Lederhandtasche (Unikat) von Kate und Andy Spade, ein Terminplaner in burgunderfarbenem Leder aus der noblen Londoner Bond Street von Graydon Carter, ein nerzgefütterter Schlafsack von Miuccia Prada, ein Verdura-Armband von Aerin Lauder, eine diamantbesetzte Uhr von Donatella Versace, eine Kiste Champagner von Cynthia Rowley, ein mit Perlen besticktes Top samt dazu passendem Abendtäschchen von Mark Badgley und James Mischka, eine Sammlung Cartier-Stifte von Irv Ravitz, ein Chinchillamuff von Vera Wang, eine Jacke im Zebradesign von Alberto Ferretti, eine Burberry-Kaschmirdecke von Rosemarie Bravo. Und das war erst der Anfang. Es gab Handtaschen in allen erdenklichen Formen, Farben und Größen von allem, was Rang und Namen hatte: Herb Ritts, Bruce Weber, Giselle Bundchen, Hillary Clinton, Tom Ford, Calvin Klein, Annie Leibovitz, Nicole Miller, Adrienne Vittadini, Michael Kors, Helmut Lang, Giorgio Armani, John Sahag, Bruno Magli, Mario Testino und Narciso Rodriguez, um nur eine Hand voll zu nennen. Dazu kamen Dutzende von Spenden in Mirandas Namen an verschiedene Wohltätigkeitsorganisationen, ein paar hundert Flaschen Wein und Champagner, acht bis zehn Dior-Taschen, einige Dutzend Duftkerzen, orientalische Keramiken, Seidenpyjamas, in Leder gebundene Bücher, Badeprodukte, Pralinen, Armbänder, Kaviar, Kaschmirpullover, gerahmte Fotografien und so viele Blumengestecke und Topfpflanzen, dass man damit die Massenhochzeit einer Sekte im Fußballstadion hätte dekorieren können. Nicht zu fassen! Wachte oder träumte ich? Arbeitete ich wirklich für eine Frau, die 265 Weihnachtsgeschenke von den berühmtesten Leuten der Welt bekam? Zumindest nahm ich an, dass sie berühmt waren. Ich kannte nämlich längst nicht alle Namen, nur die der bekanntesten Promis und Designer. Dass sich hinter den anderen einige der bedeutendsten Fotografen, Visagisten, Models, VIPs und die einflussreichsten Elias-Clark-Manager verbargen, konnte ich damals noch nicht wissen. Ob Emily wohl wusste, wer diese Leute alle waren? Ich hatte diesen Gedanken noch nicht ganz zu Ende gedacht, als sie vom Klo wieder zurückkam. Es schien ihr nichts auszumachen, dass ich die Liste las.

»Ein Wahnsinn, was? Miranda ist einfach die Größte«, schwärmte sie und warf einen geradezu vor Begeisterung triefenden Blick auf die Ausdrucke. »Hast du so was Fantastisches schon mal gesehen? Das hier ist die Liste vom letzten Jahr. Ich hab sie mir mal ausgedruckt, damit wir eine Ahnung haben, was noch alles auf uns zukommt. Die ersten Geschenke sind näm- lich bereits eingetrudelt. Das liebe ich besonders an diesem Job – dass wir die Geschenke auspacken dürfen.« Hatte ich richtig gehört? Wir öffneten Mirandas Geschenke? Warum machte sie das nicht lieber selber? Eine Frage, die ich mir nicht verkneifen konnte.

»Spinnst du? 90 Prozent der Sachen würden ihr sowieso nicht gefallen. Manche Geschenke sind direkt eine Beleidigung, die würde ich ihr noch nicht mal zeigen. So was wie das hier zum Beispiel«, sagte sie und nahm den Deckel von einer kleinen Schachtel. Darin lag ein silbern schimmerndes, handschmeich- lerisches, schnurloses Bang & Olufsen-Telefon, das man in ei- nem Umkreis von 3000 Kilometern benutzen konnte. Da ich erst vor kurzem mit Alex in einem B & O-Geschäft gewesen war, wo er verzückt die Stereoanlagen angehimmelt hatte, wusste ich, dass der Apparat mindestens 500 Dollar kostete und alles, einfach alles konnte – bloß nicht selbst telefonieren. Das muss- te der Besitzer schon allein besorgen. »Ein Telefon! Kannst du dir das vorstellen, dass jemand die Frechheit besitzt, Miranda Priestly ein *Telefon* zu schenken?« Sie warf mir die Schachtel zu. »Wenn du willst, kannst du es behalten. So etwas darf ihr nicht unter die Augen kommen. Davor werde ich sie bewahren. Sie würde Zustände kriegen, dass ihr jemand etwas *Elektronisches* schenkt.« Bei ihr klang »elektronisch« wie ein Synonym für »mit Pestbeulen übersät«.

Ich verstaute die Schachtel in meinem Schreibtisch und ver- kniff mir ein Grinsen. So was nannte man Glück. Ich brauchte unbedingt noch ein schnurloses Telefon für mein neues Zimmer, und nun war ich gratis zu einem 500-Dollar-Apparat gekommen wie die Jungfrau zum Kinde.

Emily hockte sich im Schneidersitz auf den Fußboden. »Ich würde vorschlagen, wir packen jetzt noch ein paar Stunden Geschenke ein, und dann kannst du die Päckchen aufmachen, die heute gekommen sind.« Sie zeigte auf einen kleineren Geschenkeberg, der sich hinter ihrem Schreibtisch türmte, Schachteln, Tüten und Körbe in allen Farben des Regenbogens.

»Das sind also die Geschenke, die wir für Miranda versenden, richtig?«, fragte ich, während ich die erste Schachtel in das weiße Papier einschlug.

»Genau. Wie heißt es so schön in *Dinner for One?* ›The same procedure as every year.‹ Die höchsten Tiere bekommen eine Flasche Dom Pérignon. Dazu gehören die Elias-Clark-Manager und die großen Designer, mit denen sie nicht persönlich befreundet ist. Außerdem ihr Anwalt und ihr Steuerberater. Die mittlere Etage kriegt auch Champagner, aber bloß Veuve Clicquot. In diese Kategorie fallen die meisten – die Lehrer der Zwillinge, die Friseure, ihr Chauffeur und so weiter. Den Niemanden schenken wir eine Flasche Ruffino Chianti – das sind normalerweise die PR-Leute, der Tierarzt, die Aushilfskindermädchen, Verkäuferinnen und Verkäufer in ihren Lieblingsboutiquen und die ganzen Handwerker und Angestellten, die sich um das Sommerhaus in Connecticut kümmern. Anfang November habe ich alles bestellt und liefern lassen. Es dauert ungefähr einen Monat, bis alles versandfertig ist. Gut, dass Miranda im Moment verreist ist, sonst müssten wir die ganzen Sachen mitnehmen und zu Hause einpacken. Geschenke im Wert von 25 000 Dollar, für die Elias-Clark aufkommt.«

»Wahrscheinlich würde es doppelt so viel kosten, wenn man sich alles schon geschenkverpackt liefern lassen würde?«, überlegte ich laut, in Gedanken noch ganz mit der Hierarchie der Beschenkten beschäftigt.

»Das kann uns doch egal sein«, schnaubte sie. »Glaub mir, das merkst du schon auch noch, dass Geld hier kein Thema ist. Nein, Miranda mag bloß das Geschenkpapier der Lieferfirma nicht. Letztes Jahr haben wir ihnen unser weißes Papier geschickt, aber das hat auch nicht viel genützt. Die Päckchen sehen eben einfach adretter aus, wenn wir sie selber einwickeln.« Sie machte ein stolzes Gesicht.

Während wir vor uns hin packten, weihte mich Emily in die Geheimnisse meines seltsamen Jobs ein. Kurz vor sechs, als sie mir gerade beschrieb, welchen Kaffee Miranda am liebsten trank – einen großen Milchkaffee mit zwei Stück Rohrzucker –, schleppte eine blonde Modeassistentin atemlos einen Weidenkorb von der Größe eines Kinderwagens herein. Vor Mirandas Bürotür blieb sie stehen, als ob sie befürchtete, der weiche graue Teppichboden könnte sich unter ihren Jimmy Choos in Treibsand verwandeln, wenn sie es wagte, die Schwelle zu übertreten.

»Hallo, Em. Hier sind die Röcke. Tut mir Leid, dass es so lange gedauert hat, aber so kurz vor Thanksgiving sind fast alle wichtigen Leute ausgeflogen. Hoffentlich ist etwas dabei, was ihr gefällt.« Sie warf einen zweifelnden Blick in den Korb, der von Röcken fast überquoll.

Emily musterte sie mit kaum verhohlener Verachtung. »Stell ihn auf meinen Schreibtisch. Die Ausgemusterten schicke ich dann wieder zurück. Und das werden bei deinem Geschmack vermutlich die meisten sein«, schob sie, selbst für mich kaum hörbar, hinterher.

Die Blonde machte ein verwirrtes Gesicht. Sie war vielleicht nicht der Hellsten eine, aber sie machte einen durchaus netten Eindruck. Ich hätte gern gewusst, was Emily gegen sie hatte, aber ich konnte mich nicht aufraffen, sie zu fragen. Es war ein langer Tag gewesen, die neuen Kollegen, die Telefongespräche, dann die Kurierfahrten kreuz und quer durch die Stadt, die vielen Namen und Gesichter, die ich mir einprägen musste.

Emily stemmte die Hände in die Hüften und baute sich vor ihrem Schreibtisch auf. Ich hockte noch auf dem Fußboden, doch selbst aus dieser niederen Stellung heraus konnte ich erkennen, dass der Korb mindestens 25 Röcke in den unterschiedlichsten Stoffen, Farben und Schnitten enthielt. Hatte Miranda wirklich nicht gesagt, was für einen Rock sie wollte? Hatte sie Emily nicht einmal verraten, ob sie ihn für eine vornehme Abendgesellschaft brauchte, für einen zwanglosen Restaurantbesuch oder bloß, um ihn nach dem Baden über den Bikini zu ziehen? Schwebte ihr ein Jeansstoff vor, oder wäre ihr mit einem Chiffonfähnchen besser gedient? Wie sollten wir erahnen können, was ihr vorschwebte?

Die Antwort auf diese Frage ließ nicht lange auf sich warten. Emily wuchtete den Korb in Mirandas Büro und stellte ihn fast ehrfürchtig ab. Dann breitete sie die Röcke rings um uns auf dem Fußboden aus. Die Auswahl war überwältigend: ein fuchsienroter Häkelrock von Celine, ein perlgrauer Wickelrock von Calvin Klein und ein schwarzer Lederrock, der am Saum mit schwarzen Perlen bestickt war, von Mr. de la Renta persönlich. Rote Röcke, ekrüfarbene Röcke, lavendelblaue Röcke, manche mit Spitze, andere aus Kaschmir. Einige waren lang genug, um elegant die Knöchel zu umspielen, andere so kurz, dass sie eher wie ärmellose Tops aussahen. Ich hielt mir einen wadenlangen, braunen Seidenrock an, der so schmal geschnitten war, dass der Stoff höchstens für eines meiner Beine gereicht hätte. Der nächste, den ich aus dem Stapel zog, ergoss sich als Traum aus Tüll und Chiffon bis auf den Boden und sah so aus, als ob er am liebsten auf einer eleganten Gartenparty in den Südstaaten getragen werden wollte. Ein vorgewaschener Jeansrock war mit dem dazu passenden breiten Ledergürtel geliefert worden, ein anderer bestand aus einem hauchzarten Silbermaterial in Knitteroptik. Ich war überwältigt.

»Steht Miranda besonders auf Röcke?«, fragte ich, nur um überhaupt etwas zu sagen.

»Eigentlich nicht. Sie hat eher einen kleinen Schaltick. Es ist schon fast eine Manie.« Emily vermied den Blickkontakt, als ob sie mir soeben gestanden hätte, höchstpersönlich an Herpes zu leiden. »Das ist eine ihrer Eigenarten, über die du Bescheid wissen musst.«

»Das ist ja interessant«, sagte ich gleichmütig, um mir meine Verwunderung nicht anmerken zu lassen. Sie hatte eine Schalmanie? Ich bin selber keine Kostverächterin, wenn es um Klamotten, Handtaschen oder Schuhe geht, aber dass ich deswegen eine Manie hätte, könnte ich wirklich nicht behaupten. Und so wie Emily es ausgedrückt hatte, schien mehr dahinter zu stecken als nur eine Laune.

»Ja. Den Rock braucht sie sicher für einen bestimmten Anlass, aber ihre große Liebe gilt den Schals. Schließlich sind sie ja auch so was wie ihr Markenzeichen.« Als ich sie verständnislos ansah, fuhr sie fort: »Du erinnerst dich doch noch an dein Vorstellungsgespräch?«

»Natürlich«, antwortete ich, wie aus der Pistole geschossen. Es wäre wohl nicht gerade besonders klug gewesen, Emily wissen zu lassen, dass ich mich beim besten Willen nicht mehr daran erinnern konnte, was Miranda an dem Tag getragen hatte. »Aber ich glaube nicht, dass mir an ihr ein Schal aufgefallen ist.«

»Man sieht sie nie ohne einen weißen Hermès-Schal, nie. Meistens trägt sie ihn um den Hals, aber nicht immer. Manchmal lässt sie ihn sich auch in die Frisur einbinden, oder sie benutzt ihn als Gürtel. Alle Leute wissen, dass Miranda Priestly immer und überall einen weißen Hermès-Schal trägt. Ist das nicht wahnsinnig cool?«

Plötzlich fiel mir auf, dass Emily einen limonengrünen Schal durch die Gürtelschlaufen ihrer Cargo-Hose gezogen hatte. Er spitzelte knapp unter ihrem T-Shirt hervor.

»Ansonsten probiert sie auch gern mal etwas Neues aus, und ich schätze, genau das hat sie diesmal vor. Aber diese Idioten aus dem Moderessort haben keinen blassen Schimmer, was ihr gefallen würde. Dieser Fetzen zum Beispiel, ist der nicht fürchterlich?« Mit spitzen Fingern hielt sie einen hinreißenden Rock hoch, der etwas vornehmer war als der Rest, ein fließender Stoff in einem warmen, dunklen Beige, aus dem kleine Goldpünktchen hervorleuchteten.

»Und wie«, flunkerte ich. »Ein grässliches Teil.« Der Rock war so schön, dass ich ihn zu meiner eigenen Hochzeit getragen hätte.

Emily plapperte immer weiter, über Schnitte und Stoffe, über Mirandas Wünsche und Bedürfnisse. Zwischendurch ließ sie die eine oder andere abfällige Bemerkung über eine Kollegin fallen. Zum Schluss entschied sie sich für drei vollkommen unterschiedliche Modelle, die sie Miranda schicken wollte. Und die ganze Zeit redete sie wie ein Wasserfall auf mich ein. Ich versuchte, ihr zuzuhören, aber es war mittlerweile kurz vor sieben, und ich wusste nicht mehr, ob ich völlig ausgehungert, komplett genervt oder absolut erschöpft war. Vermutlich traf alles zu. Ich war so fertig, dass ich noch nicht mal etwas davon mitkriegte, dass der riesenhafteste Mensch, dem ich je im Leben begegnet war, ins Büro gerauscht kam.

»DU DA!«, ertönte es plötzlich hinter mir. »STEH AUF UND LASS DICH ANSEHEN!«

Ich drehte mich um. Ein mindestens 2,10 Meter großer, braun gebrannter Mann mit Pferdeschwanz zeigte mit dem nackten Finger auf mich. Er war nicht nur hoch gewachsen, er war auch breit und schwer und so muskulös, dass man fast befürchten musste, er würde aus allen Nähten platzen. Genauer gesagt: aus den Nähten seines Catsuits! Der Mann trug tatsächlich einen hautengen Einteiler, die Taille noch mit einem Gürtel betont. Und ein Cape! Ein wolldeckengroßes Pelzcape! An den riesigen Füßen hatte er schwarze, glänzende Springerstiefel, so groß wie Tennisschläger. Ich schätzte ihn auf 35, aber mit seinen Muskelpaketen, der Sonnenbräune und dem markanten Kinn hätte er auch zehn Jahre älter oder fünf Jahre jünger sein können. Mit fuchtelnden Händen bedeutete er mir, vom Fußboden aufzustehen. Ich tat ihm den Gefallen. Während ich diese unglaubliche Erscheinung noch staunend betrachtete, machte er sich schon daran, mich einer kritischen Prüfung zu unterziehen.

»SO! WEN HABEN WIR DENN HIER?«, brüllte er, falls man

davon bei seiner Falsettstimme überhaupt sprechen kann. »HÜBSCH JA, ABER VIEL ZU BIEDER, UND DEIN OUTFIT IST ALLES ANDERE ALS SCHMEICHELHAFT.«

»Ich heiße Andrea. Ich bin Mirandas neue Assistentin.«

Während er mich zentimeterweise mit den Augen abtastete, sah Emily sich dieses Schauspiel mit einem spöttischen Lächeln an. Die Stille war unerträglich.

»HALBSTIEFEL? ZUM KNIELANGEN ROCK? SOLL DAS EIN WITZ SEIN? SCHÄTZCHEN, FALLS DU ES NOCH NICHT GEMERKT HABEN SOLLTEST – FALLS DU DAS GROSSE, SCHWARZE SCHILD NEBEN DER TÜR ÜBERSEHEN HAST – WIR SIND HIER BEI *RUNWAY*, DER VERDAMMT NOCH MAL HIPPSTEN MODEZEITSCHRIFT DER WELT! ABER KEINE BAN-GE, MÄUSCHEN. DER ALTE NIGEL WIRD DICH RUCK, ZUCK VON DEINEM DISCOUNTER-LOOK BEFREIEN.«

Er legte mir die Pranken auf die Hüften, drehte mich um und widmete sich ausgiebig meiner Rückfront.

»RUCK, ZUCK, KINDCHEN. GLAUB MIR. DAS ROHMATE-RIAL IST NÄMLICH GAR NICHT ÜBEL. GUTE BEINE, SCHÖNE HAARE UND NICHT DICK. DARAUS LÄSST SICH WAS MA-CHEN. HAUPTSACHE: NICHT DICK. RUCK, ZUCK, DARLING.«

Ich hätte allen Grund gehabt, beleidigt zu sein und seine Pranken abzuschütteln. Wie kam dieser Mensch, den ich über-haupt nicht kannte, dieser angebliche Kollege, dazu, mir unauf-gefordert seine Meinung über mein Outfit und meine Figur zu sagen? Aber ich war nicht gekränkt. Im Gegenteil. Mir gefielen seine lustigen grünen Augen, und vor allem freute ich mich, dass ich die Fleischbeschau bestanden hatte. Denn vor mir stand Ni-gel – nur ein Name, wie Madonna oder Prince –, der Modepapst, den sogar ich aus dem Fernsehen, aus Zeitschriften und aus den Klatschkolumnen kannte, und er hatte gesagt, ich sei hübsch. Und ich hätte gute Beine! Den Discounter-Look-Kommentar ließ ich ihm noch einmal durchgehen. Der Typ war mir sympa-thisch.

Emily sagte ihm, er solle mich verschonen und uns nicht stören, wir hätten zu arbeiten. Schade, ich wollte nicht, dass er ging. Zu gern hätte ich ihn noch wissen lassen, dass ich mich gefreut hatte, ihn kennen zu lernen, dass ich nicht eingeschnappt war wegen seiner Kritik und es kaum erwarten konnte, von ihm gestylt zu werden. Doch statt zu gehen, drehte Nigel sich noch einmal um, durchmaß mit Riesenschritten das ganze Büro und pflanzte sich wieder vor mir auf. Er breitete die muskelbepackten Arme aus, schlang sie um mich und drückte mich herzlich. Ich reichte ihm gerade mal bis zur Brust. Und was für ein Duft stieg mir bei dieser Umarmung in die Nase? Kaum zu glauben, aber wahr. Es war der unverkennbare Duft von Johnson's Baby Lotion. Geistesgegenwärtig drückte ich ihn ebenfalls, aber schon schob er mich wieder von sich, schüttelte mit seinen Pranken meine Hände und rief schrill:

»WILLKOMMEN IM PUPPENHAUS, BABY!«

# 5

»Er hat WAS gesagt?«, fragte Lily, während sie von ihrem Grünteeeis naschte. Wir hatten uns um neun im Sushi Samba verabredet, damit ich ihr brühwarm alles über meinen ersten Arbeitstag erzählen konnte. Meine Eltern hatten zähneknirschend die Notfallkreditkarte wieder rausgerückt, damit ich mich bis zum ersten Zahltag über Wasser halten konnte. Scharfe Tunfischröllchen und Seetangsalat stellten definitiv einen Notfall dar. Schweigend dankte ich Mom und Dad dafür, dass sie Lily und mir ein solches Superessen spendiert hatten.

»Willkommen im Puppenhaus, Baby. Ich schwöre. Obercool, was?«

Den Eislöffel in der Hand, sah sie mich tief beeindruckt an.

»Du hast den schärfsten Job, von dem ich je was gehört habe«, sagte Lily, die es immer noch ein wenig bedauerte, dass sie nach der Uni übergangslos mit ihrem Postgraduiertenstudium angefangen hatte, statt erst mal ein Jahr lang zu arbeiten.

»Klingt super, was? Ein bisschen irre, aber super.« Ich machte mich über mein leckeres Chocolate-Brownie-Eis her. »Dabei würde ich eigentlich viel lieber studieren.«

»Aber klar, du würdest viel lieber halbtags schuften, um dir das Geld für deine sündteure und vollkommen sinnlose Promotion zu verdienen. Das kann ich mir lebhaft vorstellen. Du bist neidisch, dass ich in einer Studentenkneipe kellnern und mich jede Nacht von irgendwelchen Erstsemestern anbaggern lassen darf, bis ich um vier Uhr in der Früh endlich ins Bett falle, um mich ein paar Stunden später in meine Seminare zu schleppen.

Und das alles noch garniert von der Gewissheit, dass du, falls du unter diesen Bedingungen irgendwann tatsächlich deinen Doktor schaffen solltest, danach garantiert keine Stelle findest. Nirgends.« Sie setzte ein künstliches Lächeln auf und trank einen Schluck Sapporo. Lily promovierte an der Columbia University in Russischer Literaturwissenschaft. Um sich ihr Studium zu finanzieren, jobbte sie jede freie Minute. Ihre Großmutter, bei der sie aufgewachsen war, kam finanziell selbst kaum über die Runden, und auf ein Promotionsstipendium konnte sie erst hoffen, wenn sie ihren Magisterabschluss in der Tasche hatte. Umso höher rechnete ich es ihr an, dass sie sich meinetwegen überhaupt einen freien Abend gönnte.

Ich schluckte den Köder, den sie mir hingeworfen hatte. Das machte ich immer, wenn sie sich mal wieder über ihr Leben beklagte. »Und warum machst du es dann, Lily?«, fragte ich, obwohl ich die Antwort längst auswendig kannte.

Lily schnaubte. »Weil ich es liebe!«, trällerte sie sarkastisch. Sie hätte es zwar nie zugegeben, weil sie viel zu gern herumjammerte, aber sie liebte ihr Studienfach tatsächlich. Sie begeisterte sich schon seit der achten Klasse für die russische Kultur. Damals hatte ein Lehrer zu ihr gesagt, mit ihrem herzförmigen Gesicht und den schwarzen Locken sehe sie genauso aus, wie er sich immer Lolita vorgestellt habe. Sie ging nach Hause und verschlang Nabokovs Meisterwerk, ohne sich von dem Lehrer-Lolita-Aspekt weiter stören zu lassen. Anschließend las sie alles, was Nabokov je zu Papier gebracht hatte. Und Tolstoi. Und Gogol. Und Tschechow. Als sie sich an der Uni bewarb, sagte der Professor, der das Auswahlgespräch führte, er wäre kaum jemals einer besseren Kennerin der russischen Literatur begegnet als der 17-jährigen Lily – egal, ob unter Studenten oder Doktoranden. Ihre Begeisterung hatte mit den Jahren nicht nachgelassen, sie büffelte immer noch russische Grammatik und konnte inzwischen jeden Text im Original lesen. Nur eines tat sie noch lieber: sich über ihr Schicksal zu beklagen.

»Okay, ich gebe ja zu, dass ich einen Traumjob ergattert habe. Wenn ich bloß daran denke. Tommy Hilfiger, Chanel, Oscar de la Renta. Und das alles an meinem ersten Tag. Allerdings habe ich nicht die leiseste Ahnung, wie ich durch diese Arbeit irgendwie näher an den *New Yorker* rankommen soll, aber vielleicht ist es dafür einfach noch ein bisschen zu früh. Im Moment kommt mir alles total unwirklich vor.«

»Falls du mal wieder das Bedürfnis haben solltest, den harten Boden der Realität unter den Füßen zu spüren, weißt du ja, wo du mich finden kannst«, sagte Lily. »Wenn du dich nach dem Ghetto sehnst, wenn du der Wirklichkeit in Harlem nachspüren willst, bist du in meiner Winzlingswohnung jederzeit herzlich willkommen.«

Ich bezahlte die Rechnung, und wir umarmten uns zum Abschied. Dann versuchte sie noch, mir zu erklären, wie ich am besten mit der U-Bahn nach Hause kam. Ich gab ihr mein großes Indianerehrenwort, dass ich genau verstanden hatte, wie ich erst gehen, dann fahren, dann umsteigen und zuletzt wieder gehen musste, doch sobald sie um die nächste Ecke verschwunden war, sprang ich in ein Taxi.

*Nur dieses eine Mal,* sagte ich mir, während ich in die warmen Polster des nicht sehr verführerisch miefenden Taxis sank. *Schließlich gehöre ich jetzt zur* Runway-*Truppe.*


Der Rest der Woche verging ereignislos, jeder Tag war mehr oder weniger wie der erste. Was mich nicht störte, im Gegenteil. Als Emily und ich uns am Freitagmorgen in dem kahlen, weißen Empfangsbereich trafen, händigte sie mir meinen Firmenausweis aus, samt Foto. Was mich ein bisschen überraschte, weil ich mich nicht daran erinnern konnte, dass ich mich irgendwann hätte knipsen lassen.

»Von den Überwachungskameras«, erklärte Emily, als ich sie verwundert darauf ansprach. »Die Dinger hängen hier überall rum. Wir hatten nämlich ernste Probleme. Diebstähle und so.

Kleidung und Schmuck für die Fotoaufnahmen sind einfach verschwunden. Anscheinend bedienen sich die Kuriere selbst. Und manchmal sogar die Redakteure. Deshalb werden wir jetzt alle überwacht.« Sie zog ihren Ausweis durch das Lesegerät, und die schwere Glastür ging mit einem Klick auf.

»Überwacht? Und wie genau muss ich mir das vorstellen?«

Mit wiegenden Hüften marschierte sie zügig durch den Korridor zum Vorzimmer. Wie immer machte sie in ihrer hautengen Sevens Cordhose eine tadellose Figur. Erst gestern hatte sie mir geraten, mir ebenfalls eine zuzulegen, oder am besten gleich mehrere, da Sevens und MJ die einzigen Marken waren, deren Jeans oder Cordhosen Miranda an ihren Mitarbeiterinnen tolerierte. Sevens und MJs, aber nur freitags und nur zusammen mit hochhackigen Schuhen. MJs? »Marc Jacobs«, sagte sie entnervt.

»Mit den Kameras und den Ausweisen kann man ziemlich genau verfolgen, was die Leute gerade treiben.« Sie stellte ihre Gucci-Tasche auf den Schreibtisch und knöpfte ihren figurbetonten Lederblazer auf, der für Ende November in höchstem Maße ungeeignet war. »Ich glaube nicht, dass sie sich die Überwachungsfilme ansehen, wenn nicht tatsächlich mal wieder etwas abhanden gekommen ist. Aber die Ausweise verraten alles, ob irgendwer unten das Gebäude betritt zum Beispiel oder hier oben in unseren Trakt will. So weiß man auch, ob jemand im Büro ist oder nicht. Wenn du also mal nicht zur Arbeit kommen kannst – eigentlich undenkbar, es sei denn, es wäre eine Katastrophe passiert –, dann gibst du mir einfach deine Karte, und ich lese sie für dich ein. Dann kriegst du die Fehltage trotzdem bezahlt. Umgekehrt würdest du es für mich natürlich genauso machen. Das ist hier so üblich. Eine Hand wäscht die andere.«

Eigentlich undenkbar? Die Frau hatte Nerven. Doch noch bevor ich nachhaken konnte, war sie schon wieder voll in Fahrt.

»Mit dem Ausweis kriegst du in der Kantine auch was zu essen. Er ist nämlich gleichzeitig eine Geldkarte: Du lädst sie auf, und dann wird die Kohle an der Kasse automatisch abgebucht.

So wissen sie natürlich auch, was du isst.« Sie schloss Mirandas Bürotür auf, ließ sich auf den Fußboden sinken und griff nach dem ersten Geschenkkarton.

»Sag bloß, die interessieren sich dafür, was man isst?«, fragte ich. Ja, lebten wir denn in einem Überwachungsstaat?

»Das weiß ich auch nicht genau. Möglich wäre es. Ich weiß bloß, dass sie es feststellen können. Mit dem Fitnessraum ist es dasselbe. Da muss man die Karte auch benutzen und genauso am Zeitschriftenkiosk, um Bücher oder Illustrierte zu kaufen. Ich glaube, das dient bloß der besseren Organisation.«

Der besseren Organisation? Ich arbeitete für eine Firma, die gute Organisation dadurch definierte, dass sie überwachte, auf welcher Etage sich die Mitarbeiter gerade aufhielten, ob sie mittags lieber Zwiebelsuppe oder Salat aßen und wie viele Minuten sie es auf dem Trimmrad aushielten? Toll, dass man sich so um mich »kümmerte«.

Trotz meiner Empörung wäre ich fast im Stehen eingeschlafen. Nachdem ich nun schon den fünften Morgen hintereinander um halb sechs aus den Federn gekrochen war, fühlte ich mich so ausgepowert, dass ich erst einmal fünf Minuten brauchte, bis ich es schaffte, den Mantel auszuziehen und mich hinter meinen Schreibtisch zu klemmen. Ich kämpfte noch gegen die Versuchung an, ein Sekündchen lang Augenpflege zu betreiben, als Emily sich im Nebenzimmer räusperte. Und zwar vernehmlich.

»Würdest du mir vielleicht ein bisschen zur Hand gehen?« Keine Frage, sondern ein Befehl. »Hier, pack was ein.« Sie schob einen Stapel weißes Geschenkpapier in meine Richtung. Aus den Computerboxen dröhnte Jewel.

Schneiden, wickeln, falten, kleben. Emily und ich arbeiteten den ganzen Morgen konzentriert vor uns hin. Immer wenn wir 25 Päckchen fertig hatten, ließen wir sie von einem Hausboten abholen. Bis Mitte Dezember wurden sie im verlagseigenen Kuriercenter zwischengelagert. Dann würden wir grünes Licht geben, dass die Verteilung in Manhattan anrollen konnte. Die

Präsente, die nach auswärts gingen, hatten wir bereits an meinen ersten beiden Arbeitstagen eingepackt. Sie warteten jetzt im Wandschrank auf die Abholung durch einen Paketdienst. Da die Lieferungen schon am folgenden Tag zugestellt werden würden, verstand ich nicht ganz, warum wir es so eilig hatten. Es war ja erst Ende November. Aber ich hatte längst begriffen, dass es besser war, nicht zu viele Fragen zu stellen. 150 Priestly-Flaschen gingen mit FedEx in die ganze Welt, nach Paris, Cannes, Bordeaux, Mailand, Rom, Florenz, Barcelona, Genf, Brügge, Stockholm, Amsterdam und London. Dutzende gingen allein nach London! Sie flogen nach Peking, Hongkong, Kapstadt, Tel Aviv und Dubai (jawohl, Dubai!). In Los Angeles, Honolulu, New Orleans, Charleston, Houston, Bridgehampton und Nantucket würde man auf Miranda das Glas erheben. Und das alles, bevor auch nur die erste Flasche ihr Ziel in New York erreicht hatte, wo Mirandas Freunde und Bekannte, ihre Ärzte, Hausmädchen, Friseure, Kindermädchen, Kosmetikerinnen, Therapeuten, Jogalehrer, Fitnesstrainer, Chauffeure und Einkaufshilfen bedacht werden würden. Genau wie das bunte Völkchen aus der Welt der Mode: Designer, Models, Schauspieler, Redakteure, Akquisiteure, PR-Leute und Modegurus. Jeder würde vom Elias-Clark-Kurier mit einer seinem Rang angemessenen Flasche beschert werden.

»Was meinst du, was das alles kostet?«, fragte ich Emily, während ich mir den wohl millionsten weißen Geschenkpapierbogen zurechtschnipselte.

»Ich hab's dir doch gesagt. Die Flaschen, die ich bestellt habe, kosten insgesamt 25 000 Dollar.«

»Nein, ich meine die gesamte Operation. Die vielen Pakete als Eilsendung in die ganze Welt zu schicken. In manchen Fällen wird die Fracht mehr kosten als das Geschenk, vor allem wenn es jemand aus der Nullenklasse ist, der bloß den Chianti kriegt.«

Diese Frage schien sie sich noch nie gestellt zu haben. Zum

ersten Mal, seit wir uns kannten, sah sie mich nicht verächtlich, genervt oder gleichgültig an, sondern interessiert. »Hm, wollen wir mal sehen. Nehmen wir an, die inländischen Lieferungen kommen auf ungefähr 20 Dollar pro Stück und die ausländischen auf 60, dann macht es allein 9000 Dollar für den Paketdienst. Irgendwo habe ich mal gehört, dass unser hauseigener Kurierdienst pro Lieferung 11 Dollar berechnet. Bei 250 Kurierlieferungen kommen wir auf 2750 Dollar. Und dann noch unsere Arbeitszeit. Wir brauchen eine Woche, um alles einzupacken, das heißt, zusammen zwei ganze Arbeitswochen, macht noch einmal vier Riesen…«

Unser Gehalt war bei weitem der mickrigste Posten auf der Liste.

»Ja, wenn wir alles zusammenrechnen, kommen wir auf ungefähr 16 000 Dollar. Wahnsinn, was? Aber was will man machen? Sie ist schließlich Miranda Priestly.«

Um eins verkündete Emily, dass sie Hunger hatte und mit ein paar Mädels aus der Accessoires-Abteilung einen Happen essen gehen würde. Ich nahm an, dass sie sich ein Sandwich aus der Cafeteria holen wollte, wie wir es die ganze Woche über gemacht hatten. Ich wartete und wartete, 10 Minuten, 15 Minuten, 20 Minuten, aber sie kam und kam nicht wieder. Es wurde zwei, es wurde halb drei, es wurde drei. Mir hing der Magen bis auf die Schuhsohlen. Ich versuchte, Emily über das Handy zu erreichen, wurde aber auf ihre Mailbox umgeleitet. Sie hatte doch wohl nicht in der Cafeteria den Geist aufgegeben? Womöglich war sie an einem Salatblättchen erstickt. Ich überlegte, ob ich jemanden bitten sollte, mir etwas zu holen, wäre mir dabei aber zu sehr wie eine Primadonna vorgekommen. Wer war ich denn, dass ich einen Kollegen bat, mir das Mittagessen zu besorgen? Schließlich war eigentlich ich für die Verpflegung zuständig. Wie sich das allein anhören würde: *Entschuldigung, aber ich darf meinen verantwortungsvollen Posten als Geschenkverpackerin auf keinen Fall verlassen. Würden Sie mir bitte ein Croissant holen? Sie sind ein*

*Engel.* Als Emily um vier Uhr immer noch nicht wieder aufgekreuzt war, tat ich das Undenkbare: Ich verließ das Büro, ohne Wachablösung.

Vorsichtig lugte ich um die Tür. Keine Spur von Emily im Korridor. Ich nahm die Beine in die Hand, flitzte in den Empfangsbereich und drückte den Knopf für den Fahrstuhl. Bestimmt 20-mal. Sophy, die hinreißende asiatische Schönheit am Empfang, zog die Augenbrauen hoch und wandte den Blick ab. Entweder wollte sie nicht mit ansehen, wie ich vor den Aufzügen herumzappelte, oder sie wollte lieber nichts davon wissen, dass Mirandas Büro unbewacht war. Endlich kam der Lift, ich stürzte hinein. Ein Typ im Heroinlook – klapperdürr und hohlwangig – drückte mit einem spöttischen Grinsen lässig auf den Knopf. Kein Mensch rückte auf, um mir Platz zu machen, obwohl der Fahrstuhl halb leer war. Normalerweise wäre ich deswegen auf die Barrikaden gegangen, heute ließ es mich kalt. Ich hatte nur zwei Gedanken im Kopf: Runter in die Cafeteria und wieder rauf in Mirandas Büro, aber blitzfix.

Im Eingangsbereich zu den heiligen Hallen aus Glas und Granit stand ein Rudel Möchtegernklapperschnepfen. Sie steckten tuschelnd die Köpfe zusammen und beäugten jeden, der aus dem Aufzug stieg. Freundinnen von Elias-Clark-Mitarbeiterinnen, das sah ich auf einen Blick. Emily hatte mir dieses Phänomen natürlich längst beschrieben. Man erkannte sie an ihrer naiven Begeisterung, einmal im Zentrum der Modewelt zu stehen. Lily hatte mich auch schon bekniet, sie mal zum Lunch mitzunehmen. Die Cafeteria hatte in fast allen Manhattaner Zeitungen spitzenmäßige Kritiken bekommen. Exzellentes Essen, große Auswahl – und lauter tolle, schicke Leute. Aber vorerst fühlte ich mich dazu noch nicht imstande. Außerdem hatte ich es wegen unseres komplizierten Bürodienstplans die ganze Woche noch nicht geschafft, mehr als zweieinhalb Minuten dort zu verbringen, nämlich genauso lange, wie ich brauchte, um mir was zum Essen zu schnappen und zu bezahlen. Ob mir in der Cafeteria je eine ausgedehntere Mittagspause vergönnt sein würde, wagte ich zu bezweifeln.

Ich kurvte um die Mädchen herum, die mich neugierig begafften. Könnte ja sein, dass ich ein Promi war. War ich aber nicht. Slalom durch verschiedene Grüppchen und Trüppchen, vorbei an der Vorspeisentheke mit Lamm- und Kalbsbraten, vorbei an der Pizza mit getrockneten Tomaten und Ziegenkäse, dem Tagesgericht, das auf einem Katzentisch in der so genannten »Kalorienecke« ein kümmerliches Dasein fristete. Die schwierigste Hürde aber kam erst noch: die Salattheke von der Länge einer Landepiste, auch unter dem Namen »Futterkrippe« bekannt, an der man sich von vier Seiten gleichzeitig bedienen konnte. Ich hatte Glück, die hungrigen Horden ließen mich durch, als ich ihnen schwor, dass ich nicht die Absicht hatte, ihnen die letzten Tofuwürfelchen vor der Nase wegzuschnappen. In der hintersten Ecke, noch hinter dem Panini-Ständer, hielt einsam und verlassen die Suppenstation die Stellung. Einsam und verlassen deswegen, weil der Suppenkoch der einzige war, der sich standhaft weigerte, auch nur eines seiner Gerichte halbfett, fettarm, fettfrei, salz- oder kalorienarm zuzubereiten. Er blieb einfach stur. Darum war seine Essensausgabe in der ganzen Cafeteria die einzige, vor der sich nie eine Schlange bildete, was wiederum für mich Grund genug war, sie jeden Tag im Laufschritt anzusteuern. Da es im gesamten Verlagsgebäude außer mir keine anderen Suppenesser zu geben schien, beschränkte sich das Angebot auf eine Suppe pro Tag. Ich hoffte auf eine Tomatensuppe mit Cheddarkäse. Doch was bekam ich? Muschelsuppe. Während sie mir der Koch in die Suppentasse schöpfte, verkündete er stolz, dass sie mit echter Sahne zubereitet sei. Drei Leute an der Futterkrippe drehten sich entsetzt staunend nach mir um. Nun hatte ich nur noch ein Hindernis vor mir. Ich musste mich um die Menschenscharen herumkämpfen, die den Gastkoch des Tages belagerten. Im vollen Ornat zelebrierte er vor den Augen seiner begeisterten Anhänger die Kunst der Sashimi-Zubereitung. Ich las sein Namensschild: Nobu Matsuhisa. Wenn ich wieder an meinem Schreibtisch saß, musste ich unbedingt daran denken nachzusehen, wer er war, da ich, so wie es aussah, offenbar die einzige Mitarbeiterin im ganzen Haus war, die ihn nicht kannte. Was mochte schlimmer sein? Nie von Miranda Priestly gehört zu haben oder Mr. Matsuhisa nicht zu kennen?

Die zierliche Kassiererin warf zuerst einen Blick auf die Suppe und dann auf meine Hüften. Oder bildete ich mir das nur ein? Obwohl ich mich inzwischen schon daran gewöhnt hatte, immer und überall kritisch beäugt zu werden, hätte ich schwören können, dass sie mich mit demselben Blick bedachte, den ich für einen 5-Zentner-Menschen übrig gehabt hätte, der acht Hamburger bestellt – leise fragend: »Wollen Sie sich das wirklich antun?« Aber wahrscheinlich litt ich mittlerweile einfach schon an leichtem Verfolgungswahn. Wer war denn diese Person? Eine Kassiererin in einer Cafeteria, mehr nicht. Keine Beraterin der Weight Watchers. Keine Moderedakteurin.

»Die Suppen sind heutzutage nicht sehr gefragt«, sagte sie leise, während sie den Preis eintippte.

»Muschelsuppe ist ja auch bestimmt nicht jedermanns Sache«, murmelte ich und zog meine Karte durch das Lesegerät. Konnte sie nicht ein bisschen schneller machen?

Sie sah mich mit ihren Rehaugen an. »Ich glaube, daran liegt es nicht. Aber der Koch besteht darauf, diese unglaublich nahrhaften Suppen zu kochen. Haben Sie eine Vorstellung, was für eine Kalorienbombe Sie da eben gekauft haben? Wissen Sie, wie dick ein Tässchen Suppe machen kann? Manche Leute würden schon allein von dem Anblick zehn Pfund zunehmen…« *Was du dir mit deiner Figur jedenfalls* nicht *leisten kannst*, schien sie schweigend hinzuzufügen.

Autsch, das hatte gesessen. Als ob es nicht schon schwer genug für mich war, mir unter den kritischen Blicken der gertenschlanken, langbeinigen, blondmähnigen *Runway*-Nymphen einzureden, dass ich für meine Größe normalgewichtig war. Und nun rieb mir auch noch die Kassiererin unter die Nase, dass ich zu dick sei? Ich riss ihr meine Tüte weg, wühlte mich durch die Menge und enterte die nächstgelegene Toilette, direkt gegenüber der Cafeteria, sehr praktisch für Leute, die sich kleinerer Essenssünden gleich wieder entledigen wollten. Obwohl ich wusste, dass mir das Spieglein an der Wand nichts anderes sagen würde als am Morgen, baute ich mich todesmutig davor auf. Eine wutverzerrte Grimasse starrte mir entgegen.

»Was machst du denn hier? Bist du wahnsinnig geworden?« Dass Emily mein Spiegelbild nicht laut anbrüllte, war alles. Sie musste sich sichtlich beherrschen. Ich fuhr herum. Sie hängte gerade ihre Lederjacke über ihre Gucci-Tasche und schob sich die Sonnenbrille in die Stirn. Da begriff ich, dass Emily es ganz wörtlich gemeint hatte, als sie mich vor dreieinhalb Stunden wie einen Fisch auf dem Trockenen sitzen ließ: Sie war tatsächlich essen gegangen. Und zwar nicht in die Cafeteria. Sondern in ein Restaurant. Und zwar ohne Vorwarnung. Und ich hatte wie eine Blöde das Telefon bewachen müssen, ohne Aussicht, etwas in den Magen zu bekommen oder meine Blase zu erleichtern. Doch da half alles nichts. Ich wusste, dass ich trotz dieses Verrats im Unrecht war, und machte mich darauf gefasst, von ihr zusammengestaucht zu werden. Doch das Glück war mir hold. Die Tür ging auf und die Chefredakteurin von *Coquette* stolzierte herein, musterte uns vom Scheitel bis zum Stöckelabsatz. Sofort packte Emily mich beim Arm und bugsierte mich in Richtung Fahrstuhl. Wie aneinander gekettet standen wir da, mein Arm in Emilys Schraubstockgriff. Erniedrigend. Ich kam mir vor wie im Film, als wäre ich in der Gewalt eines Entführers, der mir am helllichten Tag die Pistole in den Rücken drückte und mich zwang, mit ihm in seine Folterkammer hinabzusteigen.

»Wie konntest du mir das antun?«, fauchte sie, als sie mich durch die Glastür der *Runway*-Rezeption schubste und mich mit Lichtgeschwindigkeit zurück ins Vorzimmer schleifte. »Als Seniorassistentin trage ich die Verantwortung für unser Büro. Ich weiß ja, dass du noch neu bist, aber ich habe es dir vom ersten Tag an eingetrichtert: Wir lassen Miranda niemals im Stich.«

»Miranda ist doch gar nicht da.« Mehr als ein Quieken brachte ich nicht über die Lippen.

»Aber sie hätte anrufen können, während du weg warst, und dann wäre keiner da gewesen, der an den Apparat geht, zum Donnerwetter!«, kreischte sie. »Unsere wichtigste Aufgabe, unsere einzige Aufgabe ist Miranda. Und wenn du damit nicht klarkommst, denk bitte daran, dass es da draußen Millionen junger Frauen gibt, die für deinen Job sterben würden. Jetzt hör deine Mailbox ab. Wenn sie angerufen hat, bist du tot. Dann bist du erledigt.«

Am liebsten hätte ich mich wie ein waidwundes Tier in meinem iMac verkrochen und wäre elendig gestorben. Wie hatte ich nur in meiner ersten Woche einen solchen Fehler begehen können? Miranda war noch nicht mal wieder aus dem Urlaub zurück, und ich hatte sie schon so bitter enttäuscht. Was hieß das schon, dass ich Hunger hatte? Mein Magen konnte warten. Ich war von wichtigen Leuten umgeben, die wichtige Aufgaben zu erledigen hatten, von Leuten, die sich auf mich verließen, und ich hatte sie enttäuscht. Ich wählte meine Mailbox an.

»Hi, Andy, ich bin's. Alex. Das gibt's doch nicht, dass du nicht rangehst. Ich wollte dir nur sagen, ich freue mich schon auf heute Abend. Es ist dir doch nichts dazwischengekommen, oder? Du darfst dir das Restaurant aussuchen. Rufst du mich zurück, wenn du meine Nachricht bekommen hast? Nach vier Uhr kannst du mich im Lehrerzimmer erreichen.« Sofort kriegte ich ein schlechtes Gewissen. Nach dem Lunch-Debakel hatte ich beschlossen, die Verabredung abzusagen. Nachdem meine erste Arbeitswoche so hektisch gewesen war, dass wir uns kaum gesehen hatten, wollten wir heute Abend ausgehen, nur wir zwei. Aber es würde nicht sehr romantisch werden, wenn ich am Tisch einschlief. Ich brauchte unbedingt einen freien Abend, um wieder zu mir zu kommen. Ich durfte nicht vergessen, Alex zurückzurufen. Vielleicht konnten wir die Verabredung auf morgen verschieben.

Emily, die ihre Mailbox bereits abgehört hatte, beugte sich zu mir herunter. Ihrer relativ gelassenen Miene entnahm ich, dass Miranda ihr zumindest keine Todesdrohungen hinterlassen hatte. Ich schüttelte den Kopf als Zeichen der Entwarnung.

»Hi, Andrea, ich bin's. Cara.« Mirandas Kindermädchen. »Ich wollte dir nur sagen, Miranda hat eben hier angerufen.« – Herzstillstand – »Anscheinend hatte sie es schon im Büro versucht, aber niemand sei rangegangen. Das kam mir spanisch vor. Da habe ich sie beruhigt, ich hätte gerade eben erst mit euch beiden gesprochen. Also, keine Panik. Sie wollte sich bloß *Women's Wear Daily* durchfaxen lassen. Ich hatte das Heft hier und konnte es ihr schnell schicken. Inzwischen ist es auch heil bei ihr angekommen. Ich wollte es euch nur wissen lassen. Ansonsten: ein schönes Wochenende. Bis die Tage. Ciao.«

Meine Lebensretterin. Das Mädchen war eine Heilige. Kaum zu glauben, dass ich sie erst seit einer Woche kannte – und auch nur vom Telefon –, aber ich hätte sie küssen können. Sie war das genaue Gegenteil von Emily: ruhig, realistisch – und ein totaler Modemuffel. Sie kannte Mirandas Macken, machte aber nicht viel Wind darum. Und sie hatte die seltene, kostbare Gabe, über sich selbst und andere zu lachen.

»Nein, das war auch nicht Miranda«, sagte ich mit einem triumphierenden Lächeln zu Emily. Richtig gelogen war es schließlich nicht. »Wir sind aus dem Schneider.«

»*Du* bist aus dem Schneider, fürs Erste«, sagte sie ausdruckslos. »Denk immer daran: Wir sitzen beide im selben Boot, aber ich gebe den Kurs an. Du hast für mich die Stellung zu halten, wenn ich alle Jubeljahre mal zum Lunch ausgehe – das steht mir zu. So etwas wird nicht noch einmal passieren, verstanden?«

Ich verkniff mir eine fiese Retourkutsche. »Schon gut, schon gut.«

Bis um sieben Uhr waren die letzten Flaschen eingepackt und abgeholt. Emily hatte meine Fahnenflucht nicht wieder erwähnt. Um acht ließ ich mich völlig ausgepowert in ein Taxi sinken (*nur dieses eine Mal*), und um zehn lag ich wie ein gestrandeter Wal auf meinem Bett, ohne mir auch nur die Jacke ausgezogen zu haben. Gegessen hatte ich immer noch nichts. Allein der Gedanke, das Haus zu verlassen und – wie an den vier vorangegangenen Abenden – womöglich orientierungslos durch die Nachbarschaft zu tapsen, war mir ein Graus. Mit meinem nagelneuen Bang & Olufsen rief ich Lily an.

»Hi! Ich dachte, du gehst heute Abend mit Alex aus«, sagte sie.

»Wollte ich auch, aber ich bin total erledigt, fix und foxi. Wir haben das Essen auf morgen verschoben. Ich glaube, ich lasse mir einfach was kommen. Eine Pizza oder was. Ist egal. Und wie war dein Tag?«

»In einem Wort? Echt ätzend. Okay, okay, das waren zwei Wörter. Du kannst dir nicht vorstellen, was mir heute passiert ist. Nein, ich glaube, das kannst du doch. So was passiert mir ja dauernd.«

»Komm zu Potte, Lil. Sonst fallen mir gleich die Augen zu.«

»Okay. Heute war der süßeste Boy aller Zeiten in meinem Seminar. Hat die ganze Stunde fasziniert zugehört und hinterher auf mich gewartet. Er hat gefragt, ob ich nicht Lust hätte, mit ihm was trinken zu gehen. Er wollte mit mir über meine Abschlussarbeit reden, die er tatsächlich gelesen hat.«

»Das klingt ja super. Und? Wie viel Prozent kriegt er?« Lily ging zwar nach der Arbeit fast jeden Abend mit einem anderen Typen aus, aber nach ihrem Mr. 100 Prozent suchte sie immer noch vergeblich. Die Liebesprozentskala hatte Lily eines Abends selbst erfunden, nachdem unsere männlichen Bekannten ihre Freundinnen auf einer Rangliste von eins bis zehn beurteilt hatten, je höher der Wert, desto besser. »Sie ist eine sechs, acht, 2-plus«, sagte unser Freund Jake über die PR-Assistentin, mit der ihn seine Kumpels verkuppelt hatten. Die erste Note galt dem Aussehen, die zweite der Figur und die dritte ihren inneren Werten. Die Prozentskala war Lilys Idee. Sie umfasste zehn Punkte, die jeweils zehn Prozent einbrachten. Der perfekte Mann musste auf jeden Fall die ersten fünf Punkte komplett abdecken: Intelligenz, Sinn für Humor, gute Figur, süßes Aussehen und einen Beruf, der sich wenigstens halbwegs in der Kategorie »normal« ansiedeln ließ. Er konnte weitere Prozente einheimsen, wenn er bei den restlichen fünf Punkten ebenfalls gut abschnitt: keine Psycho-Exfreundin, keine Psycho-Eltern, keinen geilen Frauenaufreißer als Mitbewohner und jede Art von Hobby, das nichts mit Sport oder Pornos zu tun hatte. Das höchste der Gefühle waren bei Lily bis jetzt 90 Prozent gewesen, bei einem Typen, der dann irgendwann mit ihr Schluss gemacht hatte.

»Erst sah es nach starken 70 Prozent aus. Theaterwissenschaftler, Hetero, und er konnte so intelligent über die Politik Israels diskutieren, dass er nicht ein einziges Mal den Vorschlag gemacht hat, ihnen ›einfach 'ne Atombombe draufzudonnern‹. Es ließ sich also sehr viel versprechend an.«

»Klingt gut. Ich bin schon so gespannt. Los, raus damit. Woran ist er gescheitert? Hat er dir was von seinem liebsten Nintendo-Spiel vorgeschwärmt?«

»Schlimmer.« Sie seufzte.

»Ist er dünner als du?«

»Schlimmer.« Sie klang hoffnungslos.

»Was um alles in der Welt könnte es denn noch Schlimmeres geben?«

»Er wohnt auf Long Island…«

»Also, ich bitte dich, Lily! Das kannst du ihm doch wirklich nicht übel nehmen. Gut, Long Island ist ein bisschen spießig, aber…«

»… bei seinen Eltern«, beendete sie den Satz.

Ach.

»Seit vier Jahren schon.«

Ach, Gott.

»Und er wohnt gerne bei Mami und Papi. Er kann es sich nicht vorstellen, ganz alleine in einer Großstadt wie New York zu leben, wenn er es bei seinen Eltern so gemütlich hat.«

»Schon gut, schon gut! Das ist echt der Hammer. Ich glaube, das hatten wir noch nie, dass ein Typ nach dem ersten Date von 70 auf 0 Prozent absackt. Dein Freund hat einen neuen Rekord aufgestellt. Herzlichen Glückwunsch. Hiermit hast du es amtlich: Dein Tag war noch beschissener als meiner.« Shanti und Kendra kamen nach Hause. Ich schob mit dem Fuß die Tür zu, als ich ihre und eine Männerstimme im Flur hörte. Ob wohl die eine oder die andere einen Freund hatte? Ich wusste es nicht. In den letzten anderthalb Wochen hatte ich meine Mitbewohnerinnen insgesamt zehn Minuten gesehen. Sie schienen abends noch länger zu arbeiten als ich.

»War es so schlimm? Wie kann es sein, dass du einen harten Tag hattest? Du arbeitest doch in der Modebranche«, sagte sie.

Es klopfte leise an der Tür.

»Augenblick mal eben, da kommt jemand. Herein!« rief ich, viel zu laut für das winzige Kämmerlein. Sicher wollte Shanti oder Kendra nur schnell fragen, ob ich mich endlich vom Vermieter in den Mietvertrag hatte aufnehmen lassen (nein), ob ich neue Pappteller gekauft (nein) oder irgendwelche telefonischen Nachrichten entgegengenommen hatte (nein). Aber es war Alex!

»Kann ich dich zurückrufen? Alex ist gerade gekommen.« Obwohl ich es toll fand, dass er mir einen Überraschungsbesuch abstattete, hatte ich mich schon so darauf gefreut, nur noch schnell eine heiße Dusche zu nehmen und anschließend in die Federn zu kriechen.

»Klar. Schöne Grüße. Und denk immer daran, was für ein Glück du hast, dass er ein Mr. 100 Prozent ist, Andy. Alex ist klasse. Lass ihn bloß nicht wieder von der Angel.«

»Wem sagst du das? Der Knabe ist ein Heiliger.« Ich lächelte ihn an.

»Ciao.«

»Hallo, Schatz!« Ich musste mich regelrecht zwingen, aufzustehen. »Was für eine tolle Überraschung!« Als ich ihn umarmen wollte, wich er zurück. »Was ist los? Stimmt etwas nicht?«

»Nein, nein. Alles bestens. Aber wie ich dich kenne, hast du bestimmt noch nichts gegessen. Deshalb kriegst du jetzt persönlich was ins Haus geliefert.« Hinter seinem Rücken zauberte er eine große braune Papiertüte hervor, der köstliche Düfte entstiegen. Plötzlich hatte ich einen Bärenhunger.

»Ich glaub es nicht! Woher wusstest du, dass ich mich nicht aufraffen konnte, mir etwas zu essen zu besorgen?«

»Dann komm her. Veranstalten wir ein Mitternachtspicknick.« Er öffnete die Tüte, aber auf meinem Streifen Fußboden war nicht genug Platz für uns beide. Ins Wohnzimmer konnten wir auch nicht, da hockten Kendra und Shanti vor dem Fernseher, zwei ungeöffnete Plastikschüsseln mit Salat vor sich. Zuerst dachte ich, sie wären so in die Sendung vertieft, dass sie erst hinterher essen wollten, aber dann sah ich, dass sie tief und fest schliefen. Tolles Leben.

»Warte, ich habe eine Idee«, sagte Alex und schlich sich auf Zehenspitzen in unsere gemeinsame Miniküche. Als er wieder zurückkam, schwenkte er zwei große Müllsäcke, die er auf meiner blauen Tagesdecke ausbreitete. Ein Mitternachtspicknick im Bett, mal ganz was anderes. Aus der fettigen Tüte förderte er zwei Riesenburger und eine doppelte Portion Pommes zutage. Sogar an Ketchup und Salz hatte er gedacht. Ich klatschte in die Hände vor Begeisterung – obwohl ich fast Mirandas entsetzten Blick spüren konnte: *Sie? Sie essen einen Hamburger?*

»Warte, das war noch nicht alles.« Alex der Zauberer kramte noch eine Hand voll Teelichter mit Vanilleduft, eine Flasche Rotwein mit Schraubverschluss und zwei Pappbecher aus seinem Rucksack.

»Du bist unglaublich«, sagte ich leise. Nicht zu fassen, welche Mühe er sich machte, nachdem ich unsere Verabredung so schnöde abgesagt hatte.

Er gab mir einen Becher Wein, und wir stießen an. »Ja, meinst du denn, ich hätte mir die Gelegenheit entgehen lassen, alles über die erste Woche vom Rest deines Lebens zu erfahren? Auf dich, Schatz.«

»Danke«, sagte ich und trank einen Schluck. »Danke, danke, danke.«

6 »O nein, ich fass es nicht! Unsere Moderedakteurin in Person!«, kreischte Jill in gespielter Begeisterung, als sie mir die Haustür aufmachte. »Komm zu deiner großen Schwester, damit ich vor dir niederknien kann.«

»Moderedakteurin?«, schnaubte ich. »Ich glaub, du träumst. Versuch es mal mit Modedepp. Willkommen in der Zivilisation.« Ich umarmte sie und hätte sie am liebsten gar nicht mehr losgelassen. Ich hatte es ziemlich schwer genommen, als sie zum Studieren nach Stanford gegangen war und mich als 9-Jährige ganz allein bei meinen Eltern zurückgelassen hatte, und dann war sie auch noch mit ihrem damaligem Freund, ihrem jetzigen Mann, nach Houston gezogen. Houston bedeutete Texas! Nicht nur, dass es dort unerträglich heiß und schwül war und man von Moskitoschwärmen in den Wahnsinn getrieben wurde. Nein, das Schlimmste war, dass sich meine kultivierte, bildschöne große Schwester, die klassizistische Kunst liebte und einen zu Tränen rühren konnte, wenn sie ein Gedicht vortrug, eine texanische Aussprache angewöhnt hatte. Und damit meine ich keinen charmanten Südstaatensingsang, sondern ein derbes Cowboygenöle, das sich ins Trommelfell bohrte. Ich hatte Kyle noch immer nicht ganz verziehen, dass er sie in die texanische Pampa entführt hatte, obwohl er ansonsten kein übler Schwager war – zumindest so lange er den Mund nicht aufmachte.

»Howdy, Andy-Baby. Du siehst ja noch properer aus als beim letzten Mal. Tät ja zu gerne wissen, was sie euch da bei dieser *Runway* ins Essen mischen.«

Am liebsten hätte ich einen Tennisball in den Mund gestopft, aber er lächelte mich so treuherzig an, dass ich zu ihm rüberging und ihn in den Arm nahm. Er klang zwar wie der letzte Hinterwäldler und grinste auch so, aber im Grunde war er ein herzensguter Kerl – und ganz klar noch immer unsterblich in meine Schwester verliebt. Ich schwor mir, nicht zusammenzuzucken, wenn er irgendetwas besonders Texanisches von sich gab.

»Am Essen liegt es garantiert nicht. Bei *Runway* betrachten wir das Essen lediglich als ein notwendiges Übel. Wahrscheinlich mischen sie es uns ins Trinkwasser. Du schaust aber auch nicht schlecht aus, Kyle. Hältst du meine Schwester immer noch bei Laune, in eurem Elendsnest?«

»Komm uns doch einfach mal besuchen, Baby. Bring deinen Alex mit, gönnt euch eine kleine Luftveränderung. Du wirst sehen, so öde ist es bei uns gar nicht.« Er lächelte erst mich und dann Jill an, die ihm daraufhin sofort liebevoll die Wange tätschelte. Nicht auszuhalten, dieses Geturtel.

»Er hat Recht, Andy. Houston hat kulturell allerhand zu bieten. Man kann dort wahnsinnig viel unternehmen. Du musst eben öfter mal vorbeikommen. Das geht doch nicht, dass wir uns immer nur bei den Eltern sehen. Und wenn du es in Avon aushältst, hältst du es in Houston gleich zweimal aus.«

»Andy, du bist ja schon da!«, rief meine Mutter, die gerade aus der Küche kam. »Jay, unsere Karrierefrau aus New York ist eingetroffen. Komm, du musst sie begrüßen. Ich dachte, du rufst vom Bahnhof an, damit wir dich abholen können.«

»Mrs. Myers hat Erika vom selben Zug abgeholt, da hat sie mich einfach mitgenommen. Wann gibt es was zu futtern? Ich sterbe vor Hunger.«

»Jetzt gleich. Willst du dich vorher noch frisch machen? Wir warten gern. Du siehst ein bisschen ramponiert aus nach der Fahrt. Es macht uns wirklich nichts aus, wenn wir…«

»Mutter! Bitte!«

»Andy! Du siehst fantastisch aus. Komm her, mein Prachtmädel, und gib deinem alten Vater einen Kuss.« Mein Vater, hoch gewachsen und mit Mitte 50 noch immer eine attraktive Erscheinung, stand lächelnd in der Diele. Als keiner mehr zu uns hinsah, zeigte er mir, dass er ein Scrabble-Spiel hinter dem Rücken versteckt hatte, und flüsterte: »Ich mach dich fertig. Sei gewarnt.«

Ich grinste und nickte. Entgegen allen Erwartungen freute ich mich auf die nächsten 48 Stunden im trauten Kreise der Familie. Seit meinem Auszug vor vier Jahren war ich nie wieder so gern nach Hause gekommen wie heute. Thanksgiving war mein liebster Feiertag, und dieses Jahr wollte ich ihn nach besten Kräften genießen.

Wir versammelten uns im Esszimmer und machten uns über die Unmengen von Essen her, die meine Mutter mit dem sicheren Gespür einer traditionsverhafteten Jüdin zum Vorabend von Thanksgiving hatte anliefern lassen. Bagels, Räucherlachs und Frischkäse, Weißfisch und Latkes, von kundiger Hand ansprechend auf Serviertabletts aus Plastik arrangiert, Köstlichkeiten, die nur darauf warteten, auf Pappteller umgeladen und mit Plastikbesteck verspeist zu werden. Meine Mutter lächelte gerührt, als sich ihre Brut hungrig auf das Essen stürzte. Sie sah so stolz aus, als ob sie eine ganze Woche lang in der Küche geschuftet hätte, um uns satt zu bekommen.

Ich gab mir alle Mühe, der versammelten Familie meinen Job zu erklären, den ich selbst noch immer nicht ganz begriffen hatte. Wahrscheinlich klang es lächerlich, das Ordern der Röcke, das stundenlange Verpacken der Geschenke, das Gefühl, mit Hilfe der kleinen Plastikkarte auf Schritt und Tritt überwacht zu werden. Es fiel mir schwer, in Worte zu fassen, wie ungeheuer wichtig mir meine Aufgaben vorgekommen waren, wie relevant. Ich redete wie ein Wasserfall, aber wahrscheinlich blieb sie ihnen trotzdem fremd, diese Welt, die zwar nur zwei Stunden entfernt lag, aber in Wahrheit zu einem anderen Sonnensystem gehörte. Sie nickten, lächelten und stellten Fragen, hakten nach und gaben sich interessiert, aber ich sah ihnen an, dass es viel zu bizarr für sie war, zu abstrus und unwirklich, als dass sie es hätten verstehen können. Schließlich ging es ihnen nicht anders als mir noch vor einer Woche: Der Name Miranda Priestly sagte ihnen gar nichts.

»Was meinst du, Andy? Hältst du das eine Jahr bei *Runway* durch? Oder vielleicht hängst du sogar noch ein paar Monate dran?«, fragte meine Mutter, während sie einen Salzbagel mit Frischkäse bestrich.

In meinem Vertrag mit Elias-Clark hatte ich mich verpflichtet, ein Jahr als Mirandas Assistentin zu arbeiten – vorausgesetzt, ich wurde nicht gefeuert, eine nicht unwesentliche Einschränkung. Wenn ich meine Aufgaben mit Stil, Begeisterung und Kompetenz erfüllte – was nicht im Vertrag stand, mir aber von einem halben Dutzend Leuten in der Personalabteilung sowie von Emily und Allison zu verstehen gegeben worden war – durfte ich mir anschließend jede nur erdenkliche Stelle wünschen. Natürlich ging man stillschweigend davon aus, dass ich bei *Runway* oder zumindest bei einer anderen Elias-Clark-Zeitschrift weitermachen würde, aber mir standen alle Möglichkeiten offen. Ich konnte zum Beispiel Buchkritiken schreiben oder als Kontaktfrau zwischen Hollywood-Promis und *Runway* fungieren. Die letzten zehn Assistentinnen, die das Jahr bei Miranda überstanden hatten, waren zu 100 Prozent in die Moderedaktion von *Runway* übergewechselt, aber davon ließ ich mich nicht beirren. Ich war entschlossen, mir die drei bis fünf Jahre Knechterei zu ersparen, die mich bei einem anderen Blatt erwartet hätten, und nach meiner Zeit als Assistentin sofort eine sinnvolle Stellung anzutreten.

»Auf jeden Fall. Bis jetzt scheint es ein sehr netter Haufen zu sein. Emily ist vielleicht ein bisschen übereifrig, aber ansonsten gefällt es mir prima. Wenn ich mir anhöre, wie Lily über ihre Prüfungen stöhnt oder was Alex sich von seinen asozialen Schülern gefallen lassen muss, habe ich es wirklich gut getroffen. Wo hat es das sonst schon mal gegeben, dass man sich an seinem ersten Arbeitstag von einem Chauffeur in einer Limousine durch die Stadt kutschieren lassen kann? Doch, ich glaube, das wird ein superspannendes Jahr. Und ich kann es kaum erwarten, dass Miranda endlich wiederkommt. Ich glaube, ich bin bereit für sie.«

Jill verdrehte die Augen, als ob sie sagen wollte: *Du brauchst uns nichts vorzumachen, Andy. Wir wissen doch alle, dass deine Chefin allem Anschein nach eine Irre und ein Drachen ist, umgeben von magersüchtigen Modefreaks, und dass du nur deshalb versuchst, alles in leuchtenden Farben darzustellen, weil du die Hosen gestrichen voll hast.* Aber sie sagte bloß: »Das hört sich toll an, Andy. Ich freue mich für dich. Eine einmalige Gelegenheit.«

Sie war die Einzige am Tisch, die mich überhaupt verstehen konnte, da sie, vor dem Umzug in die texanische Pampa, ein Jahr in einem kleinen Privatmuseum in Paris gearbeitet und sich aus der Seine-Metropole ein gewisses Faible für die Haute Couture mitgebracht hatte. Obwohl sie das Thema Mode eher von der künstlerisch-ästhetischen Seite anging, war sie wenigstens schon einmal mit dieser Szene in Berührung gekommen. »Wir haben auch eine Neuigkeit für euch«, fuhr sie fort und griff nach Kyles Hand.

»Gott sei Dank«, rief meine Mutter. Sie sackte förmlich in sich zusammen, als ob ihr endlich jemand die zwei Zentner schwere Hantel von den Schultern genommen hätte, die sie seit zwei Jahrzehnten niederdrückte. »Das wurde aber auch langsam Zeit.«

»Herzlichen Glückwunsch, ihr zwei! Eure Mutter hatte schon Sorge, es würde nie mehr was werden mit euch. Ihr seid ja schließlich schon ein altes Ehepaar. Da macht man sich so seine Gedanken…«

»Mensch, Jill, Mensch, Kyle. Das ist ja super. Höchste Zeit, dass ich endlich Tante werde. Wann ist es denn so weit?«

Sie sahen aus wie vor den Kopf geschlagen, und einen Augenblick lang dachte ich, wir hätten uns alle geirrt, und sie wollten uns bloß erzählen, dass sie ein neues Haus bauen würden oder dass Kyle endlich aus der Kanzlei seines Vaters ausgetreten war, um mit Jill die Galerie aufzumachen, von der sie schon so lange träumte. Vielleicht waren wir alle ein bisschen voreilig gewesen, zu sehr darauf erpicht, endlich zu hören, dass eine kleine Nichte oder ein Enkelsöhnchen unterwegs war. Meine Eltern redeten in letzter Zeit über nichts anderes mehr als darüber, warum meine Schwester und Kyle, die immerhin schon seit über drei Jahren verheiratet waren, noch immer keinen Nachwuchs produziert hatten. In den letzten sechs Monaten hatte sich diese Frage vom Lieblingsthema der Familie zum Krisengespräch gesteigert.

Meine Schwester senkte den Blick, Kyle runzelte die Stirn. Meine Eltern sahen aus, als ob sie jeden Moment in Ohnmacht fallen würden. Die Spannung war mit Händen zu greifen.

Jill stand auf, ging zu Kyle hinüber und setzte sich auf seinen Schoß. Sie legte ihm den Arm in den Nacken, lehnte sich nach hinten und flüsterte ihm etwas ins Ohr. Ich warf einen Blick auf meine Mutter, die ihrer Sinne kaum noch mächtig war.

Plötzlich kicherte das »alte Ehepaar«, drehte sich zu uns um und verkündete: »Wir bekommen ein Kind.« Und es ward Licht. Umarmungen! Freudengeschrei! Noch mehr Umarmungen! Meine Mutter sprang so schnell auf, dass ihr Stuhl umkippte und den Kaktus umschmiss, der neben der Schiebetür stand. Mein Dad stürzte sich regelrecht auf Jill, um sie links und rechts abzuküssen, und zum ersten Mal seit der Hochzeit bekam auch Kyle einen Schmatzer ab.

Ich trommelte mit der Plastikgabel an meine Limodose und ließ einen Trinkspruch vom Stapel. »Bitte erhebt eure Gläser. Ein Hoch auf das Baby, das wir demnächst im Kreise der Familie Sachs begrüßen dürfen.« Kyle und Jill schienen nicht sehr begeistert. »Okay, okay, technisch gesehen wird es ein Harrison-Baby, aber im Herzen wird es ein Sachs sein. Auf Kyle und Jill, die zukünftigen perfekten Eltern des perfektesten Kindes der Welt.« Wir stießen mit allem an, was wir hatten, ob Coladosen oder Kaffeebecher, wir tranken auf das strahlende Paar und auf Jills Bäuchlein. Während ich den Tisch abräumte, indem ich Essensreste, Geschirr und Besteck einfach samt Papiertischdecke in den Mülleimer beförderte, versuchte meine Mutter, Jill zu überreden, das Kind nach verschiedenen längst verblichenen Verwandten zu nennen. Kyle schlürfte zufrieden seinen Kaffee und genoss den Trubel. Kurz vor Mitternacht schlichen Dad und ich hinaus, um uns in seiner Praxis eine Partie Scrabble zu genehmigen.

Wie jeder gute Psychologe hatte auch mein Dad eine Couch, ein graues Ledersofa in der hintersten Ecke der Praxis, so weich, dass ich gern ab und zu ein Nickerchen darauf machte. In den drei tiefen Sesseln konnten sich die Patienten so geborgen wie im Mutterleib fühlen. Hinter dem modernen, schwarzen Schreibtisch, auf dem ein Flachbildschirm thronte, stand ein bequemer schwarzer Lederstuhl mit einer hohen Rückenlehne. Eine Bücherwand mit psychologischer Fachliteratur, eine Hand voll Bambusstängel in einer hohen Bodenvase aus Kristall und ein paar gerahmte Drucke – die einzigen Farbtupfer im Raum – vervollständigten den futuristischen Look. Ich hockte mich auf den Fußboden, und Dad gesellte sich zu mir.

»Jetzt erzähl doch mal, wie es dir wirklich geht, Andy«, sagte er, während er mir das Bänkchen für die Spielsteine reichte. »Das muss ja alles ziemlich aufregend für dich sein.«

Ich zog sieben Buchstaben und stellte sie nachdenklich vor mir auf. »Ja, die letzten beiden Wochen waren wirklich der Wahnsinn. Erst der Umzug, dann der neue Job. Es ist schon ein seltsamer Laden, schwer zu beschreiben. Alle sind so schön und so dünn und so schick. Aber sie machen einen netten Eindruck. Bis jetzt war noch jeder freundlich zu mir. Fast schon zu freundlich, als ob sie unter Medikamenten stehen. Ich weiß auch nicht …«

»Ja? Was wolltest du sagen?«

»Ich komm nicht drauf, was es ist. Es ist ein Gefühl, als ob das Ganze nur ein Kartenhaus ist, das jeden Augenblick über mir zusammenkrachen kann. Und ich kann mir nicht helfen, es kommt mir immer noch lächerlich vor, dass ich ausgerechnet bei einer Modezeitschrift angestellt bin. Bis jetzt ist die Arbeit ziemlich geisttötend. Aber eine Herausforderung ist es trotzdem, weil alles so neu ist.«

Er nickte.

»Ich weiß, es ist ein ›cooler Job‹, aber wie ich da etwas lernen soll, was mir beim *New Yorker* weiterhilft, kann ich mir nicht vorstellen. Irgendwie traue ich dem Braten nicht so recht. Es ist einfach zu schön, um wahr zu sein. Wahrscheinlich bilde ich mir bloß etwas ein.«

»Das glaube ich nicht, Spätzchen. Du bist nur sensibel. Aber ich muss dir Recht geben, es sieht ganz so aus, als ob du das große Los gezogen hast. Was du in diesem einen Jahr an Erfahrungen sammeln wirst, davon können andere nur träumen. Überleg doch mal! Frisch von der Uni, dein erster Job, und du arbeitest für die wichtigste Frau bei der erfolgreichsten Zeitschrift des größten Zeitschriftenverlags der Welt. Was meinst du, was du da für Einblicke bekommst? Noch dazu von ganz oben. Wenn du die Augen offen hältst und nie vergisst, was im Leben wirklich zählt, wirst du in dem Jahr mehr lernen als die meisten anderen Leute aus dieser Branche in ihrem ganzen Leben.« Er legte sein erstes Wort aus: JUTE.

»Nicht übel«, sagte ich und notierte den Punktestand: Dad – 22, Andrea – 0. Meine Buchstaben sahen nicht sehr vielversprechend aus. Ich hängte ein D, ein E und ein L an sein E und schrieb mir für EDEL mickrige 6 Punkte gut.

»Ich wünsche mir bloß, dass du dich richtig bewährst«, sagte er und ordnete seine Spielsteine neu. »Je länger ich darüber nachdenke, desto mehr glaube ich, dass große Dinge auf dich zukommen.«

»Hoffentlich hast du Recht, und es bleibt nicht beim Geschenkeinpacken. Davon habe ich fürs Erste wirklich die Nase voll. Ein bisschen anspruchsvoller könnte der Job ruhig sein.«

»Das kommt noch, Spatz. Du wirst schon sehen. Natürlich hast du momentan den Eindruck, dass man Albernheiten von dir verlangt, aber ich bin überzeugt, dass dies nur der Anfang einer großen Erfolgsstory ist, das hab ich im Gefühl. Ich habe mich nämlich ein bisschen über deine Chefin kundig gemacht. Diese Miranda Priestly ist ein harter Brocken, keine Frage, aber ich könnte mir durchaus vorstellen, dass ihr gut miteinander auskommen werdet.«

Er pfropfte meinem L das Wort WIRBEL auf und machte ein zufriedenes Gesicht.

»Hoffentlich hast du Recht, Dad.«


»Sie ist die Herausgeberin von *Runway*, der Modezeitschrift«, flüsterte ich eindringlich ins Telefon und kämpfte entschlossen meinen aufkommenden Frust nieder.

»Ach, ich weiß, welche Sie meinen«, sagte Julia aus der Werbeabteilung von Scholastic Books. »Eine tolle Zeitschrift. Am besten finde ich immer die Artikel mit den peinlichen Menstruationsstorys. Sind die Mädchen echt, die diese Sachen erlebt haben? Wissen Sie noch, die eine Geschichte, in der...«

»Nein, nein, nicht die Teenie-Illustrierte. Eine Zeitschrift für erwachsene Frauen.« Zumindest theoretisch. »Sagen Sie bloß, Sie kennen *Runway* tatsächlich nicht?« Konnte das sein, war das überhaupt denkbar? »Jedenfalls schreibt sie sich P-R-I-E-S-T-L-Y. Miranda, ja«, sagte ich mit einer Engelsgeduld. Ich fragte mich, wie die Genannte reagieren würde, wenn sie wüsste, dass ich jemanden in der Leitung hatte, der noch nie von ihr gehört hatte. Vermutlich nicht gerade entzückt.

»Also dann, herzlichen Dank schon einmal. Es wäre schön, wenn Sie mich so bald wie möglich zurückrufen könnten«, sagte ich zu Julia.

Es war Mitte Dezember, ein Freitagmorgen, nur noch zehn Stunden, dann winkte das Wochenende. Es hatte mich fast übermenschliche Überredungskünste gekostet, Julia von Scholastic Books klarzumachen, dass Miranda Priestly eine extrem wichtige Person war, für die man ruhig einmal die Vorschriften ein bisschen dehnen und die Logik überstrapazieren durfte. Ich hatte nicht damit gerechnet, dass sich das Gespräch so schwierig gestalten würde. Aber wie hätte ich auch ahnen können, dass die Frau, die ich mit Mirandas einflussreicher Stellung beeindrucken wollte, noch nie von der renommiertesten Modezeitschrift der Welt gehört hatte – von ihrer berühmten Herausgeberin ganz zu schweigen? In den nun vier Wochen als Mirandas Assistentin hatte ich immerhin schon begriffen, dass dieses Imponiergehabe und Um-den-Finger-Wickeln Teil meines Jobs war. Aber normalerweise genügte es, wenn ich nur den Namen meiner Chefin fallen ließ, um meinem Gegenüber alles abzuschwatzen oder abzutrotzen, was ich brauchte.

Es war mein Pech, dass Julia bei einem anspruchsvollen Buchverlag arbeitete, wo jeder noch so unbekannte Autor eher einen Promi-Bonus bekommen hätte als eine Frau, die für ihren untadeligen Geschmack in Sachen Pelz bekannt war. Doch im Grunde hatte ich Verständnis dafür. Auch bei mir war es schließlich erst fünf Wochen her, dass ich den Namen Miranda Priestly zum ersten Mal gehört hatte. Ich beneidete Julia um ihre selige Unschuld – bei der Erledigung meines Jobs war sie mir allerdings keine große Hilfe.

Morgen, am Samstag, sollte der neueste Band der Harry-Potter-Reihe herauskommen, und Mirandas zehnjährige Zwillingstöchter wünschten sich jede ihr eigenes Exemplar. Käuflich zu erwerben waren die Bücher erst ab Montag, aber ich brauchte sie schon am Samstagmorgen – direkt nachdem sie an die Buchhandlungen ausgeliefert worden waren. Schließlich mussten Harry und seine Zauberfreunde einen Privatflieger nach Paris erwischen.

Das Klingeln des Telefons riss mich aus meinen trüben Gedanken. Ich nahm ab. Inzwischen vertraute Emily mir so weit, dass sie mich tatsächlich selbst mit Miranda reden ließ. Und wie wir redeten – wahrscheinlich zwei Dutzend Mal am Tag. Selbst aus der Ferne war es dieser Frau gelungen, sich in mein Leben einzuschleichen und es völlig zu beherrschen. Von sieben Uhr morgens bis neun Uhr abends, wenn ich endlich Feierabend hatte, bombardierte sie mich mit Anweisungen, pflasterte mich mit Befehlen zu und deckte mich mit ihren heruntergeratterten Fragen und Wünschen ein.

»Aan-dreh-aa? Hallo? Ist da jemand? Aan-dreh-aa?« Wie eine Rakete schoss ich von meinem Stuhl in die Höhe. Es dauerte einen Augenblick, bis es bei mir klick machte und mir wieder einfiel, dass sie gar nicht im Büro war – ja, nicht einmal im Lande. Vorläufig würde sie mich nicht persönlich behelligen.

»Ich begreife einfach nicht, warum es immer so lange dauert, bis Sie sich melden«, sagte Miranda. Bei jedem anderen Menschen hätte es sich nach einem nörgelnden Vorwurf angehört, aber bei ihr klang es kühl und entschlossen. Genau wie sie. »Falls es nach all diesen Wochen immer noch nicht zu Ihnen durchgedrungen sein sollte: Wenn ich anrufe, melden Sie sich. Es ist nicht weiter schwierig. Ich rufe an, Sie melden sich. Oder sind Sie damit überfordert, Aan-dreh-aa?«

Obwohl sie mich gar nicht sehen konnte, nickte ich wie eine bedröppelte Sechsjährige, die gerade Schimpfe bekommen hat, weil sie ihre Spaghetti an die Wand geschmissen hat. Ich konzentrierte mich darauf, sie nicht mit »Ma'am« anzusprechen, ein Fehler, der mich vor einer Woche um ein Haar den Job gekostet hatte. »Nein, Miranda. Es tut mir Leid«, säuselte ich mit eingezogenem Kopf. In diesem Augenblick tat es mit tatsächlich Leid, dass ich ihre Stimme nicht eine Dreizehntelsekunde schneller erkannt hatte, dass ich nicht wie aus der Pistole geschossen »Büro Miranda Priestly« geantwortet hatte. Ihre Zeit war schließlich sehr viel kostbarer als meine.

»Gut, gut. Kommen wir endlich zur Sache. Haben Sie den Tisch für Mr. Tomlinson schon reserviert?

»Ja, Miranda. Um ein Uhr im Four Seasons.«

Ich sah es auf eine Meile kommen. Nachdem sie mir erst vor zehn Minuten aufgetragen hatte, im Four Seasons einen Tisch zu reservieren und Mr. Tomlinson, den Chauffeur und das Kindermädchen telefonisch über diesen Plan zu informieren, würde sie nun alles wieder über den Haufen schmeißen wollen.

»Ich habe es mir inzwischen anders überlegt. Das Four Seasons ist nicht der geeignete Rahmen für seinen Lunch mit Irv. Reservieren Sie einen Tisch für zwei Personen im Le Cirque, und vergessen Sie nicht, den Oberkellner daran zu erinnern, dass sie im hinteren Teil des Restaurants sitzen möchten. Nicht vorne, wo man sie sehen kann, sondern hinten. Das wäre alles.«

Bei meinen ersten Telefongesprächen mit Miranda hatte ich mir noch eingeredet, dass sie mit ihrem abschließenden »Das wäre alles« in Wahrheit »danke« meinte. Aber diese Illusion hielt nur bis zur zweiten Woche.

»Selbstverständlich, Miranda. Danke«, sagte ich lächelnd. Ich spürte, dass sie zögerte. Ob sie meinen kleinen Seitenhieb bemerkt hatte? Ob es ihr seltsam vorkam, dass ich mich dafür bedankte, herumkommandiert zu werden? In der letzten Zeit hatte ich mir angewöhnt, ihr für jede sarkastische Bemerkung und jeden unverschämten Telefonbefehl zu danken, eine Taktik, die mich sehr befriedigte. Sie ahnte sicher, dass ich mich über sie lustig machte, aber was sollte sie sagen? *Aan-dreh-aa, ich verbiete Ihnen, mir zu danken. Verschonen Sie mich mit Ihren Dankbarkeitsbekundungen!* Na ja eigentlich war ihr ein solcher Anpfiff durchaus zuzutrauen.

*Le Cirque, Le Cirque, Le Cirque*, sagte ich mir im Stillen immer wieder vor, entschlossen, die Reservierung möglichst sofort zu erledigen, um mich wieder der wesentlich diffizileren Harry-Potter-Herausforderung widmen zu können. Binnen Minuten hatte ich für Mr. Tomlinson und Irv einen Tisch ergattert. Null Problemo.

Emily kam von einem kleinen Spaziergang durch die Redaktion zurück und wollte natürlich als Erstes wissen, ob Miranda angerufen hatte.

»Nur dreimal, und sie hat mir kein einziges Mal gedroht, mich zu feuern«, sagte ich stolz. »Angedeutet hat sie diese Möglichkeit schon, aber nicht richtig damit gedroht. Ein ziemlicher Fortschritt, was?«

Sie lachte so, wie sie nur lachte, wenn ich mich über mich selbst lustig machte, und dann fragte sie, was die große Miranda von mir gewollt habe.

»Dass ich BTBs Lunchreservierung ändere. Ich kann mir zwar nicht vorstellen, warum *ich* dafür zuständig sein sollte, wo er doch schließlich seine eigene Assistentin hat, aber egal. Wer bin ich denn, dass ich hier Fragen stelle?« BTB war unser Spitzname für Mirandas dritten Ehemann, eine Abkürzung für blind, taub und blöd. Obwohl er ein netter Kerl war und nach außen hin ganz normal wirkte, musste er, das war allen Eingeweihten klar, sowohl blind als auch taub und blöd sein, um es mit einem Drachen wie Miranda aushalten zu können.

Als Nächstes musste ich BTB Bescheid geben. Wenn ich ihn nicht früh genug erreichte, schaffte er es vielleicht nicht mehr rechtzeitig in das richtige Restaurant. Er hatte den Urlaub unterbrochen und war für ein paar Tage in der Stadt, um einige Geschäftstermine wahrzunehmen. Das Arbeitsessen mit Irv Ravitz – dem Chefmanager von Elias-Clark – war eine seiner wichtigsten Verpflichtungen.

BTB hieß eigentlich Hunter Tomlinson. Miranda und er waren erst seit dem Sommer verheiratet, nach einer, wie man munkelte, eher ungewöhnlichen Romanze: Sie hatte gebaggert, er hatte sich geziert. Laut Emily war sie ihm wie ein Bluthund auf den Fersen geblieben, bis er schließlich ja gesagt hatte, zu erschöpft um weiter vor ihr Reißaus zu nehmen. Aus heiterem Himmel hatte sie ihrem zweiten Ehemann (Lead-Sänger einer berühmten Rock-Band aus den 6oer-Jahren und Vater der Zwillinge) den Laufpass gegeben. Zwölf Tage nach der Scheidung war sie wieder unter der Haube. Mr. Tomlinson tat, was man ihm sagte, und zog zu ihr in die Park Avenue. Ich hatte Miranda erst einmal gesehen und ihren neuesten Ehemann noch gar nicht, aber ich telefonierte so oft mit den beiden, dass es mir vorkam, als wären wir alle eine große Familie.

Ich ließ es einmal, zweimal, dreimal, viermal, fünfmal klingeln. Wo nur seine Assistentin stecken mochte? Vielleicht war mir das Glück hold, und ich bekam nur den Anrufbeantworter. Ich war heute nicht in der Stimmung für das belanglose, freundliche Geplauder, mit dem BTB mich immer so gern eindeckte. Aber ich hatte Pech, seine Sekretärin meldete sich doch noch.

»Büro Mr. Tomlinson. Was kann ich für Sie tun?«, trällerte sie in ihrem ausgeprägten Südstaatenakzent. Ich schüttelte mich.

»Hallo, Martha. Andrea hier. Ich will nicht lange stören. Könnten Sie Mr. Tomlinson nur rasch etwas von mir ausrichten? Ich habe ihm einen Tisch reserviert, und zwar im ... «

»Andrea, Sie wissen doch, dass Mr. T. für Sie jederzeit zu sprechen ist. Einen Augenblick, bitte.« Bevor ich mit einer Ausrede kontern konnte, wurde ich schon mit einer Fahrstuhldudelversion von Bobby McFerrins »Don't Worry, Be Happy« beglückt. Typisch. Das passte, dass BTB so einen überoberoptimistischen Song aussuchte, um seine Anrufer zu unterhalten, während sie in der Warteschleife versauerten.

»Andy, meine Gute, sind Sie das?«, fragte er mit seiner sonoren, kultivierten Stimme. »Mr. Tomlinson soll doch sicher nicht denken, dass Sie ihm aus dem Weg gehen wollen, hm? Es ist schon eine Ewigkeit her, dass ich das Vergnügen hatte, mit Ihnen zu plaudern.« Eine Ewigkeit? Genau anderthalb Wochen. Mr. Tomlinson war nicht nur blind, taub und blöd, er hatte auch die nervtötende Angewohnheit, von sich selbst des Öfteren in der dritten Person zu sprechen.

Ich schnaufte tief durch. »Hallo, Mr. Tomlinson. Miranda bittet mich, Ihnen auszurichten, dass Ihr Geschäftsessen heute

Mittag um eins im Le Cirque stattfindet. Sie sagte, Sie hätten am liebsten einen Tisch ...«

»Nicht so schnell, meine Liebe. Nicht so schnell. Können wir das Geschäftliche mal einen Augenblick beiseite lassen? Machen Sie einem alten Mann eine kleine Freude, und erzählen Sie Mr. Tomlinson etwas von sich. Würden Sie das für ihn tun? Was ich Sie schon immer mal fragen wollte, arbeiten Sie eigentlich gern für meine Frau?« Gute Frage. Hm, mal sehen. Wie sag ich's meinem Kinde? Ich bin so glücklich und so froh, wie der Mops im Paletot – kurz bevor er von einem Kampfhund zerfleischt wird? *Aber klar arbeite ich gern für deine Frau, du ahnungsloser Engel, du. Ich kann mir auf der Welt nichts Schöneres vorstellen. Wenn wir beide nichts zu tun haben, machen wir uns gegenseitig Gesichtspackungen und tauschen uns über unser Liebesleben aus. Im Grunde ist das Leben mit Miranda wie eine Pyjamaparty im Kreise der allerbesten Freundinnen. Wir haben mächtig viel Spaß zusammen.*

»Mr. Tomlinson, ich liebe meinen Job, und ich bin froh, dass ich für Miranda arbeiten darf.« Ich hielt den Atem an. Mit ein bisschen Glück hatte ich ihm damit vielleicht den Wind aus den Segeln genommen.

»Das hört man gern. Mr. T. ist entzückt, dass Ihnen Ihre Aufgabe gefällt.« *Toll, du Volldepp, aber bist du auch entzückt?*

»Das freut mich aber, Mr. Tomlinson. Und viel Spaß dann nachher beim Lunch.« Ich legte auf, bevor er mir die unvermeidliche Frage nach meinen Plänen für das Wochenende stellen konnte.

Dann lehnte ich mich zurück und sah zu Emily hinüber, die hochkonzentriert damit beschäftigt war, mal wieder eine von Mirandas 20 000-Dollar-Kreditkartenabrechnungen zu überprüfen. Ich musste als Nächstes unbedingt das Harry-Potter-Projekt in Angriff nehmen. Wenn ich heute noch irgendwann aus dem Büro kommen wollte, durfte ich keine Sekunde mehr verplempern.

Lil und ich wollten uns ein gemütliches Video-Wochenende gönnen. Wir hatten beide eine anstrengende Woche hinter uns, ich in der Redaktion, sie in der Uni, und waren total ausgepowert. Deshalb hatten wir uns vorgenommen, das ganze Wochenende auf ihrer Couch zu verbringen, keinen Schritt vor die Tür zu setzen und uns ausschließlich von Bier und Nachos zu ernähren. Keine kalorienreduzierten Chips. Keine Cola Light. Und vor allem: keine schicken Klamotten. Obwohl wir dauernd miteinander telefonierten, hatten wir uns, seit ich in der Stadt wohnte, kaum gesehen.

Seit der achten Klasse waren wir die besten Freundinnen. Ich hatte sie eines Tages angesprochen, als sie allein in der Cafeteria saß und weinte, neu und fremd an unserer Schule. Ihre Großmutter hatte sie zu sich geholt, nachdem sich abzeichnete, dass ihre Eltern so bald nicht wieder nach Hause kommen würden, weil schon seit Monaten hinter den Grateful Dead durch die Weltgeschichte zogen. (Als ihre Tochter geboren wurde, waren die beiden gerade mal 19 gewesen und hatten sich mehr für Haschisch interessiert als für Babywindeln.) Lily hatten sie derweil bei ihren ausgeflippten Freunden in einer Kommune in New Mexico geparkt (beziehungsweise im »Kollektiv«, wie Lily es formulierte). Als sie sich nach fast einem Jahr immer noch nicht wieder hatten blicken lassen, holte Lilys Großmutter sie aus der Kommune (beziehungsweise aus der »Sekte«, wie sie es formulierte) und nahm sie mit nach Avon. An dem Tag, als sie weinend in der Cafeteria hockte, hatte ihre Großmutter sie gezwungen, sich ihre verfilzten Rastalocken abzuschneiden und ein Kleid anzuziehen, was Lily ganz und gar nicht gefiel. Ich fand sie auf Anhieb sympathisch, besonders ihre Art zu reden, Sachen wie: »Das ist so zen von dir« oder »Jetzt ist erst mal ein Chillout angesagt«. Wir hatten uns gleich miteinander angefreundet. Auf der High School waren wir dann unzertrennlich gewesen, auf dem College hatten wir uns vier Jahre lang ein Zimmer geteilt. Lily war sich noch immer nicht ganz darüber im Klaren, ob sie eher auf MAC-Lippenstifte oder auf Hanfhalsketten stand, und in das langweilige Normaloleben hatte sie sich auch noch nicht richtig gefügt, aber wir ergänzten einander perfekt. Und jetzt fehlte sie mir sehr. Wir sahen uns einfach viel zu selten.

Ich konnte das Wochenende kaum erwarten. Meine Vierzehnstundentage machten sich bei mir in den Füßen, den Oberarmen und im Kreuz bemerkbar. Statt der Kontaktlinsen, die ich seit zehn Jahren trug, musste ich wieder eine Brille aufsetzen, weil meine Augen zu müde und zu trocken waren. Ich qualmte ein Päckchen Zigaretten am Tag und lebte ausschließlich von Starbucks-Kaffee (auf Spesen) und Sushis zum Mitnehmen (ebenfalls auf Spesen). Zwar hatte ich nach der Amöbenruhr ein paar Pfunde zugelegt, aber seit ich bei *Runway* arbeitete, schmolzen sie wieder dahin wie Schnee an der Sonne. Vielleicht lag es an der Luft oder an der Verachtung, die man in der Redaktion allem Essbaren entgegenbrachte. Eine Nebenhöhlenentzündung hatte ich schon hinter mir, und von meiner Indienbräune war kaum noch ein Hauch zu sehen. Und das alles in nur vier Wochen, bei einem jungen Menschen von dreiundzwanzig. Dabei habe Miranda bis jetzt noch nicht einmal einen Fuß ins Büro gesetzt. Verdammt. Ich hatte mir ein Wochenende verdient.

Der einzige, der meinem Plan noch gefährlich werden konnte, war Harry Potter, was ihn mir nicht gerade sympathisch machte. Miranda hatte in aller Herrgottsfrühe angerufen. Sie brauchte keine Minute, um ihre Wünsche zu formulieren, aber mich kostete es eine kleine Ewigkeit, sie zu interpretieren. Eines hatte ich jedoch inzwischen schon kapiert: In Miranda Priestlys Welt war es besser, einen Fehler zu machen und ihn mit viel Zeit und Geld wieder auszubügeln, als zuzugeben, dass man ihre wirren und akustisch oft schwer verständlichen Anweisungen nicht verstanden hatte. Als sie also irgendetwas Kryptisches über die Potter-Bücher für die Zwillinge vor sich hin nuschelte, die nach Paris geflogen werden sollten, schwante mit sofort, dass dieser Auftrag möglicherweise meine Wochenendpläne torpedieren würde. Nachdem ich aufgelegt hatte, sah ich panisch zu Emily hinüber.

»Was um alles in der Welt hat sie bloß gesagt?«, stöhnte ich. Warum, warum nur war ich zu feige gewesen, noch einmal nachzufragen? »Weshalb verstehe ich kein einziges Wort, das diese Frau von sich gibt? Es liegt nicht an mir, Em. Ich beherrsche meine Muttersprache aus dem Effeff. Ich weiß, sie macht das absichtlich, um mich in den Wahnsinn zu treiben.«

Emily warf mir den üblichen Blick zu – eine Mischung aus Genervtheit und Mitleid. »Da das Buch morgen herauskommt und Miranda nicht hier ist und es deshalb auch nicht kaufen kann, möchte sie, dass du zwei Harry Potters besorgst und sie zum Flughafen schaffst. Der Jet bringt sie dann nach Paris«, fasste sie mein Gestammel kühl zusammen. Und wehe, ich wagte es, diese abstrusen Anweisungen zu kritisieren. Also zuckte ich mit den Schultern und hielt die Klappe.

Da ich nicht die Absicht hatte, für Miranda auch nur eine Nanosekunde meines kostbaren Wochenendes zu opfern und da ich gleichzeitig über unbegrenzte Geld- und Machtmittel verfügte (Mirandas nämlich) – stürzte ich mich in die Aufgabe, für Harry Potter einen Flug nach Paris zu organisieren. Zunächst ein paar Zeilen an Julia von Scholastic Books:

*Liebste Julia,*

*wie ich von meiner Assistentin Andrea erfahre, sind Sie die reizende Person, an die ich meinen tief empfundenen Dank zu richten habe. Sie hat mir mitgeteilt, dass Sie der einzige Mensch in ganz New York sind, der in der Lage ist, mir bis morgen zwei Exemplare unseres heiß geliebten Harry Potters zu besorgen. Sie sollen wissen, wie sehr ich Ihren Einsatz und Ihre Klugheit zu schätzen weiß. Ich möchte Ihnen auch recht herzlich im Namen meiner Töchter danken. Sie werden sie glücklich machen. Für eine Mutter gibt es doch nicht Schöneres auf der Welt als leuch-*

*tende Kinderaugen. Sie haben uns einen wahren Freundschafts-*
*dienst erwiesen. Wenn ich mich jemals auf irgendeine Weise*
*bei Ihnen erkenntlich zeigen kann, zögern Sie bitte nicht, sich an*
*mich zu wenden.*

  *Mit den allerbesten Grüßen*
  *Miranda Priestly*

Dann setzte ich mit geübter Hand ihre Unterschrift darunter
(das zweite A in Miranda etwas schnörkeliger als das erste, wie
ich es von Emily gelernt hatte. Endlich machte sich das stundenlange harte Schreibtraining bezahlt), heftete den Brief an
die neueste Ausgabe von *Runway*, die noch nicht im Handel
erhältlich war, und ließ die Sendung per Eilkurier in das Büro
von Scholastic Books liefern. Wenn das nicht half, konnte
ich mich einsargen lassen. Miranda hatte nichts dagegen, dass
wir ihre Unterschrift fälschten – so mussten wir sie wenigstens
nicht dauernd mit irgendwelchem Routinekram belästigen –,
aber wenn sie geahnt hätte, unter was für ein freundliches, höf-
liches Schreiben ich ihren Namen gesetzt hatte, wäre sie vor
Wut auf die Palme gegangen.

  Noch vor drei Wochen hätte ich sofort alle meine eigenen Pläne über den Haufen geschmissen, wenn Miranda etwas
von mir verlangt hätte, was übers Wochenende erledigt werden
musste, aber inzwischen war ich schon so erfahren – und abgebrüht –, dass ich mir ein paar Freiheiten erlaubte. Da Miranda
und die Mädchen nicht selbst am Flughafen sein würden, wenn
Harry morgen in Paris eintraf, sah ich nicht ein, warum ich ihn
persönlich in die Maschine setzen sollte. Ich verließ mich vorläufig darauf, dass Julia mir schon zwei Exemplare rüberwachsen
lassen würde, und machte mich daran, die Übergabe zu organisieren. Ein Anruf hier, ein Anruf da, und nach einer Stunde
stand der Plan.

  Brian, ein Lektoratsassistent bei Scholastic Books, würde,
nachdem er von Julia grünes Licht bekommen hatte, am Abend

zwei Verlagsexemplare mit nach Hause nehmen, damit er deswegen nicht extra noch einmal am Samstag ins Büro musste. Er würde die Bücher bei seinem Portier hinterlegen, wo ich sie am nächsten Morgen um elf mit der Limousine würde abholen lassen. Nachdem mir Mirandas Chauffeur Uri die erfolgreiche Übergabe per Handy bestätigt hatte, sollte er die Potters zum Flugplatz Teterboro bringen, wo sie in Mr. Tomlinsons Privatjet verfrachtet werden würden, um den Flug nach Paris anzutreten. Einen Augenblick lang spielte ich mit dem Gedanken, für die einzelnen Etappen dieses Unternehmens einen Geheimcode einzuführen, damit es sich noch mehr nach einer Story aus einem Spionageroman anhörte, aber dann fiel mir wieder ein, dass Uris Englisch nicht gerade das beste war, so dass ich diesen Plan wieder aufgab. Vorher hatte ich natürlich noch überprüft, wie schnell man die Bücher per Eilkurier über den Atlantik schaffen könnte, aber da man mir eine Zustellung vor Montag nicht garantieren konnte, kam diese Alternative keinesfalls in Frage. Deshalb der Privatjet. Wenn alles wie geplant verlief, konnten sich Klein-Cassidy und Klein-Caroline schon am Sonntagmorgen beim Frühstück in der Hotelsuite in Harrys neueste Abenteuer vertiefen – einen ganzen Tag früher als alle ihre Freundinnen. Ach, bei diesem Gedanken konnte einem ganz warm ums Herz werden.

Ich hatte mit den jeweiligen Beteiligten gerade alles Nötige abgesprochen, als das Telefon klingelte. Es war Julia. Obwohl es sie schier übermenschliche Anstrengungen gekostet hatte und sie deswegen bestimmt noch Ärger bekommen würde, hatte sie es geschafft. Sie würde Brian zwei Exemplare für Ms. Priestly aushändigen. Amen.

»Er hat sich verlobt? Das gibt's einfach nicht«, sagte Lily, während sie das *Ferris-Bueller*-Video zurückspulte. »Der Typ ist doch noch keine 24. Wozu die verdammte Eile?«

»Stimmt, das kommt mir auch ein bisschen verdächtig vor«,

antwortete ich aus der Küche. »Vielleicht lassen ihn Mom und Dad nicht an sein riesiges Treuhandvermögen, bis er sesshaft geworden ist. Das wäre nun wirklich ein Grund, in den Hafen der Ehe einzulaufen. Oder vielleicht ist er auch nur einsam.«

Lily lachte. »Dass es Liebe ist und er einfach bis ans Ende seiner Tage mit ihr zusammen sein will, kann's doch nicht sein, oder? Darüber sind wir uns einig?«

»Total einig. Das kann's nicht sein. Hast du noch eine Erklärung auf Lager?«

»Aber klar. Hier kommt sie, Nummer drei. Er ist schwul. Er hat es eben erst gemerkt – obwohl ich es schon von Anfang an wusste –, und ihm ist klar, dass Mom und Dad den Schock nicht verkraften würden. Deshalb heiratet er die Erstbeste, die ihm über den Weg läuft. Na, was sagst du?«

Als Nächstes stand *Casablanca* auf unserem Heimkinoprogramm. Während Lily den Film schon mal bis zur ersten Szene vorspulte, machte ich uns in der Miniküche ihrer Miniwohnung zwei Tassen heiße Schokolade in der Mikrowelle heiß. Den ganzen Freitagabend taten wir nichts außer faulenzen, rauchen und zwischendurch einmal Nachschub aus dem Videoverleih holen. Erst am Samstagnachmittag rührten wir uns tatsächlich wieder freiwillig aus dem Haus. Wir fuhren nach SOHO shoppen, gönnten uns neue Tanktops für Lilys Silvesterparty und teilten uns in einem Straßencafé eine Riesentasse Eierflip. Nachdem wir erschöpft und zufrieden wieder in Harlem eingetrudelt waren, schalteten wir den Rest des Abends zwischen *Harry und Sally* und *Saturday Night Live* hin und her.

Das Wochenende war so eine Erholung nach dem Wahnsinn und der Quälerei der letzten Wochen, dass ich das Unternehmen Harry Potter total vergaß – bis irgendwann am Sonntag das Telefon klingelte. O Gott, das musste Miranda sein! Doch es war nur Lilys Handy, und schon fing sie an, sich mit irgendjemandem auf Russisch zu unterhalten. Danke, danke, danke, lieber Gott. Es war nicht Miranda! Aber damit war ich noch lange nicht aus dem Schneider. Es war Sonntagmorgen, und ich hatte keine Ahnung, ob die blöden Potter-Schinken tatsächlich in Paris gelandet waren. Ich war so sehr damit beschäftigt gewesen, mein freies Wochenende auszukosten, dass ich ganz vergessen hatte, mich von ihrer heilen Ankunft zu überzeugen. Natürlich war mein Handy eingeschaltet und zwar auf volle Lautstärke. Aber was hätte es schon genützt, wenn mich einer meiner Spießgesellen angerufen hätte, weil irgendein Teil meines ausgeklügelten Plans nicht geklappt hatte? Es wäre sowieso zu spät gewesen, noch etwas zu unternehmen. Nein, ich hätte vorbeugend aktiv werden und mich bei jedem einzelnen Beteiligten erkundigen müssen, ob alles glatt gegangen war.

Ich stürzte mich auf meine Reisetasche und wühlte nach meinem *Runway*-Handy, das sich ganz unten in einem Knäuel Unterwäsche versteckte. Ich grub es aus und ließ mich erleichtert aufs Bett sinken. Doch sofort informierte mich das kleine Display, dass ich hier keinen Empfang hatte, und mein Instinkt sagte mir, dass Miranda angerufen und nur die Mailbox bekommen hatte. Am liebsten hätte ich das Handy an die Wand gepfeffert. Und mein tolles Bang & Olufsen gleich hinterher. Und Lilys. Ich hasste Telefone, alle Telefone, ich hasste sogar Alexander Graham Bell, weil er das blöde Ding erfunden hatte. Die Arbeit für Miranda Priestly hatte so manche Nebenwirkungen, aber die Schlimmste und Perverseste davon war mein alles verzehrender Hass auf Telefone.

Die meisten Leute freuen sich, wenn das Telefon klingelt. Jemand versucht, sie zu erreichen, hallo zu sagen, sich nach ihrem Befinden zu erkundigen oder Pläne zu schmieden. Mir dagegen blieb jedes Mal das Herz stehen. Bei mir löste das Klingeln Angst, Nervenflattern und Panik aus. Und während ich die vielen Extradienste, die man heutzutage als Telefonkunde abonnieren kann, früher als Schnickschnack oder als witzige Abwechslung empfand, waren sie nun nichts anderes als eine Lebensnotwendigkeit. Vor der Zeit bei Miranda besaß ich nicht einmal eine Anklopffunktion, doch kaum war die Tinte unter dem *Runway*-Vertrag trocken, hatte ich alles: eine Anklopffunktion (damit sie nie ein Besetztzeichen bekam), eine Anruferidentifizierung (damit ich ihr ausweichen konnte), eine Anklopffunktion mit Anruferidentifizierung (damit ich ihr ausweichen konnte, während ich auf der anderen Leitung sprach) und eine Mailbox (damit sie nicht merkte, dass ich ihr auswich, weil sie ja immerhin noch meine Ansage vom Band hören konnte). Der Spaß kostete mich 50 Dollar im Monat, aber das war mir mein Seelenfrieden wert. Oder sagen wir lieber: Das zahlte ich gern, um vorgewarnt zu sein.

Beim Handy musste ich auf diese praktische Lebenshilfe leider verzichten. Sicher, es hatte genau die gleichen Funktionen wie mein Festnetzapparat, aber für Miranda gab es einfach keinen Grund, warum es nicht dauernd eingeschaltet sein sollte. Ich hatte immer erreichbar zu sein. Die zaghaften Einwände, die ich erhob, als Emily mir das Handy aushändigte, das zur Standardausrüstung jedes *Runway*-Mitarbeiters gehörte, und mir dabei eintrichterte, auch ja jedes Gespräch anzunehmen, wurden locker vom Tisch gewischt.

»Und wenn man gerade schläft?«, fragte ich zum Beispiel.

»Dann stehst du auf und nimmst das Gespräch an«, antwortete sie, während sie an einem gesplitterten Fingernagel herumfeilte.

»Und wenn man in einem superschicken Restaurant sitzt?«

»Machst du es wie jeder andere New Yorker und telefonierst beim Essen.«

»Und wenn ich beim Frauenarzt bin?«

»Der wird ja wohl nicht deine Ohren untersuchen, oder?« Schon gut, schon gut, ich hatte verstanden.

Ich hasste das verdammte Handy, aber ich konnte es nicht ignorieren. Es fesselte mich an Miranda wie eine Nabelschnur. Sie rief dauernd, ständig, immer an. Wenn das blöde Ding klingelte, reagierte ich schon wie ein Pawlowscher Hund. *Klingeling –*

der Herzschlag beschleunigte sich. *Klingeling, klingeling* – die Hände ballten sich zu Fäusten, die Schultern verspannten sich. *Klingeling, KLINGELING: (Ach, warum kann sie mich nicht in Frieden lassen? Bitte, sie soll vergessen, dass es mich gibt)* – mir stand der Schweiß auf der Stirn. Das ganze herrliche, gammelige Wochenende über war ich nicht ein einziges Mal auf die Idee gekommen, dass ich womöglich gar keinen Empfang hatte. Ich war einfach davon ausgegangen, dass es schon klingeln würde, wenn es Probleme gab. Fehler Nummer eins. Ich suchte die ganze Wohnung ab, bis ich tatsächlich eine Stelle ohne Funkloch fand, und wählte mit angehaltenem Atem meine Mailbox an.

Da war Mom mit einem witzigen Spruch, die mir ein schönes Wochenende mit Lily wünschte. Ein Bekannter aus San Francisco war zufällig in der Stadt und wollte etwas mit mir unternehmen. Meine Schwester erinnerte mich daran, ihrem Mann eine Geburtstagskarte zu schicken. Und als ich schon fast glaubte, ich wäre noch einmal mit einem blauen Auge davongekommen – Miranda, der gefürchtete englische Akzent, der mir ins Ohr dröhnte. »Aan-dreh-aa. Miranda hier. Es ist Sonntagmorgen, neun Uhr, und die Mädchen haben ihre Bücher noch nicht. Rufen Sie mich im Ritz zurück, um mich über die baldige Ankunft zu unterrichten. Das wäre alles.« Klick.

Mir kam die Galle hoch. Wie üblich, kein freundliches Wort. Kein Hallo, auf Wiederhören oder danke. Natürlich nicht. Aber das war nicht das Schlimmste. Das Schlimmste war, dass die Nachricht fast einen halben Tag alt war und ich mich bis jetzt noch nicht bei ihr gemeldet hatte. Ein Kündigungsgrund, das war mir klar. Und ich konnte nichts dagegen machen. Wie ein Amateur hatte ich mich einfach darauf verlassen, dass mein Plan schon aufgehen würde. Mir war noch nicht mal aufgefallen, dass der Anruf von Uri ausgeblieben war, mit dem er mir die erfolgreiche Abholung und Übergabe der Bücher bestätigen sollte. Hektisch ging ich das Telefonverzeichnis des Handys durch und rief ihn an. Miranda hatte ihn natürlich ebenfalls mit einem

Mobiltelefon ausgestattet, damit auch er sieben Tage die Woche rund um die Uhr erreichbar war.

»Hallo, Uri. Andrea hier. Entschuldigen Sie, dass ich Sie an einem Sonntag störe. Nur eine kurze Frage. Haben Sie gestern die Bücher an der angegebenen Adresse abgeholt?«

»Challo, Andy! Was fur eine nette Uberraschung«, brummte er mit seinem warmen russischen Akzent. Er hatte mich vom ersten Tag an Andy genannt, wie ein guter alter Onkel. Bei ihm störte mich das nicht im Geringsten, anders als bei BTB. »Natürlich chabe ich die Bucher abgecholt, wie Sie gesagt chaben. Ich will Ihnen doch chelfen.«

»Aber ja, Uri. Ich habe bloß gerade eine Nachricht von Miranda bekommen, dass sie noch nicht angekommen sind. Nun versuche ich herauszufinden, was passiert ist.«

Er schwieg einen Augenblick, dann gab er mir den Namen und die Telefonnummer des Privatjetpiloten durch.

»Danke, danke, herzlichen Dank!«, sagte ich, während ich hastig mitschrieb. Hoffentlich konnte der Pilot mir weiterhelfen. »Dann muss ich ihn gleich anrufen. Tut mir Leid, keine Zeit für ein Schwätzchen. Schönes Wochenende noch.«

»Ja, ja, Ihnen auch, Andy. Ich denke, der Pilot kann Ihnen weiterchelfen. Viel Gluck«, sagte er fröhlich und legte auf.

Lily war in der Küche und backte Waffeln. Ich hätte ihr so gern geholfen, aber ich musste erst diese Katastrophe beheben, sonst war ich meinen Job los. Oder vielleicht war ich auch schon längst gefeuert, und es hatte mir bloß noch keiner gesagt. So etwas konnte bei *Runway* durchaus passieren. Eine Redakteurin war zum Beispiel entlassen worden, während sie auf Hochzeitsreise war. Davon erfahren hatte sie nur, weil sie zufällig auf Bali in der *Women's Wear Daily* über die Meldung gestolpert war. Ich rief den Piloten an. O nein, bloß der Anrufbeantworter.

»Hallo, Jonathan. Hier spricht Andrea Sachs von der Zeitschrift *Runway*. Ich bin Miranda Priestlys Assistentin und hätte eine Frage bezüglich Ihres gestrigen Fluges. Ach, da fällt mir ein, womöglich sind Sie ja noch in Paris oder auf dem Rückflug. Ich wollte nur mal kurz anfragen, ob das Päckchen – und Sie natürlich auch – heil in Paris angekommen sind. Könnten Sie mich wohl auf dem Handy zurückrufen? Die Nummer ist: 917-555-8702. Möglichst bald, bitte. Danke. Auf Wiederhören.«

Ich überlegte, ob ich im Pariser Ritz anrufen sollte. Vielleicht erinnerte sich ja jemand von der Rezeption daran, ob die Bücher vom Privatflughafen ins Hotel gebracht worden waren. Aber dann fiel mir ein, dass ich mit meinem Handy keine Auslandsgespräche führen konnte. So viele Funktionen, aber die, die ich am dringendsten brauchte, war natürlich nicht dabei. Lily rief, dass in der Küche ein Teller Waffeln und eine Tasse Kaffee auf mich warteten. Ich ging zu ihr rüber, den Blick immer sorgfältig auf die Empfangsanzeige des Handys gerichtet. Lilly nippte an einer Bloody Mary. Igitt. Wie konnte sie nur an einem Sonntagmorgen Schnaps trinken?

»Na, hast du mal wieder eine Miranda-Krise?«, fragte sie mitfühlend.

Ich nickte. »Ich glaube, diesmal habe ich wirklich einen totalen Bock geschossen«, sagte ich und setzte mich zu ihr. »Kann sein, dass sie mich achtkantig rausschmeißt.«

»Ach, Mensch, das sagst du doch immer. Sie schmeißt dich schon nicht raus. Sie hat deine Arbeit doch noch nicht mal persönlich kennen gelernt. Das wäre ja noch schöner, wenn sie dir kündigt. Du hast schließlich den tollsten Job der Welt!«

Ich sah sie skeptisch an und zwang mich, ruhig zu bleiben.

»Na, stimmt doch«, sagte sie. »Okay, deine Miranda scheint ein bisschen schwierig und verrückt zu sein. Aber wer ist das nicht? Dafür kannst du haufenweise Schuhe, Kosmetik und Haarschnitte und Klamotten abstauben. Allein die Klamotten! Welcher Mensch kriegt schon kostenlos die schärfsten Designerklamotten hinterhergeschmissen, nur dafür, dass er jeden Tag zur Arbeit kommt? Andy, du arbeitest bei *Runway*! Kapierst du das nicht? Du hast einen Job, für den andere junge Frauen zum Killer werden würden.«

Und ob ich kapierte. Mir ging regelrecht ein Licht auf: Lily verstand mich nicht, zum ersten Mal, seit wir uns kannten. Genau wie alle anderen Freunde und Bekannten stand sie auf meine verrückten *Runway*-Storys, Klatsch und Tratsch aus der Welt der Schönen und Reichen, aber sie begriff nicht, wie hart jeder einzelne Tag in dieser Tretmühle für mich war. Sie verstand nicht, warum ich meine müden Knochen tagaus, tagein ins Büro schleppte. Nicht wegen der kostenlosen Klamotten. Wenn es mir nur um die tollen Sachen gegangen wäre, die bei *Runway* für mich abfielen, hätte ich die Plackerei nie und nimmer ausgehalten. Es wurde Zeit, meiner besten Freundin die Augen zu öffnen. Sie musste erkennen, in was für eine Welt es mich verschlagen hatte. Sonst würde sie mich nie verstehen. Ja, sie sollte wissen, wie es dort wirklich zuging. Ich brauchte eine Verbündete, die ganz auf meiner Seite stand. Als ich gerade anfangen wollte, ihr alles zu erklären, klingelte das Handy.

Verdammt! Am liebsten hätte ich Kleinholz aus dem Ding gemacht und dem Anrufer gesagt, er solle sich zum Teufel scheren. Aber womöglich war es der Rückruf von diesem Jonathan. Lily lächelte nachsichtig und sagte, ich solle ruhig rangehen.

»Andrea?«, fragte eine Männerstimme.

»Ja. Jonathan?«

»Jawohl. Ich habe gerade mit der Fernabfrage meinen Anrufbeantworter abgehört und Ihre Nachricht bekommen. Ich bin im Moment auf dem Rückflug von Paris nach New York, genauer gesagt, irgendwo über dem Atlantik, aber Sie klangen so besorgt, dass ich Sie doch lieber sofort zurückrufen wollte.«

»Ich danke Ihnen! Vielen, vielen Dank. Sie sind ein Engel. Ja, ich bin tatsächlich ein wenig beunruhigt. Ich hatte heute Morgen einen Anruf von Miranda. Sie sagte, dass sie das Päckchen noch nicht bekommen habe. Sie haben es doch in Paris weitergegeben?«

»Selbstverständlich. Wissen Sie, in meinem Beruf stellt man nicht viele Fragen. Aber dass ich extra quer über den Atlantik fliege, um ein Päckchen abzuliefern, kommt nicht alle Tage vor. Es wird wahrscheinlich etwas ungeheuer Wichtiges gewesen sein. Ein Transplantationsorgan vielleicht oder geheime Dokumente. Deshalb habe ich besonders gut auf die Lieferung aufgepasst und sie dem Fahrer vom Ritz persönlich ausgehändigt. So lauteten meine Anweisungen. Es gab keine Probleme.«

Ich dankte ihm. Die Rezeption des Ritz hatte Harry Potter also, wie vereinbart, vom Flughafen ins Hotel chauffieren lassen. Wenn alles nach Plan gegangen wäre, hätte Miranda die Bücher um sieben Uhr morgens Ortszeit haben müssen. Inzwischen war es in Frankreich schon später Nachmittag, und ich hatte einfach keine Erklärung für die Panne. Mir blieb nichts anderes übrig, als im Ritz anzurufen, und da ich mit meinem Handy keine Auslandsgespräche führen konnte, musste ich mir ein anderes Telefon suchen.

Ich kippte die kalt gewordenen Waffeln in den Müll, verabschiedete mich von Lily, die sich auf die Couch geknallt hatte und schon halb weggedöst war, und sagte ihr, ich würde mich später wieder bei ihr melden.

»Und was ist mit heute?«, sagte sie. »Ich habe schon das nächste Video drin. Ich brauche nur noch aufs Knöpfchen zu drücken. Du darfst nicht gehen – unser Wochenende ist noch lange nicht vorbei.«

»Ich weiß, und es tut mir Leid, Lil. Aber ich muss sofort los. Die Sache kann nicht warten. Ich würde nichts lieber tun, als hier zu bleiben und mir noch ein Video mit dir reinzuziehen, aber ich sitze momentan ziemlich in der Patsche, gelinde gesagt. Ich ruf dich an, ja?«

Ich fuhr mit dem Taxi ins Büro – diesmal war es wirklich ein Notfall. Die Redaktion war wie ausgestorben, kein Wunder an einem Sonntag. Sicher hockten die Kolleginnen alle mit ihren Investment-Banker-Liebsten beim Brunch im Pastis. Ich sank hinter meinen Schreibtisch, atmete tief durch und wählte. Ich hatte Glück, es meldete sich mein alter Bekannter Monsieur Renaud.

»Mademoiselle Sachs, wie geht es Ihnen? Wir sind entzückt, Ms. Priestly und ihre reizenden Zwillinge so schnell wieder bei uns beherbergen zu dürfen«, flunkerte er.

»Danke, Monsieur Renaud. Aber Sie wissen doch, wie wohl sich Miranda bei Ihnen fühlt«, flunkerte ich zurück. Ganz gleich, wie sehr sich der arme Empfangschef auch abstrampelte, Miranda würde an allem und jedem etwas herumzumäkeln haben. Trotzdem gab er sein Bestes und tat so, als sei sie sein liebster Gast.

»Eine Frage, Monsieur Renaud. Ist der Wagen schon wieder zurück, den Sie zum Flughafen geschickt haben?«

»Aber natürlich, *ma chère*. Er ist längst wieder hier. Spätestens seit acht Uhr, würde ich sagen. Ich habe unseren besten Fahrer eingesetzt«, antwortete er stolz. Nur gut, dass er nicht wusste, weshalb sein bester Mann an einem Sonntag im aller Herrgottsfrühe die Fahrt zum Flughafen hatte machen müssen…

»Das ist wirklich seltsam. Ich habe nämlich einen Anruf von Miranda bekommen, in dem sie mir mitteilt, dass sie das Päckchen, das sie erwartet, nicht erhalten hat. An diesem Ende hier habe ich alles überprüft. Unser Fahrer schwört, dass er es am Flughafen abgeliefert hat, der Pilot schwört, dass er es heil nach Paris gebracht und an Ihren Fahrer übergeben hat. Und nun können Sie mir sogar bestätigen, dass es im Hotel eingetroffen ist. Wie kann es dann sein, dass sie es nicht bekommen hat?«

»Das fragen Sie die Dame doch am besten selbst«, trällerte er mit aufgesetzter Fröhlichkeit. »Soll ich Sie durchstellen?«

Wider besseres Wissen hatte ich bis zuletzt gehofft, dass es zu diesem Gespräch nicht kommen würde, dass ich das Problem lösen würde, ohne persönlich mit ihr sprechen zu müssen. Was sollte ich ihr sagen, wenn sie beteuerte, das Päckchen nicht erhalten zu haben? Sollte ich ihr vorschlagen, mal auf dem Dielentischchen ihrer Suite nachzusehen, wo es vermutlich vor Stunden abgelegt worden war? Oder erwartete sie etwa von mir, dass ihr bis zum Abend zwei neue Harry Potters beschaffte? Vielleicht wäre es am besten, wenn ich beim nächsten Mal gleich einen Geheimagenten anheuerte, der die Bücher auf dem Atlantikflug nicht aus den Augen ließ und mir ihre sichere Ankunft garantierte.

»Gern, Monsieur Renaud. Und vielen Dank für Ihre Hilfe.«

Es klickte ein paar Mal, dann hörte ich das Freizeichen. Ich wischte mir die schweißnassen Hände an der Jogginghose ab und versuchte nicht daran zu denken, was passieren würde, wenn Miranda sah, dass ich mich so nachlässig gekleidet in ihr Büro gewagt hatte. *Beruhige dich, reg dich nicht auf*, redete ich mir zu. *Sie wird dir schon nicht die Eingeweide rausreißen. Jedenfalls nicht übers Telefon.*

»Ja?« Eine Stimme von ganz weit weg riss mich aus diesen tröstlichen Gedanken. Aber es war nicht Miranda, sondern Caroline, die mit ihren zehn Jahren die barschen Telefonmanieren der Mutter bereits perfekt beherrschte. Cassidy meldete sich immerhin noch mit »Hallo«, wenn sie an den Apparat ging.

»Hallo, Kleines«, säuselte ich. Wie widerlich, dass ich mich an ein Kind ranwanzte. »Hier ist Andrea, aus dem Büro. Könnte ich vielleicht deine Mom sprechen?«

»Meine *Mum*?« Sie korrigierte mich immer, wenn ich ein Wort amerikanisch statt englisch aussprach. »Augenblick, ich hole sie.«

Eine halbe Minute später hatte ich Miranda am Apparat.

»Ja, Aan-dreh-aa? Ich hoffe, es ist wichtig. Sie wissen doch, dass ich in der Freizeit nicht gestört werden will, wenn ich mit den Mädchen zusammen bin«, sagte sie auf ihre kalte, brüske Art. Ich musste schlucken. *Willst du mich verarschen, Lady? Meinst du, ich rufe zum Spaß am? Weil ich es nicht ertragen kann, mal ein Wochenende lang auf deine mürrische Stimme zu verzichten? Und was ist bitteschön mit meiner Freizeit?* Mir wurde regelrecht schwindelig vor Wut, aber ich riss mich zusammen und kam sofort zur Sache.

»Miranda, es tut mir Leid, wenn ich eine ungünstige Zeit erwischt habe. Es geht nur noch einmal um die Harry-Potter-Bücher. In Ihrer Nachricht sagen Sie, dass sie nicht angekommen sind. Aber ich habe mit sämtlichen Beteiligten gesprochen, und alle versichern mir…«

Sie fiel mir ins Wort und antwortete ruhig und bestimmt: »Aan-dreh-aa. Sie müssen genauer hinhören. Etwas Derartiges habe ich nie gesagt. Wir haben das Päckchen heute Morgen erhalten. Es kam so früh, dass man uns deswegen sogar aus dem Bett geholt hat.«

Ich traute meinen Ohren nicht. Ich hatte die Nachricht auf der Mailbox doch wohl nicht geträumt, oder? Alzheimer konnte es auch nicht sein, dafür war ich noch zu jung.

»Der Grund für meinen Anruf war ein anderer. Wir haben nämlich nur ein Exemplar erhalten! In dem Päckchen war nur ein Harry Potter. Sie können sich gewiss vorstellen, wie enttäuscht die Mädchen waren. Schließlich hatte ich ihnen versprochen, dass jede ihr eigenes Buch bekommen würde. Und genau so lautete auch mein Auftrag, dass Sir mir zwei Exemplare beschaffen. Sie schulden mir eine Erklärung.«

Unmöglich, das war einfach unmöglich. Jetzt träumte ich wirklich, es gab keine andere Erklärung. Ich lebte in einer Parallelwelt, in einem Universum, wo es so etwas wie Vernunft und Logik nicht gab. Was sie da sagte, war so absurd, dass mir nichts mehr dazu einfiel.

»Miranda, ich erinnere mich genau, dass Sie ausdrücklich zwei Exemplare verlangt haben. Und ich habe auch zwei Exemplare bestellt«, stammelte ich. Wie ich mich dafür hasste, dass ich mich vor dieser Frau zu rechtfertigen versuchte. »Ich bin mir sicher, dass man mich bei Scholastic Books richtig verstanden hat. Ich kann mir beim besten Willen nicht vorstellen…«

»Aan-dreh-aa, Sie wissen, was ich von Ausflüchten halte. Verschonen Sie mich bitte. So etwas kommt mir nicht noch einmal vor, haben wir uns verstanden? Das wäre alles.« Sie legte auf.

Ich glaube, ich stand geschlagene fünf Minuten mit dem Hörer in der Hand da. Mir schwirrte der Kopf vor lauter Fragen. Sollte ich sie umbringen? Und wenn ja, würde man mich überführen können? Wäre ich automatisch die Haupttatverdächtige? Natürlich nicht, schließlich hatte – zumindest bei *Runway* – jeder ein Motiv. Wäre ich tatsächlich imstande, mit anzusehen, wie sie langsam und qualvoll verreckte? Die Antwort war einfach: ja. Nun musste ich mir nur noch eine Methode überlegen, mit der ich sie möglichst genussvoll um die Ecke bringen würde.

Nachdenklich legte ich den Hörer wieder auf. War es wirklich vorstellbar, dass ich ihre Nachricht so falsch verstanden hatte? Ich holte mein Handy heraus und hörte noch einmal die Mailbox ab: »*Aan-dreh-aa. Miranda hier. Es ist Sonntagmorgen, neun Uhr, und die Mädchen haben ihre Bücher noch nicht. Rufen Sie mich im Ritz zurück, um mich über die baldige Ankunft zu unterrichten. Das wäre alles.*« Ich hatte nichts falsch gemacht. Okay, man konnte nicht ausschließen, dass tatsächlich nur ein Harry Potter bei ihr angekommen war, aber sie hatte mir klipp und klar zu verstehen gegeben, dass es *mein* Fehler gewesen war, ein Fehler, der das Ende meiner Karriere bedeuten konnte. Als sie mich um neun morgens aus Paris anrief, war es ihr schnuppe gewesen, dass es bei uns in New York erst drei Uhr früh war, und noch dazu an einem Sonntag. Sie hatte aus Bosheit angerufen, aus Gehässigkeit, aus reiner Schikane. Und was hatte sie erreicht? Dass ich sie noch ein bisschen mehr hasste als vorher.

7

Lilys Silvesterparty war eine gemütliche Feier im kleinen Kreis, nur wir zwei und eine Hand voll Freunde. Ich war noch nie ein großer Silvesterfan gewesen: War es Hugh Hefner vom *Playboy*, der einmal gesagt hat, dass er an Silvester zu Hause bleibt und nur an den restlichen 364 Abenden des Jahres ausgeht? So ähnlich ging es mir auch. Aufgesetzte Heiterkeit und Alkohol sorgten nicht unbedingt für eine Bombenstimmung. Also hatte Lily sich geopfert und eine kleine Party geschmissen, um uns die 150 Dollar Eintritt für einen Club zu ersparen – und vor den anschließenden Eisbeinen am Times Square. Jeder Gast steuerte eine Flasche bei, Lily staffierte uns mit Tischbomben und albernen Papierhütchen aus, und als es zwölf Uhr schlug, stieg unser kleiner beschwipster Haufen aufs Dach und prostete dem neuen Jahr zu. Natürlich hatten wir alle zu viel getrunken, aber keiner mehr als Lily, die total in den Seilen hing, als die Party zu Ende war. Sie hatte sich schon zweimal übergeben, und ich wollte sie in diesem Zustand nicht allein in ihrer Wohnung zurücklassen. Alex und ich packten ihr ein paar Sachen ein, verfrachteten sie in ein Taxi und nahmen sie mit. Wir übernachteten alle bei mir, Alex und ich in meinem Riesenbett, Lily auf dem Futon im Wohnzimmer, und am nächsten Morgen gingen wir ausgiebig brunchen.

Ich war froh, dass die Feierei zu Ende war. Höchste Zeit, dass ich ein bisschen in die Gänge kam – mit meinem Leben als solchem und vor allem mit meinem neuen Job. Obwohl es sich so anfühlte, als ob ich schon seit zehn Jahren bei *Runway* schuftete, stand ich in Wahrheit noch ganz am Anfang meiner Karriere. Ich hoffte sehr, dass sich die Situation bessern würde, sobald Miranda und ich Tag für Tag miteinander zu tun hatten, am Telefon konnte schließlich jeder ein eiskaltes Monster sein. Vielleicht verreiste sie nur nicht gern oder war einfach immer gereizter Stimmung, wenn sie sich nicht in die Arbeit knien konnte. Also war ich überzeugt, dass die Quälerei der ersten Wochen nun schon bald ein Ende haben und sich mir eine vollkommen neue Welt eröffnen würde. Und darauf freute ich mich.

Es war der dritte Januar, ein kalter grauer Tag, kurz nach zehn, ich saß im Büro und war glücklich. Glücklich! Ich! Im Büro! Emily schwärmte mir von dem megascharfen Typen vor, den sie auf einer Silvesterparty in Los Angeles kennen gelernt hatte, »ein Songwriter, der kommende Star«, und der versprochen hatte, sie in den nächsten Wochen in New York zu besuchen. Ich hielt einen gemütlichen Plausch mit dem stellvertretenden Beauty-Redakteur, der ein paar Bürotüren weiter residierte. Ein wirklich süßer Knabe, dessen Eltern keine Ahnung hatten, dass er schwul war, obwohl er an einem ehemaligen Frauencollege studiert hatte und bei einer Frauenzeitschrift arbeitete.

»Ach, komm doch mit. Was meinst du, was wir für einen Spaß haben? Ich mache dich mit ein paar absoluten Traumtypen bekannt, Andy. Glaub mir, ich habe auch fantastisch aussehende Heterobekannte. Außerdem ist es *Marshalls* Party, und Marshalls Partys sind immer toll«, sagte James beschwörend. Er lehnte an meinem Schreibtisch, während ich meine E-Mails abrief. Emily erging sich zwischendurch in Details über das Rendezvous mit ihrem langhaarigen Sänger.

»Wenn ich nichts vorhätte, würde ich ja auch mitkommen. Aber mein Freund und ich haben diesen Abend schon vor Weihnachten geplant«, sagte ich. »Wir wollen seit Wochen einmal todschick essen gehen, und neulich habe ich ihm in letzter Sekunde abgesagt.«

»Dann triffst du ihn eben hinterher! Ich bitte dich, wann hast du schon mal die Gelegenheit, den begnadetsten Coloristen der gesamten zivilisierten Welt kennen zu lernen? Es kommen jede Menge Promis, und alle in den fantastischsten Outfits. Ich weiß einfach, es wird *der* Party-Event der Woche! Und dann auch noch ausgerichtet von der Agentur Harrison und Shriftman – was Besseres gibt es nicht. Los, sag schon ja.« Er sah mich so treuherzig an wie ein Cockerspaniel, und ich musste lachen.

»James, ich würde wirklich gerne mitkommen – ich war doch noch nie im Plaza! Aber ich kann Alex nicht schon wieder versetzen. Er hat uns bei einem feinen, kleinen Italiener einen Tisch reserviert. Es geht nicht, dass ich ihn hängen lasse, ausgeschlossen.« Ich konnte die Verabredung wirklich nicht absagen, und ich wollte es auch nicht. Ich freute mich so darauf, Alex einmal ganz für mich allein zu haben, und war schon sehr gespannt, was er über die neue Nachmittagsbetreuung an seiner Schule zu berichten hatte. Allerdings war es schon Pech, dass wir uns ausgerechnet für heute verabredet hatten, den Abend dieser Megaparty. Seit einer Woche schrieben die Zeitungen über nichts anderes mehr: Es sah aus, als ob ganz Manhattan der alljährlichen Nach-Silvesterparty von Marshall Madden entgegenfieberte, dem angesagtesten Coloristen der Stadt, und in diesem Jahr sollte sie noch bombastischer werden als sonst, da er gerade ein neues Buch herausgebracht hatte: *Die Farbe Marshall*. Aber nur wegen einer Promiparty würde ich meinem Freund keinen Korb geben.

»Okay, wie du meinst. Aber dann behaupte hinterher ja nicht, ich würde dich nie irgendwohin mitnehmen. Und wenn du morgen in den Klatschkolumnen liest, dass ich mit Mariah oder J-Lo geplaudert habe, brauchst du mir auch nichts vorzuheulen. Du hast es nicht anders gewollt.« Damit zog er beleidigt ab und seine Gekränktheit war nur halb gespielt.

Die erste Woche des neuen Jahres hatte sich recht gemächlich angelassen. Wir waren immer noch dabei, Weihnachtsgeschenke auszupacken und zu katalogisieren. Erst heute Morgen hatte ich einen Karton mit einem Paar atemberaubender Stöckelschuhe geöffnet, die über und über mit funkelnden Swarovski-Kristallen besetzt waren. Selbst mussten wir allerdings keine Präsente mehr verschicken, und die Telefone blieben die meiste Zeit still, da viele Leute noch im Weihnachtsurlaub waren. Miranda wurde am Samstag aus Paris zurückerwartet, in der Redaktion aber erst am folgenden Montag. Emily war zuversichtlich, dass ich meinen Aufgaben gewachsen sein würde, und ich war es auch. Immer und immer wieder waren wir alles durchgegangen, was ich wissen musste, und ich hatte fast einen ganzen Block mit Notizen voll geschrieben. Jetzt warf ich einen Blick darauf. Hoffentlich würde ich mich auch wirklich an alles erinnern, wenn es demnächst ernst wurde. Kaffee: Nur von Starbucks, großer Milchkaffee, zwei Stücke Rohrzucker, zwei Servietten, ein Löffel. Frühstück: Mangia Lieferservice, Tel.: 555-3948, ein Stück Käseplunder, vier Scheiben Frühstücksspeck, zwei Würstchen. Tageszeitungen; Kiosk in der Lobby: *New York Times, Daily News, New York Post, Financial Times, Washington Post, USA Today, Wall Street Journal, Women's Wear Daily* und mittwochs der *New York Observer.* Wochenzeitungen, zu kaufen montags: *Time, Newsweek, U.S. News, New Yorker* (!), *Time Out New York, Economist.* Und so ging es seitenweise weiter: Blumen, die Miranda liebte, Blumen, die Miranda hasste; Namen, Adressen und Privatnummern ihrer Ärzte und ihrer Putzfrau; Mirandas Lieblingssnacks und ihr Lieblingsmineralwasser; sämtliche Größen sämtlicher Kleidungsstücke, angefangen bei Reizwäsche bis hin zu Skistiefeln. Ich hatte ganze Listen von Leuten, mit denen sie sprechen wollte (*Immer*) und mit denen sie nicht sprechen wollte *(Nie).* Während Emily mich über Wochen immer tiefer in Mirandas Ticks, Tricks und Geheimnisse einweihte, schrieb ich fleißig alles mit, bis ich das Gefühl hatte, dass es nichts gab, was ich über Miranda Priestly nicht wusste – wenn man einmal von der Frage absah, warum sie eigentlich so wichtig war, dass ich einen ganzen Block mit ihren Vorlieben und Abneigungen voll geschrieben hatte. Warum hatte diese Frau so viel Mühe und Aufmerksamkeit verdient? Das war und blieb das große Rätsel.

»Ja, er ist einfach umwerfend«, seufzte Emily, während sie sich verträumt die Telefonschnur um den Zeigefinger wickelte. »Ich glaube, das war das romantischste Wochenende meines Lebens.«

Ping! *Sie haben Post bekommen!* Super, eine E-Mail von Alex.

*Hallo, Schatz, wie geht's, wie steht's? Bei uns ist wie immer die Hölle los. Weißt du noch, was ich dir erzählt habe? Dass Jeremiah die Mädchen mit einem Teppichmesser bedroht hat? Anscheinend hat er es tatsächlich ernst gemeint. Heute kam er nämlich wieder mit so einem Messer an. In der Pause hat er eine Mitschülerin in den Arm geschnitten und sie als Nutte beschimpft. Als Nutte! Der Schnitt war nicht tief, aber als die Pausenaufsicht von ihm wissen wollte, was er sich wohl dabei gedacht hätte, hat er gesagt, das hätte der Freund von seiner Mutter mit ihr auch gemacht. Der Junge ist sechs Jahre alt, Andy. Sechs! Jedenfalls hat der Direktor für heute Abend eine Krisensitzung anberaumt. Deshalb muss ich unsere Verabredung absagen. Es tut mir so Leid! Aber andererseits bin ich auch froh, dass überhaupt etwas getan wird – ich dachte schon, an dieser Schule lässt man solche Sachen einfach schleifen. Du verstehst doch, dass ich nicht kommen kann? Bitte, sei mir nicht böse. Ich rufe dich nachher noch an, und ich verspreche dir, dass ich es wieder gutmachen werde.*

*In Liebe, A.*

Bitte, sei mir nicht böse? Du verstehst doch, dass ich nicht kommen kann? Ein Sechsjähriger hatte eine Mitschülerin mit dem Messer angegriffen, und er entschuldigte sich, dass er nicht mit mir ausgehen konnte? Nachdem ich unser letztes Essen abgesagt hatte, weil ich mir einbildete, nach meinen anstrengenden Limousinenfahrten und dem stundenlangen Geschenkeeinpacken zu ausgepowert zu sein? Mir wären fast die Tränen gekommen. Am liebsten hätte ich ihn sofort angerufen und ihm gesagt, wie stolz ich auf ihn war, dass er sich so um seine Schützlinge kümmerte und dass er diese Stelle überhaupt angenommen hatte. Ich wollte gerade auf »Antworten« klicken, als Emily laut meinen Namen rief.

»Andrea! Sie kommt. Sie ist in zehn Minuten da!«

»Was? Wie bitte? Was hast du gesagt?«

»Miranda ist auf dem Weg in die Redaktion. Jetzt zählt jede Sekunde.«

»Auf dem Weg in die Redaktion? Aber ich dachte, sie kommt erst am Samstag aus Frankreich wieder.«

»Dann wird sie ihre Pläne wohl geändert haben. Los, mach voran! Lauf nach unten, hol ihre Zeitungen und leg sie ihr so hin, wie ich es dir gezeigt habe. Wenn du damit fertig bist, putzt du den Schreibtisch ab und stellst ihr auf die linke Seite ein Glas San Pellegrino hin, mit Eis und einer Limonenscheibe. Und überprüf noch mal ihr Klo, ob auch nichts fehlt, okay? Los! Sie sitzt bereits in der Limousine, und das heißt, je nachdem, wie dicht der Verkehr ist, müsste sie in spätestens zehn Minuten hier sein.«

Ich zischte wie eine Rakete aus dem Vorzimmer und hörte noch, wie Emily ein paar Warnanrufe absetzte: »Sie ist im Anmarsch – sag allen Bescheid!« Während ich wie in Siebenmeilenstiefeln zum Fahrstuhl hetzte, verbreitete sich die Schreckensnachricht wie ein Lauffeuer: »Emily sagt, sie ist im Anmarsch!«, und: »Miranda kommt!«, tönte es von allen Seiten, einmal sogar unterlegt von dem markerschütternden Schrei »Sie ist wieder daaaaaaaaaaaaa!« Die Assistentinnen ordneten hektisch die Modelle auf den Ständern, die Redakteurinnen stürzten in ihre Büros, schleuderten ihre Ballerinas in die Ecke und zwangen ihre Füße in Highheels, zogen sich die Lippen nach, curlten ihre Wimpern und rückten sich die BHs zurecht. Als die Tür der Herrentoilette aufging, erspähte ich James, der sich mit irrem Blick die Schultern seines schwarzen Kaschmirpullovers abklopfte und zwischendurch ein paar Pfefferminzbonbons einwarf. Keine Ahnung, wie er überhaupt davon erfahren hatte, dass Miranda nahte, es sei denn die Männer hatten Lautsprecher auf dem Klo.

Gern hätte ich mir das Chaos in dem aufgescheuchten Hühnerhaufen noch ein bisschen länger angesehen, aber mir blieben nicht einmal zehn Minuten, um mich innerlich auf meine erste Begegnung mit Miranda in meiner Funktion als Assistentin einzustellen. Und ich hatte nicht vor, mich gleich mit einem Fehler einzuführen. Ich schmiss den Turbo an und rannte weiter.

»Andrea, hast du schon gehört? Miranda ist im Anmarsch«, rief Sophy vom Empfang, als ich an ihr vorbeisauste.

»Ja, ich weiß. Aber wieso weißt du es auch schon?«

»Weil ich immer alles weiß. Und jetzt Tempo. Denn eines steht fest: Eine Miranda Priestly lässt man nicht warten.«

Ich enterte den Aufzug und dankte ihr. »In drei Minuten bin ich mit den Zeitungen wieder da!«

Die beiden Frauen im Fahrstuhl machten völlig entgeisterte Gesichter, und erst da fiel mir auf, dass ich geschrien hatte.

»Entschuldigung«, schnaufte ich. »Aber wir haben gerade erfahren, dass unsere Chefin auf dem Weg in die Redaktion ist. Damit hatten wir nicht gerechnet, und jetzt ist bei uns ein bisschen die Hektik ausgebrochen.« *Wie kam ich bloß dazu, mich vor diesen Leuten zu rechtfertigen?*

»Der Wahnsinn, dann arbeiten Sie doch bestimmt für Miranda Priestly. Lassen Sie mich raten. Sie sind Mirandas neue Assistentin? Andrea, richtig?« Die langbeinige Brünette bleckte ein strahlend weißes Piranhagebiss. Auch ihre Freundin sah mich plötzlich um einiges freundlicher an.

»Ja, stimmt. Andrea.« Ich wiederholte meinen Namen, als ob er gar nicht zu mir gehörte. »Ja, Sie haben Recht. Ich bin Mirandas neue Assistentin.«

Wir kamen in der Lobby an, die Tür glitt auf und ich quetschte mich an den beiden Frauen vorbei in die marmorne Halle. Eine der beiden rief mir noch nach: »Sie sind ein echter Glückspilz, Andrea. Miranda ist eine tolle Frau, und Sie haben einen Job, für den Millionen junger Frauen ihr Leben geben würden!«

Ich kurvte haarscharf um einen Trupp mürrischer Rechtsanwälte herum und wäre beinahe frontal in den Zeitungskiosk geschliddert. Herr über dieses Reich der Hochglanzmagazine, zuckerfreien Süßigkeiten und kalorienarmen Erfrischungsgetränke war ein kleiner Kuwaiter namens Ahmed, bei dem Emily mich im Zuge meines Trainings schon vor Weihnachten eingeführt hatte und der mir nun, wie ich hoffte, zum Retter in der Not werden würde.

»Halt!«, rief er, als ich anfing, die Zeitungen aus dem Ständer zu rupfen. »Sind Sie nicht Mirandas neue Assistentin? Dann kommen Sie mal her zu mir.«

Ahmed bückte sich und kramte in einem Fach unter der Kasse herum. Mit hochrotem Kopf tauchte er wieder auf, so agil wie ein Greis mit zwei gebrochenen Beinen. »Bitteschön!«, rief er. »Für Sie!« Er hielt mir einen Packen Zeitungen hin. »Damit Sie mir die Auslage nicht durcheinander wühlen, lege ich Mirandas Zeitungen morgens immer beiseite. Und auch, damit sie mir nicht ausgehen.« Er zwinkerte mir zu.

»Ahmed, ich danke Ihnen. Sie haben mir ja so geholfen. Meinen Sie, ich sollte die Wochenzeitschriften auch gleich mitnehmen?«

»Auf jeden Fall. Heute ist Mittwoch, und sie sind alle schon am Montag rausgekommen. Ihre Chefin wäre wohl nicht sehr begeistert, wenn sie sie heute nicht kriegen würde«, antwortete er vielsagend. Er bückte sich noch einmal unter die Kasse und förderte einen zweiten Stapel hervor. Ich überzeugte mich rasch, dass auch ja keine Zeitschrift fehlte. Aber auf Ahmed war Verlass: keine zu viel, keine zu wenig.

Ausweis, Ausweis, wo zum Henker war mein Ausweis? Ja, natürlich, er hing an dem seidenen Band, das Emily mir aus einem von Mirandas weißen Hermés-Schals gebastelt hatte. »Eigentlich dürftest du ihr mit dieser Plastikkarte sowieso nicht unter die Augen treten«, sagte sie. »Aber wenn du mal vergessen solltest, sie abzunehmen, baumelt sie wenigstens nicht an einer Plastikschnur.« Sie musste sich regelrecht überwinden, um das letzte Wort überhaupt über die Lippen zu bringen.

»Da, bitte sehr, Ahmed. Vielen Dank noch mal für Ihre Hilfe, aber ich bin wahnsinnig in Eile. Sie ist im Anmarsch.«

Er zog den Ausweis durch das Lesegerät neben der Kasse und hängte mir das Seidenband wieder um. »Na, dann los! Und viel Glück!«

Ich schnappte mir die prallvolle Plastiktüte, sprintete los und riss mir im Laufen erneut den Ausweis vom Hals, um durch die Sperre mit den Drehkreuzen zu kommen, die den Zugang zu den Elias-Clark-Fahrstühlen blockierte. Ich zog den Ausweis durch das Lesegerät und drückte. Nichts. Ich versuchte es noch einmal. Diesmal drückte ich etwas fester. Wieder nichts.

Leonardo, der rundliche Wachmann, trällerte »Material Girl« hinter seiner Theke vor sich hin. O nein, bitte nicht. Nicht ausgerechnet heute. Mist. Er wartete schon darauf, dass ich bei seinem albernen Spielchen mitmachte.

In den letzten Wochen hatte ich diese Prozedur jeden Tag über mich ergehen lassen müssen. Anscheinend war er ein begeisterter Hobbysänger, und er ließ mich nicht eher durch das Drehkreuz, bis ich nicht zu einem seiner blöden Songs die passende Show abgezogen hatte.

Gestern hatte er mich mit »I'm too sexy« gequält. Während er sang, musste ich mitten in der Lobby so tun, als ob ich einen Laufsteg hinunterstöckelte. Wenn ich gut drauf war, machte mir dieser Quatsch richtig Spaß. Manchmal musste ich sogar grinsen. Aber heute war mein erster echter Miranda-Nahkampftag, und ich konnte es mir nicht leisten, meine kostbare Zeit mit Eduardos Mätzchen zu verplempern. Unmöglich. Alle anderen durften links und rechts von mir anstandslos passieren, nur mich ließ er nicht durch. Ich hätte ihn umbringen können.

Ich knurrte bitter eine Zeile aus dem Lied vor.

Er zog die Stirn kraus. »Können wir uns nicht ein bisschen mehr ins Zeug legen? Wo bleibt der Madonna-Touch??«

Noch ein Wort von ihm, und ich würde einen Anfall kriegen. Also gut. Ich knallte meine Zeitungstüte auf die Theke, riss beide Arme hoch, wackelte mit den Hüften und machte einen Schmollmund. Am Rande des Nervenzusammenbruchs sang beziehungsweise kreischte ich weiter. Er lachte und klatschte und ließ mich durch. Hurra, geschafft.

*Für später merken: Eduardo klarmachen, wann und wo er es sich erlauben darf, mich zum Affen zu machen.*

Rein in den Aufzug, raus aus dem Aufzug und vorbei an Sophy, die mir unaufgefordert mit einem Knopfdruck die Tür zu unserer Abteilung aufmachte. Ich dachte sogar daran, einen Abstecher in die Teeküche zu machen, um Mirandas Kristallglas aus dem Schrank über der Mikrowelle zu nehmen und ein paar Eiswürfel hineinzuschmeißen. Als ich mit dem Glas in der einen und der Zeitungstüte in der anderen Hand um die nächste Ecke zischte, stieß ich voll mit Jessica alias Miss Maniküre zusammen. Sie sah gleichermaßen verärgert wie verängstigt aus.

»Andrea, ist dir klar, dass Miranda auf dem Weg in die Redaktion ist?«, fragte sie, während sie mich von oben bis unten musterte.

»Aber sicher. Hier sind ihre Zeitungen, hier ist ihr Glas, und jetzt muss ich bloß noch in ihr Büro, um den Schreibtisch herzurichten. Also, wenn du mich jetzt bitte vorbeilassen würdest…«

»Andrea!«, brüllte sie, als ich weiterstürmte und in der Eile einen Eiswürfel aus dem Glas schleuderte. »Vergiss nicht, andere Schuhe anzuziehen.«

Ich blieb wie angewurzelt stehen. O Gott, ich trug ja meine rattenscharfen roten Turnschuhe! Wenn Miranda nicht da war, wurden die offiziellen und die unausgesprochenen Bekleidungsvorschriften nicht ganz so streng gehandhabt wie sonst. Natürlich sahen die Mitarbeiterinnen und Mitarbeiter immer noch wie aus dem Ei gepellt aus, aber sie alle gönnten sich mindestens ein Kleidungsstück, das sie nie, nie, nie im Leben in Mirandas Gegenwart angezogen hätten. Das beste Beispiel waren meine knallroten Sneaker.

Schweißgebadet lief ich wieder im Vorzimmer ein. »Ich habe alle Tageszeitungen bekommen, und die Wochenzeitschriften habe ich vorsichtshalber auch gleich mitgebracht. Aber es gibt ein Problem: Was sagst du zu diesen Schuhen?«

Emily riss sich den Kopfhörer herunter und pfefferte ihn auf den Schreibtisch. »Unmöglich, die kannst du nicht tragen.« Sie griff zum Telefon, wählte einen Hausanschluss und befahl: »Jeffy, bring mir sofort ein Paar Jimmys in Größe…« Sie sah mich an.

»Neuneinhalb.« Ich holte eine kleine Flasche San Pellegrino aus dem Schrank und schenkte das Glas ein.

»Neuneinhalb. Nein, sofort. Auf der Stelle. Nein, Jeff, das ist mein voller Ernst. Sofort. Andrea hat *Turnschuhe* an, knallrote Sneaker! Und Miranda kann jede Sekunde hier sein. Okay, danke.«

Erst jetzt fiel mir auf, dass Emily in den vier Minuten, die ich weg gewesen war, das Outfit gewechselt hatte. Statt der verwaschenen Jeans trug sie jetzt eine Lederhose, statt cooler Sneaker offene Stöckelschuhe. Außerdem war das Vorzimmer aufgeräumt. Alle Papiere und Unterlagen waren in die Schreibtischschubladen gewandert, und die Weihnachtsgeschenke, die noch nicht in Mirandas Apartment abgeliefert worden waren, lagerten jetzt im Schrank. Emily hatte die Lippen mit Lipgloss nachgezogen und sich mit ein bisschen Rouge einen Hauch Farbe auf die Wangen gezaubert. Nun bedeutete sie mir hektisch, endlich weiterzumachen.

Ich schnappte mir die Zeitungstüte, lief nach nebenan und kippte sie auf der Lightbox aus, einem von unten beleuchteten Tischchen, auf dem sich Miranda, wie Emily mir erzählt hatte, manchmal stundenlang die Aufnahmen ansah, die bei den Foto-Shootings angefallen waren. Außerdem hatten auf diesem Tisch die Zeitungen zu liegen. Dann konsultierte ich meine Aufzeichnungen, in welcher Reihenfolge ich sie anzuordnen hatte. Zuerst die *New York Times*, dann das *Wall Street Journal* und die *Washington Post*, immer leicht überlappend, so dass sie zum Schluss akkurat wie bei einer Truppenparade dalagen. Die einzige Ausnahme war *Women's Wear Daily*, die präzise mitten auf Mirandas Schreibtisch zu liegen hatte.

»Sie ist da! Komm raus, Andrea! Sie ist auf dem Weg nach oben«, zischelte Emily. »Uri hat gerade angerufen, dass er sie vor einer Sekunde abgesetzt hat.«

Ich legte die *WWD* auf den Schreibtisch, stellte das Glas San Pellegrino daneben (auf welche Seite? O Gott, ich wusste nicht mehr, auf welche Seite das Glas kam), ließ noch einen letzten prüfenden Blick durch den Raum schweifen und hastete hinaus. Jeffy, einer der Mode-Assistenten, die für die Garderobe zuständig waren, warf mir einen Schuhkarton zu und suchte das Weite. Ich machte den Deckel auf. In einem Bett aus Seidenpapier prangte ein Paar Highheels von Jimmy Choo, die sicher ihre 800 Dollar wert waren. Mist! Wie sollte ich dieses Meisterwerk der abstrakten Schuhdesignerkunst bloß an meine biederen Füße kriegen? Ich riss mir die Turnschuhe und die nicht mehr ganz frischen Socken herunter und feuerte sie unter meinen Schreibtisch. Der rechte Jimmy machte mir keine großen Probleme, aber beim linken kriegte ich mit meinen kurzen Fingernägeln ewig lange die Schnalle nicht auf. Es war ein Heidengefummel, bis ich sie endlich gelöst hatte. Kaum hatte ich den linken Fuß drin, schnitten mir auch schon die Kamelhaarriemchen ins Fleisch. Noch mal ein, zwei Sekunden, und ich hatte die Schnalle wieder zu. Ich kam gerade wieder aus meiner gebückten Haltung hoch, als Miranda zur Tür herein-schritt.

Ich erstarrte zur Salzsäule. Stocksteif hing ich auf meinem Stuhl und rührte mich nicht mehr. Sie bemerkte mich sofort, wahrscheinlich, weil sie noch immer Emily auf ihrem alten Platz erwartet hatte. Sie kam auf mich zu, stützte sich auf den Sicht-schutz und beugte sich über den Schreibtisch, näher und immer näher, bis sie mich voll im Blick hatte. Ihre stahlblauen Augen wanderten an meinem starren Körper von oben nach unten, von unten nach oben, von links nach rechts, von rechts nach links, über meine weiße Bluse, den roten Cordminirock von Gap und die in letzter Sekunde doch noch glücklich zugeschnür-ten Jimmy Choo Kamelhaarriemchensandalen. Sie nahm mich Zentimeter um Zentimeter unter die Lupe, meinen Teint, meine Frisur, meine Klamotten. So hurtig ihre Augen auch über mich hinweghuschten, ihre Miene blieb eisig. Sie lehnte sich noch ein Stückchen weiter vor, bis ihr Gesicht nur noch zwei Hand-breit von mir entfernt war und mir ihr betörender Duft in die Nase stieg, eine Mischung aus teurem Shampoo und exklusi-vem Parfüm. So nah, dass ich die feinen Fältchen um Mund und Augen sah, die aus einer etwas angenehmeren Entfernung gar nicht aufgefallen wären. Aber allzu lange hielt ich es sowieso nicht aus, ihr ins Gesicht zu blicken, dafür musterte sie mich mit einem viel zu forschenden Blick. Es gab nicht das kleinste Anzeichen dafür, dass sie a) wusste, dass wir uns schon einmal begegnet waren, b) wusste, dass ich ihre neue Mitarbeiterin war, und c) wusste, dass sie nicht Emily vor sich hatte.

»Guten Tag, Ms. Priestly«, hörte ich mich mit einem zaghaf-ten Piepsstimmchen sagen, obwohl sie mich noch gar nicht an-gesprochen hatte. Aber die Spannung war so unerträglich, dass ich einfach nicht länger an mich halten konnte, sonst wäre ich geplatzt. »Ich freue mich so darauf, für Sie arbeiten zu dür-fen. Vielen Dank, dass Sie mir die Gelegenheit geben…« *Halt die Klappe! Hast du denn gar kein Fitzelchen Würde im Leib?*

Sie ging weiter. Hatte die Inspektion meiner Person beendet, sich wieder aufgerichtet und mich einfach dumm dasitzen lassen, während ich wie eine hirnlose Teenagerin vor mich hin plapperte. Vor lauter Verwirrung, Verlegenheit und Erniedrigung lief ich knallrot an. Dass ich das Gefühl hatte, von Emily mit mörderischen Blicken durchbohrt zu werden, trug auch nicht gerade zu meinem Wohlbefinden bei. Ich hob den Kopf und sah zu ihr hinüber. Tatsächlich. Wenn Blicke töten könnten ...

»Ist das Bulletin auf dem neuesten Stand?«, fragte Miranda ins Blaue hinein, während sie schnurstracks auf die Lightbox zuhielt, wo ich die Zeitungen arrangiert hatte.

»Ja, Miranda. Hier ist es«, sagte Emily diensteifrig und tippelte auch schon eilig hinter ihr her, um ihr das Klemmbrett zu überreichen, auf dem wir alle Nachrichten festhielten, die für sie hereinkamen.

Ich rührte mich nicht von meinem Platz und beobachtete, wie Miranda durch ihr Büro wanderte: Sie spiegelte sich in den gerahmten Fotos, die an der Wand hingen. Emily huschte wieder heraus und machte sich an ihrem Schreibtisch zu schaffen. Es wurde kein Wort gesprochen. *Dürfen wir nicht mehr miteinander reden, wenn Sie im Haus ist?*, fragte ich mich. Dann stellte ich Emily die gleiche Frage, aber nicht laut, sondern per E-Mail! In Sekundenschnelle hatte ich ihre Antwort auf dem Bildschirm. *Du hast es erfasst*, schrieb sie. *Wenn wir uns etwas zu sagen haben, flüstern wir. Ansonsten halten wir die Klappe. Und noch etwas: Du sagst nur dann etwas zu ihr, wenn sie dich vorher angesprochen hat. Und du nennst sie NIEMALS Ms. Priestly. Für uns ist sie Miranda, verstanden?* Wieder kam ich mir so vor, als ob ich eine Ohrfeige bekommen hätte. Aber ich nickte bloß. Plötzlich bemerkte ich Mirandas Mantel. Ein Traum von einem Pelz, so achtlos auf meinen Schreibtisch geschmissen, dass ein Ärmel fast bis auf den Boden hing. Ich warf Emily einen fragenden Blick zu. Sie verzog das Gesicht, zeigte mit der Hand in Richtung des eingebauten Kleiderschranks und flüsterte: »Aufhängen!« Der Mantel war so schwer wie eine Daunendecke, die gerade aus der Wachmaschine gekommen war, und ich brauchte beide Hände, damit er nicht über den Boden schleifte. Irgendwie schaffte ich es trotzdem, ihn vorsichtig auf einen seidenen Kleiderbügel zu hängen und die Schranktür lautlos zu schließen.

Ich saß noch nicht wieder an meinem Schreibtisch, als plötzlich Miranda neben mir stand. Diesmal konnte sie mich von allen Seiten betrachten, eine Gelegenheit, die sie sich nicht entgehen ließ. Es war ein Gefühl, als ob mein Körper unter dem Blick ihrer stahlblauen Augen Stück um Stück Feuer fing, aber ich war wie gelähmt und konnte meinen rettenden Stuhl nicht erreichen. Kurz bevor meine Haare aufflammten, sah sie mir in die Augen.

»Meinen Mantel«, sagte sie leise. Ob sie sich wohl fragte, wer ich war? Hatte sie es gar nicht bemerkt oder war es ihr egal, dass hier eine fast fremde Frau ihre Assistentin spielte? Nichts deutete darauf hin, dass sie mich wiedererkannte, obwohl das Vorstellungsgespräch erst gut vier Wochen her war.

»Gewiss«, brachte ich heraus und ging zum Schrank, was leichter gesagt als getan war, da sie genau im Weg stand. Ich schob mich seitlich an ihr vorbei und passte auf, dass ich sie ja nicht streifte. Sie bewegte sich keinen Millimeter von der Stelle. Meine Hände schlossen sich um den Pelz, und ich fischte ihn vorsichtig heraus. Fast hätte ich ihn ihr zugeworfen, aber ich beherrschte mich in letzter Sekunde und hielt ihn ihr hin wie ein vollendeter Gentleman. Sie schlüpfte hinein und zückte ihr Handy.

»Ich möchte heute Abend das BUCH sehen, Emily«, sagte sie und segelte hinaus, so sehr mit sich selbst beschäftigt, dass sie die neugierige Frauenschar vor dem Vorzimmer, die sich bei ihrem Anblick blitzschnell in alle Winde zerstreute, wohl nicht einmal bemerkt hatte.

»Ja, Miranda. Ich lasse es Ihnen von Andrea bringen.«

Das war alles. Sie ging. Der Besuch, der in der ganzen Redaktion für Panik und Hektik gesorgt und zu Make-up-Reparaturen und Kleiderwechseln geführt hatte, war nach knapp vier Minuten wieder vorbei. Und hatte, soweit ich das mit meinem ungeübten Blick beurteilen konnte, keinerlei Sinn oder Zweck gehabt.

8 »Nicht hinsehen«, hauchte James, ohne die Lippen zu bewegen, wie ein Bauchredner. »Aber ich glaube, schräg hinter dir habe ich Reese Witherspoon erspäht.«

Natürlich drehte ich mich sofort um. James war meine Neugier sichtlich peinlich, aber ich konnte nicht anders, Reese Witherspoon war schließlich eine meiner Lieblingsschauspielerinnen. Er hatte Recht: Sie war es, stand da, trank Champagner und warf lachend den Kopf in den Nacken. Ich konnte mein Glück kaum fassen.

»James, Darling, ich freue mich ja so, dass du zu meinem kleinen Fest kommen konntest«, säuselte ein schlanker, attraktiver Mann, der sich zu uns gesellt hatte. »Und wen hast du mir denn hier mitgebracht?« Sie begrüßten sich mit einem Küsschen.

»Marshall Madden, der Herr der Farben, das ist Andrea Sachs. Andrea ist...«

»Mirandas neue Assistentin«, beendete Marshall den Satz für ihn. »Ich habe schon alles über Sie gehört, Kindchen. Willkommen in unserer Familie. Ich hoffe, Sie besuchen mich einmal. Ich verspreche Ihnen, wir tun etwas für ihren... Look.« Er strich mir liebevoll über den Kopf und verglich die Farbe meiner Haarspitzen mit der meines Haaransatzes. »Ja, ein Hauch Honig, und fertig ist das neue Supermodel. Lassen Sie sich von James meine Telefonnummer geben, okay? Wenn Sie bei Gelegenheit ein Stündchen frei haben, können Sie jederzeit vorbeikommen. Aber das ist wahrscheinlich leichter gesagt als getan, hm?«, trällerte er, während er schon auf Reese zuschwebte.

James seufzte und blickte ihm sehnsüchtig nach. »Er ist ein Meister«, hauchte er. »Er ist der Beste. Der Größte. Ein echter Mann, und das ist noch untertrieben. Und wie er aussieht – zum Anbeißen.« Er war völlig hin und weg. Ein echter Mann? Dazu wäre mir bis dahin eher ein Sportstar eingefallen, aber doch kein Colorist!

»Ja, er sieht wirklich blendend aus. Hast du schon mal was mit ihm gehabt?«

»Das wäre zu schön, um wahr zu sein. Er ist jetzt seit vier Jahren mit demselben Typen liiert. Nicht zu fassen. Vier Jahre! Seit wann gibt es denn so was, dass scharfe Schwule monogam sind? Das ist einfach nicht fair.«

»Ach, nein? Und dass scharfe Heteros monogam sind, ist das etwa in Ordnung? Na ja, das heißt, bei meinem eigenen ist es schon okay.« Ich zog an meiner Zigarette und blies einen fast kreisrunden Rauchring.

»Also, gib es zu, Andy. Du bist froh, dass du mitgekommen bist, nicht war? Oder willst du behaupten, das hier wäre nicht die größte Party aller Zeiten?«, sagte er schmunzelnd.

Nachdem Alex unsere Verabredung abgesagt hatte, hatte ich mich doch noch entschlossen, James zu begleiten, hauptsächlich deshalb, weil er einfach nicht locker ließ. Ich hatte mir im Traum nicht vorstellen können, was wohl an einer Party für ein Buch über Haarsträhnchen spannend sein sollte, aber jetzt musste ich zugeben, angenehm überrascht worden zu sein. Als Johnny Depp auf James zusteuerte und ihn begrüßte, staunte ich, dass er nicht nur mehr als zwei zusammenhängende Wörter herausbringen konnte, sondern sogar noch ein paar gute Witze riss. Und es tat mir in der Seele wohl, dass Gisele Bündchen, die zurzeit angesagteste aller angesagten Frauen, ein winziges Persönchen war. Natürlich wäre es noch befriedigender gewesen, wenn sie sich als kleines Pummelchen erwiesen oder Akne gehabt hätte, die man bei ihren Fotoaufnahmen immer stundenlang wegretouchieren musste, aber dass sie so ein Zwerg war, reichte mir eigentlich auch schon. Alles in allem war es bis jetzt echt kein schlechter Abend gewesen.

»Das wäre vielleicht doch eine Spur übertrieben«, antwortete ich und beugte mich vor, um einen tollen Mann näher ins Auge zu fassen, der sich neben dem Büchertisch in eine Ecke verkroch. »Aber bis jetzt war es wirklich nicht so schlimm, wie ich befürchtet hatte. Und nach einem Tag wie heute bin ich für jede Aufmunterung dankbar.«

Nach dem abrupten Auftritt und ebenso abrupten Abgang unserer Chefin teilte Emily mir mit, dass ich am Abend zum ersten Mal das BUCH in Mirandas Wohnung bringen sollte. Bei dem BUCH handelte es sich um das Vorabexemplar der jeweils im Entstehen begriffenen aktuellen *Runway*-Ausgabe, eine gebundene Sammlung telefonbuchgroßer Seiten. Wie Emily mir erzählte, fing die Arbeit für Redaktion und Herstellung eigentlich immer erst dann an, wenn Miranda nach Hause gegangen war. Tagsüber mussten die Layouter und Redakteure dauernd mit ihr konferieren, weil sie einmal pro Stunde das bisherige Konzept über den Haufen schmiss. Erst wenn sie abends mit den Zwillingen Familie spielte, konnten die anderen Mitarbeiter richtig loslegen. Dann wurden die neuesten Änderungswünsche für das Layout eingearbeitet, und die von Miranda mit einem riesigen MP auf der ersten Manuskriptseite abgesegneten Artikel erhielten den allerletzten Schliff. Anschließend schickten die Redakteure die Entwürfe an den Art Assistant, der alle Artikel, Fotos und das Layout durch eine kleine Maschine jagte, die die Rückseiten der einzelnen Blätter mit Folie laminierte und sie auf die richtige Seite im BUCH druckte. Sobald es fertig war, wurde es bei Miranda zu Hause abgeliefert, damit sie es Korrektur lesen konnte. Normalerweise wurde es ihr irgendwann zwischen acht und elf Uhr abends gebracht, je nachdem, in welcher Produktionsphase wir uns gerade befanden. Am nächsten Tag brachte sie das BUCH dann wieder mit ins Büro, und die Redaktion ackerte das ganze Ding noch mal von vorne durch.

Als Emily mitbekam, dass ich doch mit James auf die Party gehen wollte, sagte sie gehässig: »Aber dir ist schon klar, dass du hier nicht weg kannst, bevor das BUCH fertig ist?«

Ich machte große Augen. James sah so aus, als ob er ihr an die Kehle gehen wollte.

»Tja, damit musst du dich von nun an abfinden. Das ist das Beste an meiner Beförderung, dass ich diese Aufgabe los bin. Es kann manchmal sehr, sehr spät werden, aber Miranda muss das BUCH jeden Abend vorliegen haben. Sie arbeitet es zu Hause durch. Heute bleibe ich noch länger da und zeige dir, was du machen musst, aber ab morgen bist du auf dich allein gestellt.«

»Okay, danke. Was meinst du, wird es spät werden?«

»Keine Ahnung. Es ist von Abend zu Abend verschieden. Du könntest höchstens mal in der Herstellung nachfragen.«

Ich hatte Glück, das BUCH war schon relativ früh fertig, um halb neun. Nachdem ich es bei einem erschöpften Art Assistant abgeholt hatte, machten wir uns auf den Weg. Emily, die einen ganzen Schwung frisch gereinigter Sachen in Kleiderhüllen über dem Arm hatte, erklärte mir, dass der Klamottentransport zur abendlichen BUCH-Ablieferung dazugehörte. Es lief folgendermaßen ab: Miranda brachte ihre schmutzige Wäsche morgens mit ins Büro. Eine von uns (von nun an also ich) rief die Reinigung an, die die Sachen postwendend abholte und am nächsten Tag tiptop gereinigt wieder zurückbrachte. Wir hängten sie bei uns im Vorzimmer in den Schrank, bis wir sie entweder an Uri weitergeben konnten oder sie selbst zu Miranda in die Wohnung brachten. Kaum zu glauben, aber die intellektuellen Herausforderungen meines Jobs wurden von Tag zu Tag anspruchsvoller.

»'n Abend, Rich!«, rief Emily kumpelhaft dem Pfeife qualmenden Fuhrparkchef zu, den ich an meinem ersten Tag kennen gelernt hatte. »Das ist Andrea. Sie liefert in Zukunft jeden Abend das BUCH ab. Würden Sie dafür sorgen, dass sie immer einen guten Wagen bekommt?«

»Wird gemacht, Rotschopf.« Er nahm die Pfeife aus dem Mund und deutete damit auf mich. »Ich kümmere mich schon um Blondie.«

»Super. Ach ja, und könnten Sie uns heute noch einen zweiten Wagen hinterherschicken? Wenn wir das BUCH abgeliefert haben, trennen sich unsere Wege.«

Zwei schwere Limousinen fuhren vor. Der Fahrer der ersten sprang heraus und hielt uns die Tür auf. Emily stieg vor mir ein, zückte ihr Handy und rief dem Mann zu: »Zu Miranda Priestly, bitte.« Er nickte, gab Gas, und wir fuhren los.

»Haben wir immer denselben Chauffeur?«, fragte ich, weil ich mich wunderte, dass er nicht nach der Adresse gefragt hatte.

»Psst.« Sie hinterließ erst noch ihrer Mitbewohnerin eine Nachricht auf dem Anrufbeantworter, bevor sie auf meine Frage einging. »Nein, aber die Firma hat nur eine begrenzte Zahl an Fahrern. Ich habe sie bestimmt alle schon zwanzigmal gehabt, deshalb wissen sie mittlerweile, wo's langgeht.« Sie tippte die nächste Nummer ein. Ich drehte mich um. Die zweite Limousine folgte uns in angemessenem Abstand.

Vor einem typischen portierbewehrten Fifth-Avenue-Gebäude hielten wir an: blitzsauberer Bürgersteig, gepflegte Balkone und eine dezent beleuchtete, einladende Lobby. Ein Mann in Smoking und Hut kam heraus und öffnete die Wagentür. Ich war überrascht, als Emily ausstieg. Ich hatte gedacht, wir würden das BUCH und die Klamotten einfach beim Portier abgeben. Wenn ich es richtig verstand – wovon ich aber in dieser seltsamen Stadt nicht unbedingt ausgehen wollte –, war das doch genau der Grund, warum sich die Reichen ihre Portiers hielten. Damit sie ihnen lästige Lieferanten vom Hals hielten. Aber da nahm Emily auch schon ein Louis-Vuitton-Schlüsseletui aus ihrer Gucci-Handtasche und drückte es mir in die Hand.

»Ich warte hier. Du bringst die Sachen rauf in die Wohnung, Penthouse A. Du schließt die Tür auf und legst das BUCH auf das Dielentischchen, die Sachen hängst du an die Haken neben dem Garderobenschrank. Nicht IN den Garderobenschrank, sondern daneben! Dann gehst du wieder. Unter gar keinen Umständen darfst du klopfen oder klingeln. Sie will nicht gestört werden. Schlüpf möglichst unauffällig rein und wieder raus und mach keinen Krach.« Sie übergab mir die Kleiderbügel und widmete sich wieder ihrem Handy. *Kein Problem, das schaff ich schon. Was für ein Affentheater wegen einem BUCH und ein paar Klamotten!*

Der Fahrstuhlführer lächelte mich freundlich an und drückte stumm auf den PH-Knopf, nachdem er die Verriegelung aufgesperrt hatte. Er sah aus wie ein gebrochener Mann, der sich traurig in die Widrigkeiten des Schicksals gefügt hatte.

»Ich warte hier auf Sie«, sagte er mit gesenktem Kopf. »Sie brauchen höchstens eine Minute.«

Der Korridor war mit einem burgunderroten Teppichboden ausgelegt, der Flor so hoch und dicht, dass ich mir beinahe den Knöchel verrenkt hätte, als ich mit dem Absatz darin hängen blieb. An den Wänden hing eine schwere, cremefarbene Stofftapete mit zartem Nadelstreifenmuster. An der Flügeltür vor mir stand PH B; als ich mich umdrehte, entdeckte ich PH A. Ich musste mich mit Gewalt beherrschen, nicht zu klingeln, steckte aber angesichts von Emilys Warnung den Schlüssel ins Schloss. Bevor ich mir noch die Haare zurechtstreichen oder mich fragen konnte, wie es wohl hinter der Tür aussah, stand ich schon in einer großen, luftigen Diele, in der es unbeschreiblich köstlich nach Lammkotelett duftete. Und dann sah ich sie: Miranda. Sie führte gerade elegant die Gabel zum Mund, rechts und links von ihr zwei miteinander streitende schwarzhaarige Mädchen, die sich so ähnlich sahen wie ein Ei dem anderen, gegenüber ein hoch gewachsener Mann mit herben Zügen, silbergrauem Haar und einem das ganze Gesicht beherrschenden Gesichtserker. Er las Zeitung.

»Mum, sie soll nicht einfach in mein Zimmer gehen und meine Jeans nehmen!«, sagte eines der Mädchen quengelnd zu

Miranda, die die Gabel abgelegt hatte und einen Schluck Wasser trank: San Pellegrino mit einer Scheibe Limone und zwar von der linken Seite!

»Caroline, Cassidy, es reicht. Ich will kein Wort mehr hören. Tomas, bringen Sie uns noch Minzgelee«, rief sie. Sofort kam ein Mann hereingehuscht, vermutlich der Koch, in der Hand ein feines Silbertablett mit einem Silberschüsselchen.

Da wurde mir plötzlich schlagartig klar, dass ich nun schon geschlagene 30 Sekunden wie angewurzelt vor ihnen stand und ihnen beim Essen zusah. Noch hatten sie mich nicht bemerkt. Doch als ich nun auf leisen Sohlen weiter schlich, spürte ich sofort ihre Blicke im Rücken. Fast hätte ich hallo gesagt, aber dann fiel mir die letzte Begegnung mit Miranda wieder ein, bei der ich mich mit meinem Gestammel so bodenlos blamiert hatte, und in letzter Sekunde hielt ich die Klappe. *Tischchen, Tischchen, Tischchen. Da war es ja. BUCH hinlegen.* Okay, geschafft, und nun die Klamotten. Verzweifelt suchend blickte ich mich um, aber ich war so nervös, dass ich nichts fand, wo ich sie aufhängen konnte. Am Tisch war es still geworden. Obwohl sie mich mit Sicherheit beobachteten, sagte keiner ein Wort, kein Hallo, kein gar nichts. Nicht einmal die Mädchen schienen sich darüber zu wundern, dass eine wildfremde Frau in ihrer Wohnung herumtapste. Endlich entdeckte ich einen kleinen Garderobenschrank hinter der Tür. Vorsichtig hängte ich die Sachen auf die Kleiderstange.

»Nicht in den Schrank, Emily«, rief Miranda mit Bedacht. »Auf die dafür vorgesehenen Haken.«

»Oh, ach. Guten Abend.« *Ja, spinnst du denn jetzt völlig? Halt den Mund! Sie will keine Antwort, sie will, dass du machst, was sie sagt.* Aber ich konnte es mir einfach nicht verkneifen. Es war einfach zu absurd, dass mich keiner begrüßt hatte oder wissen wollte, wer ich war. Und sie hatte mich Emily genannt! Beliebte Miranda zu scherzen? War sie blind? Wusste sie wirklich nicht, dass ich nicht Emily war, die doch schon seit über einem

Jahr für sie arbeitete? »Ich bin Andrea, Miranda. Ich bin Ihre neue Assistentin.«

Totenstille. Allumfassende, unerträgliche, endlose, ohrenbetäubende, quälende Stille.

Ich wusste, wenn ich weiterredete, schaufelte ich mir mein eigenes Grab, aber ich konnte nicht anders. »Entschuldigen Sie bitte das Versehen. Ich hänge nur noch schnell die Sachen auf, dann bin ich auch schon wieder weg.« *Du brauchst ihr keine Romane zu erzählen. Das interessiert sie doch sowieso nicht. Sieh einfach zu, dass du die Biege machst.* »Also dann, guten Appetit noch. Es war schön, Sie kennen gelernt zu haben.« Ich wandte mich zum Gehen. Nicht zu fassen! Ich musste wirklich von allen guten Geistern verlassen sein. Nicht nur, dass ich überhaupt etwas sagte, ich redete auch noch den letzten Stuss. *Schön, Sie kennen gelernt zu haben?* Als ob ich auch nur mit einem von ihnen ein Wort gewechselt hätte.

»Emily!«, raunzte es hinter mir her, als ich schon die Hand auf der Türklinke hatte. »Emily, so etwas kommt mir nie wieder vor, verstanden? Wir wollen nicht gestört werden.« Dann ging wie von selbst die Tür auf, und ich stand wieder im Korridor. Das ganze Debakel hatte keine Minute gedauert, aber ich fühlte mich so erledigt, als ob ich gerade durch ein Fünfzigmeterbecken geschwommen wäre, ohne auch nur ein einziges Mal Luft zu holen.

Ich ließ mich auf die cremefarbene Wildlederbank neben der Tür sinken und schnaufte ein paar Mal ganz tief durch. Dieses Weib! Als sie mich das erste Mal Emily genannt hatte, mochte es noch ein Versehen gewesen sein, aber beim zweiten Mal hatte sie es mit voller Absicht gemacht. Wenn man einen Menschen durch totale Missachtung noch nicht ganz klein gekriegt hat, gibt man ihm den Rest, indem man ihn vorsätzlich mit dem falschen Namen anredet. Dass ich bei *Runway* zu den niedersten Lebensformen gehörte, hatte ich schon längst kapiert, nicht zuletzt dank Emily, die sich keine Gelegenheit entgehen ließ, mir meine Minderwertigkeit unter die Nase zu reiben. Aber musste Miranda nun unbedingt auch noch in dieselbe Kerbe hauen?

Wahrscheinlich wäre ich die ganze Nacht dort sitzen geblieben und hätte im Geiste Granaten gegen die Tür von PH A abgefeuert, wenn mich nicht plötzlich ein leises Räuspern aus meinen Rachefantasien gerissen hätte. Es kam von dem kleinen, traurigen Fahrstuhlführer, der geduldig auf mich wartete.

»Entschuldigen Sie«, sagte ich, als ich einstieg.

»Kein Problem«, wisperte er, ohne den Blick zu heben. »Mit der Zeit wird es besser.«

»Wie bitte? Ich hab Sie leider nicht verstanden. Was haben Sie gesagt?«

»Nichts, gar nichts. So, da wären wir. Einen schönen Abend, Miss.«

In der Lobby wurde ich schon von Emily erwartet, die laut in ihr Handy sprach. Als sie aus dem Lift stieg, klappte sie es zu.

»Na, wie war's? Keine Probleme, oder?«

Wenn ich nicht genau gewusst hätte, dass sie mich sowieso nur zusammenstauchen würde, hätte ich ihr erzählt, was sich oben abgespielt hatte. Schade, dass sie keine verständnisvollere Kollegin war, denn eigentlich hätten wir ein prima Team abgegeben.

»Alles glatt gelaufen. Wie geschmiert. Sie saßen beim Essen. Ich hab alles genauso gemacht, wie du gesagt hast.«

»Gut. Und genauso machst du es von nun an jeden Abend. Hinterher lässt du dich mit der Limousine nach Hause bringen. Und was ich noch sagen wollte: Viel Spaß auf Marshalls Party. Ich wollte eigentlich auch hin, habe aber einen Termin im Kosmetikstudio. Heißwachsbehandlung der Bikinizone. Du würdest es nicht glauben, aber das Studio ist für die nächsten zwei Monate ausgebucht! Um diese Jahreszeit! Das sind wahrscheinlich die ganzen Frauen, die Winterferien in der Karibik machen. Aber ich kann trotzdem nicht verstehen, warum alle New Yorkerinnen eine Wachsbehandlung der Bikinizone brauchen. Na ja, damit muss man wohl leben.«

Mir dröhnte der Kopf von ihrem sinnlosen Geschnatter. Wenn ich vorher gewusst hätte, dass sie sich stundenlang über Haarentfernung im Intimbereich ergehen wollte, hätte ich mich vielleicht doch lieber von ihr zusammenstauchen lassen.

»Tja, Pech aber auch. Ich muss langsam los. Ich habe James gesagt, dass wir uns um neun treffen, und jetzt ist es schon zehn nach. Bis morgen dann.«

»Bis morgen. Ach, noch etwas. Eh ich es vergesse. Du weißt ja inzwischen doch schon ziemlich gut, wie bei uns der Hase läuft. Deshalb fange ich ab morgen erst um acht Uhr an; du kommst weiterhin um sieben. Miranda weiß Bescheid. Die Seniorassistentin fängt später an, weil sie sehr viel stärker gefordert wird.« Ich wäre ihr fast an die Gurgel gegangen. »Du erledigst dann die täglichen Routinesachen, alles so, wie ich es dir beigebracht habe. Im Notfall kannst du mich auch anrufen, aber du müsstest es mittlerweile auch allein schaffen. Bye!« Sie sprang in die zweite Limousine.

»Bye!«, trällerte ich ihr mit einem strahlend falschen Lächeln nach. Als mein Fahrer aussteigen wollte, um mir die Tür aufzuhalten, bedeutete ich ihm, dass ich es schon alleine schaffen würde. »Zum Plaza, bitte.«

James wartete draußen auf der Treppe auf mich, obwohl es mindestens 5 Grad unter null war. Er hatte sich in der Zwischenzeit zu Hause umgezogen. In der schwarzen Wildlederhose und dem weißen Rippenrolli, der seine winterliche Selbstbräunerbräune äußerst vorteilhaft zur Geltung brachte, sah er wie ein Strich in der Landschaft aus – allerdings ein schrankartiger Strich. In meinem Gap-Mini, den ich immer noch trug, machte ich outfitmäßig nicht halb so viel her.

»Hallo, Andy! Na, hast du das BUCH heil abgeliefert?« Während wir vor der Garderobe anstanden, um unsere Mäntel abzugeben, erblickte ich als erstes Brad Pitt.

»Ich halt's im Kopf nicht aus! Brad Pitt ist hier?«

»Na ja, Marshall macht Jennifer die Haare. Das heißt, sie müsste sich hier auch irgendwo herumtreiben. Nächstes Mal glaubst du mir lieber, dass es sich lohnt, sich an meine Fersen zu heften. Komm, wir holen uns was zu trinken.«

Erst Brad Pitt, dann Reese Witherspoon und Johnny Depp. Der Abend verging wie im Flug. Um ein Uhr hatte ich vier Drinks intus und unterhielt mich prächtig mit einer Mode-Assistentin der *Vogue*. Unser Thema? Gewachste Bikinizonen! Und es machte mir nicht das Geringste aus. Im Gegenteil. *Mann*, dachte ich, während ich mir auf der Suche nach James einen Weg durch die Menge bahnte und mal auf Verdacht in Richtung von Jennifer Aniston hinüberlächelte, *diese Party ist echt nicht übel*. Aber ich war beschwipst, und ich musste in sechs Stunden wieder im Büro antreten. Als ich James endlich aufgespürt hatte, war er in einen Flirt mit einem Coloristen aus Marshalls Salon vertieft. Ich wollte mich gerade klammheimlich wieder davonstehlen, als mir jemand die Hand auf den Rücken legte, genauer gesagt, ins Kreuz.

»Hey«, sagte der tolle Typ, den ich in der Ecke neben dem Büchertisch erspäht hatte. Ich wartete auf eine Entschuldigung; wahrscheinlich hatte er mich von hinten mit seiner Freundin verwechselt. Aber er grinste mich bloß unverschämt an. »Sie sind ja nicht sehr gesprächig.«

»Aber Sie, ja? Zählt das heute schon als Wortgewandtheit, wenn man das Wörtchen hey über die Lippen bringt?« *Andy! Halt dein loses Mundwerk! Da wirst du auf einer Promiparty aus heiterem Himmel von einem traumhaften Typen angebaggert, und dir fällt nichts Besseres ein, als ihm gleich kontra zu geben?* Aber ihm schien diese ruppige Behandlung nichts auszumachen, im Gegenteil. Er grinste sogar noch frecher.

»Sorry«, sagte ich zerknirscht. »Fangen wir noch mal von vorne an? Ich heiße Andrea. So, das war doch schon viel besser.« Ich gab ihm die Hand. Was er wohl von mir wollte?

»So schlecht fand ich den Anfang gar nicht. Ich bin Christian. Nett, Sie kennen zu lernen, Andrea.« Er strich sich eine braune Locke aus der Stirn und trank einen Schluck Budweiser – aus der Flasche! Irgendwie kam er mir bekannt vor, aber ich konnte ihn nicht recht einordnen.

»Bud, hm?«, sagte ich und zeigte auf die Flasche. »Ich hätte gar nicht gedacht, dass man hier so was Prolliges wie Bier überhaupt bekommen kann.«

Er lachte, tief aus dem Bauch heraus. »Sie nehmen wirklich kein Blatt vor den Mund, hm?« Ich muss ziemlich verlegen aus der Wäsche geschaut haben, denn er fuhr lächelnd fort: »Nein, nein, das gefällt mir ja gerade. So etwas ist selten, vor allem in dieser Branche. Tja, ich konnte mich einfach nicht überwinden, mit dem Strohhalm Champagner aus einem Piccolofläschchen zu schlürfen. Das hat so was Unmännliches. Da habe ich den Barmann so lange bekniet, bis er irgendwo in der Küche ein Bier für mich ausgegraben hat.« Die widerspenstige Locke kringelte sich schon wieder in seine Stirn. Er bot mir eine Zigarette an, die mir prompt aus der Hand fiel. Was aber beileibe kein Beinbruch war, denn so konnte ich ihn, als ich mich danach bückte, auch unterhalb der Gürtellinie ein bisschen näher begutachten.

Also dann, von unten nach oben: topmodische Gucci-Loafer; eine tief auf den Hüften sitzende, leicht ausgestellte Diesel-Jeans, die genau an den richtigen Stellen verwaschen und am Saum ein klein wenig ausgefranst war; schwarzer Gürtel, vermutlich ebenfalls Gucci; schlichtes weißes T-Shirt, das nur das Auge des Kenners beziehungsweise der Kennerin als Armani oder Hugo Boss identifizieren konnte und das er bestimmt nur deshalb angezogen hatte, damit man sah, wie perfekt er gebräunt war. Der schwarze Blazer sah teuer aus, ein guter Schnitt, möglicherweise sogar nach Maß gefertigt. Insgesamt war dieser Christian zwar nur durchschnittlich groß, dafür aber überdurchschnittlich sexy. Doch am auffallendsten waren seine grünen Augen. Meergrün, dachte ich, oder vielleicht doch flaschengrün? Größe, Figur, die ganze Erscheinung, alles erinnerte mich leise an Alex, bloß in einer etwas gehobeneren Preisklasse. Eine kleine Spur cooler, einen winzigen Hauch attraktiver. Und ein ganzes Stück älter, um die 30. Und wahrscheinlich aalglatt.

Er gab mir Feuer. »Und wie hat es Sie auf diese Party verschlagen, Andrea? Gehören Sie vielleicht zu den wenigen vom Schicksal Begünstigten, die Marshall Madden mit seiner Kunst beglückt?«

»Schön wär's. Aber was nicht ist, kann ja noch werden. Er hat mir nämlich ziemlich unmissverständlich zu verstehen gegeben, dass ich ihm meine Haare anvertrauen sollte«, sagte ich. Plötzlich merkte ich, dass ich mich regelrecht anstrengte, diesen Fremden zu beeindrucken. »Nein, ich arbeite bei *Runway*. Ein Kollege hat mich hergeschleppt.«

»Bei *Runway*, hm? Cooler Job, wenn man auf Sadomaso steht. Und wie gefällt es Ihnen?«

Zu seinen Gunsten ging ich davon aus, dass er damit meine Arbeit meinte und nicht S&M. Das hatte ja fast so geklungen, als ob er wusste, wovon er redete. Vielleicht war ihm aus eigener Erfahrung bekannt, dass die Branche von innen lange nicht so glamourös war, wie sie von außen erschien. Ob ich ihm von meiner Alptraumaufgabe des Abends erzählen sollte, von der Ablieferung des BUCHS? Um Gottes Willen, bloß nicht, ich hatte ja keine Ahnung, wer dieser Typ eigentlich war. Womöglich arbeitete auch er bei *Runway*, in irgendeiner abgelegenen Abteilung, die ich noch nicht kannte, oder bei einer anderen Elias-Clark-Zeitschrift. Oder er war einer von diesen dreisten Klatschreportern, vor denen Emily mich gewarnt hatte: »Plötzlich stehen sie vor dir. Sie machen sich an dich ran, um dich über Miranda oder *Runway* auszuquetschen. Nimm dich bloß in Acht.« Da war er wieder, der alte *Runway*-Verfolgungswahn.

»Na ja«, antwortete ich möglichst lässig und unverbindlich. »Es ist schon ein seltsamer Laden. Eigentlich habe ich für Mode nicht besonders viel übrig. Ich würde viel lieber schreiben. Aber für den Anfang kann man wohl nicht zu viel verlangen. Und was machen Sie beruflich?«

»Ich schreibe.«

»Ach ja? Das muss toll sein.« Hoffentlich klang es nicht halb so herablassend, wie es gemeint war. Aber ich hatte langsam die Nase voll davon, dass sich in New York jeder Möchtegernintellektuelle als Autor, Schauspieler, Dichter oder Künstler ausgab. *Ich habe für die College-Zeitung geschrieben*, dachte ich. *Und als ich noch auf der High School war, ist sogar mal ein Essay von mir in einer Monatszeitschrift veröffentlicht worden.* Aber bildete ich mir deswegen ein, Schriftstellerin zu sein? »Und was schreiben Sie so?«

»Hauptsächlich literarische Sachen. Momentan sitze ich an meinem ersten historischen Roman.« Er trank einen Schluck und versuchte sich erneut als Lockenbändiger.

An seinem »ersten historischen Roman«? Das hörte sich ja fast so an, als ob er schon mehrere nichthistorische in der Schublade hatte. »Ach, und wovon handelt er?«

Er überlegte kurz. »Ich beschreibe darin das Leben im Zweiten Weltkrieg, und zwar aus der Perspektive einer jungen Amerikanerin. Ich bin noch mit den letzten Recherchen beschäftigt und muss auch noch meine Interviews abtippen. Deshalb habe ich bis jetzt noch nicht sehr viel zu Papier gebracht, aber die Arbeit lässt sich ziemlich gut an …«

Ich hörte ihm nur noch mit halbem Ohr zu. Heilige Scheiße. Die Story kannte ich doch, ich hatte im *New Yorker* darüber gelesen, ein Vorbericht über einen Roman, auf den die ganze Buchwelt mit angehaltenem Atem zu warten schien und dessen realistisch dargestellte Heldin tief beeindruckte. Mein Gott, der Typ mit dem ich hier plauderte, war Christian Collinsworth, der literarische Wunderknabe, den es mit 20 Jahren aus der Unibibliothek direkt in die Bestsellerlisten katapultiert hatte. Sein erstes Buch war von der Kritik in den höchsten Tönen gelobt und als literarisches Meisterwerk des 20. Jahrhunderts bejubelt worden. Seitdem hatte er noch zwei Romane nachgelegt, die ebenfalls den Weg in die Bestsellerlisten gefunden hatten. In dem *New-Yorker*-Artikel war Christian nicht nur als »der kommende Stern der amerikanischen Literaturszene« beschrieben worden, sondern auch als »umwerfend attraktiver Frauentyp, dem die Damenwelt auch dann noch zu Füßen liegen wird, wenn sich seine Leserschaft eines Tages wider Erwarten von ihm abwenden sollte.«

»Klingt echt interessant«, sagte ich. Auf einmal war ich viel zu ausgelaugt, um mir noch geistreiche, schlagfertige oder charmante Antworten einfallen zu lassen. Wozu sollte dieser berühmte Schriftsteller seine Zeit ausgerechnet mit mir verplempern? Sicher wartete er bloß auf seine Freundin, die bestimmt ein Supermodel war und nur noch schnell ein 10000-Dollar-Foto-Shooting zu erledigen hatte, bevor sie sich zu ihm gesellte. *Außerdem kann es dir doch so oder so egal sein*, ging ich streng mit mir ins Gericht. *Falls du es vergessen haben solltest, du hast schon einen Freund, einen unglaublich lieben, hilfsbereiten, süßen Kerl. Verbrenn dir nicht die Finger!* Schnell entschuldigte ich mich mit irgendeiner Ausrede, ich müsse jetzt unbedingt sofort nach Hause. Christian musterte mich belustigt.

»Sie haben Angst vor mir«, stellte er mit einem spöttischen Lächeln fest.

»Ich? Angst vor Ihnen? Wieso sollte ich? Oder hätte ich etwa Grund dazu?«, flirtete ich zurück. Ich konnte nicht anders, er lud mich geradezu dazu ein.

Er nahm meinen Ellenbogen und drehte mich in Richtung Ausgang. »Kommen Sie, ich setze Sie in ein Taxi.« Und schwups, stand ich schon draußen auf dem roten Teppich, ehe ich nein sagen konnte oder herzlichen Dank, ich finde schon allein heim, oder: Glaub ja nicht, ich nehme dich mit zu mir.

»Brauchen Sie ein Taxi?«, fragte der Portier.

»Ja, bitte. Ein Taxi für die Dame«, antwortete Christian.

»Nein, danke, ich habe einen Wagen«, sagte ich und deutete

auf die Reihe der wartenden Limousinen vor dem Paris Theater.

Ohne ihn anzusehen, spürte ich, dass Christian schon wieder lächelte. *Dieses Killerlächeln.* Er brachte mich hinüber und hielt mir schwungvoll die Wagentür auf.

»Danke sehr«, sagte ich förmlich, während ich ihm zum Abschied die Hand hinstreckte. »Es war nett, Sie kennen gelernt zu haben, Christian.«

»Das Vergnügen war ganz meinerseits, Andrea.« Statt mir die Hand zu schütteln, hob er sie an seine Lippen. »Ich hoffe, wir sehen uns bald wieder.« Inzwischen hatte ich mich auf den Rücksitz geschwungen, ohne über meine eigenen Füße zu stolpern oder mich sonst wie zu blamieren, und konzentrierte mich krampfhaft darauf, nicht rot zu werden. Doch dafür war es wohl leider schon zu spät. Als der Wagen losrollte, blickte er mir nach.

Komisch, wie sich der Mensch verändert. Obwohl ich vor zwei Monaten noch nie eine Limousine von innen gesehen hatte, war es mir inzwischen fast zur Selbstverständlichkeit geworden, mich von einem Chauffeur durch die Gegend kutschieren zu lassen. Dass ich mit Hollywoodstars eine Party feierte, war kaum noch der Rede wert. Und da sollte ich mich von einem Handkuss des wohl begehrtesten New Yorker Junggesellen beeindrucken lassen? *Das zählt alles nicht*, rief ich mir ins Gedächtnis. *Das gehört zu dieser anderen Welt, und diese andere Welt ist nichts für dich. So spannend und aufregend sie von außen auch aussehen mag, du würdest darin ganz schnell den Boden unter den Füßen verlieren.* Aber ich konnte den Blick nicht von meiner Hand losreißen, auf der ich noch den sanften Druck seiner Lippen zu spüren meinte. Entschlossen steckte ich sie schließlich in meine Tasche, holte das Handy heraus und rief Alex an. Aber was, wenn überhaupt, sollte ich ihm bloß erzählen?

**9** Es dauerte zwölf Wochen, bis ich anfing, mich mit den Designerklamotten einzudecken, die mir bei *Runway* regelrecht nachgeschmissen wurden. Zwölf unendlich lange Wochen mit 14-Stunden-Tagen und höchstens fünf Stunden Schlaf. Zwölf elendig lange Wochen, in denen ich mich tagein, tagaus von oben bis unten inspizieren lassen musste, ohne ein einziges Wort des Lobes oder wenigstens der Anerkennung zu hören. Zwölf grauenvoll lange Wochen, in denen ich mir dumm, inkompetent und rundum unbedarft vorkam. Zu Beginn meines vierten *Runway*-Monats gab ich mich geschlagen. Ich beschloss, eine neue Frau zu werden und mich dementsprechend in Schale zu schmeißen.

Bis dahin hatte mir die morgendliche Kleiderwahl die letzten Kräfte geraubt. Selbst ich sah ein, dass es wesentlich praktischer gewesen wäre, eine *Runway*-kompatible Garderobe zu besitzen. Jeder Morgen war schlimm, aber das Anziehen war das Allerschlimmste daran. Der Wecker rappelte so früh, dass ich es nicht über mich brachte, irgendjemandem davon zu erzählen, als ob allein die Erwähnung dieser Uhrzeit einen Schmerzreiz auslöste. Pünktlich morgens um sieben Uhr im Büro anzutanzen, war so schwierig, dass es schon fast wieder ans Komische gegrenzt hätte, wenn mir nicht viel eher nach Weinen zumute gewesen wäre. Natürlich war es auch früher schon vorgekommen, dass ich um sieben nicht mehr im Bett lag, weil ich zum Beispiel am Flughafen eine bestimmte Maschine erwischen wollte oder in letzter Sekunde noch für eine Prüfung büffeln musste. Ansonsten kannte ich diese Uhrzeit fast nur als das Ende einer durchgefeierten Nacht, nicht gerade ein Schreckensszenario, wenn man gemütlich ausschlafen konnte. Doch nun lagen die Dinge anders. Hier handelte es sich um einen konstanten, nicht nachlassenden, unmenschlichen Schlafentzug. Ich konnte machen, was ich wollte, aber ich schaffte es nie, vor zwölf ins Bett zu kommen. In den letzten zwei Wochen war es besonders schlimm gewesen, da die Arbeit am Frühjahrsheft in der entscheidenden Phase war und ich manchmal bis kurz vor elf in der Redaktion hocken musste, bis das BUCH fertig war. Meistens war es schon nach Mitternacht, wenn ich endlich zu Hause einlief, und dann musste ich schließlich auch noch was essen und mich aus den Klamotten schälen, bevor ich wie eine Tote einschlief.

Für mich war die Nacht um 5.30 Uhr mit einem Schrillen zu Ende. Ich zwang mich, einen Fuß unter der Bettdecke raus und in Richtung Wecker zu strecken (der strategisch so platziert war, dass ich mich bewegen musste, um an ihn ranzukommen). Ich stocherte so lange mit den Zehen herum, bis ich einen Treffer landete und das Geplärr aufhörte. So ging es in Siebenminutenintervallen weiter, bis ich um 6.04 Uhr in heller Panik aus dem Bett und in die Dusche stürzte.

Danach folgte der Kampf mit dem Kleiderschrank, normalerweise zwischen 6.31 und 6.37 Uhr. Lily, die in ihrer Uni-Einheitskluft aus Jeans, Sweatshirt und Hanfhalskette selbst nicht gerade als die große Modeexpertin daherkam, staunte jedes Mal, wenn wir uns trafen: »Sag mal, was für Sachen ziehst du eigentlich ins Büro an? Deine Klamotten sind okay, aber damit kannst du dich doch nicht bei *Runway* blicken lassen.«

Ich behielt wohlweislich für mich, dass ich genau aus diesem Grund in den ersten Monaten extra früh aufgestanden war, finster entschlossen, meinen sportlich lässigen Look ein bisschen auf *Runway* zu trimmen. Mit einer Tasse Kaffee in der Hand stand ich morgens eine halbe Stunde vor dem Kleiderschrank und quälte mich endlos mit Stiefeln und Gürteln, Wollstoffen und Mikrofasermaterial ab. Wenn ich fünfmal die Strümpfe gewechselt hatte, um den richtigen Farbton zu treffen, dämmerte es mir plötzlich: Strümpfe waren verpönt. Meine Absätze waren immer zu flach, zu breit, zu dick. Ich besaß nicht ein einziges Kleidungsstück aus Kaschmir. Da das Wort »Stringtanga« für mich noch nicht existierte, grübelte ich ewig darüber nach, was ich anziehen sollte, damit sich mein Slip nicht abzeichnete – eines der beliebtesten Lästerthemen in der Kaffeepause. Und so oft ich auch dazu Anlauf nahm, ich konnte mich nicht überwinden, in einem trägerlosen Top zur Arbeit zu gehen.

Nach drei Monaten schmiss ich die Flinte ins Korn. Ich war seelisch, körperlich und geistig am Ende, ausgelaugt vom täglichen Kleiderwahlmartyrium. Es war ein Morgen wie jeder andere, ich stand mit meinem Kaffee vor dem Schrank und inspizierte meine guten, alten Lieblingssachen. Warum sollte ich mich noch länger dagegen wehren? Wenn ich Designerklamotten trug, hieß das doch noch lange nicht, dass ich eine voll angepasste *Runway*-Klapperschnepfe war oder meine Seele verkauft hatte. Nachdem ich in letzter Zeit immer öfter immer bissigere Kommentare über mein Outfit hatte einstecken müssen, war mir sogar schon der Gedanken gekommen, ob ich nicht mit meiner modischen Sturheit vielleicht sogar meinen Job aufs Spiel setzte. Ich sah mich im Spiegel an und musste lachen: Dieses Ding im Maidenform-BH und im Baumwollslip von Jockey wollte es mit einer *Runway*-Schönheit aufnehmen? Ha, ha! In diesen Klamotten? Garantiert nicht. Ich arbeitete schließlich bei der einflussreichsten Modezeitschrift der Welt: Da reichte es einfach nicht, nur sauber und adrett auszusehen. Ich schob meine langweiligen Blusen zur Seite und förderte den Tweedrock (Prada), den schwarzen Rolli (Prada) und die Halbstiefel (Prada) ans Tageslicht, die James mir eines Abends zugesteckt hatte, als ich noch auf das BUCH wartete.

»Was ist das?«, fragte ich, während ich den Kleidersack aufmachte.

»Was du anziehen solltest, wenn du nicht gefeuert werden willst, Andy«, antwortete er. Er lächelte zwar, konnte mir aber nicht in die Augen sehen.

»Wie bitte?«

»Hör mal zu. Ich finde, du solltest wissen, dass dein, äh, dein Look hier nicht bei allen gut ankommt. Schon klar, diese Designerklamotten sind ein teurer Spaß, aber das muss nicht sein. Ich habe so viele Sachen in der Kleiderkammer, dass kein Mensch etwas davon merkt, wenn du dir mal ein Teil, äh, borgen würdest.« Er setzte das Wort »borgen« mit den Fingern in Anführungsstriche. »Und natürlich solltest du auch die PR-Leute anrufen und dir die Discountkarten der Designer geben lassen. Ich kriege 30 Prozent Rabatt, aber da du für Miranda arbeitest, würde es mich fast wundern, wenn sie dir überhaupt etwas berechnen. Es gibt keinen Grund, an deinem … College-Look festzuhalten.«

Ich biss mir auf die Zunge. Dass ich versucht hatte, mit meinen Billigschuhen und den Jeans von der Stange der Welt zu beweisen, dass ich mich nicht vom *Runway*-Glanz hatte blenden lassen, behielt ich in diesem Augenblick lieber für mich. Wer mochte James wohl auf mich angesetzt haben? Emily? Oder gar Miranda persönlich? Aber eigentlich spielte es keine Rolle. Schließlich hatte ich schon drei volle Monate bei *Runway* durchgehalten, und wenn mir ein Prada-Pulli garantieren konnte, dass ich auch noch die letzten neun überlebte – dann immer her damit. Von diesem Tag an war mein Gammellook passé.

Als ich um 6.50 aus dem Haus trat, war ich ziemlich zufrieden mit meiner Erscheinung – und war wohl auch nicht die Einzige, der ich gefiel. Ich war noch keine zehn Schritte weit gekommen, da pfiff schon ein Straßenverkäufer hinter mir her; eine Frau sprach mich an, die mir neidisch erzählte, dass sie seit drei Monaten mit den Gedanken spielte, sich genau die Stiefel zuzulegen, die ich trug. *Daran könnte man sich gewöhnen*, dachte ich mir. Irgendwas musste man schließlich sowieso anziehen, nackt ging keiner zur Arbeit, und in meinem neuen Outfit fühlte ich mich jedenfalls um Klassen besser als in meinen eigenen Sachen. An der nächsten Ecke stieg ich in ein Taxi, kein Notfall mehr, sondern alte Gewohnheit. Drinnen war es warm und gemütlich, aber ich war zu müde, um mich auch nur darüber freuen zu können, dass ich mich nicht mit den anderen Werktätigen in die U-Bahn quetschen musste. Ich krächzte: »Madison 64. Schnell bitte.« Der Fahrer sah mich im Rückspiegel an, mitleidig, wie es mir schien, und sagte: »Elias-Clark-Building, richtig?« Dann trat er aufs Gas. Nach einer halsbrecherischen Fahrt von genau sechs Minuten – um diese Uhrzeit gab es noch keinen nennenswerten Verkehr – kamen wir mit quietschenden Reifen vor dem ranken, schlanken Monolithen zum Stehen, dem die darin arbeitenden Angestellten von der Figur her nachzueifern schienen. Der Fahrpreis betrug wie jeden Morgen 6,40 Dollar, und wie jeden Morgen gab ich dem Fahrer einen Zehner und sagte: »Der Rest ist für Sie.« Und wie jeden Morgen freute ich mich über sein ungläubiges Staunen. »Mit bestem Dank von *Runway*.«

Das hatte ich schon nach meiner ersten *Runway*-Woche rausgehabt, dass die Spesenabrechnungen nicht gerade Elias-Clarks starke Seite waren. Tag für Tag zehn Dollar für ein Taxi? Kein Problem. Bei einem anderen Unternehmen hätte man vielleicht nachgeprüft, ob ich überhaupt das Recht hatte, mit dem Taxi zur Arbeit zu fahren. Bei Elias-Clark wunderte man sich höchstens, dass ich mir ein mickriges Taxi nahm, statt mich mit der Limousine chauffieren zu lassen. Dass ich *Runway* jeden Tag zehn Dollar extra aus den Rippen leierte, befriedigte mich zutiefst, auch wenn es der Firma vermutlich nicht wehtat. Man hätte es passiv-aktiven Widerstand nennen können – *ich* nannte es ausgleichende Gerechtigkeit.

Nachdem ich dafür gesorgt hatte, dass wenigstens *ein* Mensch froh gelaunt in den Tag starten konnte, sprang ich beschwingt aus dem Taxi. Das Gebäude hieß zwar Elias-Clark-Building, aber die eine Hälfte der Bürofläche gehörte JS Bergmann, dem renommiertesten Bankhaus der Stadt. Obwohl wir uns mit ihnen nicht einmal die Fahrstühle teilten, blieb es nicht aus, dass sich ihre reichen Banker und unsere Modeschönheiten in der Lobby über den Weg liefen und einander unter die Lupe nahmen.

Ich hatte mich gerade für mein allmorgendliches Duett mit Eduardo gewappnet, als ich unvermittelt von hinten angesprochen wurde. »Hi, Andy. Was macht die Kunst? Lange nicht gesehen.« Die Stimme klang so müde und gelangweilt, dass ich mich fragte, warum mich der Typ nicht einfach in Frieden ließ.

Ich drehte mich um. Es war Benjamin, einer von Lilys zahllosen abgelegten Exfreunden, der neben dem Eingang auf dem Bordstein hockte und eine Zigarette rauchte. Der erste Mann, der Lily wirklich etwas bedeutet hatte. Ich hatte mit dem guten alten Benji (den Namen hasste er) kein Wort mehr gesprochen, seit dem Tag, an dem Lily ihn in seiner Studentenbude in flagranti bei einem flotten Dreier erwischt hatte. Die beiden Mädchen, zwei Freundinnen, die mit Lily im A-Capella-Chor sangen, hatten ihr danach nie wieder in die Augen sehen können. Als ich versuchte, ihr einzureden, dass die drei ihr nur einen Streich spielen wollten, kaufte sie mir das nicht ab, sondern heulte sich tagelang die Augen aus dem Kopf und nahm mir das Versprechen ab, keiner Menschenseele zu verraten, was sie gesehen hatte. Ich hielt Wort, aber dafür plauderte Benji umso mehr, brüstete sich vor allen Leuten mit seiner Meisterleistung. Er hätte »zwei Trällertussis genagelt, während die dritte dabei zusah«, als ob Lily sich die große Sexshow ihres Mackers freiwillig reingezogen hätte. Nach dieser Geschichte hatte Lily geschworen, sich nie wieder zu verlieben, und bis jetzt schien sie sich an ihren Vorsatz zu halten. Zwar war sie kein Kind von Traurigkeit, aber anschließend servierte sie die Typen ruckzuck wieder ab, um sich nicht aus Versehen womöglich doch noch in sie zu vergucken.

Ich hätte Benjamin fast nicht wieder erkannt. Früher war

er sportlich und attraktiv gewesen, ein ganz normaler Kerl. Aber die Arbeit bei Bergman hatte ein Wrack aus ihm gemacht. Sein Anzug war zerknittert und schlabberte ihm um die Glieder, und er sog mit der Verzweiflung eines Cracksüchtigen an seiner Marlboro. Obwohl es erst sieben Uhr war, sah er völlig fertig aus. Ich genoss seinen jämmerlichen Anblick. Weil es irgendwie eine Revanche für Lily war und weil ich nicht der einzige Depp war, der sich zu dieser unchristlichen Stunde zur Arbeit schlepp- te. Auch wenn man ihm sein Elend vermutlich mit 150 000 Dol- lar im Jahr versüßte.

Benji winkte mir mit seiner Zigarette, deren Glut im morgend- lichen Dunkel einen leuchtenden Bogen beschrieb. Ich zögerte einen Augenblick, ob ich zu ihm rübergehen sollte – ich wollte schließlich nicht zu spät kommen. Aber Eduardo bedeutete mir, dass Miranda noch nicht im Hause war. Ich konnte also beruhigt ein paar Minütchen abzweigen.

»Hi, Andy. Wie geht's? Du bist anscheinend die Einzige, die hier jeden Tag zu nachtschlafender Zeit zur Arbeit aufkreuzt«, murmelte er, während ich in meiner Tasche nach meinem Lip- penstift kramte, um mir noch schnell die Lippen nachzuziehen. »Wie kommt das?«

Er sah so müde und geschafft aus, dass mich fast so etwas wie Mitleid überkam. Aber nur fast. Schließlich konnte ich mich vor Erschöpfung selbst kaum auf den Beinen halten.

»Das kommt daher, dass ich für eine Frau arbeite, die mir alles abverlangt. Deshalb habe ich geschlagene zweieinhalb Stunden vor allen anderen in der Redaktion anzutanzen«, raunzte ich ihn bitter an.

»Ist ja schon gut! War doch nur 'ne Frage. Sorry. Das klingt aber wirklich ziemlich übel. Bei welcher Zeitung bist du denn?«

»Ich arbeite für Miranda Priestly«, sagte ich und hoffte auf eine verständnislose Miene. Ich freute mich immer, wenn ich auf einen halbwegs gebildeten Menschen traf, der nicht den lei- sesten Schimmer hatte, wer Miranda war. Etwas, das mich jedes

Mal aufs Neue froh machte. Um nicht zu sagen glücklich. Und tatsächlich, Benji enttäuschte mich nicht. Er zuckte mit den Schultern, paffte an seiner Zigarette und sah mich fragend an.

»Sie ist die Herausgeberin von *Runway*.« Ich senkte die Stimme und legte genüsslich los. »Und der schlimmste Drachen, dem ich je begegnet bin. Ich wusste gar nicht, dass es solche Leute überhaupt gibt. Sie ist kein Mensch, sie ist eine Maschine.« Am liebsten hätte ich dem armen Benji eine ganze Litanei von Klagen heruntergebetet, aber bevor ich richtig in Fahrt geriet, besann ich mich blitzschnell auf den guten alten *Runway*-Rückzieher. Von einer Sekunde auf die andere wurde ich nervös, ja fast panisch, dass dieser ahnungslose, fischblütige Trottel einer von Mirandas Lakaien war oder ein Klatschreporter, der mich aushorchen sollte. Oder vielleicht hatte sich in den letzten Sekunden auch jemand von hinten an mich herangepirscht, der jede Gehässigkeit mithörte, die ich von mir gab. Beides ziemlich lächerliche Vorstellungen. Trotzdem, ich konnte nicht anders: Schadensbegrenzung, ich musste Schadensbegrenzung betreiben, und zwar hurtig.

»Andererseits ist sie natürlich die einflussreichste Frau der New Yorker Zeitungs- und Verlagswelt. Man schafft es nicht an die Spitze einer derart wichtigen Branche, wenn man den ganzen Tag nur Süßholz raspelt. An ihrer Stelle würde ich es genauso machen. So, und jetzt muss ich los. Ciao. Man sieht sich.« Damit suchte ich das Weite. Ich konnte gar nicht vorsichtig genug sein. Die einzigen Menschen, bei denen ich richtig über Miranda vom Leder ziehen durfte, waren Lily, Alex und meine Eltern.

»Nimm's nicht so schwer, Andy«, rief er mir nach. »Sieh mich an. Ich bin schon seit Donnerstagmorgen hier.« Damit ließ er seine glimmende Zigarette fallen und trat sie halbherzig auf dem Beton aus.

»Hallo, Eduardo«, sagte ich mit einem kläglichen Lächeln. »Mann, wie ich Montage hasse.«

»Hallo, Goldstück. Es könnte schlimmer sein. Wenigstens sind Sie heute Morgen vor ihr da«, antwortete er tröstend, und spielte damit auf die Unglückstage an, an denen Miranda schon um fünf Uhr aufkreuzte und von einem Wachmann nach oben begleitet werden musste, da sie sich strikt weigerte, eine Ausweiskarte bei sich zu tragen. Dann tigerte sie unruhig im Büro auf und ab und bombardierte Emily und mich so lange mit Anrufen, bis endlich eine von uns aufwachte, in ihre Klamotten sprang und ins Büro raste, als ob der nationale Notstand ausgebrochen wäre.

Ich stemmte mich gegen das Drehkreuz. Vielleicht würde Eduardo mir an diesem Montag gnädig sein und mich ohne die übliche Show durchlassen. Falsch gedacht!

»Yo, *tell me what you want, what you really, really want*«, schmetterte er mit seinem strahlenden Lächeln und seinem spanischen Akzent. Schon war mein Freude darüber, dass ich den Taxifahrer glücklich gemacht und es geschafft hatte, vor Miranda in der Redaktion zu sein, wie weggeblasen. Wie jeden Morgen stand ich kochend vor der Sicherheitssperre und hätte Eduardo am liebsten den Kragen umgedreht. Aber weil er so ein netter Kerl war und einer der wenigen Freunde, die ich im ganzen Haus hatte, fügte ich mich zähneknirschend in mein Schicksal. »*I'll tell you what I want, what I really, really want, I wanna – I wanna – I wanna – I wanna – I really, really, really wanna zigga zig aaaaaahhhh*«, antwortete ich. Ich gab mein Bestes, aber mehr als ein müder Abklatsch der Spice Girls kam nicht dabei heraus. Und wie jeden Morgen revanchierte sich Eduardo, indem er auf sein Knöpfchen drückte und mich durch die Sperre ließ.

»Und nicht vergessen: der 16. Juli!«, rief er mir noch nach.

»Alles klar, der 16. Juli…«, rief ich zurück. Irgendwie hatte er herausbekommen, dass wir am gleichen Tag Geburtstag hatten, eine Tatsache, die seitdem zum festen Bestandteil unseres allmorgendlichen Begrüßungsrituals geworden war.

Die Elias-Clark-Seite des Gebäudes hatte acht Fahrstühle, die eine Hälfte für die Etagen 1 bis 17, die andere für alles, was darüber lag. Wirklich wichtig waren eigentlich nur die ersten vier, da die Redaktionen der renommiertesten Zeitschriften alle in den unteren 17 Stockwerken residierten. Über den Fahrstuhltüren prangten große beleuchtete Schilder, die auf die einzelnen Büros hinwiesen. Im ersten Stock lag ein topmodernes Fitnessstudio, das die Angestellten kostenlos benutzen durften und das mit allen Schikanen ausgerüstet war: Nautilusmaschinen, mindestens 100 Stairmaster-Geräte, Laufbänder und Ergometer. Außerdem gab es Saunen, japanische Badezuber und Dampfbäder und neben den Umkleideräumen einen Schönheitssalon, wo man sich im Notfall schnell eine Maniküre, Pediküre oder Gesichtspackung machen lassen konnte. Angeblich brauchte man noch nicht mal eigene Handtücher mitzubringen, was ich allerdings nur vom Hörensagen wusste. Zum einen fehlte mir die Zeit, und zum anderen war das Studio zwischen sechs Uhr morgens und zehn Uhr abends immer so rappelvoll, dass man kaum zwischen den Fitnessfreaks hindurchkam. Ob Autor, Redakteur oder Vertriebsassistent – jeder musste sich drei Tage im Voraus zu seiner Kickbox- oder Yogastunde anmelden, und selbst dann verlor er seinen Platz wieder, wenn er nicht eine Viertelstunde vor Unterrichtsbeginn antanzte. Wie bei fast allem, was im Elias-Clark-Building dazu gedacht war, den Mitarbeitern das Leben angenehmer zu gestalten, empfand ich den Gedanken, dort herumzuhampeln, bloß als stressig.

Ich hatte auch läuten hören, dass es im Tiefgeschoss eine Kindertagesstätte geben sollte, aber da mir bis jetzt noch keine Kollegin über den Weg gelaufen war, die tatsächlich Kinder hatte, konnte ich den Wahrheitsgehalt dieses Gerüchts nicht überprüfen. Wirklich interessant wurde es erst im zweiten Stock, wo die Cafeteria lag. Miranda setzte nie einen Fuß dort hinein, es sei denn, sie war zum Lunch mit Irv Ravitz verabredet, dem Verlagsleiter von Elias-Clark. Der mischte sich zum Essen gern unter das arbeitende Volk, um zu beweisen, dass wir alle eine große Familie waren.

Hoch und immer höher ging es hinauf, vorbei an all den berühmten Titeln. Die meisten mussten sich eine Etage teilen, durch den Empfang getrennt wie durch eine Grenze. Im 17. Stock stieg ich aus. Da ich natürlich mal wieder meine Plastikkarte vergessen hatte, blieb mir nichts anderes übrig, als in unseren Bürotrakt einzubrechen. Sophy fing erst um neun an, ich war also auf mich allein gestellt. Ich bückte mich unter ihre Empfangstheke, drückte den Entriegelungsknopf und setzte zum Sprint an, um durch den Spalt zu schlüpfen, bevor sich die Glastür automatisch wieder schloss. An manchen Tagen brauchte ich für diese sportliche Disziplin drei oder vier Versuche, heute genügten zwei.

Ich nahm denselben Weg wie jeden Morgen durch den um diese Uhrzeit noch dunklen Korridor. Links von mir lag die Werbeabteilung, deren Assistentinnen am liebsten in Chloé-T-Shirts und hochhackigen Stiefeln herumliefen und Visitenkarten verteilten, auf denen in Riesenlettern das Wort *Runway* prangte. Sie lebten beziehungsweise arbeiteten in ihrer eigenen Welt, die nicht das Geringste mit dem zu tun hatte, was auf der Redaktionsseite des Korridors vor sich ging. Die Redaktion suchte die Kleider für die Modeseiten aus, warb um die Gunst der besten Autoren, stimmte die Accessoires auf die Outfits ab, führte die Auswahlgespräche mit den Models, bearbeitete die Artikel, entwarf die Layouts und beauftragte die Fotografen. Redakteure reisten zu Foto-Shootings in die interessantesten Ecken der Welt, heimsten bei den Designern Geschenke und Rabatte ein, spürten den neuesten Trends nach und besuchten die angesagtesten Events, weil sie wissen mussten, »wer was trug.«

Dann gab es noch die Akquise-Abteilung, deren Aufgabe es war, Anzeigenraum zu verkaufen. Manchmal schmissen sie eine Party, aber da bei ihnen noch nie ein Promi eingelaufen war, ließ sich dort kein New Yorker blicken, der sich für »hip« hielt. Ich erfuhr von diesen Partys immer nur hinten herum, wenn mein Telefon den ganzen Tag nicht stillstand, weil irgendwelche unbedeutenden Leute hofften, durch mich an eine Einladung zu kommen. Offiziell wurden wir aus der Redaktion selbstredend nicht eingeladen, weil wir sowieso nicht kommen würden. Dann nicht genug damit, dass die *Runway*-Girls jeden verachteten, terrorisierten und diskriminierten, der nicht zu ihnen gehörte – sie errichteten auch noch innere Klassenschranken.

Hinter der Akquise-Abteilung erstreckte sich ein schier endlos langer, schmaler Korridor, der irgendwann in eine winzige Teeküche mündete. Hier gab es diverse Sorten Tee und Kaffee und sogar einen Kühlschrank, für den Fall, dass man sich sein Mittagessen von zu Hause mitbringen wollte. Diesen Service hätte man sich sparen können, da der einzige Kaffee, mit dem sich die Angestellten bei Kräften hielten, von Starbucks kam und die Mahlzeiten mit Bedacht in der Cafeteria ausgesucht oder bei einem Lieferservice geordert wurden. Aber die Küche hatte einen lieben, fast rührenden Touch, als ob Elias-Clark sagen wollte: *»Was wir nicht alles für euch tun! Wir geben euch Lipton-Tee und Süßstoff und eine Mikrowelle, falls ihr euch mal etwas zu essen aufwärmen wollt. Wir sind eben eine große, glückliche Familie!«*

Um 7.05 landete ich endlich in unserem Trakt, so müde, dass ich kaum noch kriechen konnte. Worauf der Tag erst richtig losging: Ich schloss Mirandas Büro auf. Bevor ich die Festbeleuchtung einschaltete, gönnte ich mir jeden Morgen einen kostbaren Augenblick im Dunkeln. Ich blickte auf die Lichter der Großstadt und fühlte mich wie in einen New-York-Film versetzt, vorzugsweise einen von den Streifen, wo die glückliche Heldin auf der Dachterrasse einer Luxuswohnung ihrem Lover in die Arme sinkt. Von der Sorte gibt's ja jede Menge. Jedenfalls lag mir die Metropole zu Füßen. Dann drückte ich auf den Lichtschalter, und mein Tagtraum war zu Ende. Das kurze morgendliche Hochgefühl, in der Stadt der unbegrenzten Möglichkeiten zu sein, verschwand. Stattdessen grinsten mir von einem Foto die identischen Zwillingsgesichter von Caroline und Cassidy entgegen.

Als Nächstes sperrte ich den eingebauten Kleiderschrank im Vorzimmer auf, in den ich Mirandas Mantel aufhängte (und auch meinen, wenn sie nicht zufälligerweise Pelz trug. Miranda konnte es nämlich gar nicht leiden, wenn ihr kostbarer Nerz neben einem von unseren armseligen Wollmänteln hing). Hinter der Tür bewahrten wir außerdem alles auf, was sonst so anfiel: ausrangierte Mäntel und Kleider im Wert von zigtausend Dollar, Sachen aus der Reinigung, die noch zu Miranda nach Hause gebracht werden mussten, und mindestens 200 der berühmt-berüchtigten weißen Hermés-Schals. Anscheinend wurde das schlichte weiße Tuch seit dem letzten Jahr nicht mehr hergestellt. Ein Verantwortlicher von Hermés hatte tatsächlich angerufen, um das Auslaufen der Produktion anzukündigen und sich für diese Maßnahme persönlich zu entschuldigen. Miranda hatte ihn kurz und bündig abgefertigt und anschließend die gesamten Restbestände aufgekauft. Von den etwa 500 Schals, die zwei Jahre vor meiner Zeit in die Redaktion geliefert worden waren, war nicht einmal mehr die Hälfte übrig. Miranda ließ sie überall liegen, im Restaurant, im Kino, auf Modenschauen, bei Besprechungen und im Taxi. Sie vergaß sie im Flugzeug, in der Schule ihrer Töchter, auf dem Tennisplatz. Natürlich ging sie ohne ihren eleganten Hermés-Schal nie aus dem Haus, aber das erklärte noch lange nicht, wo die Dinger alle abblieben. Ob sie sie als Taschentuch benutzte? Ob sie sich lieber Notizen auf Seide machte statt auf Papier? Auf jeden Fall schien sie der festen Auffassung zu sein, dass es sich dabei um ein Wegwerfprodukt handelte, und niemand traute sich, sie eines Besseren zu belehren. Elias-Clark hatte für jeden Schal ein paar hundert Dollar geblecht, und Miranda verschliss sie fast so schnell wie Papiertaschentücher. Wenn sie so weitermachte, würde sie in spätestens zwei Jahren schalmäßig auf dem Trockenen sitzen.

Bis jetzt standen jedoch noch jede Menge der stabilen orangefarbenen Schachteln bei uns im Wandschrank. Alle drei oder vier Tage, wenn Miranda zum Essen ging, sagte sie: »Aan-dreh-aa, ich brauche einen neuen Schal.« Ich fand es ungemein tröstlich, dass ich längst die Kurve gekratzt haben würde, wenn sie irgendwann tatsächlich ohne einen einzigen Schal dastand. Meine unbekannte Nachfolgerin war nicht zu beneiden, wenn sie Miranda eines Tages eröffnen musste, dass es keinen weißen Hermés-Schal mehr gab, nicht für Geld und nicht für gute (oder böse) Worte. Ein grauenvoller Gedanke. Das arme Ding konnte einem jetzt schon Leid tun.

Als ich so weit alles vorbereitet hatte, rief Uri an.

»Andrea? Challo, challo. Uri hier. Kommen Sie bitte runter? Ich chabe Ihnen was mitgebracht. Ich bin in der 58. Straße, vor dem New York Sports Club.«

Sein Anruf war eine gute, wenn auch leider keine todsichere Methode, mich wissen zu lassen, dass Miranda relativ bald auf der Matte stehen würde. Oder aber auch nicht. Meistens schickte sie zunächst Uri vorbei, der mit dem Wagen ihre Sachen ablieferte: Kleidung für die Reinigung, Zeitschriften, Artikel, die sie zu Hause durchgearbeitet hatte, Schuhe oder Taschen, die zur Reparatur mussten, und das BUCH. Ich verfrachtete den Krempel dann nach oben und erledigte alles Nötige, bevor sie erschien, damit sie durch solchen Alltagskram nicht belästigt wurde. Normalerweise traf sie eine halbe Stunde nach ihrem Klimbim ein. Uri brachte mir das Zeug und fuhr dann gleich wieder zurück, um sie abzuholen.

Wo genau er sie einsammelte, blieb schleierhaft. Denn da die Frau, wie Emily berichtete, niemals schlief, konnte sie überall sein. Ich hielt das zunächst für ein Ammenmärchen, aber nur so lange, bis ich morgens vor Emily anfangen musste und als Erste den Anrufbeantworter abhörte. Jede Nacht hinterließ uns Miranda zwischen ein und sechs Uhr morgens acht bis zehn kryptische Nachrichten. Sachen wie: »Cassidy möchte eine von diesen Nylontaschen, die heute alle Mädchen haben. Bestellen Sie ihr eine mittelgroße in ihrer Lieblingsfarbe«, oder: »Ich brauche Telefonnummer und Adresse des Antiquitätengeschäfts zwischen der 70. und der 80. Straße, wo ich die Kommode gesehen habe«. Als ob wir selbstverständlich zu wissen hatten, welche Nylontaschen bei Zehnjährigen zurzeit der letzte Schrei waren oder in welchem der vier- bis fünfhundert Antiquitätenläden, mit denen jener Teil der Stadt gepflastert war, sie irgendwann irgendwas gesehen hatte, was ihr gefiel. Dennoch tippte ich jeden Morgen kreuzbrav die Nachrichten vom Band ab – keine einfache Aufgabe. Ich musste es x-mal vor- und zurückspulen, um sie mit ihrem britischen Genäsel überhaupt richtig verstehen und dem Text vielleicht doch noch den einen oder anderen konkreteren Anhaltspunkt entnehmen zu können. Nur so ließ es sich vermeiden, Miranda um eine nähere Erläuterung bitten zu müssen.

Einmal hatte ich es tatsächlich gewagt, Emily vorzuschlagen, bei Miranda nachzufragen; das hatte mir nur einen von ihren entsetzten Blicken eingetragen. Sich bei einer Unklarheit direkt an Miranda zu wenden, war offensichtlich ausgeschlossen. Es war besser, man wurstelte sich selbst irgendwie durch und ließ sich hinterher zusammenstauchen, weil man wieder mal etwas falsch verstanden hatte. Die antike Kommode aufzuspüren, kostete mich zweieinhalb Tage. Mit gespitztem Bleistift, Block und Papier und einem Blick wie ein Luchs ließ ich mich stundenlang mit der Limousine durch Manhattan kutschieren. Ich klapperte alle Antiquitätenhandlungen ab, die mir unterkamen, und nahm vorsichtshalber auch gleich noch ein paar am Wegesrand liegende Möbelgeschäfte und Trödler mit. Man konnte schließlich nie wissen. Ab dem vierten Laden hatte ich meine Fragetechnik so verfeinert, dass ich es mit einem Profidetektiv hätte aufnehmen können.

»Guten Tag, führen Sie antike Kommoden?«, schleuderte ich in den Raum, sobald ich durch die elektronisch gesicherte Tür geschlüpft war. Ab dem sechsten Geschäft blieb ich gleich im Eingang stehen. Irgendeine eingebildete Verkaufsschnepfe musterte mich kritisch von oben bis unten – was sonst? –, um zu sehen, ob sich die Mühe einer Antwort überhaupt lohnte. Dann erst bemerkten die meisten, dass draußen eine Limousine auf mich wartete, und rangen sich ein Ja oder Nein ab. Andere wollten sich das gesuchte Stück erst noch lang und breit beschreiben lassen.

Falls sie Möbel führten, auf die meine Zweiwortbeschreibung – antik + Kommode – zutraf, setzte ich sofort mit einem knappen: »War Miranda Priestly kürzlich bei Ihnen?« nach. Wenn sie mich bis dahin noch nicht für verrückt gehalten hatten, standen sie spätestens nach dieser Frage kurz davor, einen Wachmann zu rufen. Einige hatten den Namen noch nie gehört, was für mich aus zwei Gründen erfreulich war: Zum einen erfreute mich mal wieder der Anblick dieser normal funktionierenden Menschen, deren Leben nicht von Miranda dominiert wurde, und zum anderen bedeutete es, dass ich den Laden sofort wieder verlassen konnte, ohne mich durch ein langwieriges Gespräch aufhalten zu lassen. Die lächerlichen Figuren, denen der Name tatsächlich etwas sagte, spitzten sofort die Ohren. Viele hielten mich für eine Klatschkolumnistin und wollten wissen, für welche Zeitung ich schrieb. Dann sog ich mir die tollsten und spannendsten Erklärungen für meine Erkundigung aus den Fingern, aber keiner konnte mir weiterhelfen, niemand hatte Ms. Priestly in der letzten Zeit gesehen. In den drei Läden, wo man sie persönlich kannte, hieß es: »Ms. Priestly hat uns schon seit Monaten nicht mehr beehrt! Was wir sehr bedauern! Bitte richten Sie ihr doch von Franck/Charlotte/Sarabeth die herzlichsten Grüße aus!«

Nachdem die Suche nach dem Laden zweieinhalb Tage erfolglos geblieben war, gab Emily mir endlich grünes Licht, Miranda um weitere Informationen zu bitten. Schon vor dem Elias-Clark-Building brach mir der Schweiß aus, und als Eduardo mich nicht gleich durch das Drehkreuz lassen wollte, drohte ich ihm damit, einfach drüberzuklettern. Mit zitternden Händen betrat ich unseren Bürotrakt. Die sorgfältig ausgearbeitete kleine Rede, die ich für Ihre Majestät vorbereitet hatte, die ganzen falschen Floskeln und verlogenen Phrasen, wo waren sie hin? Wie weggeblasen. Dann musste es eben auch ohne gehen. Statt meine Frage wie üblich schriftlich einzureichen, bat ich Miranda um eine Privataudienz. Vermutlich war sie so verdattert, dass ich es gewagt hatte, sie unaufgefordert anzusprechen, dass sie mir die Bitte gewährte. Um hier niemanden auf die Folter zu spannen, fasse ich mich kurz: Miranda seufzte und schnalzte mit der Zunge, beleidigte und stichelte, wie es ihre charmante Art war, aber zuletzt klappte sie ihren schwarzen Terminplaner von Hermés auf (der übrigens unpraktisch, aber schick mit einem weißen Hermés-Schal verschnürt war) und entnahm ihm ... die Visitenkarte des gesuchten Antiquitätenladens!

»Ich hatte Ihnen die Angaben doch auf Band gesprochen, Aan-dreh-aa. Konnten Sie sie nicht aufschreiben?« Und obwohl ich ihr das Kärtchen am liebsten rechts und links um die Ohren gehauen hätte, ließ ich den Vorwurf stumm auf mir sitzen. Erst als mir die Adresse ins Auge sprang, hätte ich fast einen Tobsuchtsanfall gekriegt: 68. Straße 244. Kein Wunder, dass ich den Laden nicht gefunden hatte. Da hätte ich noch wochenlang erfolglos jedes Haus, jeden Hinterhof und jeden Keller in den 70ern abklappern können. Ich hatte gerade 33 Arbeitsstunden mit der Suche nach einem Geschäft verplempert, das in einem andern Teil der Stadt lag!

An diese Geschichte musste ich denken, während ich die letzte ihrer nächtlichen Nachrichten abtippte. Dann beeilte ich mich, nach unten zu kommen, um Uri am vereinbarten Treffpunkt die Sachen abzunehmen. Jeden Morgen sagte er mir genau, wo er geparkt hatte, aber ich konnte noch so blitzfix nach unten flitzen, er hatte immer schon alles ausgeladen und ins Gebäude gebracht, damit ich ihn nicht erst lange zu suchen brauchte. Heute genauso. Bepackt mit Plastiktüten, Kleidern und Büchern, stand er vor der Sperre in der Lobby und wartete auf mich.

»Nicht so schnell, nicht so schnell«, brummte er wie ein gütiger Großvater, als ich aus dem Fahrstuhl stürzte. »Den ganzen Tag sehe ich Sie immer nur rennen, rennen, rennen. Miranda nimmt Sie sehr chart ran. Darum bringe ich Ihnen die Sachen. Sie mussen langsamer machen, chören Sie? Ich wunsche Ihnen einen schönen Tag.«

Ich sah ihn dankbar an und musterte Eduardo mit einem nur halb witzig gemeinten giftigen Blick, der unmissverständlich zum Ausdruck brachte, was gerade in mir vorging: Ich bring dich um, wenn du auf die Idee kommst, mich jetzt eine Show abziehen zu lassen. Es wirkte. Er ließ mich anstandslos passieren. Und ich war wieder etwas gnädiger gestimmt. Wundersamerweise dachte ich auch noch daran, am Kiosk vorbeizugehen und mir von Ahmed die Zeitungen geben zu lassen. Obwohl die Presseabteilung Miranda die Blätter jeden Morgen um neun in ihr Büro liefern ließ, musste ich ihr trotzdem immer einen zweiten Satz beschaffen, damit sie unter gar keinen Umständen auch nur eine Sekunde ohne Zeitung am Schreibtisch zu sitzen brauchte. Das Gleiche galt auch für die Wochenzeitschriften. Niemanden schien es zu stören, dass wir für eine Frau, die nur die Klatschkolumnen und die Modeseiten las, neun Zeitungen am Tag und sieben Zeitschriften in der Woche bezahlten.

Ich verstaute die ganzen Sachen erst mal unter meinem Schreibtisch, es wurde schließlich höchste Zeit, die ersten Bestellungen aufzugeben. Auswendig wählte ich die Nummer von Mangia, einem Feinschmeckerimbiss, und wie immer ging Jorge an den Apparat.

»Morgen, alter Knabe. Ich bin's«, sagte ich und klemmte mir den Hörer unters Kinn, um zwischendurch schon mal die E-Mails abzurufen. »Dann wollen wir mal.« Jorge und ich waren dicke Freunde. Wenn man jeden Morgen vier-, fünfmal miteinander telefoniert, kommt man sich sehr schnell näher.

»Morgen, Baby. Ich schick dir gleich einen von meinen Jungs rüber. Ist sie schon da?«, fragte er. Obwohl er genau wusste, für wen ich da endlose Bestellungen aufgab, hatte er nicht die leiseste Vorstellung davon, was für ein Mensch dieses soeben georderte Frühstück verzehren würde. Jorge war einer von meinen vier Morgenmusketieren. Eduardo, Uri, Jorge und Ahmed, der Lichtblick an jedem neuen Arbeitstag. Das Beste an ihnen war, dass sie im Grunde mit *Runway* nicht das Geringste zu tun hatten, obwohl ihre gesamte Existenz nur darum zu kreisen schien, das Leben des Drachens noch perfekter zu gestalten. Trotzdem ahnte keiner von ihnen, über wie viel Macht und Ansehen Miranda tatsächlich verfügte.

Sekunden später war das erste Frühstück auf dem Weg in die Redaktion, nur um vermutlich schnurstracks in den Müll zu wandern. Miranda aß jeden Morgen vier fettige Scheiben Speck, zwei Würstchen, ein klebriges Stück Käseplunder und spülte das Ganze mit einem großen Milchkaffee von Starbucks hinunter (zwei Stücke Rohrzucker!). Die Meinungen darüber, wo sie die Kalorien ließ, gingen im Büro auseinander. Die eine Fraktion meinte, sie sei permanent auf der Atkins-Diät, die andere vermutete, sie sei vom großen Gott der Gene mit einem schier übermenschlichen Stoffwechsel ausgestattet worden. Wie auch immer, sie nahm jedenfalls kein Gramm zu, obwohl sie das fetteste, süßeste, ungesündeste Essen der Welt vertilgte, eine Sünde, die sie uns Normalsterblichen niemals hätte durchgehen lassen. Da man das Frühstück höchstens zehn Minuten warm halten konnte, bestellte ich, bis sie aufkreuzte, alle naselang ein neues und beförderte das alte in den Müll.

Das Telefon klingelte. Um diese Tageszeit konnte es niemand anders sein als Miranda persönlich.

»Büro Miranda Priestly«, zwitscherte ich und machte mich auf die übliche eiskalte Dusche gefasst.

»Emily, ich bin in zehn Minuten da. Sorgen Sie dafür, dass mein Frühstück auf dem Tisch steht.«

Sie hatte sich angewöhnt, uns beide »Emily« zu nennen, womit sie uns – vollkommen zu Recht – zu verstehen gab, dass wir absolut austauschbar und in nichts voneinander zu unterscheiden waren. Es wurmte mich noch immer, obwohl ich mir inzwischen ein dickes Fell zugelegt hatte. Außerdem war ich viel zu müde, um mich wegen so etwas Unwichtigem wie meinem Namen aufzuregen.

»Ja, Miranda. Wird erledigt.« Sie hatte bereits aufgelegt. Die echte Emily kam herein.

»Hi, ist sie schon da?«, flüsterte sie. Wie jeden Morgen warf sie als Erstes einen verstohlenen Blick in Richtung Mirandas Büro. Natürlich ohne ein Hallo oder Guten Morgen, genau wie ihr großes Vorbild.

»Nein, aber sie hat gerade angerufen. Noch zehn Minuten. Bis dann.«

Ich steckte mein Handy und meine Zigaretten ein und stürzte hinaus. Zehn Minuten, mehr Zeit blieb mir nicht, um nach unten zu fahren, über die Madison zu laufen, den Kaffee zu holen und mich wieder hinter meinen Schreibtisch zu schwingen – und um mir unterwegs die erste Zigarette des Tages reinzuziehen. Ich trat die Kippe aus, schob mich bei Starbucks durch die Tür und musterte die Schlange. Wenn es nicht mehr als acht Leute waren, stellte ich mich meistens hinten an, wie ein ganz normaler Mensch. Meistens aber – so wie heute – warteten schon 20 müde Büromenschen geduldig auf ihre Dosis Koffein. Das hieß: Ich musste mich vordrängeln. Nicht gerade mein Lieblingshobby, aber Miranda schien einfach nicht zu begreifen, dass man ihren großen Milchkaffee, nicht nur nicht liefern lassen konnte, sondern dass er mich zur Hauptgeschäftszeit bis zu einer halben Stunde kostete. Ein paar Wochen hielt ich es aus, mich bei meinem täglichen Kaffeegang per Handy zur Schnecke machen zu lassen (»Aan-dreh-aa, wo bleiben Sie? Ich habe Ihnen vor 25 Minuten gesagt, dass ich komme, aber mein Frühstück ist immer noch nicht da. Das geht so nicht.«) Dann wurde es Zeit, zur Selbsthilfe zu schreiten. Ich bat um ein Gespräch mit der Filialleiterin.

»Vielen Dank, dass Sie sich Zeit für mich nehmen«, sagte ich zu der zierlichen Schwarzen. »Sie müssen entschuldigen, mein Ansinnen wird Ihnen sicher sehr absonderlich vorkommen. Aber ich wollte Sie fragen, ob es vielleicht irgendwie machbar wäre, dass ich beschleunigt abgefertigt werde.« Ich holte zu einer Erklärung aus, dass ich für eine wichtige, uneinsichtige Persönlichkeit arbeitete, die es nicht ertragen konnte, morgens auf ihren Kaffee zu warten. Und hatte Glück. Marion, die Filialleiterin, studierte nebenbei an der Abendschule Modedesign.

»O nein, ich glaub es nicht. Sie arbeiten für Miranda Priestly? Und sie trinkt unseren Milchkaffee? Einen Großen? Jeden Morgen? Ich fass es nicht. Aber ja, aber sicher. Da müssen wir uns etwas einfallen lassen. Ich weise gleich meine Mitarbeiter an, Sie immer als Erste zu bedienen. Machen Sie sich keine Gedanken mehr. Sie ist schließlich die mächtigste Frau in der gesamten Modebranche!« Marion war außer sich vor Begeisterung, während ich mich regelrecht zwingen musste, ihr ebenso überschwänglich zu danken.

So kam es, dass ich einfach schnurstracks an x gereizten New Yorkern vorbeispazieren konnte, die vielleicht schon seit Ewigkeiten warteten – und fand es grässlich, gerade wenn die Schlange so unendlich lang war wie heute. Als kleine Abbitte ließ ich mir nicht nur einen, sondern gleich vier Becher Kaffee geben, so viele, wie ich auf dem kleinen Tablett tragen konnte. Mein Schädel pochte, und meine Augen brannten. Das hier war also jetzt mein Leben, nach vier Jahren harter Arbeit und guter Noten. Bloß nicht daran denken.

Außer dem großen Milchkaffee für Miranda nahm ich heute einen Grande Amaretto Cappucino, einen Mocha Frappuccino, einen Caramel Macchiato und ein halbes Dutzend Muffins und Croissants, alles zusammen für grandiose 28,83 Dollar. Die Quittung verwahrte ich sorgfältig in meiner *Runway*-Brieftasche, die von solchen Belegen schon fast aus den Nähten platzte. Elias-

Clark würde mir die Auslagen erstatten, ohne mit der Wimper zu zucken.

Jetzt musste ich mich sputen; seit Mirandas Anruf waren immerhin schon 20 Minuten vergangen. Wahrscheinlich hockte sie inzwischen stinksauer hinter ihrem Schreibtisch und fragte sich, wohin ich eigentlich jeden Morgen verschwand (etwas, das ihr das Starbucks-Logo auf dem Becher jederzeit verraten hätte). Und tatsächlich – noch bevor ich meine Einkäufe hinaustragen konnte, klingelte das Handy. Mein Herz machte einen Satz – wie immer. Aber der Anruf kam von Emily, auf Mirandas Leitung.

»Sie ist hier, und sie kocht vor Wut«, flüsterte sie. »Wo bleibst du denn?«

»Es geht nicht schneller«, knurrte ich.

Emily und mich verband mittlerweile eine herzliche Abneigung. Da sie die Senior-Assistentin war, fungierte eher ich als Mirandas persönliche Assistentin. Ich war dafür zuständig, den Kaffee und die Mahlzeiten heranzuschaffen, ihren Töchtern bei den Hausaufgaben zu helfen und die ganze Stadt abzuklappern, um das perfekte Geschirr für eine Dinnerparty zu besorgen. Emily kümmerte sich um die Spesenabrechnungen, buchte die Flüge und orderte alle paar Monate Mirandas neue Kleider, was bei weitem die zeitraubendste Aufgabe darstellte. Wenn ich also morgens auf Beutezug ging, musste Emily ganz allein die Stellung halten, sich mit den klingelnden Telefonen herumschlagen und einer hellwachen Miranda zu Diensten sein. *Ich* war neidisch darauf, dass sie in ärmellosen Tops ins Büro kommen konnte, weil sie nicht sechsmal am Tag als Jägerin und Sammlerin in das bitterkalte New York hinausgescheucht wurde. *Sie* war neidisch, weil ich das Büro verlassen konnte und dabei immer ein paar Minütchen extra abzweigte, um privat in der Gegend herumzutelefonieren oder eine Zigarette zu rauchen.

Normalerweise brauchte ich für den Rückweg länger als für den Hinweg, weil ich unterwegs noch meine Leckereien an den

Mann bringen musste. Ich verteilte sie unter den Obdachlosen, einem kleinen Trüppchen von Stammkunden, die in der 57. Straße die Treppen bevölkerten, in den Eingängen schliefen und sich allen Versuchen der Stadtväter widersetzten, sie zu vertreiben. Meistens probierte die Polizei es am frühen Morgen, weil dann auf den Straßen noch nicht so viel Betrieb herrschte, aber wenn ich meinen ersten Kaffeegang machte, waren sie noch da. Es tat mir richtig gut, dafür zu sorgen, dass dieser sündhaft teure, von Elias-Clark finanzierte Kaffee den ärmsten und unerwünschtesten Personen der Stadt zu Gute kam. Dabei ging ich immer nach einem ganz genauen Plan vor:

Der nach Urin stinkende Mann, der vor der Chase Bank schlief, bekam Morgen für Morgen den Mocha Frappucino. Er wachte nie auf, wenn ich ihm den Becher hinstellte (mit Strohhalm selbstverständlich), aber wenn ich ein paar Stunden später die nächste Runde absolvierte, war der Kaffee weg – und der Mann ebenso.

Der Caramel Macchiato ging an die alte Frau mit dem Einkaufswagen und dem Schild: OBDACHLOS/SUCHE ARBEIT/ HABE HUNGER. Sie hieß Theresa, wie ich inzwischen wusste. Anfangs hatte ich ihr immer einen großen Milchkaffee gebracht. Sie bedankte sich zwar, trank aber nie einen Schluck, so lange ich noch dabeistand. Irgendwann fragte ich sie, ob sie vielleicht gar keinen Kaffee mochte. Da schüttelte sie energisch den Kopf und sagte, sie wolle ja nicht wählerisch sein, aber ihr sei der Milchkaffee einfach zu stark und nicht süß genug. Am nächsten Tag brachte ich ihr einen Kaffee mit Vanillearoma und Sahnehäubchen. Ob es so besser sei? Ja, schon sehr viel besser, bloß jetzt vielleicht ein kleines bisschen *zu* süß. Noch einen Tag später hatte ich ihren Geschmack endlich getroffen: Ohne Aroma, mit einem Klacks Schlagsahne und einem Schuss Karamellsirup. Theresa griente mich aus ihrem fast zahnlosen Mund dankbar an und ließ von diesem Morgen an ihren Kaffee nie mehr kalt werden.

Den dritten Becher bekam Rio, der Nigerianer, der verkaufte CDs von seiner Decke aus. Obdachlos schien er nicht zu sein, aber er kam eines Morgens angedackelt, als ich Theresa mit ihrer Tagesration versorgte, und sagte beziehungsweise trällerte: »Yo, yo, yo. Bist du die gute Starbucks-Fee? Darf ich mir auch einen Kaffee wünschen?« Am nächsten Tag spendierte ich ihm auf Elias-Clark-Kosten einen Grande Amaretto Cappucino, und wir wurden Freunde.

Als ich wieder in die Lobby am, hielt Pedro, der mexikanische Bote von Mangia, vor den Fahrstühlen ein Schwätzchen mit Eduardo.

»Hi, da ist ja unser Goldstück«, begrüßte er mich, während sich ein paar Klapperschnepfen neugierig die mageren Hälse nach uns verdrehten. »Alles da, wie immer. Speck, Würstchen und das eklige Käseteil. Sie haben heute nur ein Frühstück bestellt. Wo Sie das bloß alles lassen, so dünn wie Sie sind.« Er grinste. Dünn, ich? Der Mann hatte ja keine Ahnung. Pedro wusste ganz genau, dass die Bestellung nicht für mich bestimmt war. Aber genau wie alle anderen, mit denen ich vor acht Uhr morgens zu tun hatte, kannte er keine Details. Ich drückte ihm einen Zehner in die Hand – das Frühstück kostete 3,99 Dollar – und machte mich auf den Weg nach oben.

Miranda telefonierte, als ich ins Büro kam. Ihr Gucci-Trenchcoat aus Schlangenleder lag quer über meinem Schreibtisch. Mein Blutdruck schoss in die Höhe. War es wirklich zu viel verlangt, dass ihre Hoheit zwei Schritte extra machte und ihren Mantel in den Schrank hängte? Warum musste sie ihn auf meinen Tisch schmeißen? Ich stellte den Kaffee ab, warf einen Blick auf Emily, die mit drei Telefonaten gleichzeitig beschäftigt war, und hängte den Schlangentrenchcoat auf. Meinen eigenen Mantel stopfte ich unter den Schreibtisch. Wir wollten ja schließlich nicht, dass er im Schrank einem Gucci-Modell zu nahe kam, oder?

Dann nahm ich zwei Stücke Rohrzucker, einen Löffel und

eine Serviette aus der Schublade. Ich konnte mich gerade noch beherrschen, ihr nicht in den Kaffee zu spucken. Nachdem ich den fettigen Speck, die prallen Würstchen und das »eklige Käseteil« auf einen Porzellanteller gepackt hatte, wischte ich mir die Hände an den Sachen ab, die für die Reinigung bestimmt waren. Sie waren ebenfalls unter meinem Schreibtisch verstaut, damit Miranda nicht sah, dass sie noch nicht abgeholt worden waren. Theoretisch hätte ich den Teller jeden Tag in der Teeküche heiß abspülen müssen, aber ich konnte mich einfach nicht dazu überwinden. Es wäre zu erniedrigend gewesen, vor allen Augen auch noch Mirandas private Tellerwäscherin zu spielen. Deshalb wischte ich ihn immer nur mit einem Kosmetiktuch ab und kratzte eventuelle Käsereste mit dem Fingernagel herunter. Wenn der Teller heillos verdreckt oder verkrustet war, weichte ich ihn vorher mit einem Schuss San Pellegrino ein. Miranda konnte froh und dankbar sein, dass ich ihn nicht mit einem Spritzer Bildschirmreiniger putzte. Dass ich zu solchen Überlegungen überhaupt fähig war, bewies mir, dass ich auf ein neues moralisches Tief herabgesunken war. Es erschreckte mich bloß, dass es so schnell gegangen war.

»Denken Sie daran, die Models sollen lächeln«, tönte es von nebenan. An ihrem Ton erkannte ich, dass sie mit Lucia telefonierte, die für die bevorstehenden Fotoaufnahmen in Brasilien verantwortlich war. »Ich will glückliche Girls, strahlende Girls, lachende Girls, gesunde Girls. Kein Gegrübel, keine aggressiven Posen, keine finsteren Blicke, kein dunkles Make-up. Halten Sie sich daran, Lucia. Etwas anderes werde ich nicht akzeptieren.«

Ich ging hinüber und stellte ihr den Teller und den Kaffee auf den Schreibtisch, die Serviette mit dem Zucker und dem Löffel legte ich daneben. Sie würdigte mich keines Blickes. Ich wartete noch einen Augenblick, ob sie mir irgendwelche Papierstapel mitgeben wollte, die ich faxen oder ablegen sollte, aber sie ignorierte mich, und ich verzog mich wieder ins Vorzimmer.

Halb neun. Ich war seit drei Stunden auf den Beinen und fühlte mich wie nach einem Zwölfstundentag. Gerade wollte ich zum zweiten Mal die E-Mails abrufen, als Miranda herüberkam. Die Jacke mit dem Gürtel betonte ihre Wespentaille und brachte ihren perfekt sitzenden Etuirock ideal zur Geltung. Sie war stinksauer.

»Aan-dreh-aa! Der Milchkaffee ist kalt. Das ist mir unbegreiflich. Sie waren schließlich lange genug fort. Holen Sie mir einen frischen.«

Ich atmete tief durch und biss die Zähne zusammen, um mir meinen Hass nicht anmerken zu lassen. Miranda stellte den verschmähten Kaffee auf meinen Schreibtisch und fing an, in der neuesten *Vanity Fair* zu blättern, die eine Kollegin bei mir für sie deponiert hatte. Ich konnte Emilys Blick spüren, vermutlich eine Mischung aus Mitgefühl und Verärgerung. Einerseits tat es ihr Leid, dass ich schon wieder zum Kaffeeholen abkommandiert wurde, gleichzeitig nahm sie es mir übel, dass ich mich nicht einfach mit einem freundlichen Lächeln ins Unvermeidliche fügte. Schließlich hätten Millionen junger Frauen für meinen Job ihr Leben gegeben.

Mit einem Seufzer, der nicht zu überhören war, aber auch nicht als offene Kritik interpretiert werden konnte, schlüpfte ich wieder in meinen Mantel und schleppte mich in Richtung Fahrstuhl. Eines stand jetzt schon fest: Es würde mal wieder ein sehr, sehr langer Tag werden.

Die zweite Kaffeeexpedition ging wesentlich glatter über die Bühne als die erste. Bei Starbucks herrschte nicht mehr so viel Betrieb, und Marion legte sofort mit dem Milchkaffee los, als sie mich hereinkommen sah. Diesmal gab ich keine größere Bestellung auf, ich wollte die Sache endlich hinter mich bringen und mich wieder hinter den Schreibtisch klemmen. Nur für Emily und mich nahm ich noch je einen Cappucino mit. Ich wollte gerade bezahlen, da klingelte mein Handy. Verdammt noch mal, dieses Weib war wirklich das Allerletzte. Keine Manieren, keine

Geduld, kein Anstand. Ich war noch keine vier Minuten weg – wieso machte sie jetzt schon wieder einen Aufstand? Mit der einen Hand das Tablett balancierend, wühlte ich mit der anderen das Handy aus der Manteltasche. Ich hatte gerade beschlossen, mir zum Ausgleich für diese Sklaventreiberallüren eine weitere Zigarette zu gönnen, als ich sah, dass der Anruf aus Lilys Wohnung kam.

»Na, stör ich?«, fragte sie. Sie klang aufgeregt. Ich warf einen Blick auf die Uhr. Wieso war sie um diese Zeit zu Hause und nicht in der Uni?

»Du doch nicht. Ich bin gerade auf meiner zweiten Kaffeerunde. Ist was passiert? Müsstest du jetzt nicht im Seminar hocken?«

»Doch, eigentlich schon. Aber ich war gestern Abend noch mal mit Mr. Rosa-T-Shirt aus, und da sind es leider ein paar Margaritas zu viel geworden. Genauer gesagt, acht Margaritas zu viel. Er pennt noch, und da wollte ich nicht einfach abdampfen. Aber ich rufe wegen was anderem an.«

»Ja?« Ich war nicht ganz bei der Sache. Der eine Cappucinobecher war schon halb durchgeweicht, und mit dem Handy unter dem Kinn war es das reinste Kunststück, eine Zigarette aus der Packung zu fummeln.

»Stell dir vor. Heute Morgen um acht – um acht! – kreuzt doch tatsächlich mein Vermieter auf, um mir zu sagen, dass ich ausziehen muss«, berichtete sie fröhlich.

»Er schmeißt dich raus? Aber wieso das denn, Lil? Und was willst du jetzt machen?«

»Anscheinend ist rausgekommen, dass ich nicht Sandra Gers bin und dass sie schon seit sechs Monaten nicht mehr hier wohnt. Da ich nicht mit ihr verwandt bin, durfte sie mir die Sozialwohnung nicht untervermieten. Das war mir natürlich von Anfang an klar, deshalb habe ich mich ja auch als sie ausgegeben. Keine Ahnung, wie sie mir draufgekommen sind. Aber ist auch egal. Ich hatte nämlich eine grandiose Idee. Warum ziehen wir nicht zusammen? Das Zimmer bei Shanti und Kendra hast du doch monatsweise gemietet, richtig? Und du bist doch auch nur bei ihnen eingezogen, weil du keine andere Bleibe hattest, richtig?«

»Zweimal richtig.«

»Aber jetzt hättest du eine! Wir suchen uns zusammen was!«

»Super!« Das klang selbst für meine Ohren etwas lau, obwohl ich von ihrem Plan begeistert war.

»Also, was ist? Bist du dabei?« Anscheinend hatte ich ihr ein bisschen den Wind aus den Segeln genommen.

»Was für eine Frage! Auf jeden Fall, Lil. Wirklich, die Idee ist spitze. Tut mir Leid, wenn ich nicht gleich vor Freude ausflippe, aber ich stehe hier draußen im Schneeregen, und mir läuft kochend heißer Kaffee am linken Arm runter und …« *Biepbiep.* Ein Anruf auf der anderen Leitung. Ich hätte mir fast mit der brennenden Zigarette den Hals verbrannt, als ich nach dem Handy griff, um einen Blick auf die Anzeige zu werfen. Es war Emily.

»Scheiße, Lil, da kommt gerade ein Anruf von Miranda. Ich muss Schluss machen. Aber herzlichen Glückwunsch noch mal zum Rauswurf! Ich freue mich so für uns. Ich melde mich später noch mal, okay?«

»Okay, dann also bis …«

Aber da hatte ich sie schon aus der Leitung geschmissen. Ich wappnete mich für die nächste Gardinenpredigt.

»Ich schon wieder«, sagte Emily spitz. »Hör mal, was treibst du eigentlich? Du sollst bloß einen Kaffee holen, verdammt noch mal. Das ist doch keine Staatsaktion. Denk daran, früher hatte ich deinen Job, und ich weiß ganz genau, dass es nicht so lange dauert …«

»Was?«, sagte ich laut und legte die Hand auf den Apparat. »Wie bitte? Ich kann dich nicht verstehen. Kannst du mich hören? Ich bin in einer Minute zurück!« Ich klappte das Handy zu und vergrub es auf dem tiefsten Grund meiner Manteltasche.

Dann schmiss ich meine kaum angerauchte Marlboro auf den Bürgersteig und beeilte mich, wieder ins Büro zu kommen.

Miranda war so gnädig, diesen etwas wärmer geratenen Milchkaffee zu akzeptieren. Zwischen zehn und elf gönnte sie Emily und mir sogar ein relativ friedliches Stündchen, indem sie am Telefon mit Mr. BTB turtelte. Offiziell hatte ich ihren Gatten erst vor einer Woche kennen gelernt, bei der BUCH-Ablieferung am Mittwochabend. Er nahm gerade seinen Mantel aus dem Garderobenschrank, als ich in die Diele kam. Zehn Minuten lang schwafelte er mir die Ohren von »Mr. Tomlinson« voll. Seit dieser Begegnung behandelte er mich immer ganz besonders zuvorkommend, erkundigte sich nach meinem Befinden oder lobte mich für meine Arbeit. Natürlich färbten diese Nettigkeiten in keiner Weise auf seine Frau ab.

Gerade wollte ich ein paar PR-Leute anrufen, um ihnen ein paar anständige Outfits fürs Büro abzuschwatzen, da riss mich Mirandas holde Stimme aus meinen Gedanken: »Emily, den Lunch.« Die echte Emily nickte mir zu: Ich durfte loslegen. Ich wählte die gespeicherte Nummer von Smith and Wollensky, und am anderen Ende meldete sich die Neue.

»Tag, Kim. Hier spricht Andrea, Büro Miranda Priestly. Ist Sebastian da?«

»Guten Tag. Wie war noch gleich der Name?« Die Frau war unmöglich. Obwohl ich zweimal in der Woche zur gleichen Uhrzeit anrief, tat sie jedes Mal so, als ob sie noch nie etwas von mir gehört hätte.

»Büro Miranda Priestly. Bei *Runway*. Ich will wirklich nicht unhöflich sein« – *ach, nein?* – »aber ich bin ein bisschen in Eile. Könnten Sie mich bitte zu Sebastian durchstellen?« Jede andere Mitarbeiterin hätte ich einfach bitten können, Mirandas übliche Bestellung weiterzuleiten, nur diese Kim war viel zu begriffsstutzig dafür. Deshalb hatte ich es mir angewöhnt, mich gleich mit dem Restaurantchef verbinden zu lassen.

»Einen Augenblick, bitte. Ich sehe nach, ob er zu sprechen

ist.« *Worauf du Gift nehmen kannst, mein Täubchen. Miranda Priestly ist sein Leben.*

»Andy, meine Gute. Wie geht es Ihnen?«, hauchte Sebastian ins Telefon. »Gehe ich recht in der Annahme, dass Sie mich anrufen, weil unsere allerliebste Modeherausgeberin ihren Lunch möchte?«

Wie er wohl reagieren würde, wenn ich mir den Spaß erlaubte, ihm zu sagen, dass der Lunch nicht für Miranda bestimmt war, sondern für mich? Schließlich war Smith and Wollensky kein Pizzaservice, sondern ein Sternerestaurant, das nur für Ihre Majestät eine Ausnahme machte.

»Sie gehen recht. Gerade eben hat sie verlauten lassen, dass ihr der Sinn nach einer Köstlichkeit aus Ihrer Küche steht. Und sie lässt Sie ganz herzlich grüßen.« Ein solches Gesülze wäre Miranda im Leben nicht über die Lippen gekommen. Aber Sebastian war so ein großer Fan von ihr, dass ich ihm gern diese kleine Freude machte. Er lachte entzückt auf.

»Fantastisch! Einfach fantastisch! Wir machen uns gleich ans Werk. Sie können das Essen jederzeit abholen«, trällerte er ausgelassen. »Und bitte richten Sie ihr doch meine besten Grüße aus.«

»Aber natürlich, wird gemacht. Bis gleich dann.« Es lohnte sich, ihm ein bisschen um den Bart zu gehen, denn er tat sehr viel für mich und erleichterte mir die Arbeit. Wenn Miranda nicht auswärts aß, servierte ich ihr das Mittagessen am Schreibtisch und hielt im Vorzimmer für diesen Fall einen kleinen Vorrat an Tellern bereit. Die meisten waren Muster neuer Geschirrkollektionen, die wir von den Designern geschickt bekamen, der Rest stammte aus der Cafeteria. Da es zu aufwändig gewesen wäre, sich auch noch um Saucieren, Steakmesser und Leinenservietten zu kümmern, ließ ich mich von Sebastian damit versorgen.

Und wieder zog ich mir an diesem kalten, trüben Februartag meinen schwarzen Wollmantel über, steckte Handy und Zigaretten ein und brach zur nächsten Expedition auf. Obwohl es bis zu dem Restaurant zu Fuß nur 15 Minuten waren, spielte ich mit dem Gedanken, mir einen Wagen kommen zu lassen. Erst als mir der frische Wind um die Nase wehte, überlegte ich es mir anders, steckte mir eine Zigarette an und stapfte los. Ach, wie gut mir der Spaziergang tat.

Um diese Jahreszeit kamen einem nicht so viele ziellos umherbummelnde Touristen in die Quere. Früher hatte ich mich über die Leute aufgeregt, die beim Gehen telefonierten, doch inzwischen war ich dieser Unart selbst verfallen. Ich zückte mein Handy und rief in Alex' Schule an, wo er, wenn mich mein lahmes Gedächtnis nicht täuschte, zu dieser Zeit möglicherweise gerade im Lehrerzimmer saß und Mittagspause machte.

Nach dem zweiten Klingeln meldete sich eine schrille Frauenstimme.

»Grundschule 277, Mrs. Whitmore am Apparat. Was kann ich für Sie tun?«

»Könnte ich bitte Alex Fineman sprechen?«

»Darf ich fragen, wer Sie sind?«

»Ich bin Andrea Sachs, seine Freundin.«

»Ach, Sie sind das! Wir haben schon so viel von Ihnen gehört.« Besonders angetan klang sie allerdings nicht, eher das Gegenteil.

»Tatsächlich? Das freut mich aber. Ich habe natürlich auch schon viel von Ihnen gehört. Alex ist ganz begeistert von seinen Kollegen.«

»Das hört man gern. Aber was ich noch sagen wollte, Andrea. Sie scheinen ja wirklich einen tollen Job zu haben. Es muss sehr interessant sein, für so eine begnadete Persönlichkeit zu arbeiten. Sie können sich wirklich glücklich schätzen.«

*Ja, Mrs. Whitmore. Ja, ja. Was meinen Sie, wie glücklich ich mich schätze. Wenn Sie wüssten. Erst gestern, dieses Gefühl der Erfüllung, als ich meiner Chefin Tampons besorgen durfte und mir hinterher anhören musste, dass es die Falschen waren und dass ich überhaupt nichts richtig machen könne. Glück ist vermutlich das einzige*

*Wort, das die Empfindung beschreibt, mit der ich jeden Morgen die*
*bekleckerte, versiffte Wäsche meiner Chefin für die Reinigung aus-*
*sortieren darf. Oder noch ein schönes Beispiel. Ich kann mir kaum*
*etwas Befriedigenderes vorstellen, als geschlagene drei Wochen lang*
*die besten Hundezüchter in New York und Umgebung abzuklappern,*
*um zwei perfekte französische Bulldoggenwelpen zu finden, damit die*
*zwei verwöhntesten, krätzigsten Gören der Welt ihre eigenen Haus-*
*tiere bekommen. Ja, Glück ist gar kein Ausdruck!*

»Ja, es ist eine einmalige Gelegenheit«, plapperte ich wie ein
Papagei. »Ein Job, für den Millionen junger Frauen ihr Leben geben würden.«

»Das können Sie laut sagen, meine Beste! Ach, wen haben
wir denn da? Gerade kommt Alex herein. Ich gebe Sie ihm.«

»Andy, mein Schatz! Wie geht's, wie steht's?«

»Frag lieber nicht. Ich bin gerade auf der Lunchexpedition.
Und wie hat sich dein Tag so angelassen?«

»Kann bis jetzt nicht klagen. Meine Klasse hat nach dem Mittagessen Musik, das heißt, ich habe anderthalb Stunden frei.
Und dann müssen wir noch mehr Sprechübungen mit ihnen
machen«, sagte er etwas frustriert. »Wie sie so jemals richtig lesen lernen sollen, ist mir schleierhaft.«

»Und, hat es heute wieder eine Messerstecherei gegeben?«

»Nein.«

»Na also, was verlangst du denn? Du hattest einen relativ
schmerzlosen, unblutigen Tag. Freu dich doch. Lesen kannst
du ihnen morgen immer noch beibringen. Weißt du schon da
Neueste? Lily hat vorhin angerufen. Sie ist aus ihrer Wohnung
geflogen, und wir wollen zusammenziehen. Klasse, was?«

»Ich gratuliere. Das wird bestimmt lustig mit euch beiden.
Aber es könnte auch fast ein bisschen anstrengend werden, dauernd Lily um sich zu haben... und vor allem Lilys Kerle... Ver-
sprichst du mir, dass wir möglichst oft zu mir gehen?«

»Na klar. Aber du wirst dich bei uns schon wohlfühlen. So
wie früher im Studentenheim.«

»Wirklich Pech für sie, dass sie aus der billigen Wohnung raus muss. Für dich ist es natürlich ein Glück.«

»Ja, ich kann es noch gar nicht fassen. Ich hab nichts gegen Shanti und Kendra, aber irgendwie bin ich zu alt dafür, bei irgendwelchen Fremden zur Untermiete zu wohnen.« Darüber hinaus stand ich zwar total auf indisches Essen, konnte jedoch auf den ständigen Currygeruch in meinen Klamotten gut verzichten. »Ich wollte Lily vorschlagen, dass wir heute Abend irgendwo unseren Neubeginn feiern. Hättest du auch Lust? Wir könnten ins East Village gehen, dann hast du es nicht so weit.«

»Ja, gern. Gute Idee. Ich passe nachher auf Joey auf, aber um acht müsste ich wieder in der Stadt sein. Bis dahin hast du noch nicht mal Feierabend. Ich bringe Max mit, und wir treffen uns dann später. Sag mal, hat Lily zurzeit einen Freund? Max ist nämlich solo, und er könnte mal wieder ein bisschen Action vertragen.«

»Was?«, lachte ich. »Hör mal, willst du etwa andeuten, meine Freundin wäre ein loses Weibsbild? Sie ist bloß ein Freigeist, mehr nicht. Ob sie einen Freund hat? Was ist das denn für eine Frage? Gestern hat ein Typ bei ihr gepennt, der ›Mr. Rosa-T-Shirt‹ heißt. Seinen richtigen Namen weiß ich nicht.«

»Ist ja auch nicht so wichtig. Bei uns geht gerade der Pausengong. Ruf mich an, wenn du das BUCH abgeliefert hast, okay?«

»Okay. Bis dann.«

Bevor ich das Handy einstecken konnte, klingelte es schon wieder. Eine Nummer, die ich nicht kannte, also weder Miranda noch Emily. Ich konnte aufatmen.

»Bür-äh, hallo?« Ob bei der Arbeit, zu Hause oder unterwegs, ich meldete mich automatisch immer mit »Büro Miranda Priestly«, was extrem peinlich sein konnte, wenn jemand anderer anrief als meine Eltern oder Lily. Diese Unsitte musste ich mir schleunigst wieder abgewöhnen.

»Spreche ich mit der reizenden Andrea Sachs, die ich auf Marshalls Party aus Versehen in Angst und Schrecken versetzt habe?«, fragte eine rauchige, sexy Stimme. Christian! Ich war fast erleichtert gewesen, dass er nach dem nächtlichen Hand-geknutsche anscheinend auf Tauchstation gegangen war. Doch kaum hatte ich ihn an der Strippe, überkam mich, genau wie auf der Party, gleich wieder der fast unwiderstehliche Wunsch, ihn mit meinem Esprit und Charme zu becircen, ich schwor mir, gaaanz, gaaanz cool zu bleiben.

»Ganz recht. Dürfte ich fragen, wer Sie sind? An jenem Abend haben mich mehrere Männer in Angst und Schrecken versetzt.« *Okay, gar nicht so übel für den Anfang. Tief durchatmen, cool bleiben.*

»War die Konkurrenz denn wirklich so groß?«, gab er ge-schmeidig zurück. »Na ja, vermutlich schon. Und? Wie geht es Ihnen so, Andrea?«

»Super, klasse, spitze«, flunkerte ich munter drauflos. Mir waren gerade die Flirttipps im *Cosmopolitan* wieder eingefallen, in denen es hieß, man solle bei einer neuen Bekanntschaft im-mer schön »locker und flockig« bleiben, weil die meisten Män-ner nicht gerade auf Zynikerinnen stehen. »Die Arbeit macht mir Freude. Mein Job könnte gar nicht besser sein! Es wird im-mer interessanter. Es gibt so viel zu lernen, so viel zu tun. Ja, es ist wirklich toll. Und wie geht es Ihnen?« *Reden Sie nicht zu viel über sich, bringen Sie ihn dazu, über das Thema zu sprechen, mit dem er sich am besten auskennt und für das er sich am meisten interessiert: sich selbst.*

»Sehr überzeugend, Andrea. Ich bin beeindruckt. Ein unge-übter Zuhörer hätte Ihnen die Lobeshymnen glatt abgekauft. Aber Sie kennen ja sicher den alten Spruch: Einen Lügner kann man nicht so leicht belügen. Nur keine Bange. Diesmal lasse ich es Ihnen noch durchgehen.« Eigentlich wollte ich diese Unter-stellung entrüstet von mir weisen, aber es ging nicht. Stattdes-sen musste ich laut lachen. Der Typ ließ sich echt nichts vor-machen. »Könnte ich vielleicht schnell zur Sache kommen? Ich fliege nämlich gleich nach Washington, und die Wachleute hier am Flughafen sind nicht besonders begeistert, dass ich mit dem Handy durch ihre Sicherheitskontrollen marschiere. Also: kurze Frage, kurze Antwort. Haben Sie Samstagabend schon etwas vor?«

Es gab kaum eine Frage, die ich noch weniger leiden konnte. Was sollte man darauf antworten? Man hatte ja keine Ahnung, worauf man sich unter Umständen einließ. Vielleicht suchte er für seine Freundin irgendeinen Deppen mit Helfersyndrom, der ihr zur Hand ging, und ich war die ideale Kandidatin für den Job? Oder brauchte er jemanden, der mit seinem Hund Gassi ging, während er mal wieder ein Interview gab? Ich dachte noch über eine möglichst unverfängliche Antwort nach, als er weitersprach: »Ich habe nämlich um neun einen Tisch im Babbo reserviert. Ein paar Freunde und Bekannte werden auch da sein, Leute aus der Zeitschriftenbranche, ziemlich interessante Typen. Ein Redakteur von *The Buzz* zum Beispiel und ein paar Mitarbeiter vom *New Yorker*. Ein nettes Völkchen. Hätten Sie Lust?«

Sollte das etwa ein Date werden? Doch, das hörte sich nach einem echten Date an. Er wollte mit mir ausgehen! Christian Collinsworth wollte mit mir ausgehen, an einem Samstagabend. Und nicht nur das: Er wollte mit mir ins Babbo, wo er zufällig für sich und mich und eine Gruppe kluger und hochinteressanter Leute einen Tisch reserviert hatte, Leute wie er. Von *New-Yorker*-Mitarbeitern ganz zu schweigen! Hatte ich etwa auf der Party erwähnt, dass das Babbo das Restaurant meiner Träume war und dass ich alles dafür geben würde, dort zu essen? Ich hatte sogar einmal versucht, für Alex und mich einen Tisch zu bekommen, aber es war für die nächsten fünf Monate komplett ausgebucht gewesen. Und seit drei Jahren hatte mich keiner mehr zu einem Date eingeladen, keiner außer Alex.

»Ich, äh, hm, tja, also. Ich, äh, ich weiß gar nicht, was ich sagen soll.« *Mein Gott, war ich das, die da so stammelte?* »Ich weiß wirklich nicht, was ich sagen soll.« *Das hat er inzwischen sicher schon kapiert. Sieh zu, dass du zu Potte kommst.* »Ich würde sehr gern mitkommen, aber ich kann nicht. Ich habe schon etwas anderes vor.« Insgesamt keine üble Antwort, dachte ich. Obwohl ich ein bisschen brüllen musste, um mich über das Heulen einer Polizeisirene hinweg verständlich zu machen, war sie halbwegs würdevoll ausgefallen. Weder hatte ich zugegeben, dass ich für einen Samstagabend noch nichts geplant hatte, noch, dass ich einen Freund hatte. Was ging diesen Menschen schließlich mein Privatleben an?

»Haben Sie wirklich schon etwas vor, Andrea, oder befürchten Sie, Ihr Freund könnte etwas dagegen haben, dass Sie mit einem anderen Mann ausgehen?«, klopfte er auf den Busch.

»Das hat Sie gar nichts zu kümmern«, sagte ich altjüngferlich. *Mein Gott, war ich das?* Ganz in Gedanken ging ich bei Rot über die Ampel und wurde fast von einem Lieferwagen umgenietet.

»Okay, wie Sie meinen. Aber das war nicht meine letzte Einladung. Und ich glaube, nächstes Mal sagen Sie ja.«

»Ach ja? Und wie kommen Sie darauf?« Sein Selbstbewusstsein klang mir immer mehr nach Arroganz. Was ihn aber leider auch nicht weniger sexy machte.

»Es ist nur so eine Ahnung, Andrea, mehr nicht. Zerbrechen Sie sich bloß nicht Ihr süßes Köpfchen. Es war lediglich eine Einladung zu einem guten Essen in anregender Gesellschaft. Vielleicht hätte er auch Lust mitzukommen, Ihr Freund? Er muss ein netter Kerl sein. Ich würde ihn gern kennen lernen!«

»Nein!« Was für ein Gedanke, Christian und Alex an einem Tisch, zwei tolle Typen, wie sie unterschiedlicher nicht hätten sein können. Ich konnte mir lebhaft vorstellen, wie Christian auf den ewigen Weltverbesserer Alex reagieren würde. Er hätte ihn als kreuzbraves, naives Landei abgetan. Andersherum wäre das Urteil wohl ebenso vernichtend – und für mich noch peinlicher ausgefallen. Alex würde nicht das Geringste anfangen können mit den hässlichen Eigenschaften, die ich an Christian so unglaublich anziehend fand: die Eleganz, die Dreistigkeit, das freche Mundwerk und die Selbstsicherheit, an der jede Beleidigung wie von einem Panzer abprallte.

»Nein«, lachte ich gezwungen, um meinem ersten, geradezu entsetzten Nein ein wenig die Spitze zu nehmen. »Das wäre wohl keine besonders gute Idee. Obwohl er Sie sicher auch gern kennen lernen würde.«

Er lachte ebenfalls, aber spöttisch, herablassend. »Das war nur ein Scherz, Andrea. Ihr Freund ist bestimmt ein toller Kerl, aber ich kann durchaus darauf verzichten, seine Bekanntschaft zu machen.«

»Ja, ja. Natürlich. Das war mir klar, dass es nur ein…«

»Entschuldigen Sie, aber ich muss mich sputen. Rufen Sie mich einfach an, wenn Sie es sich noch anders überlegen oder wenn sich Ihre anderen Pläne zerschlagen, okay? Die Einladung steht. Also dann: einen schönen Tag.« Bevor ich mich noch verabschieden konnte, hatte er das Gespräch beendet.

Fassungslos blieb ich mitten auf dem Bürgersteig stehen. Was war denn das gewesen? Ich spulte das Gespräch in Gedanken noch einmal zurück: Berühmter Schriftsteller kriegt irgendwie meine Handynummer raus, ruft mich an und lädt mich für Samstagabend in Trendrestaurant ein. Keine Ahnung, ob er vorher gewusst hatte, dass ich in festen Händen war. Auf jeden Fall ließ er sich dadurch nicht sonderlich schocken. Aber eines stand fest: Ich hatte viel zu lange mit ihm telefoniert. Ein Blick auf die Uhr bestätigte mir meinen Verdacht. Ich hatte das Büro vor 32 Minuten verlassen. So lange brauchte ich sonst noch nicht mal für den Hin- und Rückweg.

Immerhin hatte ich es schon bis zu dem Restaurant geschafft. Ich steckte schnell das Handy weg, drückte die schwere Holztür auf und trat ein. Obwohl in dem gedämpft beleuchteten Raum alle Tische besetzt waren und Dutzende von Bankern und Anwälten an ihren Steaks herumsäbelten, herrschte eine Grabesstille, als ob der dicke Teppich und die maskulinen Farben jedes Geräusch schluckten.

»Andrea!« Sebastian hatte mich schon erspäht und kam auf mich zugestürzt, als wäre ich ein reitender Bote mit einer rettenden Medizin. »Wie wir uns freuen, Sie zu sehen!« Zwei junge Frauen in grauen Röcken, die hinter ihm standen, bestätigten diese Aussage mit ernstem Kopfnicken.

»Tatsächlich? Warum denn nur?« Wie immer konnte ich der Versuchung nicht widerstehen, Sebastian ein bisschen auf die Schippe zu nehmen. Er war ein solcher Schleimer.

Er beugte sich mit verschwörerischer Miene zu mir. Die Aufregung stand ihm ins Gesicht geschrieben. »Sie wissen doch, was für eine hohe Meinung mein Personal und ich von Ms. Priestly haben. *Runway* ist eine so unvergleichliche Zeitschrift. Wir bewundern alles daran, die exzellenten Fotoaufnahmen, die großartige Aufmachung und natürlich die faszinierenden Textbeiträge! Einfach hinreißend!«

»Faszinierende Textbeiträge, hm?« Ich musste mir ein Grinsen verkneifen. Er nickte stolz, drehte sich um und ließ sich von einer seiner Mitarbeiterinnen den Beutel reichen.

»So! Da hätten wir es. Das perfekte Mahl für die perfekte Herausgeberin – und ihre perfekte Assistentin«, fügte er mit einem Augenzwinkern hinzu.

»Danke, Sebastian, auch in Mirandas Namen.« Ich warf einen prüfenden Blick in die Tasche, um mich zu überzeugen, dass auch an alles gedacht war. Ein riesiges Ribeye-Steak, so blutig, dass es genauso gut hätte roh sein können. Okay. Zwei dampfend heiße Ofenkartoffeln, so groß wie junge Kätzchen. Okay. Eine Beilagenschale mit Kartoffelpüree, verfeinert mit Sahne und Butter. Okay. Abgezählte acht Stangen Spargel, makellos weiß und mit saftigen Köpfchen. Okay. Dazu die Sauciere mit der zerlassenen Butter, ein Pillendöschen mit grobkörnigem, koscherem Salz, ein scharf geschliffenes Steakmesser und eine gestärkte weiße Leinenserviette, die heute zu einem Röckchen gefaltet war. Wie niedlich. Sebastian wartete gespannt auf meine Reaktion.

»Gut gemacht, Sebastian«, sagte ich in dem Ton, mit dem man einen jungen Hund dafür lobt, dass er sein Geschäft draußen verrichtet hat. »Heute haben Sie sich wirklich selbst übertroffen.«

Er strahlte über das ganze Gesicht. Dann blickte er bescheiden zu Boden. »Zu gütig. Sie wissen ja, wie sehr mir Ms. Priestly am Herzen liegt und dass es mir eine große Ehre ist ...« Er geriet ins Stocken.

»Ihren Lunch zuzubereiten?«, ergänzte ich hilfsbereit.

»Ja, ganz genau. Eine große Ehre. Sie verstehen.«

»Und ob, Sebastian, und ob. Ich kann Ihnen versichern, Sie wird begeistert sein.« Ich brachte es nicht über mich, ihm zu sagen, dass ich, sobald ich wieder im Büro war, als Allererstes sein Serviettenkunstwerk zerstören musste, da die Ms. Priestly, die er so vergötterte, beim Anblick einer nicht wie eine Serviette aussehenden Serviette einen Tobsuchtsanfall bekommen würde, auch wenn sie von einem Origami-Großmeister zum Hut oder zum Stöckelschuh gefaltet worden wäre. Gerade wollte ich den Rückweg antreten, als mein Handy klingelte.

Sebastian sah mich erwartungsvoll an. Er hoffte, ja er betete, dass die Stimme am anderen Ende seiner Göttin gehörte, seinem Existenzgrund. Und er wurde nicht enttäuscht.

»Emily? Sind Sie das, Emily? Ich kann Sie kaum verstehen!« Ja, es war Mirandas liebliches Organ, ratternd wie ein Maschinengewehr und genauso tödlich.

»Hallo, Miranda. Jawohl, Andrea hier.« Als ich ihren Namen in den Mund nahm, war Sebastian einer Ohnmacht nahe.

»Bereiten Sie meinen Lunch persönlich zu, Andrea? Nach meiner Uhr habe ich Sie vor genau 35 Minuten losgeschickt. Ich sehe keinen Grund, warum das Essen nicht längst vor mir stehen sollte. Sie vielleicht?«

Sie hatte mich mit dem richtigen Namen angesprochen! Was für ein Triumph. Leider blieb mir keine Zeit, ihn zu feiern.

»Bitte entschuldigen Sie die Verzögerung, aber es gab einige Probleme wegen ...«

»Ersparen Sie mir die Einzelheiten. Sie wissen, solche Trivia-
litäten interessieren mich nicht.«

»Ja, natürlich. Ich verstehe. Es kann jetzt auch nicht mehr
lange …«

»Ich rufe Sie an, um Ihnen zu sagen, dass ich mein Essen will.
Das lässt nicht viel Interpretationsspielraum, Emily! Ich. Will.
Mein. Essen. Sofort!« Klick. Gespräch beendet. Ich zitterte so
heftig, dass mir das Handy aus der Hand fiel.

Der arme Sebastian, der richtiggehend unter Schock stand,
ermannte sich und hob es auf.

»Ist sie wütend auf uns, Andrea? Wir haben Sie doch hoffentlich nicht verärgert?« Auf seiner Stirn pochte eine Ader. Ich
wäre fast in die Luft gegangen, aber im Grunde tat er mir Leid.
Warum lag diesem unscheinbaren Mann so viel an einer Miranda Priestly? Warum überschlug er sich fast, ihr zu Diensten zu
sein, ihr seine Ergebenheit zu beweisen, sie zu beeindrucken? Er
wäre genau der Richtige für meinen Job, dachte ich. Er konnte
schon mal ein Bewerbungsschreiben aufsetzen, denn ich würde
ihr die Brocken vor die Füße schmeißen. Mein Entschluss stand
fest, ich würde auf der Stelle ins Büro zurückgehen und kündigen. Ich hatte die Schnauze voll. Gestrichen voll. Was gab ihr
das Recht, so mit mir zu reden? Ihre Stellung? Ihre Macht? Ihr
Prestige? Gott? Prada? Ich hatte es nicht nötig, mich so behan-
deln zu lassen.

Die übliche Lunchrechnung über 95 Dollar lag auf der Theke. Ich krakelte in Windeseile eine unleserliche Unterschrift
darunter. Ob es meine oder Mirandas oder Mahatma Gan-
dhis war, scherte mich einen feuchten Dreck, so geladen war ich.
Ich stampfte nach draußen und stürzte mich so schnell auf das
nächste Taxi, dass ich um ein Haar einen älteren Herrn über
den Haufen gerannt hätte. Sorry, aber ich musste weiter. Ich
hatte schließlich einen Job zu kündigen. Trotz des starken Mit-
tagsverkehrs schafften wir die Strecke in zehn Minuten, und ich
drückte dem Fahrer einen 20er in die Hand. Von mir aus hätte

es gern auch noch ein bisschen mehr sein dürfen, aber ich hatte leider keinen 50er dabei. Während er noch das Wechselgeld abzählte, knallte ich schon die Wagentür hinter mir zu. Er würde schon wissen, was er mit so einem saftigen Trinkgeld anfangen sollte. Seinem Töchterchen etwas schenken oder einen kaputten Wasserboiler reparieren lassen. Von mir aus konnte er es auch nach Feierabend in gepflegter Kollegenrunde versaufen. Was auch immer er damit anstellte, die Kohle war bei ihm auf jeden Fall besser angelegt als bei Elias-Clark.

Vor selbstgerechtem Zorn kochend, stürmte ich in das Gebäude, alles andere als damenhaft, wie mich die kritischen Blicke der Klapperschnepfen sogleich wissen ließen.

Doch ich hatte keine Zeit zu verlieren. Hastig zog ich meinen Ausweis durch das Lesegerät und warf mich gegen das Drehkreuz. Verdammt! Ich war mit dem Hüftknochen voll gegen die Stange geknallt. Toll, das würde einen wunderschönen blauen Fleck geben. Ich hob den Kopf. Vor mir stand Eduardo, strahlend wie ein Honigkuchenpferd. Das durfte doch wohl nicht sein Ernst sein!

Ich schoss ihm meinen Killerblick zu, mit dem ich mir schon öfter den Weg freigeschossen hatte, aber heute verpuffte er wirkungslos. Ohne ihn aus den Augen zu lassen, wirbelte ich zum nächsten Drehkreuz herum, zog den Ausweis durch und warf mich gegen die Stange. Zu spät, Eduardo war schneller gewesen. Während ich wie ein Depp vor der Sperre stand und mir die schmerzende Hüfte rieb, ließ er sechs Klapperschnepfen hintereinander durch das erste Drehkreuz. Ich war so frustriert, dass ich fast losgeheult hätte. Doch Eduardo ließ sich nicht erweichen

»Nun ziehen Sie doch nicht so ein Gesicht. Das ist hier keine Folter, das ist ein kleines Späßchen. Und jetzt bitte aufpassen. *I think we're alone now. There doesn't seem to be anyone a-rou-ound. I think we're alone now. The beating of our hearts is the only sou-ound.*«

»Eduardo, ich bitte Sie. Dazu fällt mir jetzt wirklich nichts ein. Ich hab keine Zeit für solche Scherze!«

»Okay, okay. Dann erlasse ich Ihnen ausnahmsweise die Schauspielerei, sie brauchen bloß zu singen. Erst ich, dann Sie. *Children, behave! That's what they say when we're together. And watch how you play! They don't understand, and so we're…*«

Wahrscheinlich konnte ich mir die Kündigung sparen, wenn ich es irgendwann tatsächlich bis nach oben schaffte, weil Miranda mich bis dahin längst gefeuert haben würde. Also dann, jetzt war sowieso schon alles egal. Da konnte ich genauso gut einem anderen Menschen eine Freude machen »*… running as fast as we can*«, setzte ich ein, ohne auch nur einen Takt zu verpassen. »*Holdin' on to one another's hand. Tryin' to get away into the night, and then you put your arms around me and we tumble to the ground and then you say…*«

Eduardos Kollege Mikey, der Unsympath von meinem ersten Arbeitstag, spitzte neugierig die Ohren. Ich beugte mich näher an Eduardo heran. Er sang die letzten Zeilen: »*I think we're alone now. There doesn't seem to be anyone a-rou-ound. I think we're alone now. The beating of our hearts is the only sou-ound.*« Er lachte laut und riss die Hand hoch. Ich klatschte ihn ab, high five! Und die Sperre tat sich auf.

»Einen schönen Tag noch, Andy«, rief er mir lachend nach.

»Ihnen auch, Eduardo, Ihnen auch.«

Im Fahrstuhl kam ich allmählich wieder zu mir. Aber richtig bei Sinnen war ich eigentlich erst wieder vor dem Vorzimmer, wo ich beschloss, doch nicht zu kündigen. Abgesehen von dem nächstliegenden Grund, dass ich viel zu viel Schiss hatte, ihr mit diesem Ansinnen unvorbereitet gegenüberzutreten, weil sie mich vermutlich doch nur kalt lächelnd abservieren würde. »Nein, ich verbiete Ihnen zu kündigen.« Und was sollte ich dann sagen? –, musste ich daran denken, dass es nur um ein Jahr meines Lebens ging. Ein einziges Jahr, das mir viele Türen öffnen würde. Ein Jahr = 12 Monate = 52 Wochen = 365 Tage. Länger musste ich es in diesem Irrenhaus nicht aushalten. Dann war ich frei und konnte das tun, was ich wirklich wollte. Außerdem war ich viel zu ausgepowert, um auch nur daran zu denken, mir einen anderen Job zu suchen.

Emily sah vom Schreibtisch hoch, als ich hereinkam. »Sie ist gleich wieder da. Sie musste nur kurz zu Mr. Ravitz rauf. Wirklich, Andrea. Wo bist du so lange gewesen? Du weißt doch, dass sie ihre Wut an mir auslässt, wenn du sie warten lässt. Und was soll ich ihr dann sagen? Dass du lieber eine Zigarette rauchst, statt den Kaffee zu holen, dass du mit deinem Freund telefonierst, statt dich um ihren Lunch zu kümmern? Nein, das ist einfach nicht fair.« Frustriert wandte sie sich wieder ihrem Computer zu.

Da konnte ich ihr nicht widersprechen. Es war nicht fair. Mir gegenüber, ihr gegenüber, jedem halbwegs zivilisierten Menschen gegenüber. Ich hatte ein schlechtes Gewissen, dass sie unter meinen ausgedehnten Verschnaufpausen leiden musste, und schwor mir, mich zu bessern.

»Du hast vollkommen Recht, Em. Es tut mir Leid. Soll nicht wieder vorkommen.«

Ihre Miene hellte sich deutlich auf. »Dafür wäre ich dir wirklich dankbar, Andrea. Ich habe deine Arbeit selbst lange genug gemacht. Ich weiß, was man dir zumutet. An manchen Tagen musste ich fünf-, sechs-, siebenmal raus zum Kaffeeholen, da konnte es regnen, stürmen oder schneien. Und ich war so hundemüde, dass ich kaum noch einen Fuß vor den anderen setzen konnte. Ich weiß, wie das ist! Manchmal war ich noch nicht mal unten auf der Straße, da hat sie schon hinter mir her telefoniert, wo denn der Kaffee bleibt, der Lunch oder die Zahncreme für besonders empfindliche Zähne – immerhin ein Trost, dass sie wenigstens ein bisschen Gefühl in den Zähnen hat. Aber so ist sie nun mal, Andy. So ist das Leben hier. Damit musst du dich abfinden, sonst schaffst du es nie. Sie meint es nicht böse, wirklich nicht. Das ist eben ihre Art.«

Ich nickte, auch wenn sie mich nicht ganz überzeugt hatte. Zwar hatte ich noch nie in einer anderen Firma gearbeitet, konnte mir aber einfach nicht vorstellen, dass sich alle Bosse so aufführten wie Miranda. Oder etwa doch?

Ich stellte den Lunchbeutel ab und begann mit dem Anrichten. Mit den bloßen Fingern nahm ich die Speisen aus den luftdicht abschließenden Thermotöpfchen und platzierte sie appetitlich auf einem Porzellanteller. Das Auge isst schließlich mit. Dann wischte ich mir die Hände an einer von Mirandas Versace-Hosen ab, die noch in die Reinigung mussten, und stellte den Teller auf das gekachelte Teakholztablett, das ich unter meinem Schreibtisch aufbewahrte. Daneben kamen die Sauciere mit der zerlassenen Butter, das Salz und das Besteck, das ich aus seinem Faltenröckchen befreit hatte. Ein prüfender Blick und siehe da: Ich hatte das San Pellegrino vergessen. Jetzt aber zügig – sie konnte jeden Augenblick wieder zurück sein. Ab in die Teeküche, eine Hand voll Eiswürfel holen. Ich musste sie anhauchen, um keinen Gefrierbrand zu bekommen. Vom Anpusten zum Anlecken wäre es nur ein klitzekleiner Schritt gewesen. *Nein, Andrea! Da stehst du drüber! Du spuckst ihr nicht ins Essen und du lutschst auch nicht auf ihren Eiswürfeln rum. So tief bist du noch nicht gesunken!*

Miranda war noch nicht zurück, als ich wieder ins Vorzimmer kam. Ich schenkte schnell das Wasser ein. So, fertig. Jetzt konnte sie kommen. Sobald sie sich hinter den Riesentisch geklemmt hatte, würde sie Order geben, die Tür zu schließen. Und das wäre dann das erste und einzige Mal am Tag, dass ich ihrem Befehl gern nachkam, bedeutete es doch nicht nur, dass wir jetzt eine halbe Stunde Ruhe vor ihr hatten, da sie ihr allmittägliches Seelenschwätzchen mit Mr. BTB führte, sondern auch, dass wir ebenfalls etwas futtern durften. Eine von uns düste nach unten, griff sich irgendwas Essbares, sauste wieder nach oben; dann war die andere dran. Unsere Verpflegung versteckten wir unter dem Schreibtisch oder hinter dem Computerbildschirm, für den Fall, dass sie plötzlich unangekündigt im Zimmer stand. Wenn es bei *Runway* ein unausgesprochenes, aber ehernes Gesetz gab, dann dieses: Vor Miranda Priestly wurde nicht gegessen. Punktum.

Es war Viertel nach zwei. Mein Magen tippte eher auf späten Abend. Vor sieben Stunden hatte ich den letzten Mal einen Bissen zu mir genommen, und zwar einen hastig hinuntergeschlungenen Muffin zwischen Starbucks und Büro. Ich hatte solchen Hunger, dass ich mich fast an Mirandas Steak vergriffen hätte.

»Wenn ich nicht sofort was zu essen kriege, kipp ich vom Hocker, Em. Ich lauf schnell nach unten und hol mir was. Soll ich dir was mitbringen?«

»Bist du wahnsinnig geworden? Du hast ihr doch noch nicht mal den Lunch serviert. Sie kann jede Sekunde wieder da sein.«

»Aber es geht mir wirklich nicht gut. Ich kann nicht mehr warten.« Mir war schwindelig vor Schlafmangel. Der niedrige Blutzuckerspiegel tat ein Übriges. Womöglich würde ich es vor lauter Schwäche sowieso nicht schaffen, ihr das Steaktablett zu bringen, auch wenn sie im nächsten Augenblick auf der Bildfläche erschien.

»Andrea, komm zu dir. Stell dir doch mal vor, du begegnest ihr im Fahrstuhl oder am Empfang. Sie würde ausrasten! Das ist viel zu riskant. Warte, ich hol dir was.« Sie schnappte sich ihr Portemonnaie und lief hinaus. Keine vier Sekunden später kam Miranda durch den Korridor herangestelzt. Schwindel, Hunger und Erschöpfung waren wie weggeblasen, sobald ich ihr verkniffenes Gesicht erblickte. In Windeseile hatte ich mich hochgerappelt, das liebevoll arrangierte Tablett nach nebenan geschleppt und mich wieder auf den Stuhl sinken lassen.

Mit dröhnendem Kopf und trockenem Mund hockte ich hinter meinen Schreibtisch, als ihr erster Jimmy Choo die Schwelle überschritt. Sie würdigte mich keines Blickes und schien zum Glück auch nicht zu bemerken, dass die echte Emily nicht an ihrem Platz saß. Ich hatte den Eindruck, als ob die Besprechung mit Mr. Ravitz nicht sehr erfreulich verlaufen war, aber vielleicht sah sie auch nur deshalb so grimmig aus, weil sie sich zu ihm hatte bemühen müssen. Mr. Ravitz war der einzige Mensch im ganzen Gebäude, dem Miranda in irgendeiner Form entgegenkam.

»Aan-dreh-aa! Was ist das? Was um alles in der Welt ist das?«

Wie eine Rakete schoss ich hoch und rüber in ihr Büro. Vor uns beiden stand, nicht zu übersehen, der gleiche Lunch, den sie jeden Tag aß, wenn sie nicht im Restaurant speiste. Im Geiste ging ich schnell alle kritischen Punkte durch. Nichts fehlte, nichts stand an der falschen Stelle oder auf der falschen Seite, nichts war falsch zubereitet. Was hatte sie bloß?

»Äh, nun ja, äh, das ist Ihr Lunch«, sagte ich leise. Es kostete mich eine fast übermenschliche Anstrengung, nicht sarkastisch zu klingen. »Stimmt etwas nicht?«

Der Gerechtigkeit halber muss ich wohl zugeben, dass sie nur den Mund aufmachte, aber in meinem halb weggetretenen Zustand kam es mir so vor, als ob sie bluttriefende Reißzähne bleckte.

»Stimmt etwas nicht?«, äffte sie mich mit einer Quietschstimme nach, die nicht im Geringsten nach mir, ja nicht einmal menschlich klang. Sie kniff die Augen zu Schlitzen zusammen und beugte sich vor. »Jawohl, es stimmt etwas nicht. Etwas stimmt ganz und gar nicht. Können Sie mir erklären, weshalb ich DAS HIER auf meinem Schreibtisch vorfinden muss?«

Ich verstand nur Bahnhof. Wollte sie mir vielleicht ein Rätsel aufgeben? Gute Frage eigentlich, weshalb sie DAS DA auf ihrem Schreibtisch vorfinden musste. Dass sie den Lunch vor einer Stunde bestellt hatte, konnte offensichtlich nicht die korrekte Antwort sein. Aber eine andere hatte ich nicht auf Lager. Ob ihr das Tablett nicht gefiel? Nein, das war nicht möglich: Sie hatte es schon x-mal gesehen und sich noch nie darüber beschwert. Hatten sie ihr versehentlich das falsche Fleisch geschickt? Nein, das war es auch nicht. Als mir das Restaurant einmal ein wunderschönes Filet mitgegeben hatte, weil der Koch dachte, es würde ihr besser munden als das zähe Ribeye-Steak, hätte sie bei dem Anblick fast eine Herzattacke bekommen. Sie hatte mich gezwungen, den Koch anzurufen und ihn zur Minna zu machen, während sie daneben stand und mir die Beschimpfungen in den Mund legte.

»Es tut mir Leid, Miss. Bitte verzeihen Sie mir«, sagte er leise. Er hörte sich an wie der liebste Mensch der Welt. »Es ist meine Schuld. Ich dachte mir, eine gute Kundin wie Ms. Priestly hätte nur das Beste verdient. Ich habe ihr auch nichts extra dafür berechnet. Aber Sie können sich darauf verlassen, dass es nie wieder vorkommen wird. Mein Wort darauf.« Ich hätte fast geheult, als ich ihm sagen musste, dass er eine Niete sei und bis an sein Lebensende als Koch in einer zweitklassigen Steakbraterei versauern werde. Er hatte sich noch einmal entschuldigt und ›mir‹ Recht gegeben. Von dem Tag an hatte Miranda stets ihr blutiges Ribeye bekommen. Daran konnte es also auch nicht liegen. Ich hatte keine Ahnung, was ihr nicht passte.

»Aan-dreh-aa. Hat Mr. Ravitz' Assistentin Ihnen nicht gesagt, dass wir zusammen in der grässlichen Cafeteria lunchen?«, fragte sie bedächtig, als ob sie nur mit größter Mühe die Beherrschung bewahrte.

Das durfte doch wohl nicht wahr sein! Die Hetze, die Sebastianschmeicheleien, die Gardinenpredigt, das 95-Dollar-Essen, das Tiffany-Geträller, das Tablettarrangement, die Schwindelgefühle, der Hunger, die Warterei – das war alles für die Katz gewesen?

»Äh, nein, sie hat nicht angerufen. Dann heißt das also, ich kann abräumen?«, fragte ich und deutete auf das Tablett.

Sie sah mich an, als ob ich ihr vorgeschlagen hätte, eine ihrer Töchter zu fressen. »Was denken Sie denn, was es heißt, Emily?« Schade, nachdem sie meinen Namen die ganze Zeit so gut hingekriegt hatte.

»Ich denke, das heißt, ich kann abräumen.«

»Ich bin beeindruckt, Emily. Was für ein Glück für mich, dass

Sie mit so einer raschen Auffassungsgabe gesegnet sind. Schaffen Sie das Essen weg. Und dass mir so etwas ja nicht noch einmal vorkommt. Das wäre alles.«

Einen Augenblick lang fühlte ich mich wie in einen Hollywoodfilm versetzt. Ich sah die Szene direkt vor mir, in der ich mit einer schwungvollen Geste das Tablett mitsamt dem Essen vom Schreibtisch fegte. Durch diese Tat zur Besinnung gebracht, würde sie sich reumütig bei mir dafür entschuldigen, so verächtlich mit mir geredet zu haben. Aber das ungeduldige Trommeln ihrer Fingernägel auf der Schreibtischplatte holte mich schnell wieder in die Realität zurück. Ich nahm das Tablett an mich und ging hinaus.

»Aan-dreh-aa! Schließen Sie die Tür. Ich muss mich einen Augenblick sammeln«, rief sie mir nach. Schon klar, dieser Schock, plötzlich einen Feinschmeckerlunch serviert zu bekommen, den man auch noch persönlich bestellt hatte, wollte erst mal verkraftet werden.

In diesem Moment kam Emily vom Kiosk zurück. Damit ich nicht aus den Pantinen kippte, hatte sie mir eine Dose Cola Light und eine Tüte Rosinen mitgebracht, natürlich ohne ein Gramm Fett oder Zucker. Als sie Miranda rufen hörte, stellte sie die Einkäufe schnell weg, sprang zur Verbindungstür und zog sie leise zu.

»Was ist passiert?«, flüsterte sie und starrte entgeistert auf das Essenstablett, mit dem ich wie angewachsen neben meinem Schreibtisch stand.

»Nichts Besonderes«, knurrte ich sarkastisch. »Nur, dass unsere reizende Chefin anscheinend schon zu Mittag gespeist hat. Sie hat mir bloß den Marsch geblasen, weil ich kein Prophet bin und keinen Röntgenblick besitze, um ihr in den Magen zu schauen.«

»Ich glaub's nicht«, sagte Emily. »Sie staucht dich zusammen, weil du ihren Lunch geholt hast und nicht wissen konntest, dass sie schon woanders gegessen hat? Was für eine Kuh.«

Ich nickte. Kaum zu fassen, dass sich Emily ausnahmsweise mal auf meine Seite schlug, statt mir einen Vortrag zu halten, dass ich einfach zu dumm für diesen Job war. Doch ich hatte mich zu früh gefreut. Von einer Sekunde auf die andere verwandelte sich ihre Wut in Zerknirschtheit. Der altbekannte *Runway*-Rückzieher.

»Denk daran, was wir vorhin besprochen haben, Andrea.« Volle Kraft zurück! »Sie macht das nicht aus Gehässigkeit. Sie meint es nicht böse. Aber sie kann sich nun mal nicht mit jedem Kleinkram abgeben. Nimm es ihr nicht übel. Kipp das Essen weg und Schwamm drüber.« Emily wandte sich ab und schaltete ihren Computer ein. Natürlich hatte sie Schiss, dass das Vorzimmer womöglich verwanzt war und Miranda alles mitgehört hatte. Mit einem hochroten Kopf ärgerte sie sich sichtlich, dass sie die Beherrschung verloren hatte. Ich konnte mir nicht vorstellen, wie sie es so lange in diesem Job ausgehalten hatte.

Vor lauter Hunger hätte ich das Steak am liebsten selbst gegessen, aber allein bei dem Gedanken, dass es noch vor wenigen Sekunden auf Mirandas Schreibtisch gestanden hatte, wurde mir speiübel. Ich schleppte das Tablett in die Teeküche und hielt es leicht schief, so dass alles, aber auch alles, was sich darauf befand, direkt im Müll landete – das gesamte fachmännisch zubereitete und gewürzte Mahl, der Porzellanteller, die Sauciere, das Salzdöschen, die Leinenserviette, das Besteck, das Steakmesser, das Kristallglas. Schwupp, weg war's. Mir konnte es schnuppe sein. Morgen Mittag würde ich alles noch einmal besorgen, falls sie dann zufälligerweise wieder Hunger hatte.

Als ich es endlich ins Drinkland geschafft hatte, war Alex wütend und Lily ziemlich hinüber. Ob Alex wohl ahnte, dass ich heute von einem anderen Mann zu einem Date eingeladen worden war? Von einem Mann, der nicht nur berühmt und älter war, sondern auch ein ziemlicher Spinner? Ob er es mir anmerkte? Ob er es witterte? Ob ich es ihm sagen sollte? Ach was, lieber nicht. Ich hatte ja schließlich nicht vor, darauf einzugehen, und interessieren tat mich der Typ sowieso nicht. Wozu also wegen nichts und wieder nichts die Pferde scheu machen?

»Hallo, du Modepuppe«, nuschelte Lily und schwenkte ihren Gin Tonic. Dass dabei ein Schwall auf ihre Strickjacke schwappte, schien sie nicht mitzukriegen. »Oder sollte ich besser sagen du zukünftige Mitbewohnerin? Hol dir was zu trinken. Los, darauf müssen wir einen heben!«

Ich gab Alex einen Kuss und setzte mich neben ihn.

»Mann, was für ein scharfes Outfit«, sagte Alex und ließ den Blick anerkennend über meine Prada-Kluft gleiten. »Seit wann schmeißt du dich denn so in Schale?«

»Seit heute. Seit man mir klar gemacht hat, dass ich bald auf der Straße sitze, wenn ich mich klamottenmäßig nicht anpasse. Ein ziemlicher Hammer eigentlich, aber die Sachen sind echt nicht übel. Und irgendwas muss der Mensch schließlich sowieso anziehen.

So, und jetzt muss ich mich erst mal bei euch entschuldigen. Tut mir Leid, dass ich so spät komme. Das BUCH wurde heute ewig nicht fertig, und als ich es endlich abgeliefert hatte, musste ich für Miranda noch Basilikum besorgen.«

»Ich dachte, sie hätte einen Koch«, sagte Alex spitz. »Wieso konnte der das nicht machen?«

»Sie hat tatsächlich einen Koch. Sie hat auch eine Haushälterin, ein Kindermädchen und zwei Kinder. Ich habe nicht den leisesten Schimmer, wieso sie ausgerechnet auf mich kam. Auf die Ehre hätte ich wirklich verzichten können, vor allem, weil es in der ganzen Fifth Avenue kein Feinkostgeschäft gibt, genauso wenig wie in der Madison oder in der Park Avenue. Erst in der Lexington habe ich eines gefunden, aber die hatten natürlich kein Basilikum. Es hat mich eine geschlagene Dreiviertelstunde extra gekostet, das Zeug aufzutreiben. Am besten kaufe ich auf Firmenkosten ein Gewürzregal und schleppe es tagein, tagaus mit mir rum. Aber ich kann euch verraten, es waren wirklich lohnende 45 Minuten. Ihr könnt euch gar nicht vorstellen, was für wichtige Sachen ich alles gelernt habe bei meiner Basilikumexpedition, was für Erkenntnisse mir diese Erfahrung für meine Zukunft in der Zeitschriftenbranche gebracht hat. Jetzt bin ich auf der Überholspur! Ich fange nicht erst als kleiner Schreiberling an, sondern gleich als Redakteur!« Ich grinste.

»Auf deine Zukunft!«, tönte Lily, an der mein Sarkasmus offenbar völlig vorbeigegangen war.

»Sie ist total abgefüllt«, sagte Alex leise und beäugte Lily besorgt wie beim Besuch eines kranken Tantchens im Hospital. »Sie muss schon Stunden vor Max und mir hier gewesen sein. Entweder das, oder sie trinkt wahnsinnig schnell. Max ist übrigens schon wieder weg.«

Lily hatte immer viel getrunken, aber das war eigentlich kein Wunder – was sie machte, machte sie richtig. Sie hatte an der Junior High School als erste einen Joint geraucht und an der High School als erste ihr Jungfräulichkeit verloren. Sie stand auf alles, was ihr nicht gut tat. (Und das galt auch für Kerle.) Hauptsache, sie spürte, dass sie *am Leben* war.

»Ich verstehe nicht, wie du mit dem Typen ins Bett steigen kannst, obwohl du genau weißt, dass er seine Freundin nie im Leben verlassen wird«, hatte ich mich einmal laut über eine ihrer Affären gewundert.

»Und ich verstehe nicht, wie du dich immer so brav an die Spielregeln halten kannst«, hatte sie bissig zurückgegeben. »Bei dir ist alles vorgeplant und festgelegt. Gönn dir ein bisschen Spaß. Leb mal 'ne Runde, Andy! Fühl was! Es ist ein tolles Gefühl, am Leben zu sein!«

Schon möglich, dass sie in letzter Zeit etwas mehr trank als früher, aber ich wusste, dass ihr Studium ungeheuer anstrengend war, selbst für jemanden mit ihrer Energie, und dass die Professoren an der Columbia wesentlich anspruchsvoller und unzugänglicher waren als die Dozenten an der Brown, die sie um den Finger gewickelt hatte. *Wer weiß*, dachte ich, während ich der

Bedienung winkte. *Vielleicht ist Alkohol tatsächlich eine gute Krücke.* Ich bestellte einen Absolut mit Grapefruitsaft und gönnte mir einen tüchtigen Schluck. Doch mir wurde nur übel davon, weil ich bis auf die Cola Light und die Rosinen, die Emily mir am Mittag besorgt hatte, immer noch nichts im Magen hatte.

»Wahrscheinlich ist es an der Uni gerade besonders stressig«, sagte ich zu Alex, als ob Lily gar nicht da wäre. Aber die bekam sowieso nicht mit, dass wir über sie redeten, da sie gerade einem Yuppie-Typen an der Bar verführerisch zuklimperte. Alex legte den Arm um mich, und ich schmiegte mich an ihn. Wie gut das tat, seine Nähe zu spüren. Es kam mir vor, als hätte er mich seit Wochen nicht mehr umarmt.

»Ich will wirklich kein Spielverderber sein«, sagte Alex. »Aber ich muss langsam zusehen, dass ich nach Hause komme. Kann ich euch zwei alleine lassen?«

»Du willst schon gehen? So früh?«

»Früh? Andy, ich sitze jetzt geschlagene zwei Stunden hier rum und sehe deiner besten Freundin beim Trinken zu. Ich wollte mit dir zusammen sein, aber du warst nicht da. Und jetzt ist es fast Mitternacht, und ich muss noch Hefte korrigieren.« Er blieb ruhig, aber ich merkte ihm an, dass er verärgert war.

»Du hast ja Recht, und es tut mir Leid. Wirklich. Du weißt doch, dass ich dich normalerweise nicht warten lassen würde.«

»Ja, ist mir schon klar. Ich behaupte ja gar nicht, dass es deine Schuld ist. Ich verstehe schon. Aber du musst mich auch verstehen, okay?«

Ich nickte und gab ihm einen Kuss, fühlte mich dabei jedoch beschissen. Ich schwor mir, es wieder gutzumachen und mir einen ganzen Abend nur für ihn Zeit zu nehmen. Schließlich hatte er wahnsinnig unter mir und meiner Arbeit zu leiden.

»Dann kommst du nicht mehr mit zu mir?«, fragte ich geknickt.

»Höchstens wenn du Hilfe brauchst, Lily nach Hause zu schaffen. Es wartet ein Riesenstapel Hefte auf mich.« Er umarmte mich noch einmal, drückte Lily einen Kuss auf die Wange und ging zur Tür. »Ruf mich an, wenn du mich brauchst«, sagte er noch, dann war er verschwunden.

»Warum ist Alex denn schon gegangen?«, fragte Lily, obwohl sie die ganze Zeit neben uns gesessen hatte. »Ist er sauer auf dich?«

»Kann schon sein«, seufzte ich. »Ich hab ihn in letzter Zeit aber auch ganz schön mies behandelt.« Ich ging zur Bar, um mir eine Speisekarte zu holen, und als ich wieder zurückkam, hatte sich der Wall-Street-Typ an Lily rangemacht und hockte Knie an Knie neben ihr. Er sah aus wie Ende 20, hätte mit seinen Geheimratsecken aber auch ein ganzes Teil älter sein können.

Ich warf Lily ihre Jacke zu. »Komm, zieh dich an. Wir gehen«, sagte ich, ohne ihn aus den Augen zu lassen. Er war sowieso nicht der Größte, aber in seiner Bundfaltenhose wirkte er geradezu mickrig. Dass sein Mund keine fünf Zentimeter vom Ohr meiner besten Freundin entfernt war, machte ihn mir auch nicht unbedingt sympathischer.

»Warum so eilig, Süße?«, näselte er beleidigt. »Deine Freundin und ich, wir kommen uns gerade näher.« Lily nickte und wollte einen Schluck aus ihrem leeren Glas trinken.

»Das ist ja reizend. Aber wir müssen jetzt los. Wir heißen Sie?«

»Stuart.«

»Nett, Sie kennen gelernt zu haben, Stuart. Was halten Sie davon, wenn Sie Lily Ihre Telefonnummer geben? Dann kann sie Sie anrufen oder auch nicht, wenn es ihr wieder besser geht. Was meinen Sie?« Ich bleckte lächelnd die Beißerchen.

»Klar, warum nicht. Von mir aus. Man sieht sich.« Er sprang auf und verdünnisierte sich so schnell in Richtung Bar, dass Lily überhaupt nichts davon mitbekam.

»Stuart und ich freunden uns ein bisschen an, nicht wahr, Stu?« Sie drehte sich zur Seite, sah seinen leeren Platz und machte ein verdutztes Gesicht.

»Stuart musste dringend los, Lil. Komm, wir gehen.«

Ich stopfte sie in ihre grüne Seemannsjacke und zog sie hoch. Schwankend folgte sie mir nach draußen. Der Wind war eisig, schneidend. Vielleicht würde er ihr gut tun.

»Mir geht's dreckig«, lallte sie.

»Ich weiß, Kleines. Ich weiß. Komm, wir nehmen uns ein Taxi. Ich bring dich nach Hause, okay? Meinst du, du schaffst es?«

Sie nickte, beugte sich lässig nach vorne und übergab sich. Der Schwall ergoss sich über ihre braunen Boots und spritzte bis auf die Jeans. *Was würden wohl die Runway-Girls zu meiner besten Freundin sagen?*, schoss es mir durch den Kopf.

Ich pflanzte Lily auf die Fensterbank eines Geschäfts, das so aussah, als ob es keine Alarmanlage hätte, und befahl ihr, sich nicht von der Stelle zu rühren. Dann lief ich über die Straße in einen spanischen Laden, der um diese Zeit noch geöffnet war. Bis ich wieder zurück war, hatte sie sich noch einmal übergeben, diesmal war die Bescherung auf ihrer Seemannsjacke gelandet. Ihr Blick war glasig. Ich hatte zwei Flaschen Mineralwasser gekauft, eine zum Trinken, eine zum Abwischen. Aber sie bot ein derartig ekeliges Bild, dass ich beide Flaschen über sie auskippte, eine über ihre Schuhe, eine über die Jacke. Besser pitschnass als nach Erbrochenem stinkend, wenn wir ein Taxi kriegen wollten. Sie war so blau, dass sie sich weder wehrte noch bedankte.

Ich musste all meine Überredungskünste mobilisieren, um den Taxifahrer zu erweichen. Dass ich ihm versprach, auf den wahrscheinlich sowieso schon ziemlich deftigen Fahrpreis noch ein dickes Trinkgeld draufzupacken, wirkte besser als 1000 Worte. Schließlich mussten wir von der Lower East Side weit rauf bis auf die Upper West Side. Der Trip würde mich mindestens 20 Mäuse kosten. Aber wofür hatte frau schließlich ein Spesenkonto? Ich brauchte die Fahrt bloß als irgendeine Besorgungsexpedition für Miranda zu deklarieren, und schon würde man mir die Kohle erstatten. Ja, das würde gehen.

Die drei Treppen hoch bis in ihre Wohnung waren noch weniger lustig als die 20-minütige Taxifahrt, aber als ich sie endlich oben hatte, ging es besser. Lily schaffte es sogar, sich in der Dusche allein zu waschen, nachdem ich sie aus ihren Klamotten gepellt hatte. Als ich sie anschließend zu ihrem Bett geleitete, kippte sie mit dem Gesicht zuerst auf die Matratze und schlief auf der Stelle ein. Mich überkam ein leises Gefühl der Nostalgie. Ich musste an unsere Zeit auf dem College denken und an all die verrückten Sachen, die wir damals gemacht hatten. So unbeschwert wie damals würden wir nie wieder sein.

Vielleicht übertrieb Lily es doch ein bisschen mit dem Trinken. Sie schien in letzter Zeit ständig unter Strom zu stehen. Als Alex in der vergangenen Woche darauf zu sprechen gekommen war, hatte ich sie in Schutz genommen: Sie wäre eben immer noch Studentin und noch nicht in der realen Welt gelandet, wo ein erwachsener Mensch Verantwortung zu übernehmen hatte (wie zum Beispiel die, ein San Pellegrino perfekt einzuschenken!). Ich selbst war schließlich auch nie ein Kind von Traurigkeit gewesen. Wie viele Zweiergelage wir gefeiert hatten, bei denen einiges an Rotwein niedergemacht wurde. Nach der Examensfete hatte Lily mich getröstet, während ich kopfüber über dem Klo hing. Nach einem Abend, von dem mir nicht viel mehr als acht Rum-Colas und eine grauenvolle Karaokeversion von »Every Rose has its Thorn« in Erinnerung geblieben war, hatte sie mich heil nach Hause gefahren und unterwegs viermal angehalten, weil ich reihern musste. An ihrem 21. Geburtstag hatte ich sie in mein Bett gepackt und alle zehn Minuten nachgesehen, ob sie noch atmete, bis ich übermüdet auf dem Fußboden eingeschlafen war. Zweimal war sie in dieser Nacht noch aufgewacht. Einmal, weil ihr wieder übel wurde, und das andere Mal, um mir zu sagen, dass ich der beste Kumpel sei, den man sich nur wünschten könnte. Und dafür hatte man schließlich Freunde, dass man zusammen becherte, irgendwelchen Mist baute und aufeinander aufpasste. Oder nicht? Waren das alles nur College-

Rituale, die man zu absolvieren hatte? Alex war überzeugt gewesen, dass es diesmal anders war, kein harmloser Exzess. Aber ich konnte es einfach nicht so sehen.

Eigentlich hätte ich sie in dieser Nacht nicht allein lassen dürfen, aber es war fast zwei Uhr morgens. Und ich musste in fünf Stunden wieder im Büro sein. Meine Klamotten stanken nach Erbrochenem, und in Lilys Kleiderschrank hätte ich garantiert kein Teil gefunden, das ich zur Arbeit anziehen konnte – schon gar nicht, seit ich in die Prada-Liga aufgestiegen war. Ich seufzte, deckte sie zu und stellte ihr den Wecker auf sieben Uhr, nur für den Fall, dass sie bis dahin wieder so weit bei sich war, um es noch rechtzeitig in die Uni zu schaffen.

»Ciao, Lil. Ich gehe dann. Alles okay?« Ich legte ihr das schnurlose Telefon aufs Kopfkissen.

Sie machte die Augen auf, sah mich an und lächelte. »Danke«, murmelte sie und war auch schon wieder weggedöst. An einem Marathon hätte sie in ihrem Zustand zwar nicht teilnehmen können und einen Motorrasenmäher hätte ich ihr vermutlich auch nicht anvertraut, aber ansonsten fehlte ihr nichts, was ein gesundes Schläfchen nicht heilen konnte.

»Gern geschehen.« Ich war echt am Ende. 21 Stunden am Stück, in denen ich mir für andere den Arsch aufgerissen hatte. »Wir telefonieren morgen«, sagte ich und schleppte mich mit letzter Kraft zur Tür. »Falls wir bis dahin noch leben.« Und dann konnte ich endlich, endlich nach Hause.

# 10

»Hey, gut, dass ich dich erwische!« Cara war am Telefon. Wieso klang sie morgens um Viertel vor acht schon so außer Atem?

»Äh, ja. Ist was passiert, dass du auf einmal so früh anrufst?« Beim Reden spulte ich innerlich ein halbes Dutzend Szenarien ab: Was mochte Miranda wohl diesmal dringend brauchen?

»Nein, nein, keine Sorge. Ich wollte dich nur vorwarnen: Mr. BTB ist im Anmarsch und freut sich heute offenbar ganz besonders auf ein Schwätzchen mit dir.«

»Ach was, das ist aber schön. Ist ja immerhin schon fast eine Woche her, seit er mich über mein Leben im Allgemeinen und Speziellen ausgequetscht hat. Ich hab mir schon Sorgen gemacht, ob meinem größten Fan wohl irgendwas zugestoßen ist.« Ich war fertig mit der Aktennotiz und ließ sie ausdrucken.

»Du kannst dich glücklich schätzen, weißt du das eigentlich? Von mir will er überhaupt nichts mehr wissen.« Jetzt trug sie aber mächtig dick auf. »Er hat nur noch Augen für dich. Soviel ich gehört habe, will er die Details der Party im Met mit dir durchgehen.«

»Super, gaaanz toll. Bin schon tierisch gespannt auf sein Bruderherz. Bisher kenne ich ihn ja nur vom Telefon, und da hat er immer bloß Schwachsinn verzapft. Also was jetzt – bist du sicher, dass BTB zu mir unterwegs ist? Ist denn kein freundlicher Geist da oben im Himmel, der für heute Gnade walten lässt?«

»Nix, diesmal gibt es kein Entkommen. Miranda hat um halb

neun einen Termin bei ihrem Fußspezialisten, also wird er wohl solo aufkreuzen.«

Ich nahm mir die Eintragungen in Emilys Terminkalender vor. Tatsächlich, ein Miranda-freier Vormittag. »Fantastisch. Was kann ein Mädchen sich Schöneres wünschen, als schon in aller Herrgottsfrühe mit BTB zum geselligen Teil überzugehen. Warum quatscht der Kerl eigentlich so viel?«

»Das liegt doch wohl auf der Hand: Wer Miranda heiratet, kann einfach nicht ganz dicht sein. Lass von dir hören, wenn er was besonders Albernes von sich gegeben hat. Ich muss jetzt los. Caroline hat gerade, keine Ahnung wieso, einen Stila-Lippenstift von Miranda volle Kanne gegen den Badezimmerspiegel gedonnert.«

»Wir haben echt ein bewegtes Leben, stimmt's? Und sind cool wie noch mal was. Na denn, danke für die Warnung. Ich melde mich wieder bei dir.«

»Okay, bye.«

Bis BTB eintrudelte, nahm ich mir den Briefentwurf noch mal vor. Es ging um eine Anfrage von Miranda an das Kuratorium des Metropolitan Museum of Art. Im März wollte sie dort in einem der größeren Säle eine Dinnerparty für ihren Schwager veranstalten, der ihr, wie ich wohl wusste, von Herzen zuwider war, sich leider Gottes aber trotzdem nicht so ohne weiteres aus dem Stammbuch tilgen ließ. Mr. Tomlinsons kleiner wilder Bruder Jack hatte soeben verlauten lassen, er werde Frau und Kinder (drei an der Zahl) verlassen und seine Masseurin heiraten. Er und BTB waren eigentlich klassische Zuchtgewächse der schnöseligen Ostküstenaristokratie, doch mit Ende 20 hatte Jack sich seines Harvard-Images entledigt und war nach South Carolina gezogen, wo er in null Komma nichts mit Immobilien ein Vermögen an Land gezogen hatte. Emilys Schilderungen zufolge war er zum hinterwäldlerischen Südstaatler par excellence mutiert, der ständig auf Strohhalmen herumkaute und Ströme von Tabaksaft in die Gegend spuckte – und damit Miranda, der Hüterin von wahrer Klasse und Kultur, ein Dorn im Auge war. Nun hatte BTB Miranda gebeten, eine Verlobungsparty für seinen kleinen Bruder zu organisieren, was sie als treu sorgendes Eheweib natürlich keinesfalls abschlagen konnte. Und nach dem Motto »Wenn schon, denn schon« kam für einen solchen Event ganz klar nichts anderes in Frage als das Met.

Sehr geehrte Mitglieder, blablabla, ersuche Sie hiermit um Genehmigung, in Ihren Räumlichkeiten eine kleine Soiree zu veranstalten, blablabla, Catering, Blumenschmuck und musikalische Untermalung selbstverständlich nur vom Feinsten, blablabla, freuen uns über Ideen und Vorschläge Ihrerseits, blabla. Nachdem ich auch bei der letzten Durchsicht keine eklatanten Fehler fand, mogelte ich noch schnell Mirandas Unterschrift darunter und bestellte einen Kurier.

Fast im gleichen Atemzug klopfte es an der Tür, die ich zu dieser frühen Stunde stets geschlossen hielt, weil sowieso noch kein Mensch im Haus war. Mann, sind die schnell, dachte ich noch, als die Tür auch schon den Blick auf BTB freigab, der bis über beide Ohren grinste. So was gehörte vor acht Uhr morgens einfach verboten.

»Andrea«, säuselte er, schritt forsch auf meinen Schreibtisch zu und bedachte mich mit einem herzensguten Lächeln, das in mir sofort Schuldgefühle aufkommen ließ, weil ich ihn trotz und alledem nicht ausstehen konnte.

»Guten Morgen, Mr. Tomlinson. Was führt Sie denn so früh zu uns?«, fragte ich. »Es tut mir Leid, aber Miranda ist noch nicht im Büro.«

Er zuckte mit der Nase wie ein Nagetier auf Beutezug. »Ja, ja«, gluckste er, »sie kommt wohl erst nach dem Mittagessen, wenn ich es recht verstanden habe. Na, meine kleine Andy, wir zwei haben aber schon ewig lang nicht mehr gemütlich miteinander geplauscht. Nun erzählen Sie Ihrem lieben Mr. T. doch einmal: Wie geht's uns denn immer?«

»Warten Sie, ich nehme Ihnen das erst mal ab«, sagte ich und griff nach dem Matchsack mit Mirandas Monogramm, randvoll mit getragener Kleidung, die ich zur Reinigung bringen sollte. Außerdem befreite ich ihn von der Handtasche, die unlängst wieder aufgetaucht war: ein Unikat, für Miranda zum Dank für all ihre freundliche Unterstützung eigens im Auftrag von Silvia Venturini Fendi von Hand in kunstvollem Kristall-Design mit Perlen bestickt. Eine Modeassistentin von *Runway* hatte ihren Wert auf knapp 10000 geschätzt. Nun allerdings, da ich sie wieder in Händen hielt, fiel mir auf, dass einer der beiden fragilen Ledergriffe, die von der Ausstattungsabteilung sicherlich schon zwei Dutzend Mal reklamiert und von Fendi stets anstandslos nachgenäht worden waren, erneut lose herabbaumelte. Die Tasche war zur Aufnahme einer zierlichen Damenbörse gedacht; zur Not ließen sich auch noch eine Sonnenbrille und äußerstenfalls ein klitzekleines Handy darin verstauen: Beschränkungen, die Miranda nicht zur Kenntnis nahm. Diesmal hatte sie eine XL-Flasche Parfüm von Bulgari, eine Sandale mit abgebrochenem Absatz, die ich vermutlich zum Richten hätte bringen sollen, ihren Tagesplaner von Hermès, der jeden Laptop an Ausmaß und Gewicht in den Schatten stellte, ein überdimensionales Hundehalsband mit Stacheln, das meinem Gefühl nach entweder Madelaine gehörte oder als Accessoire für die nächsten Shootings dienen sollte, sowie das BUCH, das ich ihr am Abend zuvor frei Haus geliefert hatte, hineingestopft. Ich persönlich hätte eine Tasche im Wert von 10000 Dollar so gewinnbringend wie möglich verhökert und mir damit ein Jahr Miete gesichert; Miranda sah darin lediglich einen Müllbehälter.

»Danke, Andy. Sie sind ja wirklich rührend um uns bemüht. Nun denn, Mr. T. brennt darauf, mehr von Ihrem Leben zu erfahren. Was tut sich denn so bei Ihnen?«

*Was tut sich denn so bei Ihnen? Was tut sich denn so bei Ihnen? Hmmm, genau betrachtet – nicht allzu viel, würde ich mal schätzen. Den Großteil meiner Zeit bringe ich damit zu, die Fronarbeit für Ihre sadistische Gattin lebend zu überstehen. In den wenigen freien Minu-*

*ten unter der Woche – sofern sie mir da nicht auch noch irgendetwas
reinwürgt, was kein normaler Mensch schaffen kann – versuche ich
gegen die fortschreitende Gehirnerweichung anzukämpfen, auf die
ihre Seniorassistentin mit ihrem Gewäsch unerbittlich hinarbeitet. Bei
den immer seltener werdenden Anlässen, die mich außer Reichweite
dieses Magazins bringen, rede ich mir regelmäßig gut zu, dass es vollkommen okay ist, pro Tag mehr als 800 Kalorien zu mir zu nehmen
und dass ich kein Elefant bin, nur weil ich Kleidergröße 38 trage.
Kurz gesagt, die Antwort auf Ihre Frage lautet: Nichts Besonderes.*

»Ach, Mr. Tomlinson, eigentlich nichts Besonderes. Ich habe
hier eine Menge zu tun. Und sonst unternehme ich was mit meiner besten Freundin oder mit meinem Freund. Dann ist da ja
auch noch meine Familie.« *Früher habe ich viel gelesen, wollte ich
hinzusetzen, aber jetzt bin ich einfach zu müde dazu. Ich habe immer
gern Sport getrieben, aber auch dazu fehlt mir augenblicklich schlicht
die Zeit.*

»Darf ich raten, wie alt Sie sind? 25, stimmt's?« Hä? Worauf
wollte er denn damit wieder hinaus?

»Äh, nein, 23. Ich habe erst letzten Mai meinen Abschluss
gemacht.«

»Ach was, 23?!« Offensichtlich wusste er nicht, was er dazu
sagen sollte. Ich machte mich auf alles gefasst. »Nun erzählen
Sie Mr. T. doch einmal, wie vergnügen sich 23-Jährige denn
heutzutage hier in der Stadt? In Restaurants? In Clubs? Etwas
dergleichen?« Wieder lächelte er, und ich fragte mich, ob der
Schein nicht trog und er am Ende gar nicht nach einem Über-
maß an Aufmerksamkeit heischte: Vielleicht verfolgte er ja keinerlei finstere Absichten, sondern wollte wirklich einfach bloß
reden.

»Hm, man vergnügt sich bei allem Möglichen, würde ich mal
sagen. Weniger in Clubs, aber gern in netten Kneipen und schicken Bars und so was. Oder einfach irgendwo beim Essen, oder
im Kino.«

»Na, das klingt doch sehr lustig. So hab ich's in Ihrem Alter auch gemacht. Jetzt stehen bloß noch Arbeitsessen und Wohltätigkeitsveranstaltungen auf dem Programm. Hauen Sie auf den Putz, solange es geht, Andy.« Dazu das passende väterlich-vertrottelte Zwinkern.

»Ich tu mein Bestes«, brachte ich heraus. *Nun geh doch endlich, geh doch endlich, geh doch endlich,* war alles, was ich denken konnte, während ich sehnsüchtig zu dem Bagel hinstarrte, der lauthals nach mir schrie. Was musste der Kerl auch aufkreuzen und mich um die drei Minuten Ruhe und Frieden bringen, die der Tag für mich bereithielt?

Er wollte gerade etwas erwidern, als die Tür aufgestoßen wurde, und Emily im Takt der Musik, die aus ihren Ohrstöpseln drang, hereinwalzte. Beim Anblick unseres Besuchers fiel ihr die Kinnlade herunter.

»Mr. Tomlinson!« Mit einem Ruck riss sie sich die Kopfhörer ab und ließ den Discman (von Apple) eilends in ihrer Gucci-Tasche verschwinden. »Ist irgendwas passiert? Alles in Ordnung mit Miranda?« Gehabe und Tonfall verrieten ehrliche Betroffenheit. Eine 1-A-Vorstellung: gestatten, unsere Assistentin, die Aufmerksamkeit und Liebenswürdigkeit in Person.

»Hallo, Emily. Nein, nein, nichts ist passiert. Miranda wird gleich da sein. Mr. T. wollte nur rasch vorbeikommen und ihre Sachen abliefern. Und, wie geht's Ihnen heute?«

Emily strahlte ihn an. Freute sie sich echt, dass er da war? »Prächtig. Danke der Nachfrage. Und wie geht es Ihnen? Hat sich Andrea gut um Sie gekümmert?«

»O ja, und ob«, sagte er und ließ das x-tausendste Lächeln in meine Richtung wandern. »Ich wollte Einiges wegen der Verlobungsparty meines Bruders mit ihr durchgehen, aber wie mir scheint, ist es dafür wohl noch ein bisschen zu früh, oder?«

Einen Augenblick lang dachte ich, sein »zu früh« bezöge sich auf die Tageszeit, und wollte schon »Ja!« schreien, doch dann ging mir auf, dass er meinte, die Planungen seien noch nicht weit genug gediehen, um Einzelheiten festzulegen.

Zu Emily gewandt, sagte er: »Was haben Sie da bloß für ein Prachtexemplar von Assistentin an Land gezogen!?«

»Absolut«, presste Emily durch fest zusammengebissene Zähne hervor. »Die beste überhaupt.« Sie grinste.

Ich grinste auch.

Mr. Tomlinson grinste hoch drei; konnte es eine Stoffwechselstörung sein? Vielleicht eine leichte Manie oder irgendwas in der Richtung.

»Na, dann macht sich Mr. T. wohl mal wieder auf den Weg, Mädels. Es war wie immer ganz reizend, mit Ihnen zu plaudern. Einen schönen Morgen Ihnen beiden, und auf Wiedersehen.«

»Wiedersehen, Mr. Tomlinson!«, rief Emily ihm nach, als er um die Ecke in Richtung Empfang verschwand.

»Warum warst du so unhöflich zu ihm?«, fragte sie. Unter dem dünnen Lederblazer, den sie nun ablegte, trug sie ein noch dünneres Chiffonoberteil mit U-Ausschnitt, das vorne wie ein Korsett durchgeschnürt war.

»Unhöflich? Ich habe ihm Mirandas Klamotten abgenommen und mich mit ihm unterhalten, bis du gekommen bist. Was ist denn daran unhöflich?«

»Du hast zum Beispiel nicht auf Wiedersehen gesagt. Und dann dein Blick.«

»Mein Blick?«

»Ja, dein Blick, mit dem du jedem klar machst, wie hoch erhaben du über alles bist, wie verhasst dir das Ganze hier ist. Das kannst du vielleicht bei mir bringen, aber nicht bei Mr. Tomlinson. Er ist Mirandas *Ehemann*, und du darfst ganz einfach nicht so mit ihm umspringen.«

»Em, findest du ihn denn nicht auch ein bisschen, ich weiß nicht… seltsam? Er redet ohne Punkt und Komma. Wieso ist er so nett, wenn sie so … so überhaupt nicht nett ist?« Emily warf einen prüfenden Blick in Mirandas Büro, wo ich die Zeitungen bereits vorschriftsmäßig zurechtgelegt hatte.

»Seltsam? Wie kommst du darauf, Andrea? Er zählt zu den bekanntesten Steueranwälten in Manhattan.«

Es war sinnlos. »Schwamm drüber – was rede ich da überhaupt. Was läuft bei dir? Wie war dein Abend?«

»Ach, gar nicht so übel. Ich habe mit Jessica Geschenke für ihre Brautjungfern besorgt. Wir haben alles abgeklappert – Scoop, Bergdorf's, Infinity, einfach alles. Und ich hab einen Haufen Klamotten anprobiert, die für Paris passen könnten, aber dafür ist es wohl wirklich noch zu früh.«

»Für Paris? Du fährst nach Paris? Heißt das, du lässt mich hier allein mit ihr sitzen?« Der letzte Satz war mir wider Willen herausgerutscht.

Wieder dieser Blick, als hätte ich nicht alle Tassen im Schrank. »Ja, ich fahre im Oktober mit Miranda nach Paris, zu den Modenschauen für die Frühjahrskonfektion. Dazu nimmt sie immer ihre Seniorassistentin mit, damit die hautnah bei allem dabei ist. Ich habe zwar hier schon ungefähr eine Million Modenschauen mitgemacht, aber die in Europa sind doch noch was anderes.«

Ich rechnete rasch nach. »Im Oktober – bis dahin sind es ja noch sieben Monate. Du probierst jetzt Kleider für eine Reise an, die in sieben Monaten stattfindet?« Es hatte nicht so grob klingen sollen, wie es herauskam; aber Emily ging prompt in die Defensive.

»Ja, schon. Ich hatte ja auch gar nicht vor, etwas zu kaufen – bis dahin wird sich im Stil schon wieder viel geändert haben. Aber ich wollte mich einfach mal umschauen. Verstehst du, das ist ein Riesending. Wohnen im Fünf-Sterne-Hotel, abends auf die verrücktesten Parties. Und, mein Gott, du bist bei den schärfsten, exklusivsten Modenschauen dabei, die es überhaupt gibt.«

Emily hatte mir schon erzählt, dass Miranda drei- bis viermal pro Jahr zu Modenschauen nach Europa flog. London ließ sie grundsätzlich aus, das taten alle, aber in Mailand und Paris begutachtete sie im Oktober die Frühjahrskollektion, im Juli die neue Wintermode und im März die nächste Herbstkollektion. Manchmal hängte sie noch ein paar Tage Urlaub dran. Wir hatten uns halb tot geschuftet, um alles für die bevorstehenden Modenschauen am Monatsende vorzubereiten. Mir schoss die Frage durch den Kopf, warum Miranda dabei offenbar keine Assistentin brauchte.

»Wieso nimmt sie dich nicht überallhin mit?« Ich wagte mich einfach mal vor, obwohl ich mir mit der Antwort garantiert eine weitschweifige Erklärung einhandelte. Es war schon aufregend genug, dass Miranda zwei volle Wochen (erst Mailand, dann Paris) nicht im Büro sein würde, aber bei dem Gedanken, für die Hälfte der Zeit auch noch Emily los zu sein, wurde mir fast schwindlig vor Glück. Vor meinem inneren Auge sah ich Cheeseburger mit gebratenem Speck, meine alten, zerfetzten Jeans und flache Schuhe – womöglich sogar Turnschuhe. »Wieso nur im Oktober?«

»Es ist ja nicht so, dass sie da drüben keine Hilfe hätte. Von der französischen und der italienischen *Runway* werden auf jeden Fall Assistentinnen für Miranda abgestellt, und meistens stehen ihr auch die Redakteurinnen selbst zur Verfügung. Aber zum Auftakt der Frühjahrsmodenschauen veranstaltet sie immer eine Riesenparty – angeblich *der* Event des Jahres in diesen Kreisen. Ich fliege nur für die eine Woche nach Paris. Was wohl heißt, dass ich ihr dort am besten von Nutzen sein kann.« Jawohl, ja.

»Mhm – klingt doch aber nach einer supertollen Woche. Und ich halte derweil hier die Stellung?«

»Ja, so ungefähr. Aber das wird kein Zuckerschlecken, sage ich dir. Vermutlich eher die härteste Woche überhaupt. Wenn sie verreist ist, braucht sie ständig irgendwelche Hilfsdienste. Du wirst sie ziemlich oft am Telefon haben.«

»Na prima«, sagte ich. Sie verzog das Gesicht.

Ich döste mit offenen Augen vor dem leeren Computerbildschirm, bis das Büro sich allmählich mit lebenden Menschen füllte, auf die ich meine Aufmerksamkeit richten konnte. Um zehn Uhr trudelten die ersten Klapperschnepfen ein, die ihre Überdosis Champagner vom gestrigen Abend unauffällig mit kleinen Schlucken Kaffee (Magermilch, nicht aufgeschäumt) zu kurieren versuchten. James sah wie jedes Mal, wenn er wusste, dass Miranda noch nicht im Büro war, bei mir herein und verkündete, er habe letzte Nacht im Balthazar den Mann seines Lebens kennen gelernt.

»Er saß da an der Bar und trug die irrste rote Lederjacke, die ich jemals gesehen habe – und was drunter war, konnte sich auch sehen lassen, ich sag's dir. Wie er sich die Austern auf die Zunge gleiten ließ…« Er stöhnte laut auf. »Es war einfach göttlich.«

»Und, hast du seine Nummer?«, fragte ich.

»Seine Nummer? Unsere Nummer, meinst du wohl. Gegen elf lag er splitterfasernackt auf meiner Couch, o Mann, ich sag dir –«

»Na, das ist ja reizend, James. Was sollst du dich auch lange zieren. Obwohl, ehrlich gesagt – nimmst du es nicht doch ein bisschen sehr locker? Im Zeitalter von AIDS??«

»Ach Süße, sogar du wärst von deinem hohen Ross heruntergestiegen und hättest bedenkenlos auf Knien all deinen Idealen von wegen Nur-der-letzte-Engel-auf-Erden-ist-gut-genug-für-Mich mit Freuden abgeschworen, wenn dir der Typ untergekommen wäre. Glaub mir, er ist der Hammer. Absolut der Hammer!«

Bis elf war alles abgeklärt: zum Beispiel wer irgendwo ein Exemplar der aktuellen Hosenserie von Theory Max oder – eigentlich ein Ding der Unmöglichkeit – die neuesten Sevens-Jeans ergattert hatte. Damit war es Zeit, bei Jeffys Ständern eine Mittagspause einzulegen und dort die Gespräche über Klamotten der besonderen Art fortzuführen. Morgen für Morgen rollte Jeffy die Gestelle für Kleider, Badeanzüge, Hosen, Hemden, Mäntel, Schuhe und alles Übrige heraus, was für die großen Modeaufnahmen möglicherweise in Frage kam. Er reihte die Ständer wie Spaliere über die gesamte Etage an den Wänden auf, damit die Redakteurinnen das aktuell Gewünschte finden konnten, ohne sich durch die Kleiderkammer kämpfen zu müssen.

Diese war, genau genommen, natürlich keine Kammer, sondern eher eine Art kleine Aula. Umsäumt wurde sie von Schuhen jeder Größe, Farbe und Form, der Traum eines jeden Schuhfetischisten: Dutzende Sandaletten, Slingpumps mit Pfennigabsätzen, flache Ballerinas, hochhackige Stiefel, offene Sandalen und perlenbesetzte Stöckelschuhe. Die Schubladen, ob eingebaut oder lose in irgendeiner Ecke übereinander gestapelt, enthielten sämtliche erdenklichen Abarten von Strümpfen, Söckchen, BHs, Slips, Unterröcken, Miedern und Corsagen. Sie brauchen dringend einen Push-Up-BH von La Perla in Leopardenmuster? Schauen Sie doch in der Kleiderkammer nach. Hautfarbene Netzstrümpfe oder die coole neue Sonnenbrille von Dior? In der Kleiderkammer. Die Schubladen und Regale mit den Accessoires nahmen die komplette Länge der beiden hinteren Wände in Anspruch, und was da an Ware – von ihrem Wert ganz zu schweigen – versammelt war, verschlug einem schlicht den Atem. Füllfederhalter. Schmuck. Bettwäsche. Schals, Handschuhe, Skimützen. Pyjamas. Capes. Schultertücher. Schreibwaren. Seidenblumen. Hüte, Hüte sonder Zahl. Und Taschen. Taschen! Shopping Bags, Bowling Bags, Rucksackmodelle und Unterarmtäschchen, Schultertaschen, Umhängetaschen, Kuverttaschen, Kuriertaschen, einfach alles, vom Miniformat bis zur Übergröße, samt und sonders versehen mit exklusiven Etiketten und Preisschildern, deren Beträge die monatliche Hypothekenrate des durchschnittlichen amerikanischen Häuslebauers weit überstiegen. Den noch verbleibenden Platz nahmen Ständer um Ständer mit Kleidung ein, so dicht an dicht, dass kein Durchkommen war.

Also mühte sich Jeffy den lieben langen Tag, die Kleiderkammer zu einem halbwegs brauchbaren Anlaufplatz umzugestalten, in dem Models (und Assistentinnen wie meine Wenigkeit) Kleider anprobieren und tatsächlich bis zu den Schuhen und Taschen in der dritten Reihe vorstoßen konnten; und das ging nur, indem er sämtliche Ständer in den Korridor bugsierte. Mir war noch keiner untergekommen, ob Autor, Liebhaber, Kurier oder Stylist, der angesichts jener endlosen Reihen von Modeständern in den Fluren nicht wie angewurzelt stehen geblieben und ins Glotzen verfallen wäre. Manchmal bestimmten die Modenschauen (in Sydney oder Santa Barbara) die Kleiderordnung auf den Ständern, zu anderen Zeiten waren es die einzelnen Kategorien (Bikinis, Kostüme), meistens jedoch kam einem das Ganze bloß wie ein gewollt, aber nicht gekonnt lässiges Sammelsurium von *sündhaft teuerem Zeug* vor. Zwar blieb wirklich jeder staunend stehen, um die flaumweichen Kaschmirschals und kunstvoll mit Perlen bestickten Abendkleider zu befühlen, aber die eigentlichen – selbst ernannten – Herrscherinnen über dieses Reich waren die Klapperschnepfen, die »ihre« Kleider eifersüchtig bewachten und sich schier endlos über jedes einzelne Teil verbreiteten.

»Die einzige Frau auf der ganzen Welt, die diese Caprihose tragen kann, ist Maggie Rizer«, ließ Hope, eine Modeassistentin, die es mit ihren 1,82 Meter immerhin auf bombastische 47 Kilo brachte, sich vor unserem Vorzimmer vernehmen; sie hielt sich die Hose an und seufzte. »In denen würde mein Hintern noch fetter aussehen, als er sowieso schon ist.«

»Andrea«, rief ihre Freundin, die ich nur flüchtig kannte und die in der Abteilung für Accessoires arbeitete, »sag Hope doch bitte, dass sie nicht fett ist.«

»Du bist nicht fett«, kam es automatisch aus meinem Mund. Ich hätte verdammt viel Zeit sparen können, wenn ich mir den Spruch auf ein T-Shirt gedruckt oder einfach direkt auf die Stirn tätowiert hätte. Ständig musste ich irgendwelchen Mitarbeiterinnen von *Runway* versichern, dass sie beileibe nicht fett waren.

»O mein Gott, sieh dir bloß diesen Wanst an. Die Rettungs-ringe auf der ›Queen Elizabeth‹ sind ein Dreck dagegen. Ich bin ein Monstrum!« Sie hatten nichts anderes im Kopf (wenn schon nicht auf den Rippen) als Fett. Emily schwor hoch und heilig, ihre Oberschenkel hätten »mehr Umfang als ein Riesenmam-mutbaum.« Jessica fand, ihre »wabbeligen Oberarme« sähen aus wie die von Roseanne Barr. Sogar James jammerte, sein Hintern hätte eines Morgens, als er aus der Dusche kam, derart unförmig ausgesehen, dass er erwogen hatte, sich »fett schreiben zu las-sen« und zu Hause zu bleiben.

Anfangs, fand ich, hatte ich die unzähligen Bin-ich-fett-Fra-gen noch ganz cool und rational gekontert: »Wenn du fett sein sollst, Hope, was ist dann mit mir? Ich bin fünf Zentimeter klei-ner als du und wiege mehr.«

»Ach Andy, jetzt mach keine Witze. *Ich* bin der Fettklops. *Du* bist schön dünn und siehst super aus!«

Natürlich dachte ich, sie hielte mich zum Besten, aber bald ging mir auf, dass Hope – ebenso wie all ihre zaundürren Kolle-ginnen und übrigens auch die meisten Typen im Büro – das Ge-wicht anderer bis aufs letzte Gramm genau einschätzen konnte. Nur beim Blick in den Spiegel starrte ihnen plötzlich eine See-kuh ins Gesicht.

Und ganz egal, wie viel Mühe ich mir auch gab, das Ganze von einer vernünftigen Warte aus zu sehen und mir immer wieder ins Gedächtnis zu rufen, dass ich normal war und die anderen nicht – die ständigen Bemerkungen zum Thema Übergewicht hatten mich nicht kalt gelassen. Vier Monate erst war ich in dem Laden, und schon hatte ich genügend Knoten (wenn nicht gar Paranoia) im Hirn, um mindestens zeitweise zu vermuten, jene Kommentare könnten vorsätzlich auf mich gemünzt sein. So wie: Ich, die hochgewachsene, umwerfende, grazile Modeassis-tentin, tue so, als fände ich mich total verfettet, bloß damit dir, du Mops von einer persönlichen Assistentin, endlich aufgeht, dass DU hier das Pummelchen bist. Mit meinen 52 Kilo bei 1,75

Meter hatte ich mich im Vergleich zu anderen Mädels meines Alters immer als eher schlank eingestuft. Außerdem war ich bislang der Meinung gewesen, größer als 90% der Frauen (und mindestens die Hälfte aller Männer) zu sein, die mir so begegneten. Erst seit ich in diesem Reich der Wahnvorstellungen arbeitete, wusste ich, wie es war, sich von morgens bis abends, tagaus, tagein, klein und dick vorzukommen. Wie ein stämmiger, gedrungener Troll in einer Schar von Elfen. Und falls ich je auch nur einen Augenblick lang vergessen sollte, dass ich Kleidergröße 38 trug, rief der tägliche Klatsch und Tratsch es mir zuverlässig wieder ins Gedächtnis.

»Dr. Eisenberg sagt, die Bestform kriegt man nur hin, wenn man auch auf Obst verzichtet«, schaltete Jessica sich in die Unterhaltung ein, während sie sich einen Rock von dem Narcisco-Rodriguez-Ständer angelte. Sie hatte sich unlängst mit einem der jüngsten Vizepräsidenten von Goldman Sachs verlobt und litt schon jetzt unter Stress, wenn sie an die bevorstehende, glamouröse Hochzeit dachte. »Und sie hat Recht. Seit meiner letzten Anprobe habe ich noch mindestens fünf Kilo abgenommen.« Ich konnte damit leben, dass sie sich weiter kasteite, obwohl sie kaum noch genügend Körperfett hatte, um normal zu funktionieren; was ich unverzeihlich fand, war, dass sie darüber *redete*. Ganz egal, welche Koryphäen aus dem medizinischen Bereich sie anführte oder mit wie vielen Erfolgsstories sie sich brüstete – mein Interesse an dem Thema war gleich null.

Gegen eins gaben alle Büroinsassen Gas, um rechtzeitig zur Mittagspause fertig zu sein. Wobei »Mittagspause« nichts mit Essen zu tun hatte, sondern mit der spannenden Frage, wer sich wohl dazu einfand. Träge sah ich zu, wie der übliche Tross von Hair-Stylisten, ständigen und freien Mitarbeitern, Freunden und Liebhabern aufmarschierte, um nach Herzenslust in dem Glamour zu schwelgen, der sich unvermeidlich aus einer Kulisse von edelsten Klamotten, traumhaft schönen Gesichtern und einem schier unerschöpflichen Vorrat an endlos, endlos, endlos langen Beinen ergab.

Sobald er sicher sein konnte, dass sowohl Miranda als auch Emily in die Mittagspause gegangen waren, fand sich Jeffy bei mir ein und drückte mir zwei riesige Einkaufstüten in die Hand.

»Da, für den Anfang müsste es reichen.«

Ich kippte den Inhalt der einen Tüte neben meinem Schreibtisch auf dem Boden aus und fing an zu sortieren. Hosen von Joseph in Camel und Schwarz-Anthrazit, beide lang und lässig geschnitten, mit tief angesetzter Taille und aus traumhaft weicher Wolle. Braune Wildlederhosen von Gucci, in denen noch der letzte Bauerntrampel wie ein Supermodel ausgesehen hätte, und zwei Paar genau richtig verwaschene Jeans von Marc Jacobs, die wie für mich gemacht schienen. Acht oder neun verschiedene Tops, angefangen bei einem hautengen Rippenrolli von Calvin Klein bis zu einer total durchsichtigen, äußerst knappen Folklorebluse von Donna Karan. Ein rattenscharfes Wickelkleid von Diane Von Furstenburg lag sorgsam zusammengelegt über einem marineblauen Samtanzug von Tahari. Auf den ersten Blick verliebte ich mich in einen Denim-Faltenrock von Habitual, der mir knapp bis zum Knie reichte und perfekt zu dem abgefahrenen Blumenmuster des Blazers von Katayone Adelie passen würde.

»Die Klamotten... sind die alle für mich?« Hoffentlich klang ich ordentlich begeistert und nicht etwa pikiert.

»Ja, kein Thema. Die liegen schon seit Ewigkeiten in der Kleiderkammer herum. Das eine oder andere haben wir vielleicht mal zu Modeaufnahmen gebraucht, aber an die Firmen ist nie was davon zurückgegangen. So alle paar Monate mache ich bei mir Klarschiff und schmeiße das Zeugs raus, und da bist du mir neulich eingefallen. Du trägst Größe 38, stimmt's?«

Ich nickte, immer noch sprachlos.

»Ja, das dachte ich mir schon. Die meisten anderen haben 32 oder noch kleiner, also bedien dich.«

Autsch. »Super. Einfach super, Jeffy, wie kann ich dir bloß danken. Das ist ja der Wahnsinn!«

»Schau das auch noch durch«, sagte er und zeigte auf die zweite Tüte, die am Boden stand. »Du glaubst doch wohl nicht, dass du in dem Samtanzug Eindruck schinden kannst, wenn du dazu noch weiter diese gammelige Botentasche mit dir rumschleppst?«

Die zweite, noch praller gefüllte Tüte spuckte ein Wahnsinnssortiment von Schuhen, Taschen und etlichen Mänteln aus. Hochhackige Stiefel von Jimmy Choo, mal bis zum Knöchel, mal bis zum Knie reichend, zwei Paar offene Sandalen mit Pfennigabsätzen von Manolo, klassische schwarze Pumps von Prada und Loafers von Tod, die ich auf keinen Fall im Büro anziehen durfte, wie Jeffy mir sogleich einschärfte. Ich hängte mir eine anschmiegsame rote Wildledertasche um, die vorne unübersehbar mit dem verschlungenen Doppelinitial »CC« versehen – und trotzdem nicht halb so schön war wie das kaffeebraune Shopping-Teil aus Leder von Celine, das ich mir über den anderen Arm streifte. Krönung des Ganzen war ein langer Trench im Military-Look mit den unverkennbaren Riesenknöpfen von Marc Jacobs.

»Du machst doch Witze«, sagte ich leise und griff nach einer Sonnenbrille von Dior, die er offenbar noch in letzter Sekunde dazugestopft hatte. »Das kann nicht dein Ernst sein.«

Zufrieden grinsend zog er den Kopf ein. »Tu mir bloß einen Gefallen und zieh das Zeug auch an, o.k.? Und erzähl ja keiner Menschenseele, dass du dir als Erste was davon aussuchen durftest – die reißen sich doch alle um die Ausmistaktionen in der Kleiderkammer.« Wie der Blitz war er aus der Tür, als er Emily hinten im Flur etwas rufen hörte, und ich schob meine neue Garderobe mit dem Fuß unter den Schreibtisch.

Emily brachte das Übliche aus der Cafeteria mit: einen Fruchtmilchshake ohne Zusatzstoffe und ein Plastikschüsselchen Eisbergsalat mit Broccoli und Balsamico. Keine Vinaigrette, bloß purer Essig. Miranda würde jede Minute wieder da sein – Uri hatte eben angerufen und gemeldet, dass er sie gleich abladen würde – was hieß, dass mir nicht die üblichen, üppigen sieben Minuten blieben, in denen ich zur Suppentheke sausen und mir den Inhalt des Schälchens am Schreibtisch in den Schlund gießen konnte. Die Zeit verstrich, ich war halb verhungert, aber ich brachte einfach nicht die Energie auf, mich zwischen den Klapperschnepfen durchzuschlängeln, mich von der Frau an der Kasse taxieren zu lassen und mich dann noch zu fragen, ob ich es ohne bleibende Schäden überstehen würde, siedend heiße (und dick machende!) Suppe in solcher Schallgeschwindigkeit zu schlucken, dass sie mir fast die Speiseröhre verbrannte. *Lohnt sich nicht*, dachte ich. *Mal eine Mahlzeit auszulassen, bringt dich nicht um*, sagte ich mir. *Im Gegenteil, wenn du all deinen geistig wie körperlich fitten und stabilen Kolleginnen glauben willst, macht es dich bloß stärker. Und außerdem sehen 2000-Dollar-Hosen an Mädchen, die sich permanent den Bauch voll stopfen, nicht gerade heiß aus*, machte ich mir klar. Also ließ ich mich auf den Stuhl fallen und tröstete mich damit, wie mustergültig ich *Runway* soeben vertreten hatte.

*11* Irgendwo tief in meinen Träumen klingelte das Handy – so hartnäckig, dass ich dann doch wach wurde und mich fragte, ob sie es war. Nach einer verblüffend kurzen Orientierungsphase (*Wo bin ich? Wer ist »sie«? Welcher Tag ist heute?*) war mir klar, dass es nichts Gutes bedeuten konnte, wenn an einem Samstagmorgen um acht das Telefon klingelte. Von meinen Freunden stand keiner auch nur annähernd so früh auf, und nachdem meine Eltern oft genug durchs Netz gefallen waren, hatten sie sich zähneknirschend damit abgefunden, dass ihre Tochter vor Mittag nicht zu erreichen war. In den sieben Sekunden, die ich für diesen Gedankengang brauchte, überlegte ich außerdem, warum zum Teufel ich den Anruf überhaupt entgegennehmen sollte. Bis mir Emilys gute Gründe vom ersten Tag wieder in den Sinn kamen, woraufhin ich einen Arm aus meinem gemütlichen Bett streckte und damit über den Fußboden fegte. Ich erwischte das Teil gerade noch, bevor es aufhörte zu klingeln.

»Hallo?« Wow, meine Stimme klang klar und kräftig, als hätte ich die letzten paar Stunden konzentriert auf irgendeine sinnvolle Tätigkeit verwandt und nicht praktisch im Koma vor mich hin gedämmert.

»Morgen, Schätzchen! Schön, dass du schon wach bist. Ich wollte dir bloß sagen, dass wir in ungefähr zehn Minuten bei dir sind, okay?«, dröhnte mir die Stimme meiner Mutter ins Ohr. Der Umzug! Heute war mein Umzugstag! Ich hatte komplett verschwitzt, dass meine Eltern mir dabei helfen wollten, die Kisten mit meinen Kleidern, CDs und Fotoalben in das neue Apartment zu schaffen, das Lily und ich gemietet hatten. Um mein Monstrum von Bett sollte sich die Spedition kümmern.

»Oh, hi Mom«, murmelte ich und schaltete wieder auf Schläfrig-Modus. »Ich dachte schon, sie wär's.«

»Nichts da, heute hast du Pause. Wo sollen wir denn parken? Gibt es da irgendwo eine Tiefgarage?«

»Ja, direkt unterm Haus, die Zufahrt geht rechts von der Third ab. Gebt meine Apartmentnummer an, dann kriegt ihr Ermäßigung. Ich muss mich noch schnell anziehen. Bis gleich.«

»Okay, Schätzchen. Dann mal ran an die Arbeit!«

Ich ließ mich aufs Kissen zurückfallen und rechnete durch, ob ich Chancen hatte, noch ein bisschen weiterzuschlafen. Aber nachdem sie nun schon die ganze Strecke von Connecticut bis hierher gefahren waren, um mir zu helfen ... Genau in dem Moment fing der Wecker an zu tröten. Aha! Also war mir der Umzugstag doch nicht ganz entfallen. Ich schloss daraus, dass ich noch nicht komplett reif für die Klapsmühle war. Ein kleiner Trost, immerhin.

Aus dem Bett zu kommen war womöglich noch schwerer als unter der Woche, obwohl ich ein paar Stunden später dran war. Mein müdes Gestell, das ich nun aus den Federn hievte, war nämlich kurzzeitig der Illusion erlegen, es würde aufholen und das berüchtigte »Schlafdefizit«, von dem in jedem Grundkurs für Psychologie die Rede war, abbauen können. Neben dem Bett lag ein kleiner Stapel zusammengefalteter Klamotten – außer der Zahnbürste das Einzige, das ich noch nicht in Kisten gepackt hatte. Ich zog die blaue Adidas-Jogginghose, das Kapuzensweatshirt von Brown und die schmutzstarrenden, grauen Turnschuhe von New Balance an, die mich rund um die Welt begleitet hatten. Keine Sekunde, nachdem der letzte Schluck Mundspülung gurgelnd im Abfluss verschwunden war, schnarrte der Summton.

»Hi, ihr. Ich lasse euch rauf, kleinen Moment bloß.«

Zwei Minuten später klopfte es, und vor der Tür stand – Alex, zerzaust, im Knitterlook, aber hinreißend wie eh und je. Die verwaschenen Jeans hingen ihm von den nicht vorhandenen Hüften, und sein langärmliges, marineblaues T-Shirt saß genau richtig knapp. Die klitzekleine Nickelbrille, die er nur trug, wenn seine Kontaktlinsen ihn in den Wahnsinn trieben, prangte vor rot entzündeten Augen, und seine Frisur ließ an einen wild gewordenen Mop denken. Ihn sehen und umarmen war eins. Seit unserem kurzen Kaffeetreff am letzten Sonntagnachmittag hatte ich ihn nicht mehr zu Gesicht bekommen. Eigentlich hatten wir den ganzen Tag plus die Nacht miteinander verbringen wollen, doch Miranda machte uns einen Strich durch die Rechnung, weil sie mit Caroline zum Notarzt musste und mich ad hoc als Babysitter für Cassidy rekrutierte. Bis ich heimkam, war es zu spät, um noch etwas Sinnvolles mit ihm zu unternehmen, und seit neuestem hatte er es aufgegeben, in meinem Bett auf Vorposten zu lagern, bloß um einen Blick auf mich zu erhaschen, was ich gut verstehen konnte. Eigentlich hatte er gestern bei mir übernachten wollen, aber meinen Eltern gegenüber pflegte ich immer noch diese halbherzige So-tun-als-ob-Haltung: Obwohl sämtliche Beteiligten wussten, dass Alex und ich miteinander schliefen, sollte kein Umstand und kein Sterbenswörtchen darauf hindeuten. Also hatte ich ihn nicht in der Wohnung haben wollen, wenn meine Eltern eintrudelten.

»Hey, Babe. Ich dachte, ihr könntet heute vielleicht ein bisschen Hilfe brauchen.« Er hielt ein paar große Kaffeebecher und eine Tüte hoch, die mit Sicherheit Salzbagels enthielt, meine Lieblingssorte. »Sind deine Eltern schon da? Ich hab für sie auch Kaffee mitgebracht.«

»Ich dachte, du müsstest heute den beiden kleinen Mädchen Nachhilfe geben«, sagte ich. In dem Moment kam Shanti in einem schwarzen Hosenanzug aus ihrem Zimmer. Mit gesenktem Kopf lief sie an uns vorbei, murmelte irgendwas, von wegen sie müsse den ganzen Tag arbeiten, und verließ die Wohnung. So selten, wie wir miteinander redeten, hatte sie womöglich gar nicht mitgekriegt, dass ich heute zum letzten Mal hier war.

»Müsste ich auch, aber ich habe bei ihren Eltern angerufen, und die meinten, morgen Vormittag würde es genauso gut passen, also stehe ich ganz zu deiner Verfügung!«

»Andy! Alex!« Hinter Alex tauchte mein Vater im Flur auf und strahlte, als wäre dies der schönste Morgen seit Menschengedenken. Auch meine Mom sah so unverschämt wach aus, dass ich mich fragte, ob sie irgendwas genommen hatte. Ich checkte kurz die Lage und kam zu dem Schluss, dass sie völlig zu Recht annehmen würden, Alex sei kurz vor ihnen gekommen. Schließlich hatte er seine Schuhe noch an und hielt ganz offensichtlich eben erst eingekaufte Lebensmittel in Händen. Außerdem stand die Tür noch offen. Puh – Glück gehabt.

»Andy hat gesagt, Sie hätten heute keine Zeit«, sagte mein Vater und deponierte Kaffeebecher sowie eine stark nach Salzbagels aussehende Tüte auf dem Tisch im Wohnzimmer. Er vermied absichtlich jeden Augenkontakt. »Kommen Sie gerade, oder sind Sie im Aufbruch?«

Ich schenkte Alex ein Lächeln und hoffte bloß, dass es ihm nicht schon Leid tat, worauf er sich da in aller Herrgottsfrühe eingelassen hatte.

»Oh, ich bin vor einer Minute gekommen, Dr. Sachs«, sagte Alex munter. »Ich habe meine Nachhilfestunden verlegt, weil ich mir dachte, Sie könnten noch jemanden brauchen, der mit anpackt.«

»Ganz ausgezeichnet – das ist uns bestimmt eine große Hilfe. Hier bitte, bedienen Sie sich von den Bagels, Alex. Leider haben wir nur Kaffee für drei dabei, wir wussten ja nicht, dass Sie auch hier sein würden.« Mein Dad wirkte ernstlich bekümmert, was ich rührend fand. So ganz wohl war ihm offenbar noch immer nicht dabei, dass seine jüngste Tochter einen Freund hatte, aber er bemühte sich nach Kräften, es nicht zu zeigen.

»Kein Problem, Dr. Sachs. Ich habe auch was mitgebracht,

also müsste es leicht für alle reichen.« Damit machten mein Vater und mein Freund es sich auf dem Futon gemütlich und ließen sich gemeinsam das Frühstück schmecken.

Ich probierte je einen Salzbagel aus den beiden Tüten und merkte, dass ich mich tierisch darauf freute, wieder mit Lily zusammenzuwohnen. In dem knappen Jahr seit unserem Abgang vom College hatten wir uns zwar bemüht, mindestens einmal am Tag miteinander zu telefonieren, aber zu einem richtigen Treffen reichte es fast nie. Ab jetzt würden wir abends im gemeinsamen Heim einlaufen und uns wie in alten Zeiten über die Katastrophen des Tages austauschen. Alex und Dad unterhielten sich über Sport (Basketball, glaube ich), während Mom und ich die Kisten in meinem Zimmer beschrifteten. Es waren traurig wenige: ein paar Kartons mit Bettzeug und Kissen, einer mit Fotoalben und diversem Schreibzubehör (für meinen nicht vorhandenen Schreibtisch), ein paar Kosmetik- und Toilettenartikel sowie ein Haufen Kleidersäcke mit Klamotten, die absolut nicht nach *Runway* aussahen. Eigentlich lohnte es sich gar nicht, sie zu beschriften; wahrscheinlich schlug da schon die pflichtbewusste Assistentin in mir durch.

»Auf geht's«, rief mein Vater aus dem Wohnzimmer.

»Psst! Du weckst noch Kendra auf«, zischte ich im Flüsterton. »Es ist schließlich erst neun Uhr morgens und Samstag.«

Alex schüttelte den Kopf. »Sie ist doch vorhin zusammen mit Shanti los, glaube ich jedenfalls. Es waren ganz sicher zwei, sie trugen beide Hosenanzüge und sahen nicht gerade happy aus. Sieh doch mal in ihrem Zimmer nach.«

Die Tür war nur angelehnt, und ich stieß sie sachte auf. Das Etagenbett (ohne das im Zimmer überhaupt kein Platz mehr gewesen wäre) war tadellos gemacht; auf den aufgeschütteten Kissen thronte je ein Stoffhund von der gleichen Marke. Erst jetzt fiel mir auf, dass ich bisher noch keinen Fuß in das Zimmer meiner Vermieterinnen gesetzt hatte. In den paar Monaten unseres Zusammenwohnens hatte ich mich nie länger als dreißig Sekunden am Stück mit den beiden Mädels unterhalten. Ich wusste bis heute nicht genau, was sie eigentlich machten, wo sie hingingen oder ob sie noch andere Freunde hatten. Nein, hier hielt mich nichts mehr.

Alex und Dad hatten die Essensreste entsorgt und brüteten jetzt über einem Schlachtplan. »Stimmt, sie sind weg. Ich glaube, sie wissen gar nicht, dass ich heute die Fliege mache.«

»Und wenn du ihnen eine Nachricht hinterlässt?«, schlug Mom vor. »Vielleicht auf deinem Scrabble-Brett?« Die Scrabble-Sucht hatte ich von meinem Vater geerbt, mitsamt der Theorie, dass zu jeder neuen Behausung ein neues Spiel gehörte, ich also das alte zurückließ.

Es kostete mich die letzten fünf Minuten in dieser Wohnung, um die Plättchen zu »Danke fuer alles und viel Glück XO Andy« zu arrangieren. 108 Punkte. Nicht schlecht.

Eine weitere Stunde dauerte es, bis beide Autos bepackt waren, wobei ich hauptsächlich als Türsteherin agierte und die Fahrzeuge im Auge behielt, derweil die anderen von oben eine neue Ladung holten. Die Profis von der Spedition, die für den Transport des Betts mehr verlangten, als das Mistding ursprünglich gekostet hatte, ließen auf sich warten, also starteten Dad und Alex schon mal Richtung Zentrum. Bislang kannte ich unsere neue Wohnung, die Lily über eine Anzeige in der *Village Voice* gefunden hatte, nur aus Erzählungen. Sie hatte mich mitten am Tag in der Arbeit angerufen und ins Handy geplärrt: »Bingo! Bingo! Das ist es! Bad mit fließend Wasser, Parkettboden fast ohne Dellen, und in den vier Minuten, die ich jetzt schon hier bin, weit und breit weder Mäuse noch Kakerlaken. Los, komm und schau's dir an!«

»Bist du high oder was?«, flüsterte ich. »*Sie* ist da, was heißt, ich kann nirgendwohin.«

»Also entweder du kommst gleich oder gar nicht. Du weißt doch, wie's läuft. Ich habe meine Mappe und alles dabei.«

»Ach Lily, jetzt komm. Und wenn's der Nottermin für meine

Herzverpflanzung wäre, die würden mich auf der Stelle feuern. Wie kann ich denen mit einer Wohnungsbesichtigung kommen?«

»Okay, halbe Minute noch, dann ist sie weg. Das hier ist ein Sammeltermin, es sind noch mindestens 25 andere Kandidaten da, und die füllen alle schon die Bewerbungsformulare aus. Entweder jetzt oder nie.«

Auf dem abartigen Wohnungsmarkt von Manhattan waren halbwegs normale Behausungen noch seltener – und noch heißer begehrt – als halbwegs normale Heteros. Sollten sie zudem auch noch halbwegs erschwinglich sein, waren sie schwerer zu ergattern als, sagen wir, eine Privatinsel vor der Südküste von Afrika. Vermutlich jedenfalls. Was spielte es schon für eine Rolle, dass die meisten nicht mehr waren als ein Rattenloch mit faulenden Dielen, abgeblätterten Tapeten und Haushaltsgeräten aus der Frühsteinzeit. Keine Kakerlaken? Keine Mäuse? Nehmen wir!

»Lily, ich vertraue dir, mach einfach. Kannst du mir eine Beschreibung mailen?« Ich musste so schnell wie möglich vom Telefon weg – Miranda konnte jede Sekunde zurück sein, und wenn sie mich bei einem Privatgespräch erwischte, war ich geliefert.

»Also, ich habe die Kopien von deinen Gehaltszetteln – die sind ja übrigens echt ätzend..., und ich habe die Bankbescheinigungen von uns beiden und die Ausdrucke von der Kreditauskunft und deinen Arbeitsvertrag. Das einzige Problem ist der Bürge. Er muss im Großraum New York leben und mehr als das Vierzigfache unserer Monatsmiete verdienen, und meine Großmutter bringt's nie und nimmer auf hundert Riesen, kein Gedanke. Können deine Eltern für uns bürgen?«

»Mann, Lil, keine Ahnung. Ich habe sie noch nicht gefragt, und jetzt kann ich sie nicht gut anrufen. Mach du das.«

»Schön. Verdienen sie denn so viel?«

Ich wusste es nicht genau, aber wen sollten wir sonst fragen?

»Ruf sie einfach an«, sagte ich. »Erklär ihnen das mit Miranda, sag ihnen, es tut mir Leid, dass ich nicht selbst mit ihnen sprechen kann.«

»Mach ich«, sagte sie. »Hauptsache, wir kriegen die Bude. Ich ruf wieder an«, und damit klinkte sie sich aus. 20 Sekunden später klingelte es, und ich sah wieder Lilys Handynummer auf dem Display des Büroapparates. Emily blickte anzüglich zur Decke, wie immer, wenn sie mich mit Freunden reden hörte. Ich griff nach dem Hörer, wandte mich aber erst mal ihr zu.

»Es ist wichtig«, zischte ich. »Meine beste Freundin versucht für mich übers Telefon eine Wohnung zu mieten, weil ich hier keine Scheißsekunde lang weg –«

Drei Stimmen überfielen mich gleichzeitig. Die von Emily klang gemessen, kühl und hatte einen leise warnenden Unterton. »Andrea, bitte«, setzte sie an, während in derselben Sekunde Lily mir ins Ohr kreischte: »Sie machen es, Andy, sie machen es, hörst du?« Doch obwohl sich beide namentlich an mich richteten, bekam ich keine davon richtig mit. Die einzige Stimme, die klar und deutlich bis zu mir durchdrang, gehörte Miranda.

»Gibt es hier ein Problem, Aan-dreh-aa?« Schock – diesmal hatte sie meinen Namen richtig hingekriegt. Lauernd hing sie über mir, bereit zum Angriff.

Ich warf Lily auf der Stelle aus der Leitung (was sie hoffentlich verstehen würde) und wappnete mich gegen die Attacke. »Nein, Miranda, alles in bester Ordnung.«

»Gut. Dann hätte ich jetzt gern einen Eisbecher, und zwar möglichst bevor er komplett geschmolzen ist. Vanilleeis – kein Joghurt, dass das klar ist, keine geeiste Milch, und nichts Zuckerfreies oder Fettarmes – mit Schokosirup und richtiger Schlagsahne. Nicht aus der Dose, verstanden? Echte Schlagsahne. Das wäre alles.« Sie machte auf dem Absatz kehrt; wie es aussah, war sie nur hereingeschneit, um mir auf die Finger zu sehen. Emily grinste hämisch. Das Telefon klingelte. Schon wieder Lily. Verdammt – konnte sie mir nicht einfach eine Mail schicken? Ich nahm ab und presste den Hörer ans Ohr, ohne einen Ton zu sagen.

»Ich weiß schon, du kannst nicht reden, also hör einfach zu. Deine Eltern bürgen für uns, das ist schon mal super. Die Wohnung hat ein großes Schlafzimmer, und wenn wir im Wohnzimmer eine Wand einziehen, ist immer noch Platz genug für eine Doppelcouch *und* einen Sessel. Keine Badewanne, aber die Dusche sieht ganz okay aus. Spülmaschine: Fehlanzeige, was auch sonst, Klimaanlage ebenfalls, aber wir können diese Kästen an den Fenstern einbauen. Waschmaschine im Keller, Portier auf Teilzeit, ziemlich direkt an der Linie 6, und – halt dich fest – ein Balkon!«

Mein Japsen gab ihr einen willkommenen Vorwand, noch weiter aufzudrehen: »Echt jetzt! Der Wahnsinn, oder? Sieht zwar aus, als würde er jeden Moment runterkrachen, aber erst mal ist er ja noch dran! Mit Platz für zwei, und wir könnten draußen rauchen, und – ach, es ist einfach der Hammer!«

»Wie viel?«, krächzte ich und schwor mir innerlich, dass diese zwei Wörtlein die letzten sein würden, die mir über die Lippen kamen.

»Die ganze Pracht für 2280 pro Monat. Stell dir vor – für 1140 Dollar pro Nase kriegen wir einen BALKON! So was findest du einmal in 100 Jahren. Also was ist, soll ich?«

Ich hätte gerne geantwortet, aber mittlerweile bewegte sich Miranda erneut Schritt um Schritt auf ihr Büro zu und machte dabei vor versammeltem Publikum die Veranstaltungskoordinatorin zur Schnecke. Sie war eindeutig mies gelaunt, und mir persönlich reichte es für heute. Die Kleine, die sie gerade am Wickel hatte, ließ beschämt den Kopf hängen, ihre Wangen glühten, und ich betete bloß, dass sie nicht losheulen und damit alles nur noch schlimmer machen würde.

»Andy! Das ist doch wirklich lächerlich, verdammt noch mal. Sag einfach ja oder nein! Reicht es denn nicht, dass ich heute das Seminar schwänzen musste und du nicht von der

Arbeit wegkommst, um dir die Bude hier anzusehen – schaffst du's nicht mal, ja oder nein zu sagen? Was soll ich –« Lily stand kurz davor auszurasten, was ich absolut verstehen konnte, und trotzdem blieb mir nichts übrig, als aufzulegen. Sie plärrte so laut in den Hörer, dass es im ganzen stillen Büro widerhallte, und Miranda stand bloß noch einen guten Meter entfernt. Am liebsten hätte ich die arme Veranstaltungskoordinatorin ins Klo abgeschleppt und mit ihr dort ein Heulkonzert veranstaltet. Vielleicht könnten wir ja auch mit vereinten Kräften Miranda in eine Toilettenkabine zwängen und den lose um ihren Hühnerhals drapierten Hermès-Schal ein bisschen enger knüpfen. Was wäre dabei wohl mein Part – zuziehen oder sie festhalten? Am Ende war es vielleicht noch wirkungsvoller, ihr das Scheißteil einfach in den Rachen zu stopfen und zuzusehen, wie sie nach Luft rang und –

»Aan-dreh-aa!« Die Stimme abgehackt und stählern. »Worum habe ich Sie vor geschlagenen fünf Minuten gebeten?« Scheiße! Der Eisbecher. Ich hatte den Eisbecher vergessen. »Gibt es einen besonderen Grund, weshalb Sie immer noch dasitzen, statt Ihrer Arbeit nachzugehen? Ist das Ihre Auffassung von Humor? Hat irgendetwas in meinem Auftreten oder meinen Worten nahe gelegt, ich ließe es am nötigen Ernst fehlen? Hat es das?« Fast fielen ihr die blauen Augen aus dem Kopf, und ihre Stimme war gefährlich nahe an der Übersteuerungsgrenze. Ich sperrte den Mund auf – doch statt meiner ergriff Emily das Wort.

»Miranda, es tut mir ganz schrecklich Leid. Ich habe Andrea gebeten, ans Telefon zu gehen, weil ich dachte, Caroline oder Cassidy könnten dran sein, und ich hing gerade an der anderen Leitung, wegen der Bluse von Prada, die Sie bestellen wollten. Andrea war schon auf dem Sprung. Tut mir Leid, es wird nicht wieder vorkommen.«

Es geschahen noch Zeichen und Wunder! Das Muster an Vollkommenheit hatte gesprochen – und für mich erbärmlichen Wurm Partei ergriffen.

Miranda wirkte für den Augenblick besänftigt. »Gut denn. Und jetzt besorgen Sie mir meinen Eisbecher, Andrea, aber zügig.« Damit begab sie sich in ihr Büro, griff zum Hörer und gurrte im nächsten Moment BTB die Ohren voll.

Ich ließ einen Blick zu Emily wandern, die tat, als sei sie schwer beschäftigt. Die E-Mail, die ich ihr hinüberballerte, bestand aus einem einzigen Wort: *Warum?*

Die Antwort erfolgte prompt: *Weil ich dachte, am Ende feuert sie dich noch, und ich habe absolut keinen Bock, schon wieder eine Neue einzuarbeiten.* Also begab ich mich auf die Jagd nach dem einzig wahren Eisbecher und rief Lily vom Handy aus an, sobald der Aufzug unten war.

»Es tut mir Leid, echt. Es ist bloß so, dass –«

»Hör mal, für so was ist mir meine Zeit zu schade«, sagte Lily tonlos. »Findest du nicht auch, dass du ein kleines bisschen überreagierst, wenn du am Telefon nicht mal mehr ja oder nein sagen kannst?«

»Ich kann das schlecht erklären, Lil, es ist bloß –«

»Vergiss es. Ich muss los. Ich rufe dich an, wenn wir die Bude kriegen. Wobei's dir vermutlich so oder so egal ist.«

Ich wollte protestieren, doch sie hatte schon abgeschaltet. Verdammt! Wie sollte Lily aber auch verstehen, was ich selbst vor kaum vier Monaten noch für vollkommen lächerlich gehalten hätte. Es war wahrhaftig nicht fair, sie auf der Suche nach einer Wohnung für uns beide kreuz und quer durch Manhattan zu hetzen und dann nicht mal auf ihre Anrufe zu reagieren, aber was hatte ich für eine Wahl?

Kurz nach Mitternacht erwischte ich sie endlich wieder am Telefon und hörte, dass wir die Wohnung hatten.

»Ich glaub's nicht, Lil. Wie kann ich dir bloß danken. Dafür hast du aber was bei mir gut – versprochen!« Und dann kam mir ein Gedanke. Sei spontan! Ruf dir einen Wagen, fahr nach Harlem und bedank dich persönlich bei deiner besten Freundin. »Lil, bist du zu Hause? Ich komme vorbei, und wir feiern, okay?«

Der erwartete Freudenschrei blieb aus. »Bemüh dich nicht«, sagte sie ruhig. »Ich hab hier eine Flasche Southern Comfort stehen, und Mr. Zungenring ist da. Mehr brauche ich im Moment nicht.«

Der Hieb saß, doch ich wusste Bescheid. Es kam nur alle Jubeljahre vor, dass Lily richtig sauer wurde, aber wenn es so weit war, musste man sie einfach in Ruhe lassen, bis sie von selbst wieder aus ihrem Schneckenhaus herauskam. Ich hörte Flüssigkeit in ein Glas gluckern und Eiswürfel klimpern. Sie nahm einen langen, kräftigen Schluck.

»Okay. Aber ruf mich an, wenn du was brauchst, ja?«

»Wozu? Damit du stumm wie ein Fisch am Hörer hängst? Nein danke.«

»Lil –«

»Mach dir keine Sorgen. Mir geht's prima.« Noch ein Schluck. »Ich ruf dich wieder an. Ach ja, und Glückwunsch uns beiden.«

»Ja, Glückwunsch uns beiden«, echote ich, aber da hatte sie schon wieder aufgelegt.

Ich rief Alex auf dem Handy an und fragte, ob ich noch vorbeikommen sollte, aber auch er klang nicht so begeistert, wie ich mir das erhofft hatte.

»Andy, ich würde dich wirklich gern sehen, das weißt du ja, aber ich bin gerade mit Max und den anderen unterwegs. Nachdem du unter der Woche irgendwie nie mehr Zeit hast, habe ich für heute Abend was mit ihnen ausgemacht.«

»Ach so, und wo seid ihr? In Brooklyn oder irgendwo hier in der Gegend? Vielleicht könnte ich dazustoßen?« Wahrscheinlich waren sie irgendwo ganz in der Nähe, denn die restliche Bande wohnte ebenfalls auf der Upper East Side.

»Hör zu, sonst liebend gern, aber heute ist ganz einfach ein Männerabend angesagt.«

»Na klar. Okay. Ich wollte eigentlich mit Lily die neue Wohnung feiern, aber irgendwie haben wir uns in die Haare gekriegt.

Sie kapiert nicht, wieso ich im Büro nicht richtig telefonieren kann.«

»Na ja, Andy, ich muss dir sagen, dass ich das streckenweise auch nicht so ganz verstehe. Ich weiß schon, dass diese Miranda eine harte Nuss ist – glaub mir, ich weiß es wirklich –, aber irgendwie habe ich den Eindruck, als würdest du alles, was mit ihr zu tun hat, fast übertrieben ernst nehmen?!« Er gab sich hörbar Mühe, nicht einen auf Konfrontationskurs zu machen.

»Vielleicht tue ich das ja tatsächlich!«, schoss ich zurück. Ich war stinkig, weil er mich nicht auf Knien anflehte, heute Abend mit von der Partie zu sein, und weil er Lilys Partei ergriff, wobei sie ja im Grunde Recht hatte und er auch. »Es geht um mein Leben, verstehst du? Um meine Karriere, meine *Zukunft*. Was soll ich denn machen, verdammt noch mal? Das Ganze als Witz betrachten?«

»Andy, du drehst mir das Wort im Mund herum. Du weißt ganz genau, dass ich es so nicht gemeint habe.«

Zu spät, ich war schon auf 180. Erst Lily und jetzt auch noch Alex? Zusätzlich zu Miranda, tagaus, tagein? Es war einfach zuviel; am liebsten hätte ich geheult, stattdessen brüllte ich los.

»Ein einziger mieser Witz, was? Das denkt ihr doch von meinem Job! O Andy, *du bist in der Modebranche, das kann doch nicht so wild sein?*«, zitierte ich und fand mich dabei selbst zum Kotzen. »Entschuldige, aber es sind nun mal nicht alle Leute Gutmenschen oder Doktoranden! Entschuldige, falls –«

»Melde dich wieder, wenn du dich beruhigt hast«, sagte er. »Das muss ich mir nicht länger anhören.« Klick. Weg war er! Ich ging davon aus, dass er wieder anrufen würde, aber als ich so gegen drei endlich einschlief, hatten weder Alex noch Lily von sich hören lassen.

Eine volle Woche war das jetzt her, und die beiden waren zwar nicht mehr erkennbar sauer, aber dennoch irgendwie verändert. Ich war nicht dazu gekommen, bei ihnen persönlich Abbitte zu leisten, weil wir mitten in der Endredaktion der neuesten

Ausgabe steckten, hoffte jedoch, es würde sich alles einrenken, wenn Lily und ich erst zusammen wohnten. In unserer neuen, gemeinsamen Wohnung, wo alles wieder so laufen würde wie damals im College, als das Leben so viel freundlicher zu uns war.

Die Spediteure, die um elf endlich eintrudelten, brauchten genau neun Minuten, um mein heiß geliebtes Bett auseinander zu nehmen und die Einzelteile hinten in den Möbelwagen zu knallen. Mom und ich quetschten uns zu ihnen ins Führerhaus. In der Eingangshalle meiner neuen Behausung waren Dad und Alex in eine angeregte Unterhaltung mit dem Portier vertieft, der eine geradezu fatale Ähnlichkeit mit John Galliano hatte; meine Kisten standen aufeinander gestapelt an der Wand.

»Gut, dass du kommst, Andy. Das ist Mr. Fisher, und er besteht – natürlich völlig zu Recht – darauf, die Wohnung nur in Anwesenheit eines Mieters aufzuschließen«, sagte mein Vater mit einem breiten Lächeln und zwinkerte dem Portier dabei zu.

»Nanu, ist Lily denn noch nicht da? Sie wollte gegen zehn, halb elf hier sein.«

»Nein, bis jetzt nicht. Soll ich sie anrufen?«, fragte Alex.

»Ja, wäre wohl besser. Ich kann ja schon mal mit Mr. – äh – Fisher raufgehen, damit wir hier loslegen können. Frag sie, ob sie Hilfe braucht.«

Mr. Fishers Lächeln troff vor Geilheit. »Ich bitte Sie, Sie gehören doch jetzt quasi zur Familie«, schleimte er und taxierte dabei meinen Busen. »Nennen Sie mich einfach John.«

Fast hätte ich mich an dem mittlerweile kalten Kaffee verschluckt, den ich immer noch im Becher mit mir herumschleppte. Hatte ich am Ende nicht mitbekommen, dass der allseits verehrte Retter des Hauses Dior heimlich, still und leise den Geist ausgehaucht hatte und in seinem nächsten Leben mir als Portier zugeteilt worden war?

Alex nickte und polierte seine Brille mit einem Zipfel seines T-Shirts – dafür hätte ich ihn regelmäßig küssen können. »Geh du mit deinen Eltern rauf. Ich rufe Lily an.«

Ich war mir nicht so ganz sicher, was ich davon halten sollte, dass mein Vater spontan dicke Freundschaft mit meinem neuen Designer-Portier geschlossen hatte, immerhin dem Mann, der unweigerlich über alle Details meines Lebens unterrichtet sein würde. Die Eingangshalle war ganz nett, wenn auch nicht gerade der letzte Schrei. Sie bot eine helle Steinverkleidung und ein paar wenig einladende Sitzgelegenheiten vor den Aufzügen und hinter dem Abteil mit den Postfächern. Unser Apartment, Nr. 8C, ging nach Südwesten, was, soweit ich gehört hatte, als Pluspunkt galt. John öffnete die Tür mit seinem Hauptschlüssel und trat, stolzgeschwellt wie ein frischgebackener Vater, einen Schritt zurück.

»Da wären wir«, sagte er mit großer Geste.

Ich wagte mich als Erste hinein, auf alles gefasst: doch weder stank es durchdringend nach Schwefel noch flatterten Fledermäuse unter der Decke. Alles war überraschend sauber und hell. Zur Rechten lag die Küche, ein weiß gefliestes, handtuchschmales Kämmerchen mit halbwegs weißen Resopalschränken und Arbeitsflächen in geflecktem Granitimitat. Über dem Herd prangte eine eingebaute Mikrowelle.

»Das ist ja toll«, sagte meine Mom nach einem Blick in den Kühlschrank. »Schon mit Eiswürfelbehältern.« Die Möbelpacker kämpften sich mit meinem Bett ächzend durch den Flur.

Von der Küche ging es ins Wohnzimmer; die Zwischenwand zur Gewinnung des zweiten Schlafzimmers war bereits eingezogen. Die Operation hatte den Wohnraum zwar sämtliche Fenster gekostet, aber das war letztlich halb so wild. Das dadurch abgeknapste Zimmer war von annehmbarem Format (auf alle Fälle größer als mein letztes), und die Wand zum Balkon wurde komplett von einer hohen Glasschiebetür eingenommen. Das Bad bot Kitsch hoch zwei: Kacheln und Wände in unterschiedlichen Rosatönen, und zwar jeweils knapp daneben. Das eigentliche Schlafzimmer war deutlich größer als der verbliebene Wohnbereich und mit einem winzigen Einbauschrank, einem Deckenventilator sowie einem kleinen, offenbar vor der Jahrtausendwende zuletzt geputzten Fenster ausgestattet, das direkten Ausblick auf ein Apartment im Nachbargebäude bot. Lily hatte sogleich Ansprüche darauf angemeldet, und mir war es nur recht. Sie brauchte letztlich ein Schlaf- und Arbeitszimmer, sprich: mehr Platz, und ich legte mehr Wert auf Licht und direkten Zugang zum Balkon.

»Danke, Lil«, flüsterte ich.

»Was hast du gesagt, Schätzchen?« Meine Mutter stand hinter mir.

»Ach, nichts. Bloß, dass Lily das wirklich super hingekriegt hat. Ich wusste ja nicht, was mich hier erwarten würde, aber es ist doch Spitze, oder was meinst du?«

Sie mühte sich sichtlich um eine möglichst taktvolle Formulierung. »Ja, für New York ist es sicher eine ganz tolle Wohnung. Ich tue mich nur schwer damit, dass ihr so viel zahlt und so wenig dafür bekommt. Deine Schwester und Kyle zahlen alles in allem 1400 pro Monat für ihre Eigentumswohnung ab, und die hat Klimaanlage, eine brandneue Spülmaschine, eine Wasch-Trockeneinheit, drei Schlafzimmer und zwei Marmorbäder!« Aus ihrem Mund klang es wie eine Offenbarung. Klar, für 2280 Dollar kriegte man ein Stadthaus an der Uferpromenade von Los Angeles, eine Maisonnette-Wohnung mit altem Baumbestand vor der Tür in Chicago, ein Fünf-Zimmer-Split-Level in Miami oder ein ganzes verfluchtes Schloss samt Burggraben in Cleveland. Das war nichts Neues.

»Und zwei Wagenstellplätze sowie kostenlose Benutzung von Golfplatz, Fitnesscenter und Pool«, steuerte ich bereitwillig bei. »Ich weiß, ich weiß. Aber ob du's glaubst oder nicht, die Bude ist echt ein Hit. Ich denke mal, wir werden es uns hier so richtig gut gehen lassen.«

Sie nahm mich in den Arm. »Das denke ich auch. Solange ihr nicht zu viel rackert, um es überhaupt noch zu genießen«, bemerkte sie leichthin.

Mein Dad gesellte sich zu uns und schnürte den Beutel auf, den er den ganzen Tag mit sich herumgeschleppt hatte. Er enthielt nicht, wie von mir vermutet, die Sportklamotten für das Racketballmatch, das er heute noch bestreiten wollte, sondern eine kastanienbraune Schachtel mit der knalligen Aufschrift »Limited Edition!«. Ein Scrabble-Spiel. Die Liebhaber-Ausgabe mit dem drehbaren Untersatz für das Spielbrett und den eingelassenen Spielfeldern, die ein Verrutschen der Buchstabenplättchen verhinderten. Zehn Jahre standen wir nun schon in den einschlägigen Geschäften bewundernd davor, aber nie hatte sich ein würdiger Anlass ergeben, um dieses Prachtstück tatsächlich zu erwerben.

»Ach Dad. Das solltest du doch nicht!« Ich wusste, dass die Sonderausgabe weit über 200 Dollar kostete. »Ach, ist das schön!!«

»Genieß es bei Leben und Gesundheit«, sagte er und erwiderte meine Umarmung. »Oder, noch besser, mach deinem alten Herrn damit Feuer unterm Hintern, darauf wird es vermutlich hinauslaufen. Ich kann mich noch an die Zeiten erinnern, als ich dich gewinnen lassen musste, sonst wärst du wie ein wütender Stier durchs Haus getrampelt und hättest den ganzen Abend lang geschmollt. Und was ist jetzt?! Meine armen alten Hirnzellen sind allesamt verschmort, und ich hätte keine Chance mehr gegen dich. Obwohl, versuchen will ich's natürlich trotzdem.«

Ich wollte eben erwidern, dass ich den besten Lehrmeister gehabt hatte, der sich nur denken ließ, als Alex hereinkam – und seine Miene verhieß nichts Gutes.

»Was ist?«, fragte ich.

»Ach, gar nichts.« Sein Blick sprach Bände: Erst wollte er meine Eltern aus dem Weg haben. »Ich hab schon mal eine Kiste mit raufgebracht.«

»Komm, wir holen noch ein paar«, nahm Dad die Anregung auf und zog Mom Richtung Tür. »Vielleicht hat Mr. Fisher ja so was Ähnliches wie eine Sackkarre. Da könnten wir gleich eine ganze Ladung draufpacken. Bis gleich.«

Alex und ich warteten ab, bis die Fahrstuhltüren sich wieder geschlossen hatten.

»Also, ich habe eben mit Lily gesprochen«, sagte er langsam.

»Sie ist doch nicht immer noch sauer auf mich, oder? Sie war die ganze Woche über so komisch.«

»Nein, das ist es wohl nicht.«

»Was dann?«

»Na ja, sie war gar nicht zu Hause ...«

»Wo denn dann? Bei irgendeinem Typen? Hat sie es echt fertiggebracht, ihren eigenen Umzugstag zu verschwitzen?« Ich riss eines der Fenster in dem abgeteilten Schlafzimmer auf, um den frischen Farbgeruch mit Kaltluft zu verscheuchen.

»Nein. Um es genau zu sagen, sie war auf einer Polizeiwache.« Alex sah stur auf seine Schuhe.

»Sie war wo??? Was ist mit ihr? O mein Gott! Ist sie überfallen worden oder vergewaltigt? Ich muss sofort zu ihr.«

»Ihr geht's gut, Andy. Man hat sie bloß festgenommen.« Er sprach in demselben ruhigen Ton, mit dem er Eltern die traurige Mitteilung machte, dass ihr Kind sitzen geblieben war.

»Festgenommen? Man hat sie festgenommen?« Wider Willen war ich doch laut geworden. Eben zerrte Dad ein Monstrum von Sackkarre herein, das unter den ungleich gestapelten Kisten jeden Moment umzukippen drohte.

»Wen hat man festgenommen?«, erkundigte er sich beiläufig. »Hier, Mr. Fisher hat den ganzen Krempel für uns heraufgeschafft.«

Ich zermarterte mir das Hirn nach einer halbwegs plausibel klingenden Lüge, doch Alex kam mir zuvor. »Ach, ich habe Andy bloß gerade erzählt, dass sie gestern Abend im Videokanal einen Bericht über TLC gebracht haben, diese drei Rapperinnen, und von denen ist eine wegen Drogenbesitzes festgenommen worden. Ausgerechnet die, die eigentlich immer einen halbwegs normalen Eindruck gemacht hat...«

Kopfschüttelnd ließ Dad den Blick durch den Raum wandern; er hörte nur mit einem Ohr zu und fragte sich vermutlich, seit wann Alex und ich uns so intensiv für weibliche Popstars interessierten. »Ich würde sagen, der einzige Platz, an den dein Bett hinpasst, ist mit dem Kopfteil da hinten gegen die Wand«, sagte er. »Apropos, ich schaue wohl mal lieber nach, wie weit sie damit sind.«

Kaum war die Wohnungstür ins Schloss gefallen, warf ich mich Alex buchstäblich in den Weg.

»Los, sag schon: sag, was ist passiert?«

»Andy, du kreischst ja. So schlimm ist es gar nicht. Eigentlich ist es sogar ziemlich komisch.« Mit den Lachfältchen um die Augen sah er eine Sekunde lang genauso aus wie Eduardo. Bäh.

»Alex Fineman, wenn du mir nicht auf der Stelle sagst, was mit meiner besten Freundin los ist –«

»Okay, okay, ganz ruhig.« Er hatte einen Heidenspaß mit mir. »Sie war letzte Nacht mit einem Typen unterwegs, ›Mr. Zungenring‹, so ihre Bezeichnung – kennen wir den Herren?«

Ich starrte ihn bloß an.

»Na egal, jedenfalls sind sie essen gegangen, und danach wollte Mr. Zungenring sie nach Hause begleiten, und da fand sie es wohl eine witzige Idee, ihn was sehen zu lassen: auf der Straße, direkt vor dem Restaurant. Damit er auch ja anbeißt.«

Ich stellte mir vor, wie Lily, das Pfefferminzpraliné zum Ausklang ihres romantischen Abendessens noch auf der Zunge, lässig auf die Straße schlenderte – und dort plötzlich ihr T-Shirt hochzerrte, für einen Typen, der sich gegen Geld ein Stück Metall durch die Zunge hatte rammen lassen. Großer Gott.

»O nein. Sie ist doch nicht...«

Alex nickte gewichtig und verbiss sich das Lachen.

»Du willst mir erzählen, dass sie meine Freundin festgenommen haben, weil sie ihre Brüste hergezeigt hat? Das ist ja wohl ein Witz. Wir sind hier in New York. Ich sehe Tag für Tag Frauen, die praktisch oben ohne herumlaufen – und zwar in der Arbeit!« Meine Stimme wurde schon wieder schrill, ich konnte nichts dagegen machen.

»Ihr Hinterteil.« Er heftete den Blick erneut auf seine Schuhe und lief knallrot an – sei's, weil es ihm peinlich war oder er vor Lachen fast platzte.

»Ihr was?«

»Nicht ihre Brüste. Ihr Hinterteil. Ihre untere Hälfte. Tutti completti. Von vorn und von hinten.« Jetzt grinste er über beide Backen. Offenbar amüsierte er sich köstlich. Mach dir bloß nicht in die Hose, dachte ich.

»O nein, das darf nicht wahr sein«, stöhnte ich. In welchen Schlamassel hatte meine Freundin sich da gebracht? »Und ein Bulle hat es mitgekriegt und sie festgenommen?«

»Nein, offenbar waren zwei Kinder Zeugen des Vorfalls und haben ihre Mutter darauf aufmerksam gemacht...«

»O Gott.«

»... worauf die Mutter sagte, sie solle die Hose wieder hochziehen, worauf Lily ihr lautstark klar machte, wohin sie sich ihre Vorschläge stecken könnte, worauf die Frau losging und an der nächsten Straßenecke einen Bullen auftrieb.«

»O nein, hör auf. Bitte hör auf.«

»Es wird noch besser. Als die Frau mit dem Bullen im Schlepptau zurückkam, waren Lily und Mr. Zungenring, ihrer Aussage nach, auf der Straße schwer miteinander zugange.«

»Wie bitte? Meine Freundin Lily Goodwin? Meine süße, anbetungswürdige beste Freundin seit der achten Klasse zieht sich nackt aus und lässt es sich an der Straßenecke besorgen? Von Typen mit Zungenringen?«

»Reg dich ab, Andy. Mit ihr ist alles okay, ehrlich. Der Bulle hat sie eigentlich nur deswegen festgenommen, weil sie ihm den Stinkefinger gezeigt hat, als er fragte, ob sie vorher wirklich die Hose runtergelassen hätte...«

»Großer Gott. Ich kann nicht mehr. So müssen sich Mütter fühlen.«

»… aber sie haben es bei einer Verwarnung belassen, und jetzt will sie zurück in ihre Wohnung und sich ein bisschen erholen – klingt, als hätte sie gestern schwer getankt. Sonst wäre sie wohl kaum auf den Einfall gekommen, einen Polizeibeamten zu reizen. Also mach dir keine Sorgen. Wir räumen jetzt erst mal dein Zeug ein, und dann fahren wir zu ihr, wenn du willst.« Er hievte die erste Kiste von der Sackkarre, die mein Dad mitten im Wohnzimmer geparkt hatte.

Warten kam nicht in Frage; ich musste sofort wissen, was los war. Sie meldete sich erst beim vierten Klingeln, kurz bevor sich ihre Mailbox einschaltete, so als hätte sie bis zur letzten Sekunde überlegt, ob sie drangehen sollte oder nicht.

»Alles in Ordnung mit dir?«, überfiel ich sie.

»Hey, Andy. Hoffentlich habe ich jetzt nicht irgendwie den Umzug vermasselt. Ihr braucht mich da im Augenblick nicht, oder? Tut mir Leid, das Ganze.«

»Nein, darum geht's mir gar nicht, es geht mir um dich. Alles in Ordnung mit dir?« Mir war gerade aufgegangen, dass Lily, wenn sie jetzt, am frühen Samstagmorgen, erst auf dem Nachhauseweg war, am Ende die Nacht in der Polizeiwache verbracht hatte. »Haben sie dich etwa über Nacht dabehalten? Im *Gefängnis?*«

»Ja, schätze, so könnte man's sagen. War aber gar nicht so schlimm, nicht wie im Fernsehen oder so. Es war einfach ein Zimmer, und da hab ich geschlafen, zusammen mit einem völlig harmlosen Mädchen, das irgendeinen ähnlichen Blödsinn angestellt hatte wie ich. Die Wärter waren total cool – das Ganze war ziemlich relaxt. Keine Gitter oder so was.« Ihr Lachen klang verdächtig hohl.

Ich verdaute das einen Augenblick und versuchte, mir meine süße kleine Hippiemaus Lily knöcheltief in Urin watend und in den Fängen einer wild gewordenen Lesbe vorzustellen. »Und

was zum Teufel hat Mr. Zungenring zu der ganzen Sache beige-tragen? Hat er dich einfach im Gefängnis verrotten lassen?«
Plötzlich fiel mir auf: Was zum Teufel hatte *ich* denn zu der Sache beigetragen? Warum hatte Lily mich nicht angerufen?

»Ach, er war eigentlich super, er –«

»Lily, warum –«

»– wäre auch dageblieben und hat sogar den Anwalt von sei-nen Eltern angerufen –«

»Lily. Lily! Halt mal eine Sekunde die Luft an. Warum hast du mich nicht angerufen? Ich wäre doch in null Komma nichts dagewesen und nicht eher gegangen, bis sie dich rausgelassen hätten. Also wieso? Wieso hast du nicht angerufen?«

»Ach Andy, es spielt doch keine Rolle mehr. Es war echt nicht so schlimm, ich schwör's dir. Ich hab mich einfach scheiß-dämlich aufgeführt, bloß weil ich so hackedicht war, aber das kommt nicht wieder vor, ich schwör's dir. Das ist es einfach nicht wert.«

»Warum? Warum hast du nicht angerufen? Ich war den gan-zen Abend zu Hause.«

»Ist wirklich nicht so wichtig. Ich habe nicht angerufen, weil ich mir dachte, entweder bist du noch im Büro oder hundemüde, und ich wollte dich nicht belästigen. Schon gar nicht freitag-abends.«

Ich überlegte, was ich letzten Abend eigentlich gemacht hatte. Das Einzige, was ich noch mit Bestimmtheit wusste, war, dass ich mir zum exakt 68. Mal in meinem Leben *Dirty Dancing* angesehen hatte. Und zum allerersten Mal noch vor der Szene eingeschlafen war, in der Johnny sagt »Mein Baby gehört zu mir« und sie danach buchstäblich vom Hocker reisst, und Dr. House-man sagt, er wisse, dass es nicht Johnny war, der Penny in Schwierigkeiten gebracht hat, und ihm auf den Rücken klopft und Baby einen Kuss gibt, die seit neuestem wieder Frances ge-nannt werden will. Eine Szene, die ich für mich persönlich im-mer als wesensprägend empfunden hatte.

»Im Büro? Du dachtest, ich wäre noch im Büro? Und was heißt schon hundemüde – das zählt doch nicht, wenn du Hilfe brauchst?! Was soll das, Lil?«

»Komm, lass es gut sein, Andy. Du arbeitest wie blöd, Tag und Nacht, und meistens auch noch am Wochenende. Und wenn du mal frei hast, meckerst du über deine Arbeit. Schon klar, ich weiß sehr gut, was für einen Scheißjob du dir da aufgehalst hast mit dieser Irren, die dich in einer Tour in der Gegend rumscheucht. Ich wollte einfach nicht diejenige sein, die Freitagabend dazwischenfährt, wenn du vielleicht endlich mal ausspannst oder was mit Alex machst. Er sagt, ihr seht euch so gut wie nie, und da wollte ich ihm nicht auch noch was abknapsen. Wenn die Kacke richtig am Dampfen gewesen wäre, hätte ich dich schon angerufen, und ich weiß, du wärst wie der Blitz dagewesen. Aber noch mal, zu deiner Beruhigung, es war nicht so schlimm. Schwamm drüber, okay? Ich bin ganz schön fertig, ich will bloß noch duschen und ins Bett.«

Mir hatte es schlicht die Sprache verschlagen; Lily nahm mein Schweigen für Zustimmung.

»Bist du noch da?«, fragte sie, nachdem ich ungefähr eine halbe Minute lang verzweifelt versucht hatte, ein Wort zur Entschuldigung, Erklärung oder zu sonst irgendwas zu finden. »Hör zu, ich bin eben erst zur Tür rein. Ich muss jetzt schlafen. Kann ich dich später anrufen?«

»Ähm, ja klar«, brachte ich heraus. »Lil, es tut mir alles so Leid. Falls ich dir gegenüber je den Eindruck erweckt habe, dass du nicht –«

»Hör auf, Andy. Es ist alles im Lot – mit mir, mit uns. Vertagen wir das Ganze einfach.«

»Okay. Schlaf gut. Ruf mich an, wenn ich irgendwas für dich tun kann …«

»Mach ich. Ach, übrigens, was sagst du denn zu unserer neuen Heimat?«

»Super, Lily, echt super. Das hast du wirklich spitzenmäßig

hingekriegt. Es ist noch besser, als ich es mir vorgestellt habe. Uns wird's hier bestimmt gut gehen.« Ich fand selbst, dass meine Stimme hohl klang, und es war klar, dass ich nur redete, um zu reden, um Lily am Telefon festzuhalten und mich zu vergewissern, dass unsere Freundschaft nicht irgendeinen unerklärlichen, aber dauerhaften Knacks abbekommen hatte.

»Prima. Freut mich, dass sie dir gefällt. Hoffentlich findet Mr. Zungenring sie auch so schön.« Ihre Witzelei hörte sich schon wieder ziemlich gewollt an.

Danach stand ich im Wohnzimmer und starrte das Telefon an, bis Mom hereinkam und verkündete, dass sie Alex und mich zum Mittagessen einladen wollte.

»Was hast du, Andy? Und wo steckt Lily? Ich dachte, wir sollten ihr auch ein bisschen helfen, aber so gegen drei wollten wir eigentlich wieder aufbrechen. Ist sie denn schon unterwegs?«

»Nein, sie ist – äh, sie ist krank, seit gestern Abend. Es hat sich die letzten Tage offenbar schon angekündigt, und wahrscheinlich verschiebt sie den Umzug auf morgen. Das war sie gerade, am Telefon.«

»Bist du sicher, dass sie zurechtkommt? Sollten wir nicht lieber doch bei ihr vorbeischauen? Das Mädchen tut mir immer so Leid – keine richtigen Eltern, nur diese alte Spinatwachtel von Großmutter.« Sie legte mir die Hand auf die Schulter, was alles nur noch schlimmer machte. »Ein Glück, dass sie dich zur Freundin hat. Sonst wäre sie ganz allein auf der Welt.«

Nach ein paar Sekunden hatte ich den Kloß im Hals bezwungen: »Ja, stimmt wohl. Aber ihr geht's so weit gut, ganz bestimmt. Sie schläft es einfach weg. Kommt, wir holen uns ein paar Sandwiches, okay? Der Portier hat mir erzählt, dass es vier Straßen weiter ein Café mit lauter leckeren Sachen gibt.«

»Büro Miranda Priestly«, meldete ich mich mit meinem neu antrainierten gelangweilten Tonfall, der Anrufern klar machen sollte, dass sie mich in meiner geheiligten E-Mail-Stunde störten.

»Hi, sss-preche ich mit Em-Em-Emily?«

»Nein, hier ist Andrea, Mirandas neue Assistentin«, teilte ich der bestimmt tausendsten neugierigen Anruferin mit.

»Ach was, Sie sind also Mirandas neue Assistentin«, röhrte die Stimme los, an der jeder Logopäde seine helle Freude gehabt hätte. »Das g-g-g-glücklichste Mädchen auf G-g-gottes Erden! Wie schmeckt Ihnen denn bisher Ihr Posten bei diesem Satansbraten?«

Ich horchte auf. Das waren ja ganz neue Töne. Noch nie, seit ich bei *Runway* arbeitete, war mir jemand untergekommen, der so dreist über Miranda zu lästern wagte. Meinte sie es ernst? Oder war das eine Falle?

»Äh, nun ja, für *Runway* zu arbeiten, ist natürlich eine äußerst lehrreiche Erfahrung«, brachte ich stammelnd heraus. »Millionen junge Frauen würden ihr Leben für solch einen Job geben.« Hatte ich das tatsächlich gerade so gesagt?

Einen Moment lang herrschte Schweigen, dann kreischte sie los wie eine Hyäne. »Ach du Scheiße, d-d-d-das haben Sie aber perfekt hingekriegt!«, heulte sie, vor Lachen halb erstickt. »Hält sie Sie hinter Schloss und Riegel und lässt Sie so lange kein Stück von G-g-g-gucci haben, bis die Gehirnwäsche Wirkung zeigt und Sie solchen Mumpitz von sich geben? F-f-f-antastisch! Die Frau hat echt Nerven! Alsdann, Miss Lehrreiche Erfahrung, ich habe munkeln hören, Miranda hätte sich diesmal einen L-l-l-lakaien mit ein bisschen Grips an Land gezogen, aber das war wohl wie üblich Munkeln im Dunkeln. Sie mögen T-t-t-twinsets von Michael Kors und die hübschen Pelzmäntel von J. Mendel? Gut, gut, meine Süße, nur schön weiter so. Und jetzt verbinden Sie mich mit Ihrem Nullarsch von Chefin.«

Ich war hin- und hergerissen. Spontan lag mir auf der Zunge zu sagen, sie sollte sich verpissen, schließlich kannte sie mich überhaupt nicht, und außerdem war es sonnenklar, dass sie mit dem rüden Gehabe bloß ihr Stottern kompensieren wollte. Aber stärker war der andere Impuls – mit dem Mund dicht am Hörer eindringlich zu flüstern: »Jawohl, ich bin eine Gefangene, und zwar schlimmer, als Sie es sich vorstellen können – o bitte, bitte, kommen Sie her und erretten Sie mich von dieser teuflischen Gehirnwäsche. Sie haben Recht, es ist genauso, wie Sie es beschreiben, aber *ich* bin nicht so!« Letztlich kam ich weder zum einen noch zum anderen, weil mir gerade noch rechtzeitig auffiel, dass ich keine Ahnung hatte, wer eigentlich hinter dem heiseren Gestotter am anderen Ende der Leitung steckte.

Ich holte tief Luft. Der würde ich's geben, Punkt für Punkt, nur Miranda ließ ich besser außen vor. »Da Sie schon von ihm sprechen, für Michael Kors hege ich allergrößte Bewunderung, allerdings ganz sicherlich nicht gerade wegen seiner *Twinsets*. Pelze von J. Mendel sind natürlich ein Traum, aber wir von *Runway* – sprich diejenigen, die über einen differenzierten und untadeligen Geschmack verfügen –, würden wohl eher Maßanfertigungen von Pologeorgis vorziehen. Ach, und es wäre mir lieb, wenn Sie künftig die etwas geschmeidigere Bezeichnung ›Hausangestellte‹ statt des doch recht steif und schroff klingenden ›Lakaien‹ verwenden wollten. Ich stehe Ihnen natürlich jederzeit für die Richtigstellung weiterer unkorrekter Annahmen zur Verfügung, die von Ihrer Seite noch erfolgen mögen, doch hätten Sie zuvor die Güte, mich davon zu unterrichten, mit wem ich das Vergnügen habe?«

»Touché, Mirandas neue Assistentin, touché. V-v-v-vielleicht werden wir zwei ja doch noch Freundinnen. Ich h-h-halte nicht viel von den Robotern, die sie normalerweise einstellt, aber das ist nicht weiter verwunderlich, nachdem ich von ihr auch nicht viel halte. Mein Name ist Judith Mason, und f-f-falls Sie damit nichts anfangen können, ich verfasse allmonatlich die Reiseartikel in Ihrem Magazin. Und jetzt verraten Sie mir doch, da Sie ja noch relativ frisch am Platz sind: S-s-sind die Flitterwochen schon vorbei?«

Ich schwieg. Was meinte sie damit? Meinem Gefühl nach saß am anderen Ende der Leitung eine tickende Zeitbombe.

»Na was? Sie genießen doch gerade jenen faszinierenden Zwischenzustand, in dem endlich jeder Ihren Namen weiß, Sie aber noch keiner gut genug kennt, um Ihre Schwächen entdeckt zu haben und Kapital daraus zu schlagen. Wenn es s-s-s-o weit ist, hört man die Englein singen, glauben Sie mir. Sie haben sich da wirklich einen ganz speziellen Arbeitsplatz ausgesucht.«

Doch bevor ich etwas erwidern konnte, sagte sie: »G-g-g-genug geflirtet für heute, meine neu gewonnene junge Freundin. Sp-p-p-paren Sie sich die Mühe mit dem Verbinden, ich kriege sie sowieso nie selbst ans Telefon. Wahrscheinlich geht ihr das Gestotter auf den Senkel. Machen Sie einfach einen Vermerk im B-b-bulletin, dass mich jemand zurückrufen soll. Danke, Schätzchen.« Klick.

Völlig platt legte ich auf und fing an zu lachen. Emily sah von Mirandas Spesenlisten hoch und fragte, wer am Apparat gewesen sei. Bei dem Namen Judith verdrehte sie die Augen fast bis zum Hinterkopf und jaulte vernehmlich auf. »Die Frau ist so eine unglaubliche Nervensäge. Also echt, ich kapiere nicht, wie Miranda auch nur ein Wort mit ihr reden kann. Aber Anrufe von Judith nimmt sie sowieso nicht entgegen, es reicht also, wenn du sie im Bulletin vermerkst, dann lässt Miranda sie von irgendwem zurückrufen.« Offenbar war Judith mit den internen Mechanismen unseres Büros besser vertraut als ich.

Ich klickte bei meinem schnittigen, türkisen iMac zweimal auf das Symbol »Bulletin« und überflog, was bis jetzt auf dem Programm stand. Das Bulletin war Mirandas ganzer Stolz, das Prunkstück des Büros, um das sich (soweit ich bisher mitbekommen hatte) all ihr Denken und Trachten drehte. Irgendeine hyperaktive, zwanghaft geschäftige Assistentin hatte es vor Jahren als simples Word-Dokument in einem Ordner angelegt, auf das sowohl Emily wie ich Zugriff hatten. Allerdings konnte immer nur eine von uns das Bulletin öffnen, um neue Botschaften, Überlegungen oder Fragen in die detaillierte Liste einzufügen. Danach druckten wir die jeweils aktuelle Fassung aus und steck-

ten sie im Austausch gegen die soeben veraltete an das Klemmbrett, das im Regal über meinem Schreibtisch lag. Tagsüber kon-
trollierte Miranda es alle paar Minuten, während Emily und
ich alle Hände voll zu tun hatten, beim Tippen, Ausdrucken und
Ablegen mit den eingehenden Anrufen Schritt zu halten. Ständig zischte eine von uns die andere an, endlich das Bulletin zu
schließen, damit sie es ihrerseits anklicken und eine Botschaft
einfügen konnte. Das Ergebnis ließen wir auf unseren separaten
Druckern zu Papier bringen und fetzten zum Klemmbrett; erst
dort stellte sich heraus, wer gerade die aktuellere Version zu bieten hatte.

»Auf meiner ist Judith die letzte«, sagte ich, völlig ausgepowert von dem Stress, alles fertig zu haben, bevor Miranda hereinschwebte. Eduardo hatte schon angerufen und uns vorgewarnt, dass sie auf dem Weg nach oben war. Es konnte sich
nur noch um Sekunden handeln, bis Sophy Alarmstufe zwei auslöste.

»Bei meiner kommt danach noch die Rezeption vom Ritz in
Paris«, krähte Emily triumphierend, während sie ihr Blatt ans
Klemmbrett heftete. Ich trug mein vier Sekunden zu altes Bulletin zurück zum Schreibtisch und ließ den Blick darüber schweifen. Telefonnummern nur mit Punkten, nicht mit Gedankenstri-
chen unterteilen. Keine Doppelpunkte zwischen Stunden- und
Minutenangaben, nur einfache Punkte. Zeiten bis zur nächsten
Viertelstunde auf- oder abrunden. Telefonnummern für Rück-
rufe stets in eine eigene Zeile, damit sie gleich ins Auge sprangen.
Zeitvermerke hielten eingegangene Anrufe fest. Unter »Notiz«
fielen Mitteilungen von Emily oder mir an Miranda (sich direkt
an sie zu wenden, ohne ausdrücklich von ihr aufgefordert zu
sein, war undenkbar, folglich liefen alle wichtigen Infos über das
Bulletin). »Zur Erinnerung« bezog sich aller Wahrscheinlichkeit
nach auf eine der Botschaften, die Miranda uns irgendwann zwischen ein und fünf Uhr nachts auf der Mailbox zu hinterlassen beliebte, in der sicheren Gewissheit, dass die Angelegenheit damit

so gut wie erledigt war. Falls tatsächlich eine von uns unbedingt im Bulletin namentlich Erwähnung finden musste, dann nur und ausschließlich in der dritten Person.

Oft sollten wir auf ihr Geheiß herausfinden, wann genau und unter welcher Nummer der oder jener zu sprechen war. Ob die Früchte unserer diesbezüglichen Nachforschungen unter »Notiz« oder »Zur Erinnerung« fielen, darüber gingen die Meinungen auseinander. Anfangs war mir das Bulletin wie ein »Who's Who« der Prada-Welt erschienen, doch mittlerweile winkte mein müdes Hirn bei all den Namen der Superreichen, Superwichtigen und Supermodefuzzis bloß noch genervt ab. In meinem neuen Leben als persönliche Assistentin bei *Runway* hatte die Veranstaltungskoordinatorin des Weißen Hauses kaum mehr Gewicht als der Tierarzt, der mit Miranda einen Impftermin für ihren Welpen ausmachen wollte (und sich glücklich schätzen durfte, wenn sie ihn vor Weihnachten zurückrief!).

### DONNERSTAG, 8. APRIL

7.30: Anruf von Simone aus dem Pariser Büro. Hat mit Mr. Testino Termine für die Aufnahmen in Rio vereinbart und mit Giselles Agentin abgeklärt, möchte die Auswahlkollektion aber noch mit Ihnen durchsprechen. Bitte zurückrufen.
011.33.1.55.91.30.65

8.15: Anruf von Mr. Tomlinson. Bitte auf Handy zurückrufen.

Notiz: Anfrage von Bruce bei Andrea: Bei dem großen Spiegel im Eingangsbereich Ihrer Wohnung fehlt oben links eine Ecke Ziergips. Er hat exakt den gleichen Spiegel in einer Antiquitätenhandlung in Bordeaux ausfindig gemacht. Soll er ihn in Ihrem Auftrag bestellen?

| | |
|---|---|
| 8.30: | Anruf von Jonathan Cole. Fliegt am Samstag nach Melbourne und möchte vorher noch klare Anweisungen. Bitte zurückrufen. |

555.7700

| | |
|---|---|
| Zur Erinnerung: | Karl Lagerfeld wegen der »Modell des Jahres«-Party anrufen. Ist heute von 20.00-20.30 Ortszeit privat in Biarritz zu erreichen. |

011.33.1.55.22.06.78: Privatnr.

011.33.1.55.22.58.29: Privatbüro

011.33.1.55.22.92.64: Chauffeur

011.33.1.55.66.76.33: Rufnr. des

Assistenten in Paris für Notfälle

| | |
|---|---|
| 9.00: | Anfrage von Natalie (Glorious Foods): Sollen die Meringues mit Beeren-Pralinémischung oder mit gewärmtem Rhabarberkompott gefüllt werden? Bitte zurückrufen. |

555.9887

| | |
|---|---|
| 9.00: | Anruf von Ingrid Sischy, gratuliert zur April-Ausgabe. Das Cover sei »wie immer absolut sensationell«. Möchte wissen, wer das Großporträt auf der Innenseite gestaltet hat. Bitte zurückrufen. |

555.6246: Büro

555.8833: Privat

| | |
|---|---|
| Notiz: | Anruf von Miho Kosudo, haben leider das Gesteck für Damien Hirst nicht zustellen können. Lassen ausdrücklich ausrichten, dass sie vier Stunden vor dem Haus gewartet haben und dann gehen mussten, nachdem es dort offensichtlich keinen Portier gibt. Sie versuchen es morgen noch einmal. |
| 9.15: | Anruf von Mr. Samuels. Ist nach der Mittagspause wieder erreichbar, wollte Sie aber vorsichtshalber an den heutigen Elternabend erinnern. |

Vor Beginn würde er mit Ihnen gern noch über Carolines Geschichtsreferat sprechen.

Rückruf frühestens ab 14 Uhr, spätestens bis 16 Uhr.

555.5932

9.15: Zweiter Anruf von Mr. Tomlinson mit der Bitte an Andrea um eine Tischreservierung nach dem Elternabend. Rückruf auf Handy erbeten.

Notiz: Andrea hat für Sie und Mr. Tomlinson heute Abend um 20 Uhr einen Tisch im La Caravelle bestellt. Rita Jammet freut sich, Sie wieder einmal bei sich begrüßen zu dürfen, und fühlt sich geschmeichelt, dass Sie bei ihr dinieren wollen.

9.30: Anruf von Donatella Versace. Für Ihren Aufenthalt ist alles arrangiert. Sie möchte wissen, ob Sie neben Chauffeur, Koch, Fitnesstrainer, Friseur, Visagisten, persönlicher Assistentin, drei Zimmermädchen und dem Jachtkapitän noch weiteres Personal benötigen? Falls ja, bittet sie um Benachrichtigung vor ihrer Abreise nach Mailand.

Sie wird außerdem für Handys vor Ort sorgen, kann allerdings nicht persönlich anwesend sein, weil sie mit den Vorbereitungen für die Modenschauen zu tun hat.

011.3901.55.27.55.61

9.45: Anruf von Judith Mason. Bitte zurückrufen.

555.6834

Ich knüllte das Blatt zusammen und warf es in den Papierkorb unter meinem Schreibtisch, wo es sich auf der Stelle mit dem Fett vollsog, das mitsamt Mirandas drittem Frühstück bereits früher dort gelandet war. Laut Bulletin verlief der Tag bisher ziemlich normal. Gerade wollte ich bei Hotmail auf »Abholen« klicken und nachsehen, ob schon neue E-Mails angekommen waren, als sie ins Büro gerauscht kam. Die Pest über diese dämliche Sophy! Sie hatte schon wieder den Warnruf vergessen.

»Ich gehe davon aus, dass das Bulletin auf dem neuesten Stand ist«, sagte sie eisig, ohne eine von uns eines Blickes zu würdigen oder unsere Anwesenheit sonstwie zur Kenntnis zu nehmen.

»Das ist es, Miranda«, gab ich zur Antwort und hielt es ihr hin, damit sie nicht etwa danach greifen musste. *Vier Wörter, und der Zähler läuft,* dachte ich und betete innerlich, dass mein Vorgefühl stimmen mochte und ich für meinen Teil maximal mit einem 75-Wörter-Tag davonkommen würde. Sie entledigte sich ihrer kurzen Nerzjacke, in deren weichem Flaum ich am liebsten auf der Stelle mein Gesicht vergraben hätte, und warf sie achtlos auf meinen Schreibtisch. Ich verfrachtete das Prachtstück von totem Tier in den Schrank und erschrak plötzlich, als ich unauffällig meine Wange an den Pelz schmiegte: Es hingen noch winzige Eisklümpchen darin. Wie überaus passend.

Dann entfernte ich den Deckel von einem lauwarmen Milchkaffee und türmte sorgsam Speck, Würstchen und Käsecroissant zu dem üblichen Fettberg auf einen schmuddeligen Teller. Alles zusammen balancierte ich, auf Zehenspitzen schleichend, in ihr Büro und setzte es so behutsam wie möglich auf einer Ecke des Schreibtischs ab. Sie war mit der Abfassung einer Notiz (auf eierschalenfarbenem Briefpapier von Dempsey und Carroll) beschäftigt und sprach so leise, dass ich es um ein Haar überhört hätte.

»Aan-dreh-aa, ich muss die Verlobungsparty mit Ihnen durchsprechen. Holen Sie sich ein Notizbuch.«

Ich nickte und kam gleichzeitig zu der Erkenntnis, dass Nicken nicht als Wort zählte. Diese Verlobungsparty war schon jetzt der Nagel zu meinem Sarg, und dabei sollte sie erst in gut einem

Monat steigen. Aber da Mirandas Abreise zu den europäischen Modeschauen kurz bevorstand und sie zwei Wochen fort sein würde, waren wir seit Tagen mit wenig anderem als mit der Planung dieses Großereignisses zugange. Also fand ich mich mit Stift und Block wieder bei ihr ein, ohne große Hoffnung, auch nur ein Wort von dem zu verstehen, was sie mir zu sagen hatte. Einen Augenblick liebäugelte ich mit der Idee, mich hinzusetzen, was das Aufnehmen eines Diktats sehr viel angenehmer gemacht hätte, nahm dann aber wohlweislich doch Abstand davon.

Sie seufzte so schwer, als drohte sie unter der übermenschlichen Anstrengung zusammenzubrechen, und zupfte an dem weißen Hermès-Schal, den sie um ihr Handgelenk drapiert hatte. »Setzen Sie sich mit Natalie von Glorious Foods in Verbindung, und sagen Sie ihr, ich ziehe das Rhabarberkompott vor. Lassen Sie sich nicht von ihr beschwatzen, dass sie mit mir persönlich sprechen müsse, dazu besteht keine Notwendigkeit. Klären Sie die Blumenbestellung mit Miho. Wegen Tischwäsche, Tischkarten und Serviertabletts verbinden Sie mich irgendwann vor dem Lunch mit Robert Isabell. Außerdem möchte ich mit der Frau vom Met sprechen, und sagen Sie ihr, sie soll mir vorab das Tischarrangement faxen, damit ich die Sitzordnung festlegen kann. Das wäre fürs Erste alles.«

Sie hatte den ganzen Sermon heruntergerattert, ohne auch nur eine Sekunde im Schreiben innezuhalten, und händigte mir nun die eben verfertigte Notiz zur Weiterleitung aus. Ich kritzelte den letzten Rest auf meinen Block; hoffentlich hatte ich alles richtig verstanden – bei ihrem Akzent und dem Schnellfeuergewehrtempo, in dem sie sprach, war das nicht immer ganz einfach.

»Okay«, murmelte ich und wandte mich zum Gehen. Gesamtzahl der Miranda-Wörter: fünf. *Vielleicht schaffe ich's heute ja unter 50.* Ich spürte ihren Blick, der den Umfang meines Hinterns taxierte, während ich auf meinen Schreibtisch zusteuerte, und überlegte kurz, ob ich auf dem Absatz kehrtmachen und rückwärts gehen sollte wie die gläubigen Juden nach dem Gebet an der Klagemauer. Nein. Lieber gab ich mir alle Mühe, praktisch schwebend außer Sicht- und Reichweite zu kommen und stellte mir dabei Abertausende *Chassidim* vor, von Kopf bis Fuß in Pradaschwarz gekleidet, die rückwärts im Kreis um Miranda Priestly paradierten.

*12* Der himmlische Tag, auf den ich hinge-
fiebert, von dem ich so lange geträumt hatte, war endlich, endlich da. Miranda war weg – nicht bloß aus dem Büro, sondern
sicher außer Landes. Vor einer knappen Stunde war sie auf ihren
Sitz in der Concorde gehechtet, um in Europa Gespräche mit
maßgeblichen Designern zu führen: Herz, was willst du mehr?
Emily versuchte mir zwar weiterhin weiszumachen, dass Miranda noch weniger Ruhe gab, wenn sie im Ausland war, aber
das kaufte ich ihr nicht ab. Mitten in meinen Planungen, wie
und womit genau ich jede einzelne göttliche Sekunde der kommenden zwei Wochen zu verbringen gedachte, bekam ich eine
E-Mail von Alex.

*Hey, Babe, wie geht's? Hoffe so weit gut. Und sicher schon mal
besser, nachdem sie weg ist, oder? Genieß es. Wollte eigentlich
nur fragen, ob Du mich heute so gegen halb vier anrufen könntest. Da habe ich eine Stunde frei, bevor der Leseunterricht los-
geht, und ich muss Dir was sagen. Nichts Weltbewegendes, aber
ich würde gern mit Dir reden. Alles Liebe, A.*

Natürlich machte ich mir sofort Gedanken und schrieb zurück,
ob irgendwas los wäre, aber er hatte sich wohl gleich danach aus-
geloggt, jedenfalls kam keine Antwort mehr von ihm. Ich machte im Geist einen Vermerk, ihn um Punkt halb vier anzurufen;
welch himmlisches Gefühl von Freiheit, zu wissen, dass SIE
nicht da war und mir dazwischenfunken konnte. Für alle Fälle

schrieb ich noch »A. ANRUFEN, HEUTE 15.30« auf einen Brief-
bogen von *Runway* und klebte ihn seitlich an meinen Monitor.
Eben wollte ich mich bei einer Schulfreundin melden, die mir
vor einer Woche zu Hause auf den Anrufbeantworter gesprochen hatte, da klingelte das Telefon.

»Büro Miranda Priestly« – fast hätte ich laut aufgeseufzt. Ich
wollte im Augenblick einfach mit keiner Menschenseele sonst
sprechen.

»Emily? Sind Sie das? Emily?« Die Stimme war unverkennbar,
sie drang durch die Leitung und schien sich im ganzen Büro
zu verbreiten. Von ihrem Platz am anderen Ende konnte Emily
unmöglich etwas gehört haben, trotzdem blickte sie zu mir hin.

»Hallo Miranda. Andrea am Apparat. Kann ich etwas für Sie
tun?« Wie um alles in der Welt kam die Frau an ein Telefon?
In Windeseile überflog ich den Reiseplan, den Emily getippt
und für die Zeit von Mirandas Abwesenheit an alle ausgegeben
hatte. Sie war noch keine sechs Minuten in der Luft und schon
hielt es sie ohne Hörer am Ohr nicht mehr auf ihrem Sitz.

»Das will ich hoffen. Ich habe eben den Plan durchgesehen,
und es fehlt die Bestätigung für den Friseur- und Make-up-Termin vor dem Abendessen am Donnerstag.«

»Ähm, ja, Miranda, das liegt daran, dass Monsieur Renaud
von den Leuten für Donnerstag noch keine ganz endgültige Bestätigung einholen konnte, aber er sagte, es sei zu 99 Prozent sicher, dass es klappt und –«

»Aan-dreh-aa, beantworten Sie mir die Frage: ist 99 Prozent
das Gleiche wie 100? Heißt das *endgültig bestätigt*?« Im nächsten
Moment sagte sie zu irgendwem, vermutlich einer Flugbegleiterin, die »Vorschriften und Einschränkungen bezüglich des Ge-
brauchs von elektronischen Geräten« seien ihr »herzlich gleichgültig« und die Dame möge doch »bitte jemand anderen damit
langweilen«.

»Aber es verstößt gegen die Vorschriften, Ma'am, und ich muss
Sie bitten, Ihr Telefon auszuschalten, bis wir die Reiseflughöhe er-

reicht haben. Es ist einfach zu gefährlich«, sagte die Stimme flehentlich.

»Aan-dreh-aa, sind Sie noch dran? Hören Sie ...«

»Ma'am, ich muss darauf bestehen. Schalten Sie jetzt bitte das Gerät aus.« Vor lauter Grinsen hatte ich schon Muskelkater – ich konnte mir lebhaft vorstellen, dass Miranda Zustände bekam, wenn sie jemand »Ma'am« nannte, was nun eindeutig auf ältere Damen gemünzt war.

»Aan-dreh-aa, ich muss auflegen wegen dieser *Stewardess*. Ich melde mich wieder, wenn diese *Stewardess* grünes Licht gibt. Sorgen Sie in der Zwischenzeit dafür, dass der Friseur- und Make-up-Termin bestätigt wird, und fangen Sie mit den Interviews wegen des neuen Kindermädchens an. Das wäre alles.« Noch ein letztes »Ma'am« von der Flugbegleiterin, dann war die Leitung tot.

»Was wollte sie?«, fragte Emily, die Stirn in tiefe Dackelfalten gelegt.

»Sie hat meinen Namen dreimal hintereinander richtig hingekriegt«, sagte ich großkotzig. Emily sollte ruhig ein bisschen schmoren. »Wie findest du das? Klingt doch fast nach dem Beginn einer wunderbaren Freundschaft. Wer hätte das gedacht? Andrea Sachs und Miranda Priestly, ein Herz und eine Seele.«

»Andrea, was hat sie gesagt?«

»Sie will den Termin für Friseur und Make-up am Donnerstag ausdrücklich bestätigt haben, weil ›zu 99 Prozent sicher‹ natürlich nicht reicht. Ach, und dann noch irgendwas wegen Interviews für ein neues Kindermädchen? Das muss ich wohl falsch verstanden haben. Egal – sie ruft in 30 Sekunden sowieso wieder an.«

Emily holte tief Luft und begegnete meiner Begriffsstutzigkeit mit so viel Haltung und Würde, wie sie nur aufbringen konnte. Kein leichtes Unterfangen für sie. »Nein, das hast du keineswegs falsch verstanden. Nachdem Cara nicht mehr bei Miranda ist, braucht sie logischerweise ein neues Kindermädchen.«

»Wie, was soll das heißen, nicht mehr ›bei Miranda‹? Wenn sie nicht mehr ›bei Miranda‹ ist, wo ist sie dann, zum Teufel?« Ich konnte einfach nicht glauben, dass Cara auf und davon war, ohne mir Bescheid zu sagen.

»Miranda war der Meinung, dass Cara an einem anderen Arbeitsplatz glücklicher sein würde«, sagte Emily – mit Sicherheit eine weitaus diplomatischere Formulierung, als Miranda selbst sie verwendet hatte. Wie wenn sie je auch nur einen Funken Mitgefühl für das Glück oder Unglück von anderen aufgebracht hätte.

»Komm, Emily, bitte. Erzähl schon, was war wirklich los?«

»Wenn ich Caroline richtig verstanden habe, hat Cara die Mädchen neulich auf ihre Zimmer geschickt, weil sie ihr Widerworte gegeben haben. Miranda fand es unangemessen, dass Cara dergleichen Entscheidungen trifft. Und ich stimme ihr darin voll und ganz zu. Schließlich und endlich ist Cara ja nicht ihre Mutter, oder?«

Das hieß, Cara war gefeuert worden, weil sie zwei verzogenen, krätzigen Balgen Zimmerarrest verordnet hatte? »Ja, da muss ich dir Recht geben. Es zählt ganz klar nicht zu den Aufgaben eines Kindermädchens, sich langfristig über das Wohlergehen ihrer Schützlinge Gedanken zu machen«, sagte ich mit gewichtigem Nicken. »Hier ist Cara eindeutig zu weit vorgeprescht.«

Weder ging Emily auf meinen triefenden Sarkasmus ein, noch schien sie ihn auch nur im Mindesten zu bemerken. »Haargenau. Außerdem hat Miranda immer Anstoß daran genommen, dass Cara nicht Französisch spricht. Wie sollen die Mädchen sich so je ihren amerikanischen Akzent abgewöhnen?«

Keine Ahnung. Was war mit ihrer Privatschule, die für 18 000 Dollar pro Jahr Französisch als Pflichtfach ansetzte, unterrichtet von drei Muttersprachlern? Was war mit ihrer leiblichen Mutter, die längere Zeit in Frankreich gelebt hatte, immer noch ein halbdutzend Mal pro Jahr dorthin reiste und die Sprache in

Schrift und Wort perfekt, mit wunderbar melodiöser Aussprache, beherrschte? »Recht hast du. Ohne Französisch kein Kindermädchen. Hab's verstanden.«

»Egal was oder wie, jedenfalls bist du dafür zuständig. Hier ist die Nummer von der Agentur, mit der wir arbeiten«, sagte sie und schickte sie mir per E-Mail herüber. »Sie wissen, wie heikel Miranda ist – wer wollte es ihr auch verdenken – und geben sich normalerweise große Mühe bei der Auswahl.«

Ich beäugte sie argwöhnisch. Wie wohl ihr Leben vor Miranda Priestly ausgesehen hatte? Ein Weilchen schlief ich mit offenen Augen weiter, dann klingelte das Telefon erneut. Gottlob ging Emily dran.

»Hallo Miranda. Ja – ja, ich kann Sie hören. Nein, absolut kein Problem. Friseur und Make-up für Donnerstag sind bestätigt. Und Andrea hat bereits erste Erkundigungen wegen des neuen Kindermädchens eingezogen. Sobald Sie zurück sind, stehen drei ernsthafte Kandidatinnen zum Auswahlgespräch bereit.« Mit schräg geneigtem Kopf ließ sie den Stift über ihre Lippen gleiten. »Mhm, ja. Ja, endgültig bestätigt. Nein, nicht 99 Prozent, 100. Definitiv. Ja, Miranda. Ja, ich habe die Bestätigung selbst vorgenommen, und ich bin mir ganz sicher. Sie freuen sich alle schon sehr. Okay. Einen schönen Flug noch. Ja, er ist bestätigt. Ich schicke gleich ein Fax. Okay. Ciao.« Sie legte auf und schien vor Wut am ganzen Leib zu zittern.

»Warum kapiert diese Frau es einfach nicht? Ich sage ihr, der Termin für Friseur und Make-up ist bestätigt. Wiederhole es für sie. Wozu denn noch 50 Mal das Gleiche? Und weißt du, was sie gesagt hat?«

Ich schüttelte den Kopf.

»Weißt du, was sie gesagt hat? Nachdem sie schon nicht mehr weiß, wo ihr der Kopf steht vor lauter Ärger, soll ich den Reiseplan dahingehend umschreiben, dass Friseur und Make-up bestätigt sind, und dann soll ich ihn ins Ritz faxen, damit ihr bei der Ankunft das korrekte Exemplar vorliegt. Ich tue alles für die

Frau – ich gebe mein Herzblut für sie – und dafür muss ich mich so von ihr anmachen lassen?« Sie war den Tränen nahe. So spannend es war, Emily bei einem ihrer seltenen Ausfälle gegen Miranda zu erleben – ich musste vorsichtig sein, weil jeden Augenblick der paranoide *Runway*-Rückzieher zu erwarten stand. Jetzt kam es auf den richtigen Ton an: mitfühlend, aber ohne Partei zu ergreifen.

»Es liegt nicht an dir, Em, ganz sicher nicht. Sie weiß, wie hart du arbeitest und was für eine tolle Assistentin du bist. Wenn sie nicht der Meinung wäre, dass du deinen Job super machst, hätte sie dich längst in die Wüste geschickt. Damit hat sie ja normalerweise nun wirklich keine Mühe.«

Emilys weinerliche Stimmung war verflogen; jetzt näherte sie sich der Trotzphase, was hieß, dass sie mir innerlich zwar Recht gab, Miranda aber sofort verteidigen würde, wenn ich zu drastisch wurde. In Psychologie hatte ich mal was vom Stockholm-Syndrom und von Täter-Opfer-Bindungen gehört, allerdings nie richtig verstanden, wie das eigentlich funktionierte. Vielleicht sollte ich bei Gelegenheit eine von Emilys und meinen kleinen Sessions hier auf Video aufnehmen und dem Prof als Anschauungsmaterial für das nächste Semester zukommen lassen. Noch weiter behutsam vorzugehen, hätte mich übermenschliche Anstrengung gekostet; also holte ich tief Luft und sprang ins kalte Wasser.

»Sie ist eine Irre, Emily«, sagte ich so leise und eindringlich wie nur möglich. »Es liegt nicht an dir, sondern an ihr. Sie ist eine taube Nuss, eine seichte, verbitterte Frau mit Tonnen und Abertonnen von fantastischen Klamotten – und nicht viel mehr.«

Emilys Miene versteinerte sichtlich, die Haut über ihren Wangen und am Hals schien zum Zerreißen gespannt und ihre Hände hörten auf zu zittern. Gleich würde sie mich plattmachen – aber nun gab es kein Halten mehr.

»Ist dir noch nie aufgefallen, dass sie überhaupt keine Freunde hat? Klar, es rufen Tag und Nacht die coolsten Leute bei ihr an, aber doch nicht, um mit ihr über ihre Kinder oder über ihre Arbeit oder ihre Ehen zu reden. Sie rufen an, weil sie etwas von ihr wollen. Von außen betrachtet, wirkt es natürlich wahnsinnig beeindruckend, aber stell dir doch bloß mal vor, alle rufen dich nur an, weil sie –«

»Schluss damit!«, schrie sie, und jetzt strömten ihr tatsächlich die Tränen übers Gesicht. »Halt endlich die Schnauze, verdammt! Kommst hier hereinmarschiert und bildest dir ein, du hättest den vollen Durchblick. Das kleine Fräulein ist ja sooo sarkastisch und sooo erhaben über alles! Hör zu, du kapierst gar nichts. Null, niente!«

»Em –«

»Komm mir nicht mit deinem ›Em‹, Andy. Lass mich ausreden. Ich weiß, dass Miranda schwierig ist. Ich weiß, dass sie manchmal wirkt, als wäre sie vollkommen durchgedreht. Ich weiß, wie es ist, wenn man nie zum Schlafen kommt und ständig Angst hat, sie könnte anrufen, und von deinen Freunden hat keiner Verständnis. Ich weiß es, ich weiß es, ich weiß es! Aber wenn du es so ätzend findest und bloß ständig über sie und alle anderen meckern kannst, warum ziehst du dann nicht Leine? Es ist deine Einstellung, die ist das Problem. Und wenn du sagst, Miranda wäre eine Irre – also ich denke mal, es gibt da sehr, sehr viele Leute, die finden, dass sie enorme Gaben und Talente und unheimlich was drauf hat, und die eher dich für die Irre halten, weil du nicht alles daransetzt, einer Frau von diesem unglaublichen Format zuzuarbeiten. Denn das ist sie, das ist sie wirklich!«

Ich ließ das für einen Moment wirken und musste ihr Recht geben. Soweit ich es beurteilen konnte, war Miranda als Herausgeberin tatsächlich einsame Spitze. Jeder noch so winzige Text für das Magazin wurde von ihr unerbittlich bis aufs letzte Komma durchgeprüft, und sie hatte keinerlei Bedenken, alles umzuschmeißen und von vorne anzufangen, egal, welche Ungelegenheiten und welches Ungemach sie allen anderen damit bereitete. Zwar entschieden die einzelnen Moderedakteurinnen selbst über die Outfits für die Aufnahmen, aber die ganze Aufmachung und die Models wurden einzig und allein von Miranda bestimmt. Und auch die Mitarbeiter, die für die eigentlichen Aufnahmen zuständig waren, führten lediglich Mirandas spezifische und minutiöse Anweisungen aus. Sie hatte das letzte – und häufig genug schon das erste, entscheidende – Wort bei jeder Ausgabe, von Armbändern, Taschen, Schuhen, Outfits und Frisuren über sämtliche Beiträge, Interviews, Fotos und Models bis hin zu den Aufnahmeorten und Fotografen – und war damit zweifellos an vorderster Stelle für den verblüffenden Erfolg verantwortlich, den *Runway* Monat für Monat verbuchte. Ohne Miranda Priestly wäre *Runway* nicht *Runway*, Teufel noch mal, es wäre keinen Pfifferling wert, und das wusste ich so gut wie jeder andere. Trotzdem sah ich immer noch nicht ein, wieso all das ihr das Recht geben sollte, mit den Leuten so rüde umzuspringen. Warum galt sie wegen ihres Talents, ein finster dreinblickendes, langbeiniges asiatisches Model mit einem Abendkleid von Balmain in eine Nebenstraße von San Sebastian zu platzieren, als so sakrosankt, dass niemand sie für ihr Benehmen zur Rechenschaft zog? Das hatte ich immer noch nicht kapiert, aber was wusste ich schon. Ich war ja nur ein blödes Gänschen, im Gegensatz zu Emily.

»Emily, ich will doch bloß sagen, dass du wirklich eine Superassistentin bist und sie froh sein kann, jemanden zu haben, der so hart arbeitet wie du und sich so aufreibt für den Job. Du sollst doch nur einsehen, dass es nicht dein Fehler ist, wenn sie mit irgendwas unzufrieden ist. Sie ist von Natur aus unzufrieden. Du hast wirklich dein Möglichstes getan.«

»Weiß ich doch. Weiß ich. Aber du würdigst sie zu wenig, Andy. Denk mal drüber nach. Denk echt mal drüber nach. Sie hat so unglaublich viel erreicht und hat dafür so viele Opfer bringen müssen. Und ihr manchmal etwas unfreundliches Auftreten – gilt das nicht für die Supererfolgstypen in allen Bereichen? Sag mir einen Geschäftsführer, Firmenpartner, Filmregisseur oder wen auch sonst, der nicht manchmal Härte zeigen muss? Das gehört nun mal zum Job.«

In der Sache kamen wir auf keinen gemeinsamen Nenner, das sah ich schon. Emily hatte sich Miranda und *Runway* und allem, was dazugehörte, mit Haut und Haaren verschrieben, und ich verstand einfach nicht, wieso. Sie unterschied sich um keinen Deut von den aberhundert anderen persönlichen Assistentinnen, Redaktionsassistentinnen, stellvertretenden, hauptamtlichen, leitenden und Chefredakteurinnen von Modemagazinen, und trotzdem, es wollte mir schlicht und einfach nicht in den Kopf. So wie ich es bisher erlebt hatte, wurde jede einzelne von ihrer direkten Vorgesetzten gedemütigt, niedergemacht und grundsätzlich schikaniert – und exerzierte das Gleiche an ihren Untergebenen, sobald sie befördert wurde. Und wozu – damit sie alle am Ende ihres langen, mühseligen Aufstiegs sagen konnten, sie hätten bei der Modenschau von Yves Saint-Laurent in der ersten Reihe gesessen und zwischendurch ein paar Prada-Taschen abgestaubt?

Es war an der Zeit einzulenken. »Ich weiß«, gab ich seufzend nach, da sie so gar nicht locker lassen wollte. »Hoffentlich ist dir wenigstens klar, dass du diejenige bist, die ihr einen Gefallen tut, wenn du dich mit dem Scheiß da herumschlägst, und nicht umgekehrt.«

Ich war auf einen schnellen Konter gefasst. Stattdessen grinste Emily mich an. »Ich hab ihr doch ungefähr hundertmal gesagt, dass der Donnerstagtermin für Friseur und Make-up bestätigt ist, ja?«

Ich nickte. Sie sah geradezu verdächtig übermütig aus.

»Das war glatt gelogen. Ich hab keine Menschenseele angerufen und nirgendwo irgendwas bestätigt!«, krähte sie.

»Emily! Ist das dein Ernst? Und was machst du jetzt? Du hast doch gerade noch Stein und Bein geschworen, dass der Termin steht.« Zum ersten Mal, seit ich bei *Runway* arbeitete, war ich in Versuchung, sie zu umarmen.

»Jetzt komm schon, Andy. Glaubst du ehrlich, dass irgendwer mit einem Funken Verstand nein sagt, wenn sie einen Friseur- und Make-up-Termin haben will? Damit kann seine ganze Karriere geritzt sein – er wäre schön blöd, ihr abzusagen. Ich bin mir sicher, dass der Typ es sowieso schon eingeplant hatte. Wahrscheinlich musste er bloß noch seine Reisepläne ummodeln oder irgend so was. Ich brauche keine Bestätigung von ihm, weil ich einfach weiß, dass er es macht. Ihm bleibt doch gar nichts anderes übrig. Sie ist Miranda Priestly!«

Jetzt war ich den Tränen nahe, aber ich sagte bloß: »Was muss ich denn für diese Kindermädchen-Interviews alles wissen? Wahrscheinlich sollte ich mich lieber gleich dranmachen.«

»Ja«, stimmte sie zu, offenbar noch immer hochzufrieden mit ihrem cleveren Schachzug. »Das wäre vielleicht keine schlechte Idee.«

Die erste Kandidatin reagierte, als wäre unmittelbar vor ihr eine Bombe eingeschlagen.

»Mein Gott!«, plärrte sie los, als ich am Telefon fragte, ob sie es wohl einrichten könne, sich persönlich bei mir im Büro vorzustellen. »Mein Gott! Ist das Ihr Ernst?«

»Äh, heißt das ja oder nein?«

»Großer Gott, ja. Ja, ja, ja! Bei *Runway*? O Gott. Wenn ich das meinen Freundinnen erzähle. Die fallen tot um. Garantiert. Sagen Sie mir bloß, wo und wann.«

»Sie haben aber schon verstanden, dass Miranda sich augenblicklich auf Reisen befindet und deshalb nicht selbst mit Ihnen sprechen kann?«

»Ja. Klar.«

»Und Sie wissen auch, dass Sie die beiden Töchter von Miranda betreuen sollen? Dass Ihre Arbeit nichts mit *Runway* zu tun hat?«

Mit einem tiefen Seufzer schien sie sich in die traurigen Tatsachen zu fügen. »Ja, natürlich. Kindermädchen. Habe ich vollkommen verstanden.«

Hatte sie offensichtlich nicht, denn als sie aufkreuzte, entsprach sie zwar äußerlich den Anforderungen (groß, tadellos gepflegt, halbwegs akzeptabel angezogen und knapp vor dem Verhungern), erkundigte sich aber wieder und wieder, welche Aufgabenbereiche ihre Anwesenheit in der Redaktion erfordern würden.

Ich bedachte sie mit dem vernichtendsten Blick, den ich auf Lager hatte. Die Wirkung war gleich null. »Äh, keine. Darüber hatten wir doch schon gesprochen. Ich führe im Auftrag von Miranda lediglich einige Vorgespräche durch, die eben im Büro stattfinden, aber das ist auch schon alles. Die Zwillinge wohnen woanders, verstehen Sie?«

»Richtig, ja«, lenkte sie ein. Zu spät: Sie war schon aus dem Rennen.

Die nächsten drei von der Agentur, die bereits im Empfangsbereich warteten, waren nicht viel besser: Zwar allesamt mit den körperlichen Merkmalen ausgestattet, die Miranda voraussetzte (die Agentur wusste wirklich haargenau, worauf sie Wert legte), aber keiner von ihnen hätte ich meine künftigen Neffen oder Nichten anvertraut, und das war der Standard, den ich für die Auswahl angesetzt hatte. Eine hatte in Cornell Frühkindliche Pädagogik studiert, glotzte mich aber nur verständnislos an, als ich zart anzudeuten versuchte, dieser Job könne sich ein klein wenig von ihren früheren unterscheiden. Eine andere war mal mit einem berühmten Basketballspieler gegangen und hatte dabei »tiefe Einblicke in die Welt der Prominenz« gewonnen. Doch auf meine Frage, ob sie je mit Sprößlingen von Prominenten zu tun gehabt habe, rümpfte sie instinktiv die Nase und teilte mir mit, dass Kinder berühmter Leute es ja »immer nicht leicht hätten.« Abgehakt. Die dritte und viel versprechendste Kandidatin war in Manhattan aufgewachsen, hatte gerade in Middlebury ihren Abschluss gemacht und wollte ein Jahr als

Kindermädchen jobben, um sich eine Reise nach Paris zu finanzieren. Hieß das, sie sprach Französisch? Ja. Das einzige Problem war, dass sie als absolute Stadtpflanze keinen Führerschein besaß. War sie gewillt, das zu ändern? Nein, sie fand, die Straßen seien auch so schon verstopft genug. Nummer drei ebenfalls erledigt. Den restlichen Tag tüftelte ich an taktvollen Formulierungen herum, die Miranda klar machen sollten, dass ein attraktives, durchtrainiertes, im Umgang mit Prominenten vertrautes Mädchen, das in Manhattan wohnte, Auto fahren und schwimmen konnte, über einen Uniabschluss verfügte, Französisch sprach und völlig frei in ihrer Zeitgestaltung war, mit einiger Wahrscheinlichkeit nicht als Kindermädchen würde arbeiten wollen.

Es musste Gedankenübertragung gewesen sein, denn im nächsten Augenblick klingelte das Telefon. Ich rechnete nach und warf einen raschen Blick auf den von Emily im Sekundentakt festgelegten Reiseplan. Demnach war Miranda soeben in Paris gelandet und befand sich auf dem Weg zum Ritz.

»Büro Miran-«

»Emily!«, kreischte sie. Wohlweislich unterließ ich es für diesmal, sie zu korrigieren. »Emily! Der Fahrer hat mir ein anderes Telefon gegeben, und das heißt, ich habe keine einzige Nummer. Das ist inakzeptabel. Vollkommen inakzeptabel. Wie soll ich ohne Telefonliste von hier aus Geschäfte führen? Verbinden Sie mich auf der Stelle mit Mr. Lagerfeld.«

»Ja, Miranda, bitte bleiben Sie einen Augenblick dran.« Ich schaltete sie auf Warteschleife und rief Emily zu Hilfe. Völlig sinnlos. Eher hätte ich den Hörer mit Stumpf und Stiel auffressen können, als Karl Lagerfeld aufzutreiben, bevor Miranda sich schäumend vor Wut ausklinken würde, nur um erneut anzurufen und mich zu nerven: »Wo zum Teufel ist er? Was heißt das, Sie können ihn nicht finden? Wissen Sie nicht, wie man mit einem Telefon umgeht?«

»Sie will Karl«, rief ich zu Emily hinüber. Wie der Blitz fuhr sie hoch und durchwühlte hektisch sämtliche Blätter auf ihrem Schreibtisch.

»Okay, hör zu. Wir haben maximal 30 Sekunden. Du übernimmst Biarritz und den Fahrer, ich probiere es in Paris und bei der Assistentin«, rief sie zurück, während ihre Finger schon über das Tastenfeld flogen. Ein Doppelklick auf die Liste »Kontakte«, die wir beide auf der Festplatte hatten; unter den Tausenden von Namen genau fünf Nummern, bei denen ich es versuchen musste: Biarritz eins, Biarritz zwei, Biarritz Studio, Biarritz Pool und Biarritz Fahrer. Ein Blick auf die restlichen Einträge unter »Karl Lagerfeld« zeigte mir, dass Emily insgesamt sieben Nummern zu erledigen hatte, abgesehen von weiteren in New York und Mailand. Genauso gut konnten wir uns gleich die Kugel geben.

Nach Biarritz eins versuchte ich es gerade mit Biarritz zwei, als das rote Licht aufhörte zu blinken. Miranda habe aufgelegt, teilte Emily mir mit – nur für den Fall, dass ich es nicht mitbekommen hätte. Dabei waren höchstens 15 Sekunden vergangen – heute hatte sie es offenbar besonders eilig. Natürlich klingelte es sofort wieder; ich schenkte Emily einen flehenden Hundeblick, und sie erbarmte sich. Mit ihrer Begrüßungsformel kam sie ungefähr so weit wie ich, dann nickte sie gewichtig und ging daran, Miranda zu beruhigen. Ich war mittlerweile, o Wunder, bei Biarritz Pool angelangt und hatte eine Frau am Apparat, die keine Silbe Englisch sprach. Vielleicht waren solche Leute ja Schuld an dem allgemeinen Französisch-Wahn?

»Ja, Miranda, ja. Andrea und ich wählen uns gerade durch. Es kann sich nur noch um Sekunden handeln. Ja, ich verstehe. Nein, ich weiß, dass es frustrierend ist. Wenn ich Sie noch ungefähr zehn Sekunden in die Warteschleife setzen darf, bis dahin haben wir ihn sicher irgendwo erreicht. Okay?« Sie drückte auf den Knopf und tippte gleichzeitig hektisch weiter Nummern ein. Nach dem zu schließen, was sie da auf Französisch mit einem – für mein Gefühl – grauenvollen Akzent radebrechte, versuchte sie gerade jemandem am anderen Ende klar zu machen, wer Karl Lagerfeld war. Wir waren nicht so gut wie erledigt, wir waren eindeutig tot. Eben wollte ich die verrückte Französin abwürgen, die unablässig weiter in den Hörer kreischte, als das rote Blinklicht erneut erlosch. Emily wählte noch immer wie eine Wilde.

»Sie ist weg!« Ich hörte mich an wie ein Rettungssanitäter bei der Herzmassage.

»Du bist dran!«, brüllte Emily zurück und hackte weiter auf die Tasten. Es klingelte.

Ich nahm ab und sparte mir die Mühe, den Mund aufzumachen, weil ich sowieso wusste, was mich erwartete.

»Aan-dreh-aa! Emily! Egal wer, zum Teufel ... wieso habe ich Sie in der Leitung und nicht Mr. Lagerfeld? Wieso?«

Meine erste Eingebung – stillhalten und abwarten, bis die Schimpfkanonade überstanden war – entpuppte sich, wie üblich, als falsch.

»Hallo-hooo? Ist da jemand? Übersteigt das Ansinnen, einen Anruf weiterzuleiten, die Fähigkeiten sowohl der einen wie der anderen meiner beiden Assistentinnen?«

»Nein, natürlich nicht, Miranda. Es tut mir Leid –« das leichte Zittern in meiner Stimme bekam ich einfach nicht unter Kontrolle, »– aber wie es scheint, ist Mr. Lagerfeld augenblicklich nicht zu erreichen. Wir haben es schon unter mindestens acht –«

»*Augenblicklich nicht zu erreichen?*«, echote sie im Falsett. »Was soll das heißen, ›augenblicklich nicht zu erreichen‹?«

Welches dieser vier schlichten Wörtchen bereitete ihr Verständnisschwierigkeiten? Augenblicklich. Nicht. Zu. Erreichen. Klar wie Kloßbrühe: Wir finden den Scheißkerl einfach nicht. Und deswegen haben Sie ihn auch nicht an der Strippe. Wenn *Sie* ihn irgendwo erreichen können – fein, dann gehört er Ihnen. Mir schossen ungefähr eine Million stacheldrahtspitzer Bemerkungen durch den Kopf, aber heraus kam nur das Gestammel einer Erstklässlerin, der die Lehrerin wegen Schwatzens einen Tadel verpasst hatte.

»Äh, das heißt, Miranda, wir haben alle Nummern angerufen, unter denen er bei uns aufgelistet ist, und da ist er offenbar nirgends«, brachte ich heraus.

»Ja, wie denn auch!« Mit einem Mal war ihre ganze, sorgsam gehütete lässige Haltung so gut wie beim Teufel. Ein übertrieben tiefer Atemzug, dann hatte sie sich wieder gefangen: »Aan-dreh-aa. Ist Ihnen bekannt, dass Mr. Lagerfeld sich diese Woche in Paris aufhält?« Was veranstalteten wir hier – Englisch für Ausländer?

»Ja natürlich, Miranda. Emily hat es unter allen Nummern in –«

»Und ist Ihnen weiterhin bekannt, dass Mr. Lagerfeld für die Zeit seines Aufenthalts in Paris, wie von ihm vorab mitgeteilt, per Handy zu erreichen ist?« Jeder einzelne Muskel ihres Kehlkopfs tat sein Äußerstes, um nicht die mindeste Anspannung in ihrer Stimme durchklingen zu lassen.

»Äh, nein, in unserer Telefonliste ist keine Mobilnummer angegeben, daher wussten wir nicht, dass Mr. Lagerfeld überhaupt ein Handy besitzt. Aber Emily hat gerade seine Assistentin am Telefon, sie wird die Nummer sicher gleich haben.« Emily reckte den Daumen hoch, kritzelte etwas auf ein Blatt und rief ein ums andere Mal: »*Merci*, o ja, danke, ich meine, *merci*!«

»Miranda, ich habe die Nummer jetzt da. Soll ich Sie sofort verbinden?«, fragte ich mit stolzgeschwellter Brust. Gute Arbeit! Eine Klassevorstellung unter stressigsten Bedingungen. Was machte es schon, dass meine süße Folklorebluse, die mir Komplimente von zwei – nicht einer, zwei – Modeassistentinnen eingetragen hatte, mittlerweile Schweißflecken unter den Armen aufwies. Egal. Gleich würde ich diese wild gewordene Irre jenseits des Ozeans aus der Leitung haben – ein erregendes Gefühl.

»Aan-dreh-aa?« Es klang wie eine Frage, aber mich beschäftigte eigentlich nur die Überlegung, ob es nicht doch ein Muster für die scheinbar willkürlichen Namensverwechslungen gab. Anfangs hatte ich gedacht, sie täte es absichtlich, damit wir uns noch kleiner und nichtswürdiger fühlten, aber dann kam ich zu der Überzeugung, dass wir in ihren Augen bereits hinreichend klein und nichtswürdig waren und sie es nur deshalb tat, weil sie sich beim besten Willen nicht mit derart belanglosen Details wie den Namen ihrer beiden Assistentinnen aufhalten konnte. Emily hatte meinen Verdacht bestätigt und gesagt, ungefähr jedes zweite Mal würde Miranda sie Emily nennen, sonst entweder Andrea oder Allison – das war ihre Vorgängerin gewesen. Damit fühlte ich mich schon besser.

»Ja?« Verdammt, ich quiekte schon wieder. Schaffte ich es denn nicht, gegenüber dieser Frau einen Rest von Würde und Anstand zu bewahren?

»Aan-dreh-aa, wozu machen Sie so einen Wirbel um Karl Lagerfelds Mobilnummer, nachdem ich sie hier vorliegen habe. Er hat sie mir vor fünf Minuten gegeben, aber wir wurden unterbrochen, und wenn ich sie eintippe, stimmt irgendetwas nicht.« Das Letzte kam so heraus, als sei alles und jeder außer ihr selbst Schuld an diesem Ärgernis und Ungemach.

»Oh. Sie, äh, Sie haben die Nummer? Und Sie wussten, dass er die ganze Zeit unter der Nummer zu erreichen war?«, fragte ich, Emily zuliebe – und brachte Miranda damit nur noch mehr auf die Palme.

»Habe ich mich vielleicht nicht deutlich genug ausgedrückt? Verbinden Sie mich mit 03.55.23.56.67.89. Unverzüglich. Oder ist das etwa zu schwierig?«

Emily schüttelte langsam und ungläubig den Kopf und zerknüllte den Zettel mit der Nummer, die wir eben so mühsam erkämpft hatten.

»Nein, nein, Miranda, natürlich nicht. Ich verbinde Sie sofort. Eine Augenblick.« Ich drückte auf Konferenzschaltung, wählte die Nummer, hörte eine ältere männliche Stimme »Hallo!« in den Hörer rufen und drückte erneut auf Konferenzschaltung. »Mr. Lagerfeld, Miranda Priestly, ich verbinde«, meldete ich, wie das Fräulein vom Amt in den 50er-Jahren. Und statt den Anruf stumm zu schalten und dann auf »Lautsprecher« zu drücken, damit Emily und ich mithören konnten, legte ich einfach auf. Ein paar Minuten lang saßen wir schweigend da. Ich musste mich schwer am Riemen reißen, Miranda nicht sofort mit den wüstesten Schmähworten zu belegen. Stattdessen wischte ich mir den Schweißfilm von der Stirn und atmete lange und tief durch. Emily sprach als Erste.

»Nur damit ich das richtig verstehe: Sie hatte die ganze Zeit seine Nummer und war bloß zu blöd, sie zu wählen?«

»Oder vielleicht fühlte sie sich einfach nicht danach«, schlug ich vor. Die seltene Chance, mit Emily gemeinsam Front gegen Miranda zu machen, wollte ich mir um keinen Preis entgehen lassen.

»Ich hätte es wissen müssen«, sagte sie kopfschüttelnd, als sei sie von sich selbst schwer enttäuscht. »Das hätte ich wirklich wissen müssen. Sie ruft mich doch ständig an, damit ich sie mit Leuten verbinde, die im Nebenzimmer oder zwei Straßen weiter im Hotel sitzen. Ich weiß noch, dass ich das anfangs völlig abartig fand – von Paris aus in New York anzurufen, um sich mit jemandem in Paris verbinden zu lassen. Mittlerweile ist es für mich natürlich ganz normal, aber dass ich das hier nicht habe kommen sehen...«

Ich wollte eben zum Lunch in die Cafeteria abzischen, als das Telefon schon wieder klingelte. Von der Theorie ausgehend, dass ein Blitz nie zweimal in denselben Baum einschlägt, beschloss ich, bei Emily ein paar Punkte zu sammeln, und hob ab.

»Büro Miranda Priestly.«

»Emily! Ich stehe im strömenden Regen auf der Rue de Rivoli, und mein Fahrer ist verschwunden! Verschwunden! Verstehen Sie? Er ist weg! Schaffen Sie ihn augenblicklich her!« So hysterisch hatte ich sie noch nie erlebt.

»Eine Sekunde, Miranda. Ich habe seine Nummer hier.« Ich suchte den Schreibtisch nach dem Reiseplan ab, den ich eben noch dorthin gelegt hatte, sah aber bloß alle möglichen anderen Papiere, veraltete Bulletins und Stapel früherer Ausgaben von *Runway*. Es waren nur drei, vier Sekunden vergangen, doch ich hatte das Gefühl, als stünde ich unmittelbar neben ihr und sähe zu, wie der Regen über ihren Pelz von Fendi strömte und ihr Make-up zerlaufen ließ. Im nächsten Moment würde sie mir eine scheuern und sagen, dass ich ein mieses Stück Scheiße war, eine Null, ein Trampel, ein absoluter, totaler Versager. Mir blieb keine Zeit, um mich abzuregen und mir vorzuhalten, dass sie auch nur ein Mensch war (theoretisch jedenfalls), der im Regen stand und den Zorn darüber an seiner fast 6000 Kilometer entfernten Assistentin ausließ. Ich kann nichts dafür. Ich kann nichts dafür. Ich kann nichts dafür.

»Aan-dreh-aa! Meine Schuhe sind *ruiniert*. Hören Sie? Hören Sie mir überhaupt zu? Finden Sie auf der Stelle meinen Fahrer!«

Ich spürte, wie mich eine gänzlich unpassende Anwandlung zu überkommen drohte; mir saß ein Kloß im Hals, meine Nackenmuskeln waren angespannt, ein Gefühl zwischen Lachen und Weinen. Beides keine gute Idee. Emily musste etwas mitgekriegt haben, denn sie schoss hoch und gab mir ihre Kopie des Reiseplans. Sie hatte sogar die insgesamt drei Nummern markiert, unter denen der Fahrer zu erreichen war: Autotelefon, Handy und, natürlich, privat.

»Miranda, ich werde Sie einen Augenblick in die Warteschleife setzen müssen, bis ich ihn erreicht habe. Geht das in Ordnung?« Ich wartete keine Antwort ab (was sie rasend machen würde, wie ich wohl wusste), legte ihren Anruf um und wählte erneut Paris an. Zum Glück hob der Fahrer gleich unter der ersten Nummer und beim ersten Klingeln ab. Pech war nur, dass er kein Englisch sprach. Ich hatte nie zu selbstzerstörerischen Aktionen geneigt, doch jetzt hieb ich meinen Kopf mit aller Kraft auf die Schreibtischplatte. Nach dem dritten Mal übernahm Emily den Anruf. Sie verlegte sich aufs Brüllen – weniger, damit der Chauffeur ihr miserables Französisch so vielleicht besser verstand, sondern schlicht, um ihm den grimmigen Ernst der Lage klar zu machen. Neue Fahrer mussten immer erst ein bisschen abgerichtet werden; vor allem galt es, ihnen die törichte Vorstellung auszutreiben, Miranda werde nicht gleich sterben, wenn man sie einmal 45 Sekunden oder auch eine volle Minute warten ließ.

Nachdem Emily dem Fahrer genügend Beleidigungen an den Kopf geworfen hatte, dass er mit Karacho dorthin zurückraste, wo er Miranda vor drei, vier Minuten stehen gelassen hatte, legten wir beide die Köpfe auf dem Tisch ab. Der Appetit aufs Mittagessen war mir so ziemlich vergangen, und das irritierte mich. Fing *Runway* schon an, auf mich abzufärben? Oder wirkten Adrenalin und Nerven vereint als todsicherer Appetitzügler? Das war es! Die allgemeine Magersucht bei *Runway* war nicht auf eigene Willensentscheidungen zurückzuführen, sondern lediglich die körperliche Reaktion auf den ständigen Terror und die alles beherrschende Atmosphäre der Beklemmung, die auf den Magen schlugen. Ich nahm mir vor, der Sache weiter nachzugehen; am Ende war Miranda noch eine Ecke schlauer als gedacht und hatte sich bewusst zu einem solchen Drachen stilisiert, dass die Leute von der Angst vor ihr buchstäblich aufgefressen wurden.

»Aber, aber, meine Damen! Kopf hoch! Die Vorstellung, Miranda könnte euch so sehen! Der Anblick würde sie nicht entzücken!«, trällerte James vom Flur her. Er hatte sein Haar mit irgendeinem schmierigen Wachszeug nach hinten gegelt, das Bed Head hieß (»Scharfer Name – wer kann da widerstehen?«), und trug eine Art Footballtrikot, hauteng, mit einer 69 auf Brust und Rücken. Subtilität und vornehme Zurückhaltung in Person, wie immer.

Keine von uns würdigte ihn auch nur eines Blickes. Laut Uhr war es erst vier. Anfühlen tat es sich wie Mitternacht.

»Alsdann, lasst mich raten. Mama war pausenlos in der Leitung, weil sie irgendwo zwischen dem Ritz und Alain Ducasse einen Ohrring verloren hat, den ihr gefälligst wiederfinden sollt, und wenn ihr hundertmal in New York seid und nicht in Paris.«

Ich schnaubte. »Glaubst du vielleicht, wegen so was wären wir in dem Zustand? Das ist unser *Job*. Kinkerlitzchen von der Sorte erledigen wir jeden Tag. Denk dir was Besseres aus.«

Sogar Emily lachte. »Echt, James, das reicht nicht. Einen Ohrring finde ich in jeder Stadt der Welt binnen weniger als zehn Minuten.« Aus unerklärlichen Gründen schien ihr das Spielchen plötzlich Spaß zu machen. »Etwas schwieriger wäre es höchstens, wenn sie uns nicht mitteilt, in welcher Stadt sie ihn verloren hat. Aber das würden wir auch noch hinkriegen.«

James zog sich, gespieltes Entsetzen in der Miene, Schritt um Schritt rückwärts aus dem Büro zurück. »Gut denn, meine Damen, dann noch weiterhin einen schönen Tag, ja? Wenigstens hat sie euch nicht restlos fertig gemacht. Das ist doch schon was, oder? Ihr beiden seid gottlob noch gaaaanz gut beieinander. Yeah. Äh, also schönen Tag…«

»NICHT DOCH SO SCHNELL, HERZCHEN«, kreischte eine Stimme in den höchsten Tönen. »MARSCH ZURÜCK DA HINEIN, UND DANN ERZÄHLST DU DEN MÄDELS, WAS DU DIR DABEI GEDACHT HAST, HEUTE FRÜH DIESEN ABGESCHMACKTEN FETZEN DA ANZUZIEHEN!« Nigel bekam James am linken Ohr zu fassen und schleifte ihn zwischen unsere Schreibtische.

»Ach, komm schon«, jaulte James, der genervt tat, obwohl es ihm sichtlich Spaß machte, von Nigel in die Zange genommen zu werden. »Du findest das Top doch super!«

»SUPER? DAS DING DA? DIESEN SCHWEISSSCHWULEN SPORTSKANONENLOOK, DEN DU DA DRAUF HAST? ÜBERLEG'S DIR BESSER NOCH MAL, OKAY? OKAY?«

»Was ist denn verkehrt an einem engen Footballtrikot? Ich finde, es sieht scharf aus.« Emily und ich nickten zustimmend.

Es war vielleicht nicht gerade besonders geschmackvoll, aber er sah irre cool damit aus. Außerdem war es ziemlich hammerhart, Modetipps von einem Typen zu kriegen, der da in Boot-Cut-Jeans (Zebra-Print) in unserem Büro stand und dazu einen schwarzen Sweater trug, mit V-Ausschnitt vorne und Guckloch hinten, das seine ansehnliche Rückenmuskulatur enthüllte. Vervollständigt wurde das Ensemble durch einen Schlapphut aus Stroh und einen (sehr subtilen, zugegeben!) Hauch Kajal.

»BÜBCHEN, MODE IST NICHT DAZU DA, DEINE SEXUELLEN VORLIEBEN AUF T-SHIRTS ZU PROPAGIEREN. NEIN, NEIN, IST SIE NICHT! DU WILLST EIN BISSCHEN HAUT ZEIGEN? SCHARF! DU WILLST EIN BISSCHEN WAS VON DEINEN KNACKIGEN JUGENDLICHEN KURVEN SEHEN LASSEN? SCHARF! ABER KLAMOTTEN SIND KEINE REKLAMETAFEL FÜR DEINE LIEBLINGSSTELLUNGEN, MEIN FREUND. IST DAS SOWEIT KLAR?«

»Also, Nigel!« James mimte überzeugend den Besiegten, um nicht zu zeigen, wie sehr er Nigels ungeteilte Aufmerksamkeit genoss.

»NIX ›NIGEL‹, SÜSSER. UND JETZT AB MIT DIR ZU JEFFY, SAG IHM, ICH HÄTTE DICH GESCHICKT. ER SOLL DIR DAS NEUE TANK-TOP VON CALVON GEBEN, DAS WIR FÜR DIE AUFNAHMEN IN MIAMI BESTELLT HABEN. DAS, WAS DIESES HINREISSENDE SCHWARZE MODEL TRAGEN SOLL – GOTT, DER KERL IST ZUM ANBEISSEN, WIE EIN SCHOKOCREME-TÖRTCHEN. KSCH, NUN SCHWIRR AB. UND DANN LASS DICH ANSEHEN!«

James flitzte los wie ein frisch aufgezogenes Spielzeughäschen, und Nigel wandte sich der versammelten Damenwelt zu: »WIE STEHT ES MIT IHRER KLEIDERBESTELLUNG?«

»Sie will erst die Modekataloge abwarten«, sagte Emily gelangweilt. »Sie meinte, es hat Zeit, bis sie zurück ist.«

»HAUPTSACHE, IHR SEHT ZU, DASS ICH RECHTZEITIG BESCHEID WEISS, DAMIT ICH FÜR DIESE PARTY ALLES AUF

DIE REIHE KRIEGE!« Er verschwand Richtung Kleiderkammer, wahrscheinlich in der Hoffnung, in der Umkleidekabine noch einen Blick auf James zu erhaschen.

Was die Bestellprozedur für Mirandas neue Garderobe anging, so hatte ich eine Runde davon bereits durchgestanden – keine schöne Erfahrung. Bei den Modenschauen pendelte sie mit dem Skizzenblock in der Hand von einem Laufsteg zum anderen und bereitete damit die Paradevorstellung auf der einzig maßgeblichen Bühne von *Runway* vor, bei der die New Yorker Gesellschaft erfuhr, was sie in der kommenden Saison zu tragen hatte – und die Mittelschicht Amerikas, was sie gern tragen würde. Damals ahnte ich allerdings noch nicht, dass Miranda den Kreationen auf den Laufstegen nicht zuletzt deshalb so große Aufmerksamkeit widmete, weil sie dort zum ersten Mal zu Gesicht bekam, worin sie selbst sich in den nächsten Monaten hüllen würde.

Ein paar Wochen nach Mirandas Rückkehr ins Büro bekam Emily dann von ihr eine Liste mit den Namen der Designer, deren Kataloge sie interessierten: die üblichen Verdächtigen, die daraufhin zusahen, schleunigst in die Gänge zu kommen – bis zum Zeitpunkt von Mirandas Anfrage waren die Aufnahmen von den Modenschauen häufig noch gar nicht entwickelt, geschweige denn bearbeitet oder zu Musterbüchern zusammengefasst. Derweil stand bei *Runway*, in Erwartung der Kataloge, die gesamte Belegschaft Gewehr bei Fuß. Allen voran natürlich Nigel, zur allgemeinen Durchsicht und zur Auswahl der für Miranda persönlich bestimmten Outfits. Dazu nach Möglichkeit jemand von der Abteilung für Accessoires, der bei der Zusammenstellung der passenden Schuhe und Taschen behilflich sein sollte, und unter Umständen noch eine extra abgeordnete Moderedakteurin zur allgemeinen Abstimmung – insbesondere wenn größere Posten wie etwa ein Pelzmantel oder ein Abendkleid anstanden. Sobald die diversen Abteilungen alle angeforderten Stücke zu einem überzeugenden Ganzen zusammengefügt hatten, quartierte sich Mirandas Privatschneider für ein paar Tage in der Redaktion ein, um die notwendigen Änderungen vorzunehmen. Kein Mensch bekam dann mehr irgendetwas geschafft, weil Jeffy die Kleiderkammer komplett ausräumen musste und Miranda sich mit dem Schneider dort ewig und drei Tage verbarrikadierte. Bei der ersten Anprobenrunde kam ich zufällig genau im richtigen Moment vorbei, um Nigel brüllen zu hören: »MIRANDA PRIESTLEY! RUNTER MIT DEM FETZEN, ABER EINSZWEIFI. IN DEM SIEHST DU AUS WIE DIE LETZTE SCHLAMPE. EIN X-BELIEBIGES FLITTCHEN!« Ich klebte förmlich mit dem Ohr an der Tür, die jeden Moment aufgerissen werden konnte, riskierte also buchstäblich Kopf und Kragen, bloß um Zeugin zu sein, wie sie ihn in ihrer unnachahmlich gekonnten Weise zur Schnecke machte – doch ich hörte nichts weiter als eine leise gemurmelte Zustimmung und das Rascheln des Kleides, das sie sich über den Kopf zog.

Nachdem ich mittlerweile schon eine gewisse Zeit bei Miranda diente, schien die Ehre, die neue Garderobe für sie zu bestellen, nunmehr mir zuzufallen. Viermal pro Jahr, mit der Präzision eines Schweizer Uhrwerks, blätterte sie sich durch die Musterkataloge, als wären sie einzig für sie bestimmt, und suchte Kostüme von Alexander McQueen und Hosen von Balenciaga aus wie andere T-Shirts von L.L. Bean. Ein gelber Haftzettel auf die schmal geschnittene Stretchhose von Fendi, einer mitten auf das Chanel-Kostüm, der dritte, mit einem fetten »NEIN«, quer über dem passenden Seidentop. Und so ging es weiter und weiter, Seite um Seite, Haftzettel um Haftzettel, bis sie die komplette Garderobe für die kommende Saison direkt vom Laufsteg weg geordert hatte – Zeug, das zum Großteil noch gar nicht gefertigt war.

Ich hatte Emily beim Faxen von Mirandas Bestellungen an die diversen Designer zugesehen; die Felder für Größen- und Farbwahl blieben dabei grundsätzlich unausgefüllt. Wer seine Manolos wert war, wusste ohnehin, was für Miranda Priestly taugte. Doch mit den richtigen Größen war es natürlich nicht getan – wenn die Klamotten bei *Runway* eintrudelten, mussten sie immer noch gekürzt und abgenäht werden, damit sie nach Unikaten aussahen. Erst wenn die komplette Garderobe bestellt, zugestellt, maß- und passgerecht gemacht und vom Privatchauffeur per Limousine zu ihr nach Hause transportiert worden war, ließ Miranda die Kollektion der letzten Saison aus den Klauen: dann türmten sich im Büro Müllsäcke voll Zeug von Yves, Celine und Helmut Lang. Das meiste war nicht älter als vier bis sechs Monate, höchstens ein-, zweimal, wenn überhaupt, getragen, und alles nach wie vor so rasend schick, so irre cool, dass es in den meisten Läden noch gar nicht zu haben war. Doch sobald es zur letzten Saison gehörte, kam es für Miranda ebenso wenig in Frage wie, sagen wir, eine Kunstlederhose.

Hin und wieder fand ich etwas Passendes, ein Tank-Top oder eine Jacke im Oversize-Format, aber nachdem alles in Größe 32 war, standen die Aussichten eher schlecht. Meistens verteilten wir die Sachen an Leute mit Töchtern unter zwölf – die einzigen, die mit etwas Glück tatsächlich hineinpassten. Ich stellte mir kleine Mädchen mit knabenhaften Körpern vor, die in Pradaröcken und verführerischen Spaghettiträgerkleidchen von Dolce und Gabbana herumstolzierten. Wenn wirklich mal ein echt atemberaubender, superteurer Fummel dabei war, befreite ich ihn aus dem Müllsack und lagerte ihn unter meinem Schreibtisch, bis ich ihn ungesehen nach Hause schmuggeln konnte. Ein paar Mal schnell bei eBay reingeklickt oder kurz bei einem der vornehmen Second-Hand-Shops auf der Madison Avenue vorbeigeschaut, und schon hatte ich mein mageres Salär ein bisschen aufgepolstert. Kein Diebstahl, fand ich, sondern lediglich Nutzbarmachung von mir anvertrautem Gut.

Zwischen sechs und neun Uhr abends – Mitternacht bis drei Uhr früh, nach ihrer Zeitrechnung – rief Miranda insgesamt noch sechsmal an, um sich mit verschiedenen Leuten verbinden zu lassen, die allesamt längst in Paris waren. Ich fertigte sie lustlos, aber ohne größere Pannen ab und packte schließlich zusammen um mich davonzuschleichen, bevor das Telefon am Ende noch mal klingelte. Erst als ich mich erschöpft in meinen Mantel zwängte, fiel mein Blick auf den Zettel, den ich mir an den Monitor gepappt hatte, damit genau das nicht passieren sollte, was nun doch passiert war: »A. ANRUFEN, HEUTE 15:30«. In meinem Hirn verschwamm alles, meine Kontaktlinsen waren schon seit Ewigkeiten zu winzigen, steinharten Glasscherben eingetrocknet, und jetzt fing es in meinem Kopf an zu pochen. Kein stechender Schmerz, nur dieses dumpfe, stumpfe Unbehagen, das sich nicht genau orten ließ, aber schleichend, unerbittlich, weiter wachsen würde, bis ich entweder gnädig in Ohnmacht fiel oder es mir den Schädel sprengte. Über der elenden Hektik mit den ganzen Telefonaten aus Übersee, über all der Angst und Panikmache hatte ich vergessen, mir die 30 Sekunden zu nehmen und zu tun, worum Alex mich gebeten hatte. Schlicht und einfach vergessen, etwas so Simples wie einen Rückruf bei jemandem, der mich sonst nie mit irgendwelchem Ansinnen behelligte.

Ich setzte mich in das dunkle, stille Büro und griff zum Hörer; er war noch leicht schweißig, von meinem letzten Telefonat mit Miranda vor ein paar Minuten. Unter Alex' Privatnummer meldete sich nach ewigem Klingeln nur der Anrufbeantworter, aber auf dem Handy hatte ich ihn sofort dran.

»Hi.« Er wusste von der Rufanzeige, dass ich es war. »Wie war dein Tag?«

»Ach egal, wie immer. Alex, es tut mir so Leid, dass ich dich nicht um halb vier zurückgerufen habe. Ich fang lieber gar nicht erst damit an – hier ist es zugegangen wie im Tollhaus, sie hat uns mit Anrufen bombardiert und –«

»Hey, vergiss es. Halb so wild. Hör mal, im Moment passt es gerade nicht so gut. Kann ich dich morgen anrufen?« Er war irgendwie nicht richtig bei der Sache, seine Stimme klang weit weg, als spräche er von einem Münztelefon am anderen Ende der Welt.

»Äh, klar. Aber ist denn alles okay? Willst du mir nicht wenigstens schnell sagen, worum es ging? Ich hab mir wirklich Sorgen gemacht.«

Er schwieg und sagte dann: »Den Eindruck erweckst du eigentlich nicht. Ich bitte dich ein einziges Mal, mich zu einer bestimmten Zeit anzurufen – ganz zu schweigen davon, dass deine Chefin momentan nicht mal im Lande ist – und du schaffst es erst sechs Stunden später, dich bei mir zu melden. Das hört sich nicht so recht danach an, als ob es dir besonders am Herzen liegt.« In seiner Stimme lagen weder Sarkasmus noch Tadel. Er fasste bloß die Tatsachen zusammen.

Ich wickelte die Telefonschnur um meinen Finger, bis die Blutzufuhr komplett unterbrochen war, der Knöchel hervortrat und die Fingerkuppe weiß wurde. Meine Zunge meldete einen metallischen Geschmack: Ich hatte mir die Unterlippe blutig gebissen.

»Alex, es ist nicht so, dass ich es vergessen habe« – eine glatte Lüge, um mich aus seiner nicht erhobenen Anklage herauszuwinden. »Ich hatte bloß keine Sekunde Luft, und nachdem es irgendwie ernst klang, wollte ich auch nicht anrufen und gleich wieder auflegen müssen. Ich meine, sie hat mich allein heute Nachmittag bestimmt zwei Dutzend Mal angerufen, und jedes Mal brannte es. Emily ist um fünf gegangen und hat mich mit dem Telefon allein hier sitzen gelassen, und Miranda rief weiter und weiter und weiter an, und jedes Mal, wenn ich es bei dir probieren wollte, war sie schon wieder auf der anderen Leitung. Ich, äh, verstehst du?«

Meine Entschuldigungskanonade klang selbst für meine Ohren reichlich lahm, aber ich fand kein Ende. Er wusste genauso gut wie ich, dass ich es schlicht und einfach vergessen hatte. Nicht weil er mir egal war oder mir nicht am Herzen lag, sondern weil alles, was nichts mit Miranda zu tun hatte, irgendwie bedeutungslos wurde, sobald ich im Büro auf der Matte stand. In gewisser Hinsicht verstand ich es selbst immer noch nicht; anderen erklären konnte ich es daher erst recht nicht, geschweige denn bei irgendjemandem auf Verständnis für das Phänomen hoffen, dass der Rest der Welt einfach ausgeblendet wurde und es nur noch *Runway* gab. Und das, obwohl es der einzige Aspekt in meinem Leben war, den ich zutiefst verabscheute. Und der einzige, der zählte.

»Du, ich muss zurück zu Joey, bevor er und seine beiden Kumpels die ganze Bude zerlegen.«

»Joey? Heißt das, du bist in Larchmont? Normalerweise musst du mittwochs doch nicht auf ihn aufpassen. Ist alles okay?« Vielleicht gelang es mir ja mit diesem, wie ich fand, gelungenen Schlenker, ihn von der allzu offensichtlichen Tatsache abzulenken, dass ich geschlagene sechs Stunden an nichts als an meinen Job gedacht hatte. Er würde mir berichten, dass seine Mutter irgendwie bei der Arbeit aufgehalten worden war oder vielleicht zu einem Elternabend musste und der eigentliche Babysitter abgesagt hatte. Darüber zu meckern, war nicht seine Art, aber wenigstens würde er mir erzählen, was so los war.

»Ja, ja, alles in bester Ordnung. Meine Mom hatte bloß heute Abend eine dringende Besprechung. Andy, ich kann jetzt wirklich nicht länger reden. Ich wollte dir eine gute Nachricht mitteilen. Aber du hast nicht zurückgerufen«, sagte er tonlos.

Ich wickelte die mittlerweile aufgedröselte Telefonschnur so fest um Zeige- und Mittelfinger, dass das Blut in ihnen zu pochen begann. »Tut mir Leid«, war alles, was ich herausbrachte. Ja, er hatte Recht, es war gefühlsroh von mir, dass ich ihn nicht zurückgerufen hatte, aber im Augenblick war ich zu kaputt für komplizierte Verteidigungsstrategien. »Alex, bitte. Tu mir das nicht an. Weißt du, wie lange es her ist, dass mir jemand am Telefon eine gute Nachricht erzählt hat? Bitte.« Diesem rationalen Argument würde er sich nicht verschließen, das wusste ich.

»Ach, so aufregend ist es nun auch wieder nicht. Ich habe bloß endlich alles für das Ehemaligentreffen festgemacht.«

»Was? Echt? Wir fahren also hin?« Ich hatte – wie ich mir einbildete, ganz beiläufig und nebenbei – immer mal wieder zur Sprache gebracht, ob wir nicht zusammen zum ersten Ehemaligentreffen unseres Colleges fahren sollten, aber Alex war, höchst untypisch für ihn, sehr vage geblieben und wollte sich auf nichts festlegen. Es war zwar wirklich noch reichlich früh für irgendwelche Planungen, aber die Hotels und Restaurants in Providence waren immer schon Monate im Voraus ausgebucht. Ich hatte das Thema schließlich vor ein paar Wochen fallen gelassen und mir gedacht, irgendwas würde sich schon finden, irgendwo würden wir schon unterkommen. Er aber hatte natürlich sehr wohl mitbekommen, wie schrecklich gern ich mit ihm hinfahren wollte, und alles arrangiert.

»Ja, die Sache ist geritzt. Wir haben ein Mietauto – und zwar einen Jeep – und ich habe ein Zimmer im Biltmore reserviert.«

»Im Biltmore? Machst du Witze? Da hast du ein Zimmer gekriegt? Das gibt's doch gar nicht.«

»Na ja, du hast immer gesagt, du würdest gern da absteigen, also dachte ich mir, versuchen wir's einfach. Ich hab sogar noch einen Tisch für zehn Personen zum Brunch am Sonntag im Al Forno bestellt. Das heißt, wir könnten beide unsere Leute zusammentrommeln und da ein großes Treffen veranstalten.«

»Ich pack's nicht. Und das hast du alles schon erledigt?«

»Klar. Ich hatte mich eben so darauf gefreut, dir davon zu erzählen und zu hören, wie du komplett ausflippst. Aber offensichtlich warst du zu beschäftigt, um zurückzurufen.«

»Alex, ich bin ganz aus dem Häuschen. Ich weiß gar nicht, was ich sagen soll. Es ist der Wahnsinn, ich kann's einfach nicht fassen, dass du schon alles geregelt hast. Tut mir wirklich Leid wegen vorhin, aber ich freue mich schon tierisch auf Oktober. Wir werden ein tolles Wochenende haben, und das ist nur dir zu verdanken.«

Wir redeten noch ein paar Minuten weiter, und als ich auflegte, wirkte er nicht mehr ganz so vergrätzt. Dafür konnte ich kaum noch ein Glied rühren. Die Anstrengung, ihn versöhnlich zu stimmen und ihn mit genau den richtigen Worten einesteils davon zu überzeugen, dass ich ihn nicht aus Geringschätzung vergessen hatte, ihm aber auch zu versichern, wie dankbar und begeistert ich war, hatten mir das letzte Restchen Mark aus den Knochen gesogen. Keine Ahnung, wie ich es bis zum Auto und nach Hause schaffen sollte und ob ich noch ein freundliches Wort für Mr. Fisher, meinen Galliano-Portier, übrig hatte. Ich war völlig erschöpft – so restlos und total, dass es sich fast schon wieder gut anfühlte – und spürte daneben nur noch Erleichterung, dass Lilys Tür zu war und kein Licht mehr unter dem Spalt durchschien. Ich überlegte, ob ich mir noch etwas zu essen bestellen sollte, aber allein bei dem Gedanken an die Anstrengung, irgendwo eine Speisekarte und ein Telefon aufzutreiben, machte ich schon schlapp. Wieder eine Mahlzeit, die ohne mich stattfand.

Stattdessen setzte ich mich auf die bröckelige Pracht meines unmöblierten Betonbalkons und rauchte genüsslich eine Zigarette. Meine Energie reichte nicht mehr aus, um den Rauch auszupusten – ich ließ ihn einfach aus dem Mund entweichen und in der stillen Nacht vor sich hin schweben. Irgendwann ging die Tür auf, und Lily schlurfte durch den Flur. Ich machte schnell das Licht aus und blieb leise im Dunkeln sitzen. 15 Stunden Reden am Stück – für heute war es genug.

# 13

»Sie hat den Job«, verfügte Miranda nach ihrem Gespräch mit Annabelle – meiner zwölften Interviewpartnerin und einer von insgesamt zweien, die ich überhaupt für würdig befunden hatte, vor Miranda zu treten. Annabelle war gebürtige Französin (und sprach als solche wiederum so wenig Englisch, dass die Zwillinge ihre Antworten für mich übersetzen mussten), konnte einen Abschluss an der Sorbonne, einen hochgewachsenen, sehnigen Körper und wundervolles braunes Haar vorweisen. Außerdem hatte sie Stil. Offensichtlich schreckten sie weder Mirandas brüskes Auftreten noch die Forderung, in Stilettos zur Arbeit zu erscheinen. Sie wirkte selbst ziemlich cool und brüsk, mied tunlichst jeden direkten Blickkontakt, tat immer eine Spur gelangweilt und uninteressiert und war zutiefst von sich überzeugt. Ich war heilfroh, dass Miranda sie haben wollte – zum einen, weil ich nun nicht noch wochenlang weitere Bewerberinnen auf ihre Kindermädchentauglichkeit testen musste, und zum anderen, weil ich es als winzigkleines Zeichen dafür nahm, dass ich den Dreh allmählich raus hatte.

Welchen Dreh genau, wusste auch ich nicht sicher, aber augenblicklich lief alles so rund, wie ich es mir nur wünschen konnte. Die Garderobenbestellung hatte ich ohne allzu viele peinliche Schnitzer hinter mich gebracht. Es war zwar nicht direkt der Hit gewesen, als ich Miranda die Lieferung von Givenchy vorlegte und den Namen dabei versehentlich so aussprach, wie er sich las, was sich dann mit »Gi-Wen-Chi« eher chinesisch anhörte. Aber nachdem sie mich böse genug angefunkelt und den einen oder anderen ätzenden Kommentar von sich gegeben hatte, wurde ich über die korrekte Aussprache belehrt, und alles lief so weit ganz ordentlich, bis irgendwer ihr sagen musste, dass die Kleider von Robert Cavalli, die sie haben wollte, noch gar nicht existierten und erst in drei Wochen fertig sein würden. Auch das hatte ich souverän gemanagt, außerdem die diversen Termine für die Anproben in der Kleiderkammer mit ihrem Schneider auf die Reihe gebracht und praktisch die ganze neue Garderobe zu ihr nach Hause schaffen lassen, in jenes berühmte Ankleidezimmer, in dem locker ein normales Einzimmerapartment Platz gehabt hätte.

Die Planung für die Party war in der Zeit von Mirandas Abwesenheit weiter gediehen und lief nun seit ihrer Rückkehr wieder auf Hochtouren, aber die Panik hielt sich erstaunlich in Grenzen – wie es schien, war alles geregelt, so dass die Sache am kommenden Freitag reibungslos über die Bühne gehen konnte. Von Chanel war, während Miranda noch in Europa weilte, ein eng anliegendes, bodenlanges, mit Perlen besticktes Traumkleid in Rot geliefert worden, das ich unverzüglich an die Reinigung weiterleitete, um ihm dort den letzten Schliff verpassen zu lassen. Im Vormonat hatte ich in *Women's Wear Daily* ein ähnliches Kleid von Chanel in Schwarz gesehen; als ich Emily darauf ansprach, nickte sie bedeutungsvoll.

»40 000 Dollar«, sagte sie und wackelte mit dem Kopf wie ein altes Weiblein, während sie unter »style.com«, auf Dauersuche nach Inspirationen für ihre bevorstehende Europareise mit Miranda, eine schwarze Hose anklickte.

»Vierzigtausend WAS?«

»Ihr Kleid. Das rote von Chanel. Kostet im Laden 40 000 Dollar. Miranda zahlt natürlich nicht den vollen Preis, aber ganz umsonst werden sie es ihr auch nicht überlassen haben. Wahnsinn, was?«

»40 000 DOLLAR?«, fragte ich noch einmal. Nicht zu fassen,

dass ich erst Stunden zuvor ein Einzelstück in Händen gehalten hatte, das dermaßen viel wert war. Unwillkürlich versuchte ich mir zu vergegenwärtigen, was das eigentlich hieß – 40 Riesen: die Studiengebühr für zwei volle Jahre College, das Grundkapital für ein neues Haus, das durchschnittliche *Jahreseinkommen* einer vierköpfigen amerikanischen Familie. Oder, wenn einem gar nichts anderes einfiel, ein ganzer Berg Taschen von Prada. Aber ein einzelnes Kleid? Damit war der Gipfel erreicht, dachte ich, doch der nächste Hammer kam, als die Couture-Reinigung das Kleid zurücklieferte. In dem Umschlag mit der kalligraphisch ziselierten Aufschrift *Ms. Miranda Priestly* steckte eine sorgsam von Hand beschriebene, cremefarbene Karte:

Art des Kleidungsstücks: *Abendkleid.* Designer: *Chanel.*
Länge: *Knöchellang.* Farbe: *Rot.* Größe: *32.* Beschreibung:
*Perlenbesatz (Handarbeit), ärmellos, leichter U-Ausschnitt, verdeckter seitlicher Reißverschluss, schweres Innenfutter aus Seide.* Leistungen: *Erste Grundreinigung.*
Gebühr: $ 670.

Der Rechnung war eine persönliche Mitteilung der Chefin beigefügt, die (davon war ich überzeugt) sowohl ihren Laden als auch ihre Privatwohnung von den Einkünften abbezahlte, die sie Mirandas Reinigungswahn verdankte.

*Es war uns eine große Freude, ein so außergewöhnliches Stück in Arbeit zu haben, und wir hoffen, es wird Ihnen bei Ihrer Party im Metropolitan Museum of Art viel Vergnügen bereiten. Weisungsgemäß werden wir das Kleid am Montag, dem 24. Mai, zur Nachreinigung abholen lassen. Sollten Sie weitere Dienste von unserer Seite benötigen, lassen Sie es uns bitte wissen. Mit den besten Grüßen, Colette.*

So oder so, es war erst Donnerstag, Miranda hatte ein funkelnagelneues, frisch gereinigtes Abendkleid sorgsam in ihrem Schrank verstaut, und Emily hatte exakt die von ihr dazu gewünschten silbernen Sandalen von Jimmy Choo ausfindig gemacht. Der Hairstylist war für 17.30 zu ihr nach Hause bestellt, die Visagistin für 17.45, und Uri stand um Punkt Viertel nach sechs bereit, um Miranda und Mr. Tomlinson ins Museum zu kutschieren.

Miranda war schon unterwegs zu Cassidys Turngala, und ich hoffte ebenfalls früher aus dem Büro zu kommen. Mit dem heutigen Tag hatte Lily die letzte Prüfung für dieses Semester hinter sich, ein würdiger Anlass, um irgendwo überraschend mit ihr feiern zu gehen.

»Hey, Em, meinst du, ich könnte heute so gegen halb sieben, sieben Schluss machen? Miranda meinte, sie bräuchte das BUCH nicht, es hätte sich sowieso nichts Großartiges getan«, fügte ich noch rasch hinzu. Wieso musste ich meine gleichrangige Kollegin eigentlich um Erlaubnis bitten, wenn ich einmal schon nach zwölf statt wie üblich nach vierzehn Stunden Feierabend machen wollte?

»Äh, klar. Ja, ach, egal. Ich bin jetzt weg.« Sie checkte die Uhrzeit am Bildschirm. Kurz nach fünf. »Bleib noch ein, zwei Stunden, und dann mach dich vom Acker. Sie hat heute Abend etwas mit den Zwillingen vor, da sind wohl nicht mehr viele Telefonate zu erwarten.« Sie war mit dem Typen verabredet, den sie über Neujahr in Los Angeles kennen gelernt hatte. Er hatte es nicht nur endlich nach New York geschafft, sondern – Wunder über Wunder – auch tatsächlich angerufen. Sie wollten erst in der Craftbar etwas trinken, und wenn er sich anständig benahm, durfte er danach mit zu Nobu. Emily hatte den Tisch bereits vor fünf Wochen reserviert, als er per E-Mail seinen Besuch in New York avisierte; allerdings musste sie immer noch Mirandas Namen angeben, um überhaupt auf die Gästeliste gesetzt zu werden.

»Und, was machst du, wenn du da einläufst und ganz klar nicht Miranda Priestly bist?«, hatte ich blöd nachgefragt.

Und zur Belohnung die übliche, gekonnte Augenverdreh-tiefer-Seufzer-Kombi kassiert. »Ich sage einfach, Miranda ist heute wegen eines unerwarteten Termins nicht in der Stadt, lege eine Geschäftskarte vor und erkläre ihnen, dass ich die Reservierung für sie wahrnehmen soll. Wo ist das Problem?«

Nach Emilys Abgang rief Miranda nur noch einmal an, um mir mitzuteilen, dass sie morgen erst gegen Mittag wieder im Büro sein würde, bis dahin aber eine Kopie der Restaurantbesprechung wünschte, die sie heute »in der Zeitung« gelesen hatte. Schlau wie ich war, fragte ich nach, ob sie sich womöglich an den Namen des Restaurants oder gar der Zeitung erinnerte, in der die Besprechung gestanden hatte, aber das gefiel ihr gar nicht.

»Aan-dreh-aa, ich bin für die Turngala ohnehin schon zu spät dran. Verschonen Sie mich mit solchen Lappalien. Es war ein Asien-Restaurant, und es stand heute in der Zeitung. Das wäre alles.« Wie immer, wenn sie mich mitten im Gespräch abwürgte und ihr Motorola V60 zuklappte, malte ich mir aus, dass das Handy sich eines Tages mir nichts, dir nichts um ihre perfekt manikürten Finger schließen und sie mit einem Haps verschlingen würde, nicht ohne zuvor genüsslich jeden einzelnen ihrer makellos lackierten Nägel zu rotem Konfetti zerschreddert zu haben. Umsonst gehofft, bisher jedenfalls.

Im Geist notierte ich mir, morgen früh als Erstes dieses geheimnisvolle Restaurant ausfindig zu machen, und flitzte zum Wagen. Ich rief Lily von meinem Handy an, und sie meldete sich, als ich schon vor dem Haus stand und raufgehen wollte; also blieb ich sitzen und winkte bloß Mr. Fisher zu, der mit seiner längeren Haartracht und den zusätzlichen Zierkettchen an seiner Uniform Tag für Tag mehr nach Designer aussah.

»Na, wie sieht's aus? Ich bin's.«

»Hiiiiiii«, trällerte sie, vergnügter als seit Wochen, wenn nicht

Monaten. »Ich bin fertig. Fertig! Sommersemester erledigt, alles geschafft außer einem läppischen kleinen Exposé für die Magisterarbeit, das ich demnächst abgeben muss, aber danach kann ich das Ding zur Not noch zehnmal umarbeiten. Das heißt, ich bin frei bis Mitte Juli. Wie findest du das?« Sie schäumte schier über vor Glück.

»Super, ich freu mich so für dich! Lust auf ein Festessen? Du hast die Wahl – die Rechnung geht auf *Runway*.«

»Echt? Freie Wahl?«

»Ja. Ich stehe unten, und ich habe einen Wagen. Komm runter, und dann lassen wir's uns irgendwo so richtig gut gehen.«

»Stark!«, quiekte sie. »Ich wollte dir sowieso endlich mal lang und breit von meinem kleinen Freudianer erzählen. Der ist ja so was von schön! Eine Sekunde, dann bin ich unten. Muss mich nur noch in die Jeans werfen.«

Fünf Minuten später kam sie herausgesprintet. So fesch und aufgedreht hatte ich sie schon lange nicht mehr gesehen. Enge, ausgeblichene Boot-Cut-Jeans mit perfektem Hüftsitz, dazu eine langärmlige Folklorebluse aus fließendem Stoff und, zur Krönung, braunlederne Flip-Flops mit türkisfarbenen Perlen. Damit nicht genug! Sie hatte Make-up aufgelegt und ihre Lockenmähne ganz offensichtlich irgendwann binnen der letzten 24 Stunden einem Föhn ausgesetzt.

»Du siehst echt gut aus«, sagte ich, als sie auf die Rückbank hechtete. »Gibt's eine Geheimformel?«

»Der kleine Freudianer, was sonst. Er ist echt der Wahnsinn. Ich glaube, mich hat's schwer erwischt. Jedenfalls steht er bislang bei neun von zehn, ob du's glaubst oder nicht.«

»Also erst mal lass uns entscheiden, wo es hingehen soll. Ich hab noch nichts weiter reserviert, aber ich kann überall anrufen und tun, als wäre ich Miranda. Ganz egal, wo du willst.«

Sie trug Lipgloss auf und begutachtete sich im Rückspiegel. »Wo ich will?«, fragte sie verträumt.

»Wo du willst. Vielleicht auf einen Mojito ins Chicama?«,

schlug ich vor, wohl wissend, dass Lily am besten mit Drinks zu ködern war. »Oder ins Meet, die Cosmos da sollen echt super sein. Oder ins Hudson Hotel – vielleicht können wir da sogar draußen sitzen? Aber wenn dir eher nach Wein ist, würde ich gern mal –«

»Andy, können wir nicht ins Benihana gehen? Da wollte ich schon immer mal hin.« Sie schenkte mir einen treudoofen Blick.

»Ins Benihana? Du willst echt ins Benihana? Zu dieser Massenabfertigung, wo du neben Horden von Touristen mit plärrenden Kindern sitzen musst und arbeitslose asiatische Schauspieler dir das Essen direkt am Tisch zubereiten? Du meinst DAS Benihana?«

Sie nickte dermaßen begeistert, dass ich wohl oder übel den Fahrer nach der Adresse fragte, doch sie fuhr mir dazwischen:

»Nicht nötig, ich hab sie hier. 56. zwischen 5. und 6.«, dirigierte sie.

Mein entgeisterter Blick entging ihr offensichtlich. Meine seltsam aufgekratzte Freundin verbreitete sich glückstrahlend über den kleinen Freudianer, der so hieß, weil er Doktorand im letzten Stadium war – in Psychologie natürlich. Kennen gelernt hatten sie sich in der Low Library von Columbia, in der Studentenlounge für die höheren Semester. Sie ließ mich über keine seiner Qualitäten im Unklaren: 29 (»Viiiel reifer als die anderen, aber nicht die Spur zu alt«), gebürtig aus Montreal (»Total süßer französischer Akzent, aber klar, irgendwie doch voll amerikanisch«), nicht kurz geschoren (»Aber auch keiner von diesen ausgeflippten Pferdeschwanztypen«) und genau die richtige Stoppellänge (»Sieht aus wie Antonio Banderas mit Dreitagebart«).

Die Küchensamurais zogen ihre Schau ab, schnipselten und würfelten und warfen mit Fleischbällchen um sich, wozu Lily lachte und klatschte wie ein kleines Mädchen beim ersten Zirkusbesuch. Kaum zu glauben, dass Lily tatsächlich einen Typen gefunden hatte, den sie mochte – aber es war die einzige logische Erklärung für ihren offensichtlich euphorischen Zustand. Noch schwerer zu glauben war, dass sie angeblich noch nicht mit ihm geschlafen hatte (»Volle zweieinhalb Wochen hängen wir jetzt schon in der Uni ständig zusammen, und – nichts! Bin ich nicht gut?«). Als ich fragte, warum ich ihn bisher noch nie in unserer Wohnung gesehen hatte, lächelte sie stolz und sagte: »Zu einer Einladung ist die Zeit noch nicht reif. Wir lassen es langsam angehen.« Nach dem Essen standen wir noch vor dem Restaurant, und sie unterhielt mich mit den witzigen Geschichten, die der kleine Freudianer so auf Lager hatte – als plötzlich Christian Collinsworth aufkreuzte.

»Andrea. Die reizende Andrea. Ich muss schon sagen, es überrascht mich, dass Sie ein Fan des Benihana sind … Was würde denn wohl Miranda dazu sagen?«, neckte er mich und schlang mir einen Arm um die Schulter.

»Ich, ähm, also …« Vor lauter Stottern fiel mir überhaupt nichts mehr ein. Die Worte waren wie weggeblasen, nur einzelne Gedankenfetzen schossen mir noch durch den Kopf. *Essen im Benihana. Christian weiß Bescheid! Miranda im Benihana! Sieht hinreißend aus in seiner Bomberjacke! Merkt bestimmt, dass ich nach Benihana rieche! Kein Küsschen auf die Wange! Küsschen auf die Wange!* »Also, es ist nicht, dass, äh, dass …«

»Wir haben bloß gerade überlegt, wo wir als Nächstes hinwollen«, warf Lily ein und hielt Christian, der offenbar allein unterwegs war, wie mir erst jetzt auffiel, die Hand hin. »In der Hitze des Gefechts haben wir wohl gar nicht gemerkt, dass wir mitten auf der Straße stehen geblieben sind. Haha! Wie findest du das, Andy? Ich heiße Lily«, sagte sie zu Christian, der ihr die Hand schüttelte und sich eine Locke aus der Stirn strich, wie er es schon auf der Party so oft getan hatte. Wieder überkam mich das seltsame Gefühl, dass ich ihm stunden-, ja tagelang verzückt dabei zuschauen könnte, wie er diese eine, hinreißende Locke aus seinem Wunderwerk von Gesicht strich.

Ich starrte die beiden an, bis mir dämmerte, dass ich vielleicht irgendwas sagen sollte, aber sie schienen ganz gut allein zurechtzukommen.

»Lily«, Christian ließ sich den Klang auf der Zunge zergehen. »Lily. Schöner Name. Fast so schön wie *Andrea.*« Wenigstens kriegte ich es hin, nicht gleich wieder wegzuschauen. Lily strahlte wie ein Honigkuchenpferd. Ich wusste genau, was sie dachte: der Typ war nicht nur scharf und in einem interessanten Alter, sondern auch noch charmant. In ihrem Hirn arbeitete es – wollte ich etwas von ihm, Alex hin, Alex her, und falls ja, was konnte sie tun, um die Sache in Gang zu bringen? Sie fand Alex Spitze, klar, wer tat das nicht, aber es ging ihr einfach nicht in den Kopf, wie zwei so junge Menschen derart viel Zeit miteinander verbringen konnten – zumindest behauptete sie das. Aber ich wusste, dass es einzig und allein der Monogamie-Faktor war, der sie wurmte. Wenn es auch nur den Hauch einer Chance gab, dass es zwischen Christian und mir funkte, war Lily mit Feuer und Flamme dabei.

»Lily, freut mich, Sie kennen zu lernen. Ich bin Christian, ein Freund von Andrea. Stellen Sie sich immer vors Benihana, um ein Schwätzchen zu halten?« Bei seinem Lächeln spielte mein Magen Aufzug.

Lily warf ihre braunen Locken mit Schwung zurück und sagte: »Wo denken Sie hin, Christian! Wir haben gerade im Town gegessen und suchen jetzt nach einem netten Plätzchen, wo man noch was trinken kann. Haben Sie eine Idee?«

Im Town! Das war eines der schicksten und teuersten Restaurants in der Stadt. Miranda ging dorthin. Jessica und ihr Verlobter gingen dorthin. Emily laberte mir ständig die Ohren voll, wie gern sie mal dorthin wollte. Aber Lily?

»Ach, das ist ja merkwürdig«, sagte Christian, der ihr die Story offensichtlich abkaufte. »Ich war gerade mit meinem Agenten dort beim Essen. Komisch, dass ich Sie nicht gesehen habe …«

»Wir haben ganz hinten gesessen, in dem Eck hinter der Bar«, warf ich rasch ein. Offenbar gewann ich allmählich meine Fassung wieder. Und zum Glück hatte ich aufgepasst, als Emily mir auf der Suche nach einem passenden Ort für ihr Date unter »citysearch.com« das winzige Bild von der Restaurantbar gezeigt hatte.

»Mhm.« Er nickte leicht abwesend und sah dabei süßer aus denn je. »Ihr Mädels wollt also irgendwo noch was trinken?«

Ich verspürte ein unbändiges Verlangen, mir den Mief vom Benihana aus Kleidern und Haaren zu spülen, doch Lily ließ mir keine Chance. Ob Christian wohl auch merkte, dass sie uns unbedingt verkuppeln wollte? Aber nachdem er so begehrenswert und sie so wild entschlossen war, hielt ich einfach den Mund.

»Genau, wir haben eben gerade überlegt, wo. Hätten Sie einen Vorschlag? Wäre natürlich riesig, wenn Sie mitkämen«, behauptete Lily und zupfte ihn kokett am Ärmel. »Gibt's in der Gegend irgendwo was Nettes?«

»Ach, hier im Geschäftsviertel ist es mit den Bars nicht gerade weit her, aber ich treffe mich gleich mit meinem Agenten im Au Bar, wie wäre es denn damit? Er holt nur noch schnell ein paar Papiere aus dem Büro. Vielleicht würden Sie ihn ja gern kennen lernen, Andy – man weiß nie, wann man mal einen Agenten brauchen kann. Also, was halten Sie vom Au Bar?«

Lily schoss mir einen Blick Marke Nun-mach-Schon zu, der mit jedem Wimpernschlag schrie: *Er ist zum Anbeißen, Andy! Zum Anbeißen! Keinen Schimmer, wer er ist und was er macht, aber er ist scharf auf dich, also reiß dich zusammen und sag ihm, Au Bar fändest du toll!*

»Au Bar fände ich toll«, brachte ich vor, und das, obwohl ich noch nie dort gewesen war. »Passt perfekt, denke ich.«

Lily lächelte, Christian lächelte, und so zogen wir drei denn los. Christian Collinsworth und ich gingen zusammen etwas trinken. Galt das als Date? *Natürlich nicht, jetzt mach dich nicht lächerlich*, rief ich mich zur Ordnung. *Alex, Alex, Alex*, betete ich als stummes Mantra herunter – fest entschlossen, nicht zu vergessen, dass ich einen Freund hatte, der mich innig liebte, und gleichzeitig enttäuscht über mich selbst, weil ich mir eigens vornehmen musste, nicht zu vergessen, dass ich einen Freund hatte, der mich innig liebte.

Ein x-beliebiger Donnerstag, kein Feiertag stand an – trotzdem war die Türsteherbrigade hinter den Abstand heischenden Samtkordeln vollzählig versammelt. Wir drei kamen zwar problemlos hinein, aber dafür wollten sie den vollen Preis: zwanzig Piepen, bloß für den Eintritt.

Bevor ich meine Barschaft loswerden konnte, fischte Christian ein dickes Bündel Geldscheine aus der Tasche, pellte drei Zwanziger davon ab und drückte sie dem Kassierer wortlos in die Hand.

Ich wollte protestieren, aber Christian legte mir zwei Finger auf die Lippen. »Andy, Schätzchen, zerbrechen Sie sich deswegen doch nicht Ihr hübsches Köpfchen.« Und bevor ich mich seiner Berührung entziehen konnte, umschloss er mit beiden Händen mein Gesicht. Irgendwo im hintersten Winkel meines vollständig benebelten Hirns feuerten die Synapsen Warnschüsse ab, dass ein Kuss bevorstand. Ich wusste es, fühlte es kommen, und konnte mich doch nicht rühren. Er nahm die Hundertstelsekunde Zögern als Zustimmung, beugte sich vor und berührte mit den Lippen meinen Hals. Streifte ihn eigentlich nur, ganz kurz, züngelte vielleicht eine Spur, irgendwo zwischen Kinn und Ohr, aber letztlich war es, ganz klar, ein Kuss auf den Hals; dann griff er nach meiner Hand und zog mich nach drinnen.

»Christian, warten Sie! Ich, äh, ich muss Ihnen etwas sagen«, fing ich an und war mir dabei nicht ganz sicher, ob so ein völlig unerwarteter, minimaler Zungenkuss tatsächlich eine langatmige Erklärung von wegen »habe einen Freund« und »möchte keine missverständlichen Signale aussenden« erforderlich machte. Christian war offenbar nicht dieser Meinung, denn er hatte mich schon zu einer Couch in einem dunklen Eck bugsiert, wo ich Platz nehmen sollte. Was ich auch brav tat.

»Ich hole uns was zu trinken, okay? Nun schauen Sie doch nicht so bedenklich. Ich beiße nicht.« Er lachte, und ich spürte, wie ich rot wurde. »Oder wenn doch, wird es Ihnen gefallen, das verspreche ich.« Damit ließ er mich sitzen und steuerte die Bar an.

Um nicht umzukippen oder ernsthaft darüber nachdenken zu müssen, was da soeben vorgefallen war, suchte ich den finsteren, höhlenartigen Raum nach Lily ab. Wir waren noch keine drei Minuten da, und schon hatte sie einen baumlangen Schwarzen in ein intensives Gespräch verwickelt, hing förmlich an seinen Lippen und warf übermütig den Kopf zurück. Ich schlängelte mich durch die trinkfreudige Meute aus aller Herren Länder. Woher wussten die bloß, dass das hier der angesagte Schuppen für alle war, die keinen amerikanischen Pass ihr eigen nannten? Eine Gruppe männlicher Mittdreißiger plärrte irgendwas, das sich für mein Gefühl nach Japanisch anhörte, zwei Frauen führten wild gestikulierend eine hitzige Unterhaltung auf Arabisch, und ein junges, offensichtlich nicht sehr glückliches Pärchen bepfefferte sich gegenseitig mit finsteren Blicken und zornigem Gezischel, das mir Spanisch vorkam, genauso gut aber auch Portugiesisch hätte sein können. Lilys Typ hatte seine Hand schon gefährlich nahe an ihrem Hintern und war offenbar völlig hin und weg von ihr. Ich beschloss, mir den üblichen Eingangsschmus zu sparen. Schließlich hatte Christian Collinsworth meinem Hals gerade eine Mundmassage verpasst. Ohne den Typ weiter zu beachten, packte ich Lily am rechten Arm und wollte sie Richtung Couch ziehen.

»Andy! Lass das«, fauchte sie und machte sich los, lächelte den Kerl dabei aber unverwandt weiter an. »Was bist du denn so grob. Darf ich dich meinem Freund vorstellen? William, das ist meine beste Freundin Andrea. Normalerweise führt sie sich nicht so auf. Andy, das ist William.«

»Nun, darf ich fragen, warum Sie mir Ihre Freundin entführen wollen, Aan-dreh-aa?« Williams Bass brach sich an den Wänden des unterirdischen Gewölbes. An einem anderen Ort, zu einer anderen Zeit oder in anderer Begleitung wäre mir vielleicht sein warmes Lächeln aufgefallen, oder wie galant er sofort aufstand und mir seinen Stuhl anbot, aber hier und jetzt war das Einzige, was ich voll und ganz wahrnahm, sein britischer Akzent. Und es war völlig egal, dass er einem Mann gehörte, einem großen, schwarzen Mann, der weder in Form, Farbe noch Format auch nur die geringste Ähnlichkeit mit Miranda Priestly hatte. Ich hörte den Akzent, hörte den Mann meinen Namen aussprechen, *genauso wie sie*, und sofort schlug mein Puls schneller.

»William, entschuldigen Sie, es hat nichts mit Ihnen zu tun. Es gibt da bloß ein kleines Problem, und ich würde gern mit Lily kurz unter vier Augen reden. Ich bringe sie gleich wieder her.« Und damit griff ich sie mir erneut, diesmal fester, und zerrte sie mit. Schluss mit dem Scheiß: Ich brauchte meine Freundin.

Endlich hockten wir auf der Couch, die Christian mir vorher als Sitzgelegenheit zugewiesen hatte. Ich vergewisserte mich, dass er immer noch damit beschäftigt war, den Barkeeper auf sich aufmerksam zu machen (ein Hetero an der Bar – das konnte die ganze Nacht dauern), und holte tief Luft.

»Christian hat mich geküsst.«

»Na und? War er schlecht? Ach so, das ist es? Die schnellste Methode, auf der Skala von zehn auf null abzusacken –«

»Lily! Ob gut oder schlecht, was macht das schon aus?«

Sie zog die Brauen hoch und wollte etwas sagen, aber ich schnitt ihr einfach das Wort ab.

»Nicht, dass es weiter wichtig wäre, aber er hat mich auf den Hals geküsst. Das Problem ist hierbei gar nicht *wie*, sondern dass es überhaupt passiert ist. Was ist mit Alex? Ich bin nicht der Typ, der durch die Gegend läuft und sich von anderen küssen lässt, verstehst du?«

»Aber immer doch«, murmelte sie vor sich hin, dann sagte sie laut: »Andy, mach dich nicht lächerlich. Du liebst Alex, und er liebt dich, deswegen ist es doch trotzdem voll in Ordnung, wenn dir hin und wieder mal danach ist, wen anderen zu küssen. Menschenskind, du bist erst 23. Sieh das Ganze doch mal ein bisschen locker!«

»Nicht ich habe ihn geküsst... er mich!«

»Also eins muss jetzt erst mal ganz klar sein. Du erinnerst dich doch noch, als Monica damals mit Bill zugange war und das ganze Land und sämtliche Eltern und Ken Starr blitzfix zur Stelle waren, von wegen, sie hätten Sex gehabt? Das war kein Sex. Und genauso wenig geht es als ›wen küssen‹ durch, wenn ein Typ statt der Wange versehentlich deinen Hals erwischt.«

»Aber –«

»Schnauze, Schätzchen, lass mich ausreden. Was das Ganze auch war – du wolltest, dass es passiert, und nur darum geht es. Gib's zu, Andy. Du wolltest Christian küssen, egal, ob es ›falsch‹ oder ›schlecht‹ ist oder ›gegen die Regeln‹. Wenn du das nicht zugibst, belügst du dich selbst.«

»Also Lily, jetzt mal im Ernst, ich find's nicht fair, dass –«

»Andy, ich kenne dich mittlerweile seit neun Jahren – es steht dir doch ins Gesicht geschrieben. Du findest ihn absolut unwiderstehlich und hast ein schlechtes Gewissen deswegen, weil er sich nicht exakt an deine Spielregeln hält, ja? Dabei ist es vermutlich genau das, was du an ihm magst. Na los doch, genieß es. Wenn Alex der Richtige für dich ist, dann ist und bleibt er es. Und jetzt entschuldige mich bitte, ich hab nämlich den Richtigen für mich gefunden – fürs Erste jedenfalls.« Und mit einem Satz – buchstäblich – war sie hoch von der Couch und tänzelte zurück zu William, der bei ihrem Anblick bis über beide Ohren strahlte.

Es war mir irgendwie peinlich, so ganz allein auf der riesigen Samtcouch zu hocken; also hielt ich Ausschau nach Christian, aber er stand nicht mehr an der Bar. Lass dir ein bisschen Zeit, dachte ich. Es würde sich schon alles irgendwie ergeben, wenn ich bloß aufhörte, mir so viele Gedanken zu machen. Vielleicht hatte Lily ja Recht, und ich mochte Christian tatsächlich – was war daran so verkehrt? Er war nicht auf den Kopf gefallen, er war ein Wunder von Mann, und seine »Lass-mich-das-machen«-Masche fand ich einfach total sexy. Mit jemandem in der Kneipe zu hocken, der rein zufällig sexy war, galt ja wohl noch nicht als Betrug. In all den Jahren musste Alex bei der Arbeit, im Studium oder sonstwo doch auch mal das eine oder andere coole, attraktive Mädchen begegnet sein, das gewisse Gedanken in ihm wachgerufen hatte. Machte ihn das schon zum Abtrünnigen? I wo. Mit frisch gestärktem Selbstvertrauen (und getrieben von dem nunmehr verzweifelten Wunsch, Christian endlich wieder vor mir, neben mir, bei mir zu haben) stürzte ich mich ins Getümmel.

Ich fand ihn ins Gespräch mit einem graumelierten Herren von vielleicht Ende 40 vertieft, der einen überaus eleganten Anzug mit Weste trug und sein Gegenüber ernst betrachtete. Christian fuchtelte beim Reden wie wild mit beiden Händen; seinem Gesichtsausdruck nach zu schließen war er irgendwas zwischen amüsiert und bis aufs Äußerste gereizt. Aus der Entfernung konnte ich nicht hören, worum es ging, aber offenbar starrte ich so gespannt zu den beiden hin, dass der Ältere auf mich aufmerksam wurde und mir zulächelte. Christian stutzte leicht, folgte seiner Blickrichtung und gewahrte mich.

»Andy, Schätzchen«, sagte er in völlig anderem Ton als noch wenige Minuten zuvor. Offenbar bereitete ihm der Rollenwechsel vom Verführer zum väterlichen Freund keinerlei Schwierigkeiten. »Kommen Sie, ich möchte Ihnen einen Freund von mir vorstellen. Das ist Gabriel Brooks, mein Agent, Manager und Rundumheld. Gabriel, das ist Andrea Sachs, sie arbeitet derzeit für *Runway*.«

»Freut mich, Sie kennen zu lernen, Andrea«, sagte Gabriel und nahm meine Hand auf diese ätzend behutsame Art und

Weise, die mir klar machen sollte, dass ich kein Kerl war, sondern bloß ein zartes Vögelchen, dem ein ordentlicher Händedruck sämtliche Knochen brechen würde. »Christian hat mir schon viel von Ihnen erzählt.«

»Ach ja?«, sagte ich und drückte ein bisschen fester zu, mit dem Erfolg, dass sein Griff noch lascher wurde als ohnehin schon. »Nur Gutes, will ich hoffen.«

»Gewiss doch. Wie ich höre, sind Sie ebenfalls ein aufstrebendes Talent in der schreibenden Zunft, gleich unserem gemeinsamen Freund hier?« Er lächelte.

Erstaunlich – offenbar hatte Christian tatsächlich mit ihm über mich gesprochen; unsere damalige Unterhaltung zum Thema Schreiben war für mich eigentlich nicht mehr als Smalltalk gewesen. »Ja, na ja, ich schreibe sehr gerne, und hoffe natürlich eines Tages –«

»Wenn Sie bloß halb so gut sind wie der eine oder andere, den ich über ihn bekommen habe, dann freue ich mich schon darauf, Ihre Arbeiten zu lesen.« Aus einer seiner Innentaschen kramte er ein Lederetui heraus und entnahm ihm eine Visitenkarte. »Im Augenblick ist es für Sie noch zu früh, ich weiß, aber wenn Sie so weit sind, jemandem Ihre Sachen vorzulegen, kommen Sie hoffentlich auf mich zurück.«

Ich brauchte jedes Restgramm an Willenskraft und innerer Stärke, damit mir nicht die Kinnlade herunterfiel oder die Knie den Dienst versagten. *Kommen Sie hoffentlich auf mich zurück?* Der Mann, der Christian Collinsworth, den literarischen Wunderknaben schlechthin, vertrat, hatte soeben seiner Hoffnung Ausdruck verliehen, ich würde auf ihn zurückkommen. Der helle Wahnsinn.

»O danke«, krächzte ich und verstaute die Karte in meiner Tasche (bei erster Gelegenheit würde ich sie wieder hervorholen und von oben bis unten unter die Lupe nehmen). Die beiden lächelten mir freundlich zu; nach ungefähr einer Minute begriff ich, dass damit für mich das Zeichen zum Aufbruch gegeben war. »Ja dann, Mr. Brooks, äh, Gabriel, hat mich wirklich sehr gefreut, Sie kennen zu lernen. Ich muss mich allmählich auf den Heimweg machen, aber hoffentlich laufen wir uns bald wieder einmal über den Weg.«

»Die Freude ist ganz meinerseits, Andrea. Nochmals Glückwunsch zu diesem fantastischen Haupttreffer. Vom College direkt zu *Runway*. Das ist wirklich nicht ohne.«

»Ich begleite Sie noch hinaus«, sagte Christian, nahm mich beim Ellbogen und bedeutete Gabriel, er werde gleich zurück sein.

Wir machten kurz an der Bar Halt, wo Lily mir zwischen zwei stürmischen Liebesbezeugungen von William zu meiner geringen Überraschung mitteilte, ich dürfe gern allein nach Hause fahren. Am Fuß der Treppe, die zur Straße hinaufführte, küsste Christian mich auf die Wange.

»Schön, dass wir uns heute so zufällig getroffen haben. Und jetzt werde ich mir wohl von Gabriel die Lobhudeleien über Sie anhören dürfen.« Er grinste.

»Wir haben doch keine zwei Worte miteinander gewechselt.« Warum kleisterte mich bloß jeder so mit Komplimenten zu?

»Richtig, Andy, aber Ihnen ist offensichtlich nicht klar, dass die Welt der Autoren eine kleine ist. Ob Sie nun Krimis oder Features oder normale Zeitungsartikel schreiben – jeder kennt jeden. Dass Potenzial in Ihnen steckt, erschließt sich für Gabriel schlicht und einfach daraus, dass Sie einen Job bei *Runway* ergattert haben, dass Sie sich verständlich und intelligent ausdrücken können und, okay, zum Teufel, mit mir befreundet sind. Was hat er schon zu verlieren, wenn er Ihnen seine Karte gibt? Mit etwas Glück hat er die nächste Bestsellerautorin an Land gezogen. Und so viel steht fest – Gabriel Brooks zu kennen kann nie schaden.«

»Hmmm, wahrscheinlich haben Sie Recht. Sei's, wie es sei, ich muss jetzt nach Hause – schließlich soll ich in ein paar Stunden wieder auf der Matte stehen. Danke für alles. Ich weiß es wirklich zu schätzen.« Ich reckte mich hoch, um ihn auf die Wange zu küssen; halb wartete ich darauf, dass er mir sein Gesicht ganz zuwandte, halb wünschte ich es mir. Aber er beließ es bei einem Lächeln.

»Es war mir weit mehr als nur ein Vergnügen, Andrea Sachs. Ich wünsche Ihnen eine gute Nacht.« Und bevor mir auch nur eine halbwegs intelligente Replik einfiel, war er schon auf dem Weg zurück zu Gabriel.

Ich verdrehte die Augen in Selbstanklage und begab mich auf Taxisuche. Es hatte angefangen zu regnen – kein Wolkenbruch, bloß ein leichtes Dauernieseln – und logisch, waren schon sämtliche Taxis in Manhattan besetzt. Also rief ich beim Chauffeurdienst von Elias-Clark an, gab ihnen meine VIP-Nummer, und genau sechs Minuten später hielt ein Wagen mit quietschenden Reifen vor mir am Bürgersteig. Ich hatte eine Botschaft von Alex auf der Mailbox: Er wollte wissen, wie mein Tag so verlaufen war, und ließ durchblicken, dass er den ganzen Abend zu Hause sein und Stundenpläne schreiben würde. Wann hatte ich ihn das letzte Mal mit irgendwas überrascht? Höchste Zeit für eine spontane Aktion, auch wenn sie Aufwand erforderte. Der Fahrer erklärte sich bereit, so lange wie nötig zu warten, also sprintete ich nach oben, sprang unter die Dusche, gab fünf Minuten Föhnzeit zu und haute in Windeseile das Zeug für den kommenden Tag in eine Tasche. Nach elf war fast kein Verkehr mehr, also schafften wir es in weniger als einer Viertelstunde bis nach Brooklyn. Alex wirkte aufrichtig erfreut, sagte wieder und wieder, er könne es gar nicht fassen, dass ich so spät unter der Woche noch den ganzen Weg bis zu ihm auf mich genommen hätte, und das sei die schönste Überraschung, die er sich nur vorstellen könne. Und als ich später da lag, den Kopf auf seiner Brust, an meiner Lieblingsstelle, und dem Rhythmus seines Atems lauschte, während er mit meinen Haaren spielte und im Fernsehen *Conan* lief, dachte ich fast überhaupt nicht mehr an Christian.

»Äh, hi. Könnte ich bitte mit der Redakteurin für ›Essen und Trinken‹ sprechen? Nein? Okay, dann vielleicht mit einer Assistentin oder irgendwem sonst, der mir sagen kann, wann genau eine bestimmte Restaurantkritik erschienen ist?« Diese Tante in der Telefonzentrale der *New York Times* war ein echter Drachen. Sie hatte abgehoben, »Was?« in den Hörer gebellt und tat nun so, als sprächen wir verschiedene Sprachen (was durchaus sein mochte). Doch meine Hartnäckigkeit zahlte sich aus; ich fragte die Ziege dreimal nach ihrem Namen (»Wir nennen hier keine Namen, Lady«), drohte mich bei ihrem Vorgesetzten zu beschweren (»Was? Glauben Sie, den kümmert das? Ich kann Sie gerne mit ihm verbinden«) und schwor schließlich Stein und Bein, persönlich in ihrem Büro am Times Square aufzukreuzen und alles in meiner Macht Stehende zu veranlassen, damit sie auf der Stelle gefeuert würde (»Ach wirklich? Da fürchte ich mich aber«). Zum Schluss wurde sie es leid und stellte mich zu irgendwem durch.

»Redaktion«, schnauzte eine weitere, genervt klingende Frauenstimme. Ob ich mich bei Miranda am Telefon wohl auch so anhörte? Falls nicht, wollte ich gern darauf hinarbeiten. So unmissverständlich darauf gestoßen zu werden, welche Zumutung der Anruf bedeutete, war dermaßen frustrierend, dass ich am liebsten sofort wieder aufgelegt hätte.

»Hi, ich hätte nur eine kurze Frage«, sprudelte ich verzweifelt los, bevor sie den Hörer auf die Gabel knallen konnte. »Sind bei Ihnen in der gestrigen Ausgabe irgendwelche Kritiken von Asien-Restaurants erschienen?«

Sie seufzte auf, als hätte ich von ihr verlangt, ein Bein für wissenschaftliche Zwecke zur Verfügung zu stellen. Noch ein Seufzer. »Haben Sie es online versucht?« Seufzer Nummer drei.

»Ja, ja, natürlich, aber da konnte ich –«

»Wenn wir eine produziert haben, dann steht sie da drin. Ich kann mir schließlich nicht jedes Wort merken, das in der Zeitung vorkommt.«

Jetzt war die Reihe an mir, tief Luft zu holen. Ich versuchte, Ruhe zu bewahren. »Die liebenswürdige Dame in der Zentrale hat mich mit Ihnen verbunden, da Sie in der Archivabteilung tätig sind. Und damit zuständig für die Registrierung jedes einzelnen Wortes, wie ich doch annehmen möchte.«

»Hören Sie, wenn ich jeder vagen Beschreibung auf den Grund gehen soll, die ich hier Tag für Tag von Hinz und Kunz geliefert kriege, dann käme ich zu nichts anderem mehr. Sie müssen es einfach online versuchen.« Zwei weitere tiefe Seufzer. Hoffentlich fing sie nicht gleich an zu hyperventilieren.

»Nichts da, jetzt hören *Sie* mir mal eine Minute zu«, legte ich los; dieser faulen Schnepfe, die auf ihrem Posten im Gegensatz zu mir eine mehr als ruhige Kugel schob, würde ich es zeigen. »Ich rufe aus dem Büro von Miranda Priestly an, und zufällig –«

»Entschuldigung, sagten Sie, Sie rufen aus dem Büro von Miranda Priestly an?« Ich hörte förmlich, wie ihre Lauscher sich aufrichteten. »Miranda Priestly… vom Magazin *Runway*?«

»Eben die. Warum? Mal von ihr gehört?«

Und nun vollzog sich an ihr die wundersame Wandlung von der missachteten grauen Assistentenmaus zur verzückten Modesklavin. »Von ihr gehört? Wie denn nicht? Gibt es irgendwen, dem der Name Miranda Priestly nichts sagt? Die maßgebliche Frau in der Modebranche? Was sagten Sie noch, wonach sucht sie?«

»Nach einer Besprechung. Gestern in der Zeitung. Ein Asien-Restaurant. Online habe ich nichts gefunden, aber vielleicht war ich ja nicht gründlich genug.« Das war geschwindelt. Ich hatte es gecheckt und war mir ziemlich sicher, dass die *New York Times* in der ganzen letzten Woche kein einziges Asien-Restaurant besprochen hatte, aber das wollte ich ihr nicht auf die Nase binden. Vielleicht konnte unsere kleine Grau-raus-Mode-rein-Maus ja ein Wunder wirken.

Außer bei der *Times* hatte ich es schon bei der *Post* und der *Daily News* probiert, aber ohne Erfolg. Nach Eingabe der Nummer von Mirandas Firmenkreditkarte war mir darüber hinaus Zugang zu den gebührenpflichtigen Archiven des *Wall Street Journal* gewährt worden, wo ich tatsächlich eine Kurzbesprechung über ein neues Thai-Restaurant im Village fand, das ich jedoch sofort wieder streichen musste, als ich feststellte, dass die Hauptgerichte durchschnittlich nur sieben Dollar kosteten und »citysearch.com« es unter »preiswert« auflistete.

»Ja, klar, bleiben Sie bloß eine Sekunde dran. Ich sehe gleich mal für Sie nach.« Und mit einem Mal tippte unser kleines Fräulein Kann-mir-schließlich-nicht-jedes-Wort-aus-der-Zeitung-Merken eifrig auf der Tastatur herum und summte uns zweien dazu vergnügt was vor.

Mir brummte noch der Schädel von den Strapazen der Nacht. Es hatte Spaß gemacht, Alex zu überraschen, und es war erstaunlich entspannend gewesen, einfach faul bei ihm in der Wohnung herumzuhängen, aber zum ersten Mal seit vielen, vielen Monaten konnte ich nicht einschlafen. Wieder und wieder quälten mich Gewissensbisse und die Erinnerung daran, wie Christian mich auf den Hals geküsst und ich Alex nichts davon erzählt hatte. Je häufiger ich mir all die Gedanken aus dem Kopf zu schlagen versuchte, desto intensiver kehrten sie zu mir zurück. Als ich zum Schluss endlich doch einschlief, träumte ich, dass Alex bei Miranda als Kindermädchen arbeitete und – anders als die realen Angestellten – auch bei ihr wohnen musste. Wenn ich ihn in meinem Traum sehen wollte, musste ich jedes Mal mit Miranda zusammen heimfahren und ihn in ihrer Wohnung besuchen. Dabei nannte sie mich hartnäckig Emily und trug mir irgendwelchen Mumpitz auf. Bis zum Morgengrauen war Alex Mirandas Zauber erlegen und verstand nicht mehr, was ich an ihr so schlimm fand, und, übler noch, hatte Miranda sich Christian geangelt. Gott sei Dank fuhr ich irgendwann mit einem Ruck aus diesem Albtraum hoch, der damit endete, dass Miranda, Christian und Alex sonntagmorgens in teuren Bademänteln um den Tisch saßen, die *Times* lasen und sich köstlich amüsierten, derweil ich das Frühstück herrichtete, servierte und wieder abräumte. Mein Nachtschlaf war also ungefähr so entspannend gewesen wie ein Solospaziergang durch die Bronx um vier Uhr morgens, und jetzt machte mir diese Restaurantbesprechung auch noch das letzte Fünkchen Hoffnung auf einen stressfreien Freitag zunichte.

»Hm, nein, also wir haben in letzter Zeit tatsächlich nichts über Asien-Restaurants gebracht. Ich versuche nur gerade mich persönlich zu erinnern, ob es irgendwelche neuen schicken Adressen für Asien-Küche gibt. Also ich meine solche, die für Miranda eventuell in Frage kämen?« Es klang, als wollte sie die Unterhaltung unter allen Umständen am Laufen halten.

Ich dagegen wollte dieses Mäuschen schleunigst aus der Leitung haben und sparte mir daher jeden Kommentar zu ihrem vertraulichen »Miranda«. »Okay, gut, das habe ich mir schon gedacht. Aber vielen Dank jedenfalls, das war sehr nett von Ihnen. Wiederhören.«

»Warten Sie!« Sie klang so dringend, dass ich den Hörer wieder Richtung Ohr hob. »Ja?«

»Äh, also, ich wollte nur sagen, falls es irgendwie sonst noch was gibt, was ich oder einer von den anderen hier tun kann, dann rufen Sie einfach an, ja? Wir sind alle große Bewunderer von Miranda, und wir würden, äh, gern helfen, wo wir nur können.«

Man hätte meinen können, die First Lady der Vereinigten Staaten wäre soeben an die verkappte Modemaus im Redaktionsarchiv mit dem Ansinnen herangetreten, für den Präsidenten einen Artikel mit entscheidenden Informationen bezüglich eines unmittelbar bevorstehenden Kriegs herauszusuchen – und nicht etwa irgendeine Besprechung irgendeines Restaurants in irgendeiner Zeitung. Das Traurigste daran war: Ich hatte von Anfang an gewusst, dass sie zu Kreuze kriechen würde.

»Okay, ich richte es aus, ganz bestimmt. Recht herzlichen Dank.«

Emily sah von einer weiteren Spesenabrechnung auf und fragte: »Wieder kein Glück?«

»Null. Mir ist schleierhaft, wovon sie redet, und dem Rest der Stadt offenbar auch. Ich habe von jeder Zeitung in Manhattan, die sie liest, jemanden am Apparat gehabt, habe im Internet gesucht, mit Leuten vom Archiv, mit Restaurantkolumnisten und mit Köchen gesprochen. Kein einziger kann sich erinnern, dass in der letzten Woche ein entsprechendes Asien-Restaurant aufgemacht hätte, geschweige denn innerhalb der letzten 24 Stunden besprochen worden wäre. Sie hat sie ganz einfach nicht mehr alle. Und was jetzt?« Ich ließ mich wieder auf den Stuhl fallen und band mein Haar zum Pferdeschwanz zusammen. Noch nicht mal neun Uhr morgens, und die Kopfschmerzen strahlten schon bis in Hals und Schultern aus.

»Ich schätze«, teilte sie mir gemessen mit, »du wirst bei ihr nachfragen müssen.«

»O nein, bloß nicht! Wie wird sie nur reagieren?«

Wie üblich prallte mein Sarkasmus an Emily wirkungslos ab. »Sie kommt gegen Mittag. Ich an deiner Stelle würde mir vorher genau überlegen, was ich sage, denn sie wird ungemütlich werden, wenn du die Besprechung bis dahin nicht hast. Vor allem, nachdem du schon seit gestern Abend davon weißt«, rieb Emily mir mit kaum verhohlenem Lächeln unter die Nase. Sie freute sich offensichtlich diebisch auf die Abreibung, die mir bevorstand.

Außer Warten blieb mir nicht viel zu tun. Zu meinem Glück – oder auch nicht – absolvierte Miranda derzeit die allmonatliche Marathonsitzung bei ihrem Seelenklempner (»Sie hat einfach nicht die Zeit, jede Woche extra da rüberzufahren«, lautete Emilys Erklärung auf meine Frage, warum sie sich drei Stunden am Stück antat): der einzige Block des gesamten 24-Stunden-Tags, in dem sie garantiert nicht bei uns anrufen würde – und ich genau das natürlich eben jetzt hätte brauchen können. Der Berg von ungeöffneter Post, der sich in den letzten zwei Tagen auf meinem Schreibtisch angesammelt hatte, war akut vom Einsturz bedroht und würde sich im Fall des Falles auf die Schmutzwäsche ergießen, die ebenfalls seit zwei Tagen darauf wartete, von meinen Füßen weg zur Reinigung zu kommen. Ein Riesenseufzer, um alle Welt wissen zu lassen, wie dreckig es mir ging, dann wählte ich die Nummer der Saubermänner.

»Hi Mario, ich bin's. Ja, weiß schon – lange nichts mehr hören lassen. Schickt ihr mir bitte jemanden zum Abholen? Super. Danke.« Ich legte auf und zwang mich, mir ein paar Teile auf den Schoß zu laden, durchzusortieren und auf der entsprechenden Computerliste unter »Ausgang« zu vermerken. Wenn Miranda abends um Viertel vor zehn anrief und wissen wollte, wo sich ihr neues Chanel-Kostüm befand, musste ich lediglich das Dokument öffnen, um ihr mitzuteilen, dass es gestern hinausgegangen war und morgen zurückerwartet wurde. Ich tippte die Ladung für heute ein (eine Bluse von Missoni, zwei identische Hosen von Alberta Ferretti, zwei Pullover von Jil Sander, zwei weiße Schals von Hermès und ein Burberry-Trenchcoat), stopfte sie in eine Einkaufstüte mit dem Logo von *Runway* und ließ sie von einem Boten nach unten bringen, wo die Reinigungsfuzzis sich ihrer annehmen würden.

Was war ich doch gut! Obwohl ich es nun wirklich oft genug machen musste, fand ich es nach wie vor widerlich, in anderer Leute schmutziger Wäsche herumzuwühlen. Nach dem täglichen Sortieren und Eintüten rochen meine Hände immer durchdringend nach Miranda – eine Mischung aus Bulgari und Feuchtigkeitslotion, gelegentlich angereichert mit einer Brise Zigarettenrauch von BTB und insgesamt gar nicht mal so unangenehm – trotzdem wurde mir regelmäßig schlecht davon, bis ich es abgewaschen hatte. Britischer Akzent, Parfüm von Bulgari, weiße Seidenschals – um nur einige der schlichteren Freuden des Lebens zu nennen, die für mich auf Dauer ruiniert waren.

In der Post war das Übliche: zu 99 Prozent Schrott, den Miranda gar nicht erst zu Gesicht bekam. Alles mit der allgemeinen Anschrift »Chefredaktion« wanderte direkt in die Abteilung für Leserbriefe; allerdings waren mittlerweile viele Leser auf den Trichter gekommen und adressierten ihre Post direkt an Miranda. Ich brauchte durchschnittlich vier Sekunden, um einen Schrieb zu überfliegen und zu entscheiden, ob es sich um einen Leserbrief an die Herausgeberin (weg damit), um die Einladung zu einem Wohltätigkeitsball oder um eine kurze Meldung einer lange verschollenen Freundin handelte. Heute waren es ganze Tonnen, die in den Papierkorb wanderten: atemloses Geschwurbel von Teenagern und Hausfrauen, sogar ein paar Schwule waren darunter (oder, wir wollen ja nicht unfair sein, vielleicht auch schlicht besonders modebewusste Heteros): »Miranda Priestly, Sie sind nicht nur der Liebling der Modewelt, sondern auch die Königin in meiner Welt!«, schmachtete einer. »Welch waghalsige, aber geniale Entscheidung, den Artikel ›Rot – das neue Schwarz‹ in die Aprilausgabe aufzunehmen – ich stehe ganz auf Ihrer Seite!«, verkündete ein anderer. Ein paar Schreiber geiferten über eine angeblich sexuell anstößige Reklame von Gucci, die zwei Frauen mit hochhackigen Schuhen und Strapsen eng aneinandergeschmiegt auf einem zerwühlten Bett zeigte, wieder andere zeigten sich empört angesichts der ausgemergelten Models mit tief in den Höhlen liegenden Augen, die – sorgfältig auf heroinsüchtig zurechtgemacht – den *Runway*-Artikel über Gesundheitstipps illustrierten. Eine Standardpostkarte war auf der einen Seite in verschnörkelten Lettern an Miranda Priestly adressiert und stellte auf der Rückseite die simple Frage: »Warum? Warum produzieren Sie ein so langweiliges, blödes Magazin?« Ich lachte laut auf und steckte die Karte in meine Tasche; meine Sammlung von kritischen Zuschriften und Postkarten wuchs und wuchs – bald würde kein Platz mehr an der Kühlschranktüre sein. Lily fand, mit den negativen Gedanken und feindseligen Äußerungen anderer brächte ich böses Karma ins Haus; ich vermochte sie einfach nicht davon zu überzeugen, dass alles böse Karma, das ursprünglich gegen Miranda gerichtet war, mich nur glücklich machen konnte.

Bevor ich mich an die zwei Dutzend Einladungen machte, die Miranda jeden Tag erhielt, nahm ich den letzten Brief des massiven Stapels zur Hand: eindeutig die runde, geschwungene Schrift eines Teenagermädchens, mit Herzchen statt I-Punkten und Smileys hinter fröhlichen Sätzen. Ich wollte ihn, wie alle anderen auch, nur überfliegen, doch er sperrte sich dagegen, war zu unmittelbar in seiner Traurigkeit und Ehrlichkeit; mit Herzblut geschrieben, ein einziges Flehen. Die ersten vier Sekunden waren verstrichen, und ich las immer noch.

*Liebe Miranda,*

*ich heiße Anita und bin 17 Jahre alt und besuche die letzte Klasse der Barringer High School in Newark, NJ. Ich schäme mich so für meinen Körper, auch wenn mir jeder sagt, ich wäre nicht fett. Ich möchte wie die Models in Ihrem Magazin aussehen. Jeden Monat warte ich darauf, dass endlich die neue Runway bei der Post dabei ist. Meine Mama findet es blöd, dass ich mein ganzes Taschengeld für ein Modemagazin ausgebe. Sie versteht nicht, wovon ich träume, aber Sie verstehen es, oder? Ich träume davon, seit ich ein kleines Mädchen bin, aber ich glaube nicht, dass es noch was wird. Warum nicht, fragen Sie? Meine Brüste sind ganz flach und mein Hintern ist größer als der bei Ihren Models, und deswegen komme ich mir so peinlich vor. Ich frage mich, will ich so leben, und dann sage ich NEIN!, weil ich mich ändern will und besser aussehen und mich besser fühlen will und deswegen frage ich Sie um Hilfe. Ich will mich zum Positiven ändern und in den Spiegel gucken und finden, dass ich einen Superbusen und einen Superhintern habe, weil sie genauso aussehen wie die im besten Magazin der Welt!*

*Miranda, ich weiß, dass Sie ein wunderbarer Mensch und eine wunderbare Herausgeberin sind und dass Sie mich zu einem neuen Menschen machen könnten, und glauben Sie mir,*

*dafür wäre ich Ihnen ewig dankbar. Aber falls Sie keinen neu-*
*en Menschen aus mir machen können, könnten Sie mir dann*
*vielleicht ein richtig, richtig, richtig schönes Kleid für besondere*
*Anlässe besorgen? Ich hatte noch nie ein Date, aber meine*
*Mama sagt, Mädchen können auch alleine ausgehen, und das*
*werde ich auch. Ich habe ein Kleid, aber das ist schon alt und*
*kein Designerkleid oder sonst was, das so bei Runway zu sehen*
*ist. Meine liebsten Designer sind 1) Prada, 2) Versace und 3)*
*John Paul Gotier. Ich finde viele toll, aber das sind meine drei*
*Favoriten. Ich habe keine Kleider von ihnen und auch noch nie*
*welche im Laden gesehen (ich weiß nicht, ob es die irgendwo in*
*Newark zu kaufen gibt, aber falls Sie etwas wissen, schreiben*
*Sie es mir bitte, dann kann ich hingehen und sie mir aus der*
*Nähe ansehen), aber ich kenne sie aus Runway und finde sie*
*echt supersuperschön.*

*Ich will Sie jetzt nicht länger belästigen, aber ich wollte Ihnen*
*noch sagen, auch wenn Sie diesen Brief in den Müll schmeißen,*
*ich bin trotzdem weiter ein großer Fan von Ihrem Magazin, weil*
*ich die Models und die Kleider und alles einfach ganz toll finde,*
*und Sie natürlich auch.*
*Mit besten Grüßen*
*Anita Alvarez*

*P.S. Meine Telefonnummer ist 973-555-3948. Sie können*
*zurückschreiben oder anrufen, aber bitte vor der Woche vom*
*4. Juli, bis dahin brauche ich nämlich ganz unbedingt ein schö-*
*nes Kleid. SIE SIND SOOO LIEB!! Vieeeelen Dank!!!*

Der Brief roch intensiv nach Jean Naté, dem Eau-de-Toilette-
Spray, das sich landauf, landab bei Mädchen unter 13 großer Be-
liebtheit erfreute. Aber nicht deswegen schnürte es mir Brust und
Hals zu. Wie viele Anitas gab es wohl da draußen? Junge Mädchen, deren Leben so leer war, dass sie ihren Wert, ihr Selbstvertrauen, ihre ganze Existenz an den Kleidern und Models von *Run-*

*way* maßen? Wie viele andere waren noch der Frau verfallen, die Monat für Monat jene verführerische Fantasiewelt in Szene setzte – und dabei ihre Bewunderung nicht wert war, keine Sekunde lang? Wie viele Mädchen ahnten nicht, dass das Objekt ihrer Verehrung eine einsame, zutiefst unglückliche und grausam veranlagte Person war, die ihre unschuldige Zuneigung und Aufmerksamkeit nicht im Geringsten verdiente?

Am liebsten hätte ich geweint, um Anita und all ihre Freundinnen, die so verzweifelt bemüht waren, sich zu Models wie Shalom oder Stella oder Carmen umzugestalten – und damit Eindruck oder geschmeicheltes Wohlwollen bei einer Frau zu schinden, die ihre Briefe mit einem Augenrollen, einem Achselzucken quittierte und fortwarf, ohne einen Gedanken zu verschwenden an das Mädchen, das damit ein Stück seines Innersten offenbart hatte. Ich verstaute den Brief in meiner obersten Schreibtischschublade und gelobte mir feierlich, irgendetwas für Anita auf die Beine zu stellen. Sie klang noch verzweifelter als die anderen, die Ähnliches schrieben, und unter all dem, was hier nutzlos herumlag, würde sich doch wohl ein anständiges Kleid für das Date finden, das ihr hoffentlich bald bevorstand.

»Hey, Em, ich gehe schnell runter zum Zeitungsstand und schaue nach, ob die neue *Women's Wear* da ist. Gott, ist das schon spät. Willst du irgendwas?«

»Kannst du mir eine Cola Light mitbringen?«

»Klar. Bin gleich wieder da«, versprach ich und schlängelte mich flink zwischen den Kleiderständern hindurch zum Aufzug, wo ich Jessica und James zuhörte, die sich eine Zigarette teilten und mutmaßten, wer wohl abends bei Mirandas Party im Met dabeisein würde. Ahmed hatte zu meiner Erleichterung endlich ein Exemplar von *Women's Wear Daily* parat; dazu schnappte ich mir die bestellte Cola Light. Die Dose Pepsi für mich tauschte ich nach kurzem Überlegen gegen eine zweite Cola Light ein. Der bessere Geschmack wog die missbilligenden Blicke und

Kommentare, die ich mir dafür auf allen Fluren einhandeln würde, nicht auf.

Ich war so in die Betrachtung des farbigen Titelfotos von Tommy Hilfiger vertieft, dass ich gar nicht bemerkte, wie eine Fahrstuhltür aufging. Aus dem Augenwinkel stach mir etwas Grünes ins Auge, ein Grün der besonderen Art – vor allem deshalb, weil meine verehrte Chefin ein Chanel-Kostüm in genau diesem grünlichen Tweed-Ton besaß: eine Farbe, wie ich sie so vorher noch nie gesehen hatte, die mir aber ungeheuer gefiel. Wider besseres Wissen hob ich den Blick und war nicht weiter überrascht, als er tatsächlich auf Miranda traf. Sie stand bolzengerade im Aufzug, das Haar wie üblich straff aus dem Gesicht gekämmt, und musterte eingehend meine vermutlich entsetzte Miene. Mir blieb keine andere Wahl, als mich in die Höhle der Löwin zu begeben.

»Äh, guten Morgen, Miranda«, brachte ich heraus, aber es klang eher geflüstert. Die Türen schlossen sich hinter uns: die nächsten 17 Stockwerke waren wir ganz allein. Ohne ein Wort zog sie ihren ledernen Terminplaner heraus und blätterte darin herum. Mit jeder Sekunde, die wir Seite an Seite dastanden und ihre Antwort auf sich warten ließ, wurde das Schweigen tiefer und lastender. *Ob sie mich überhaupt erkennt?* Konnte es sein, dass ihr meine Anwesenheit im Büro als ihre persönliche Assistentin während der letzten sieben Monate vollständig entgangen war? Oder hatte ich am Ende tatsächlich zu leise geflüstert für ihr Ohr? Warum fragte sie mich nicht sofort nach der Restaurantbesprechung und ob ich ihre Botschaft wegen der Bestellung des neuen Porzellans bekommen habe und ob für die Party am Abend alles bereit sei? Sie benahm sich, als befände sich in dieser kleinen Kabine außer ihr kein weiteres menschliches Wesen – jedenfalls keines, das sie ihrer Aufmerksamkeit für Wert befand.

Nach ungefähr einer Minute merkte ich endlich, dass der Aufzug sich seit meinem Eintritt noch keinen Millimeter gerührt hatte. O mein Gott! Sie hatte mich also sehr wohl wahrgenommen – und war offensichtlich davon ausgegangen, dass ich auf den Knopf drücken würde; stattdessen war ich zur Salzsäule erstarrt. Wie das Kaninchen vor der Schlange streckte ich jetzt einen Finger aus und tippte behutsam auf die 17, jeden Moment auf einen Zornausbruch gefasst. Doch außer dass wir unverzüglich in die Höhe schossen, geschah nichts; offenbar hatte sie gar nicht bemerkt, dass wir bis dahin noch nicht von der Stelle gekommen waren.

Fünf, sechs, sieben … Die Zeit dehnte sich schier endlos; dazu noch die Stille, die mir in den Ohren dröhnte. Schließlich nahm ich allen Mut zusammen – und musste, als ich in Mirandas Richtung sah, feststellen, dass sie mich von oben bis unten musterte. Gänzlich unverhohlen ließ sie ihren Blick von meinen Schuhen über die Hose bis zur Bluse und weiter über Gesicht und Haar wandern, ohne mir je in die Augen zu sehen. Ihre Miene signalisierte den unbeteiligten Ekel abgebrühter Polizisten in Krimiserien beim Anblick des zigsten übel zugerichteten, blutüberströmten Leichnams. Ich ließ mich kurz vor mir selbst Revue passieren: Woran konnte es haken? Kurzärmlige Bluse im Military-Look, eine brandneue Seven-Jeans, gratis von der PR-Abteilung, bloß weil ich bei *Runway* arbeitete, und ein Paar schwarze, mit fünf Zentimetern Absatz relativ flache Sandaletten – bis dato das einzige Schuhwerk, das weder Stiefel, Turnschuh noch Loafer war und mich vier oder mehr Ausflüge pro Tag zu Starbucks überstehen ließ, ohne dass meine Füße in Fetzen hingen. Normalerweise bemühte ich mich schon, die Jimmy Choos zu tragen, die ich von Jeffy hatte, aber ungefähr einmal pro Woche schrien meine gemarterten Fußgewölbe nach einer Pause. Mein Haar war frisch gewaschen und zu dem gleichen kunstvoll nachlässigen Knoten zusammengesteckt, den Emily ständig ebenso stumm wie beredt zur Schau trug, und meine Nägel waren zwar nicht lackiert, aber dafür schön lang und in halbwegs ansehnlicher Form. Die letzte Achselrasur hatte vor weniger als 48 Stunden stattgefunden. Beim letzten Gesichtscheck waren keine größeren Auswucherungen zu entdecken gewesen. Das Zifferblatt meiner Armbanduhr von Fossil zeigte nach innen – für den Fall, dass jemand versuchte, mit einem Blick die Marke zu erkennen. Zur Sicherheit tastete ich mit der Rechten noch kurz ab, ob irgendwo ein BH-Träger hervorguckte. Negativ. Was also war es? Warum, verdammt, schaute sie mich so an?

Zwölf, dreizehn, vierzehn ... Der Fahrstuhl hielt und gab den Blick auf einen weiteren, blendend weißen Empfangsbereich und eine Mittdreißigerin frei, die schon zusteigen wollte, bei Mirandas Anblick aber erschrocken zurückprallte.

»Oh, ich, äh...«, entfuhr es ihr. In Panik hielt sie Umschau nach irgendeinem Vorwand, um nicht in unserer kleinen Privathölle mitschmoren zu müssen. Insgeheim hielt ich ihr die Daumen für ein glückliches Entrinnen, auch wenn es für mich natürlich netter gewesen wäre, sie bei uns an Bord zu haben. »Ich, ach herrje! Ich hab ja die Fotos für die Besprechung vergessen«, fiel ihr endlich ein: Und dann nichts wie auf dem – gefährlich wackligen – Manolo-Absatz kehrt und mit Volldampf zurück ins Büro. Die Türen schlossen sich erneut. An Miranda war das Ganze offenbar vorbeigegangen.

15, 16, und endlich, endlich!! – 17. Vor dem Fahrstuhl stand eine Horde Modeassistentinnen von *Runway* auf dem Sprung zu Zigaretten, Cola Light und gemischtem Grünfutter, sprich: Mittagessen. Ein Gesicht schöner, jünger und entsetzter als das andere. Es fehlte nicht viel, und sie hätten sich gegenseitig niedergetrampelt, nur um Miranda nicht in die Quere zu kommen. Es war wie bei einer Polonaise: die Menge teilte sich in der Mitte, drei weg zur Linken, zwei weg zur Rechten, und Ihre Majestät schritt mitten hindurch. Man starrte ihr schweigend hinterher, und mangels Alternativen heftete ich mich an ihre Fersen. Bekommt es sowieso nicht mit, so mein Gedankengang. Schließlich hatten wir meinem Gefühl nach gerade eine komplette, von A bis Z grauenvolle Woche in einem Kasten von den Ausmaßen eines Kindersargs miteinander durchgestanden, ohne dass sie meine Anwesenheit auch nur mit einem Wimpernzucken zur Kenntnis genommen hätte. Doch kaum war ich aus dem Aufzug heraus, drehte sie sich zu mir um.

»Aan-dreh-aa?« Ihre Stimme zerraspelte das gespannte Schweigen im Raum. Rein rhetorisch, dachte ich und wartete ab. Falsch geraten.

»Aan-dreh-aa?«

»Ja, Miranda?«

»Was sind das für Schuhe, die Sie da tragen?« Eine Hand leicht auf die tweedverkleidete Hüfte gestützt, fixierte sie mich. Der Aufzug war längst wieder abgezischt, und zwar ohne die Gänschen von der Moderedaktion, die immer noch total von der Rolle waren, weil sie Miranda Priestly endlich in Fleisch und Blut gesehen – und gehört! – hatten. Ich spürte sechs Augenpaare auf meinen Füßen, die sich gerade noch ganz gut angefühlt hatten, jetzt aber, unter den bohrenden Blicken von fünf Modeassistentinnen und einer Modezarin, wie der Teufel zu brennen und zu jucken begannen.

Die Beklemmung infolge der unverhofften gemeinsamen Aufzugfahrt (eine Premiere) und all der starren Blicke, die nun auf mir ruhten, schlug mir aufs Hirn; deshalb missverstand ich Mirandas Frage, was das für Schuhe seien, die ich da trüge.

»Äh, meine?«, gab ich zur Antwort und merkte erst, als es schon heraus war, dass es nicht nur respektlos, sondern schlicht giftig klang. Die Gänseschar verfiel in albernes Geschnatter und zog damit Mirandas Zorn auf sich.

»Ich frage mich, wieso die er-drü-cken-de Mehrheit meiner Modeassistentinnen augenscheinlich nichts Besseres zu tun hat, als zu schwätzen wie kleine Schulmädchen.« Sie nahm sich jede einzeln vor, mit ausgestrecktem Finger: selbst mit der Pistole auf der Brust hätte sie nicht einen ihrer Namen zustande gebracht.

»Sie!«, kühlte sie den Übermut einer Neuen, die Miranda vermutlich zum ersten Mal in ihrem Leben sah. »Haben wir Sie *dafür* eingestellt oder für die Bestellung von Garderobe für die Kostümaufnahmen?« Das Mädchen ließ den Kopf hängen und wollte etwas zu ihrer Entschuldigung vorbringen, aber Miranda hatte schon die Nächste im Visier.

»Und Sie!«, ging sie auf Jocelyn los, die Höchstrangige unter den versammelten Modeassistentinnen und den Liebling aller Redakteurinnen. »Meinen Sie nicht, dass es Millionen von Mädchen gibt, die Ihren Job wollen und ebenso viel von Mode verstehen wie Sie?« Sie trat einen Schritt zurück, musterte die vor ihr Stehenden sorgfältig von Kopf bis Fuß, eben lange genug, dass jede sich fett, hässlich und falsch angezogen vorkam, und jagte sie dann zurück an ihre Schreibtische. Tief gesenkte Köpfe, heftiges Nicken, etliche ehrlich betreten klingende, gemurmelte Entschuldigungen, dann stoben die Damen zurück in die Modeabteilung – und ließen mich allein zurück. Wieder allein, mit Miranda.

»Aan-dreh-aa? Ich kann es nicht durchgehen lassen, dass meine Assistentin in diesem Ton mit mir spricht«, erklärte sie und steuerte dabei auf die Tür zum Flur zu. Sollte ich ihr folgen? Hoffentlich hatte Eduardo, Sophy oder eins von den Modegänschen Emily rechtzeitig gewarnt, dass Miranda im Anmarsch war.

»Miranda, ich –«

»Genug.« Sie blieb bei der Tür stehen und sah mich an. »Was sind das für Schuhe, die Sie da tragen?«, wiederholte sie ihre Frage. Ihre Stimme verhieß nichts Gutes.

Ich sah ein zweites Mal prüfend auf meine schwarzen Sandaletten und überlegte, wie ich der elegantesten Frau der westlichen Hemisphäre beibringen sollte, dass ich ein Paar Schuhe von Ann Taylor Loft trug. Ein Blick auf ihre finstere Miene: Vergiss es.

»Die habe ich in Spanien gekauft«, sagte ich rasch und sah weg. »In einer süßen Boutique in Barcelona direkt bei den Ramblas, wo es diese neue spanische Designerserie gab.« Wo zum Teufel hatte ich das bloß hergezaubert?

Sie legte den Kopf schräg und hielt eine geballte Faust vor ihren Mund. Durch die Glastür sah ich James auf uns zukommen, der beim Anblick von Miranda auf dem Absatz kehrt machte und Fersengeld gab. »Aan-dreh-aa, die sind inakzeptabel. Meine Mädels hier stehen für *Runway*, und Schuhe dieser Sorte entsprechen nicht der Botschaft, die zu verbreiten ich anstrebe. Suchen Sie sich in der Kleiderkammer eine anständige Fußbekleidung. Und bringen Sie mir einen Kaffee.« Sie sah von mir zur Tür, bis ich begriff, dass ich sie ihr aufhalten sollte. Dann rauschte sie ohne ein Dankeschön hindurch Richtung Büro. Für den Kaffeegang brauchte ich Geld und meine Zigaretten, aber nichts davon so dringend, dass ich wie ein bös gezaustes Entenküken trotzdem treu und brav hinter ihr herwatscheln musste. Ich begab mich wieder zum Fahrstuhl. Die fünf Piepen für den Milchkaffee konnte Eduardo mir pumpen, und die neue Schachtel Zigaretten würde Ahmed, wie alle anderen in den letzten Monaten, *Runway* auf die Hausrechnung setzen. Ich war davon ausgegangen, dass mein Rückzug unbemerkt bleiben würde, aber ihre Stimme bohrte sich wie eine spitze Schaufelkante in meinen Hinterkopf.

»Aan-dreh-aa!«

»Ja, Miranda?« Ich blieb wie angewurzelt stehen und drehte mich zu ihr um.

»Liegt die Restaurantkritik, um die ich Sie gebeten hatte, auf meinem Schreibtisch?«

»Äh, also, ehrlich gesagt hatte ich etwas Probleme damit, sie aufzutreiben. Es war so, ich habe bei sämtlichen Zeitungen angerufen, und offenbar hat keine von ihnen in den letzten Tagen eine Besprechung von einem Asien-Restaurant gebracht. Wissen Sie vielleicht zufällig noch, äh, wie das Restaurant hieß?« Unwillkürlich hielt ich den Atem an und rüstete mich für die Attacke.

Meine Erklärungen schienen sie wenig zu interessieren – sie marschierte schon wieder weiter Richtung Büro. »Aan-dreh-aa, ich habe Ihnen doch gesagt, dass es in der *Post* stand – ist das denn wirklich so schwer herauszufinden?« Und weg war sie. In der *Post*? Heute morgen hatte ich mit dem dortigen Restaurantkritiker gesprochen, und er hatte einen heiligen Eid darauf geschworen, bei ihnen sei keine Rezension erschienen, die meiner Beschreibung entspreche, und außerdem habe es in der gesamten Woche keine einzige erwähnenswerte Neueröffnung gegeben. Sie hatte eindeutig einen Sprung in der Schüssel, und ich war diejenige, die man dafür in die Pfanne hauen würde.

Um diese Zeit war der Kaffeegang im Nu erledigt, also nahm ich mir die Freiheit, noch zehn Minuten zuzugeben und Alex anzurufen, der immer um Punkt halb eins zum Mittagessen ging. Gott sei Dank erwischte ich ihn am Handy und musste mich nicht wieder mit irgendwelchen Lehrern herumschlagen.

»Hey, Babe, wie war dein Tag soweit?« Er klang geradezu verboten gut gelaunt, und ich musste mich zusammenreißen, um ihm nicht gleich an die Gurgel zu springen.

»Bisher einsame Spitze, wie üblich. Der Laden wächst mir immer mehr ans Herz. Heute habe ich fünf Stunden nach einem imaginären Artikel gesucht, den es nur in den Wahnvorstellungen einer Frau gibt, die sich eher umbringen würde als zuzugeben, dass sie sich geirrt hat. Und du?«

»Also, mein Tag war super. Ich habe dir doch von Shauna erzählt?« Ich nickte, was er natürlich nicht sehen konnte. Shauna war eine von seinen kleinen Schützlingen und hatte bisher in der Klasse noch keinen Ton von sich gegeben. Alex hatte ihr Druck gemacht, Belohnungen versprochen, lange mit ihr geredet – alles ohne Erfolg. Er war beinahe durchgedreht, als sie frisch in seiner Klasse auftauchte, auf Betreiben einer Sozialarbeiterin, die herausgefunden hatte, dass dieses neunjährige Mädchen bisher noch nie eine Schule von innen gesehen hatte. Seither war Alex von dem Wunsch besessen, ihr zu helfen.

»Sie macht den Mund überhaupt nicht mehr zu! Ein bisschen Singen, und das war's. Ich hatte für heute einen Folksänger eingeladen, für die Kinder Gitarre zu spielen, und Shauna sang sofort mit. Seitdem ist das Eis gebrochen, und sie quasselt mit jedem, ohne Ende. Sie kann Englisch. Ihr Vokabular ist altersgemäß. Sie ist total und vollständig normal!« Seine offenkundige Euphorie wirkte ansteckend – ich musste lächeln, und plötzlich spürte ich in mir Sehnsucht aufsteigen. Mein Überraschungsbesuch bei ihm gestern Abend war schön, aber ich wie üblich viel zu alle gewesen, um noch groß etwas zur Unterhaltung beizutragen. Zwischen uns bestand die unausgesprochene Übereinkunft, schlicht abzuwarten, bis meine Strafe abgesessen, mein Sklavenjahr überstanden war und alles wieder in den alten Bahnen lief. Trotzdem, ich hatte Sehnsucht nach ihm. Und fühlte mich wegen der ganzen Sache mit Christian immer noch ziemlich mies.

»Hey, Glückwunsch! Nicht, dass du eine Bestätigung für deine überragenden Fähigkeiten als Lehrer bräuchtest, aber damit hast du sie, so oder so! Du bist bestimmt ganz aus dem Häuschen.«

»Ja, es ist ziemlich aufregend.« Im Hintergrund hörte ich es klingeln.

»Hör mal, besteht das Angebot noch, dass wir zwei uns heute einen schönen Abend machen?«, fragte ich, in der schwachen Hoffnung, dass er keine anderweitigen Pläne hatte. Als ich mich heute Morgen aus dem Bett gekämpft und meinen ausgepowerten, schmerzenden Leib unter die Dusche geschleppt hatte, rief er mir noch nach, er wollte einfach bloß ein Video ausleihen, etwas zu essen bestellen und es sich gemütlich machen. Ich knurrte irgendwas unnötig Sarkastisches zurück von wegen, er solle sich zu seinem eigenen Besten was Aufregenderes einfallen lassen, weil ich sowieso erst mitten in der Nacht heimkommen und ins Bett fallen würde und wenigstens einer von uns beiden das Leben und den Freitagabend genießen sollte. Jetzt hätte ich ihm gerne gesagt, dass ich sauer auf Miranda, auf *Runway* und auf mich selbst war, aber nicht auf ihn, und dass ich mir nichts Schöneres vorstellen konnte, als 15 Stunden am Stück mit ihm auf der Couch abzuhängen und zu kuscheln.

»Klar.« Er klang überrascht, aber erfreut. »Ich kann ja bei dir warten, bis du heimkommst, und dann überlegen wir uns was? Solange vergnüge ich mich eben mit Lily.«

»Klingt absolut perfekt. Lass dir alles über den kleinen Freudianer erzählen.«

»Über wen?«

»Egal. Du, ich muss los. Ich darf die Königin nicht länger auf ihren Kaffee warten lassen. Bis heute Abend – ich kann's kaum erwarten.«

Ich musste nur zweimal den Refrain von (meine Wahl) »We Didn't Start the Fire« absingen, damit Eduardo mich durch die Sperre ließ, und Miranda war in eine angeregte Unterhaltung vertieft, als ich ihre Kaffeevariation auf dem linken äußersten Eck des Schreibtischs abstellte. Den restlichen Nachmittag lang legte ich mich mit sämtlichen Assistenten und Redakteuren der *New York Post* an, die ich an den Apparat kriegen konnte, und versuchte ihnen klar zu machen, dass ich ihre Zeitung besser kannte als sie selbst, und dass ich bitte gerne bloß eine klitzekleine Kopie von der Asien-Restaurantkritik hätte, die tags zuvor in ihrem Blatt erschienen sein musste.

»Ma'am, ich habe es Ihnen schon ein Dutzend Mal gesagt, und ich sage es noch mal: *Wir haben kein solches Restaurant besprochen.* Ich weiß, dass Ms. Priestly nicht ganz richtig tickt und Ihnen zweifellos das Leben zur Hölle macht, aber ich kann mir einfach keinen Artikel aus den Rippen schnitzen, den es gar nicht gibt. Ist das klar?« So lautete das letzte Wort eines freien Mitarbeiters von der Klatsch-und-Tratschseite, der dazu verdonnert worden war, den Artikel aufzutreiben, damit ich endlich Ruhe gab. Er hatte sich geduldig und willig gezeigt, aber nun war er mit seiner Nächstenliebe am Ende. Emily verhandelte gerade mit einem freien Restaurantkolumnisten von der *Post*, und James hatte auf sanften Druck von mir einen Ex-Freund angerufen, der dort in der Anzeigenabteilung arbeitete und vielleicht irgendwas – irgendwas – auf die Beine stellen konnte. Es war schon drei Uhr nachmittags, und sie hatte *gestern* danach gefragt: das erste Mal, dass ich das Gewünschte nicht sofort liefern konnte.

»Emily!«, ertönte es von Miranda aus ihrem so hell und freundlich wirkenden Büro.

»Ja, Miranda?«, riefen wir wie aus einem Mund und schossen hoch, unsicher, wer von uns gemeint war.

»Emily, wie ich höre, haben Sie soeben mit den Leuten von der *Post* gesprochen?« Die echte Emily ließ sich erleichtert wieder auf ihren Stuhl sinken.

»Ja, Miranda, ich habe gerade aufgelegt. Ich habe mit insgesamt drei verschiedenen Leuten dort gesprochen, und sie sind alle felsenfest überzeugt, dass sie zu keinem Zeitpunkt innerhalb der vergangenen Woche auch nur ein einziges neues Asien-Restaurant in Manhattan besprochen haben. Vielleicht war es ja früher?« Mittlerweile stand ich vor ihrem Schreibtisch, trat von einem zehn Zentimeter erhöhten Fuß auf den anderen und betrachtete dabei gesenkten Kopfes die schwarzen Jimmy-Choo-Sandaletten, die Jeffy mir mit selbstgefälligem Grinsen aus seinem Fundus überlassen hatte.

»Manhattan?« Wie konnte man nur gleichzeitig so verwirrt *und* stinkwütend aussehen. »Wann war denn je von Manhattan die Rede?«

Jetzt war *ich* verwirrt.

»Aan-dreh-aa, ich habe Ihnen mindestens fünfmal gesagt, dass es in der Besprechung um ein neues Restaurant in *Washington* ging, in dem Sie mir, da ich nächste Woche dort sein werde, einen Tisch bestellen sollen.« Sie legte den Kopf schräg und verzog die Lippen zu einem, man konnte es nicht anders ausdrücken, boshaften Lächeln. »Was genau an diesem Projekt bereitet Ihnen solch unüberwindliche Schwierigkeiten?«

Washington? Sie hätte mir fünfmal gesagt, das Restaurant sei in *Washington*? Das wüßte ich aber. Entweder verlor sie tatsächlich den Verstand – oder empfand sadistisches Vergnügen dabei, mir zuzusehen, wie ich den meinen verlor. Doch war ich wohl tatsächlich der Volltrottel, für den sie mich hielt, denn wieder machte ich den Mund auf, ohne vorher das Gehirn einzuschalten.

»Oh, Miranda, ich bin mir ziemlich sicher, dass die *New York Post* nichts über Restaurants in Washington bringt. Soweit ich weiß, besuchen und besprechen sie nur Neueröffnungen in New York.«

»Soll das vielleicht witzig sein, Aan-dreh-aa? Entspricht das Ihren Vorstellungen von Humor?« Ihr Lächeln war wie weggewischt, sie beugte sich im Sitzen vor und erinnerte mich dabei an einen hungrigen Geier, der ungeduldig über seiner Beute kreiste.

»Äh, nein, Miranda, ich dachte bloß, dass –«

»Aan-dreh-aa, wie ich *bereits ein Dutzend Mal* klar und deutlich erwähnt habe, die Besprechung, nach der ich suche, steht in der *Washington Post*. Vielleicht haben Sie schon einmal von diesem kleinen Blatt gehört? So wie New York die *New York Times* hat, nennt auch Washington D.C., eine Zeitung sein eigen. Verstehen Sie, wie das zusammenhängt?« Es lag kein Spott mehr in ihrer Stimme: stattdessen klang sie derart gönnerhaft, dass die nächste Stufe nur noch eine Belehrung in Babysprache sein konnte.

»Ich besorge sie Ihnen sofort«, sagte ich so ruhig wie möglich und ging still hinaus.

»Ach, und – Aan-dreh-aa?« Mein Herz tat einen Sprung, und mein Magen meldete Bedenken gegen weitere Überraschungen dieser Sorte an. »Ich erwarte, dass Sie heute Abend bei der Party zugegen sind und die Gäste in Empfang nehmen. Das wäre alles.«

Ich sah zu Emily hin, die völlig baff dasaß und mit ihrer krausen Stirn so vor den Kopf geschlagen wirkte, wie ich mich fühlte.

»Habe ich das richtig gehört?«, flüsterte ich ihr zu. Emily nickte bloß und bedeutete mir, zu ihr ins Eck zu kommen.

»Das hatte ich befürchtet«, flüsterte sie bedeutungsschwer wie ein Chirurg, der einem Familienangehörigen seines Patienten mitteilen muss, dass die Öffnung des Brustraumes Furchtbares zutage gefördert hat.

»Das kann nicht ihr Ernst sein. Es ist Freitagnachmittag, vier Uhr. Die Party fängt um sieben an. Mit Smokingzwang, Himmelherrgott – sie kann doch unmöglich verlangen, dass ich da hingehe.« Ich schaute noch einmal ungläubig auf meine Armbanduhr und versuchte mich an Mirandas genauen Wortlaut zu erinnern.

»O doch, das ist ihr voller Ernst«, sagte Emily und griff zum Telefon. »Ich helfe dir, okay? Du suchst jetzt die Besprechung aus der *Washington Post* raus und legst ihr eine Kopie hin, bevor sie geht – Uri wird sie bald zu ihrem Friseur- und Make-up-Termin nach Hause kutschieren. Ich besorge dir ein Kleid und was du sonst noch für heute Abend brauchst. Keine Sorge. Das kriegen wir schon hin.« Sie tippte im Maschinengewehrtempo Nummern ein und wisperte dringend klingende Anweisungen in die Muschel. Ich stand bloß da und starrte sie an, bis sie – ohne aufzusehen – mit der Hand in meine Richtung wedelte und ich mit einem Schlag wieder in der Realität war.

»Nun geh schon«, flüsterte sie und schenkte mir einen ihrer ganz seltenen Blicke, in denen ein Hauch von Mitgefühl mitschwang. Und ich ging.

# 14

»Du kannst da doch nicht im Taxi aufkreuzen«, wandte Lily ein, während ich hilflos meine Wimpern mit dem eben erstandenen Mascara Marke Maybelline Great Lash beharkte. »Das ist eine formelle Abendeinladung mit Smokingzwang, also nimm dir einen Wagen, Herrgott noch mal.« Sie sah mir noch eine Minute zu, dann entriss sie mir das verklumpte Bürstchen und tippte mir sacht damit auf die Lider, die ich gehorsam schloss.

»Hast wahrscheinlich Recht«, seufzte ich. In mir sträubte sich nach wie vor alles gegen die Vorstellung, dass mein Freitagabend dafür draufgehen sollte, zufällig zu Geld gekommene Hinterwäldler aus Georgia und North oder South Carolina in großer Abendrobe zu begrüßen und mir ein gekünsteltes Lächeln nach dem anderen auf die schlecht geschminkte Visage zu pappen. Nach der Ankündigung waren mir genau drei Stunden geblieben, um ein Kleid aufzutreiben, Schminkzeug zu kaufen, mich in Schale zu werfen und sämtliche Pläne für das Wochenende umzuschmeißen, mit der Folge, dass ich in der allgemeinen Hektik vergessen hatte, mich um die Transportfrage zu kümmern.

Zum Glück hatte es auch Vorteile, für eines der größten Modemagazine des Landes zu arbeiten (ein Job, für den Millionen junger Frauen ihr Leben geben würden!): Um zwanzig nach vier war ich stolze Leihherrin eines schier atemberaubenden, bodenlangen Teils von Oscar de la Renta, freundlicherweise zur Verfügung gestellt von Jeffy, dem Herrn der Kleiderkammer und Verehrer alles Weiblichen (»Mädel, wenn schon Smoking, dann auch Oscar, und damit Schluss. So, jetzt lass die Hosen runter und probier das da für deinen lieben Jeffy an.« Als ich mich aufknöpfte, überfiel ihn ein Schaudern. Ich fragte ihn, ob er meinen halbnackten Leib wirklich so abstoßend finde, worauf er sagte, nein, kein Gedanke: Was ihm Übelkeit bereitete, war mein Slip, der sich durch die Hose abzeichnete). Die Modeassistentinnen hatten bereits ein Paar silberner Manolos in meiner Größe herbeigeschafft, und eine Frau aus der Accessoires-Abteilung kam mit einer völlig überkandidelten, silbernen Abendtasche von Judith Leiber, deren lange Kette bei jeder Bewegung klirrte und rasselte. Mein zartes Plädoyer für ein schlichtes Unterarmmodell von Calvin Klein quittierte sie mit verächtlichem Schnauben und nötigte mir das Teil auf. Stef war sich noch uneinig, ob ich eine kurze oder eine lange Halskette tragen sollte, und Allison, unlängst zur Beauty-Redakteurin aufgestiegen, hing am Telefon und vereinbarte für mich einen Termin mit ihrer Handpflegerin, die auf Wunsch auch ins Büro kam.

»Sie wartet um Viertel vor fünf im Besprechungszimmer auf dich«, teilte Allison mir über das Haustelefon mit. »Du trägst doch Schwarz? Dann besteh auf Chanel Ruby Red. Die Rechnung geht auf uns.«

Mittlerweile war das ganze Büro mehr oder weniger in hellem Aufruhr, bloß damit ich bei der abendlichen Galaveranstaltung eine halbwegs gute Figur machte. Eins war klar: Sie veranstalteten den ganzen Zirkus beileibe nicht deshalb, weil sie mich so lieb und süß fanden und sich nichts Schöneres vorstellen konnten, als mir aus der Patsche zu helfen; vielmehr wussten sie sehr wohl, dass diese Schnapsidee auf Mirandas Mist gewachsen war, und brannten nun darauf, ihr zu beweisen, was sie geschmacklich und stilistisch auf dem Kasten hatten.

Kurz bevor ich am Abend von Zuhause aus aufbrechen musste, stakste ich auf Zehnzentimeter-Manolos in mein Zimmer und gab Alex einen Kuss auf die Stirn; sie hob sich kaum merklich von dem Magazin, in das er vertieft war.

»Ich bin ganz sicher bis elf wieder da, dann können wir noch irgendwo was essen oder trinken gehen, okay? Tut mir Leid, dass das dazwischengekommen ist, echt. Wenn du mit deinen Kumpels ausgehen willst, dann ruf mich an, vielleicht kann ich euch ja irgendwo treffen, okay?« Er war wie versprochen gleich von der Schule hergekommen, um den Abend mit mir zu verbringen, und hatte nicht direkt erbaut gewirkt über die Neuigkeit, dass er es sich gern bei uns gemütlich machen könne, allerdings ohne Beteiligung meinerseits. Jetzt hockte er auf dem Balkon vor meinem Zimmer, las eine alte Ausgabe von *Vanity Fair* und trank ein Bier aus dem Bestand, den Lily im Kühlschrank für Besucher bereithielt. Mir fiel auf, dass er nicht mit Lily zusammensaß.

»Wo ist sie denn?«, fragte ich.

Alex nahm einen Schluck Bier und zuckte mit den Achseln. »Ihre Tür ist zu, aber vorhin habe ich einen Typen hier herumspazieren sehen.«

»Einen Typen? Könntest du vielleicht ein paar Merkmale liefern? Welche Sorte Typ?« Ein Einbrecher? Oder war dem kleinen Freudianer schließlich doch die Ehre einer Einladung zuteil geworden?

»Kann ich nicht sagen, aber er sieht schaurig aus. Tattoos, Piercings, abgeschnittenes Netzhemd, die ganze Palette. Keine Ahnung, wo sie den aufgerissen hat.« Er genehmigte sich einen weiteren, lässigen Schluck.

Na, ich hatte jedenfalls erst recht keine Ahnung, woher ihr dieses Herzchen noch zugewachsen war, nachdem ich sie gestern Abend um elf in Gesellschaft eines äußerst höflichen Zeitgenossen namens William zurückgelassen hatte, der, soweit ich das beurteilen konnte, weder nach Rocky-Shirt noch nach wüsten Tattoos aussah.

»Alex, jetzt mal im Ernst! Du willst mir doch nicht erzählen, dass irgendein Schlägertyp hier durch die Wohnung geistert – auf offizielle Einladung oder auch nicht – und dir das wurschtegal ist? Das ist ja wohl lächerlich! Wir müssen irgendwas tun«, sagte ich und erhob mich vom Stuhl, wie immer im Zweifel, ob die Gewichtsverlagerung nicht den gesamten Balkon zum Absturz bringen würde.

»Jetzt mach mal halblang, Andy. Ein Schlägertyp ist er ganz sicher nicht.« Er blätterte eine Seite weiter. »Ein Punk-Grunge-Freak vielleicht, aber kein Schlägertyp.«

»Na, das freut mich aber. Scheiße noch mal, kommst du jetzt mit und hilfst mir nachsehen, was da los ist, oder willst du hier verschimmeln?«

Er wich noch immer meinem Blick aus, und mir wurde endlich klar, wie gekränkt er wegen des verpfuschten Abends war. Verständlich, logisch, aber ich war ebenso sauer, dass ich arbeiten musste, und es war verdammt noch mal kein Fitzelchen daran zu ändern. »Ruf doch einfach, wenn du mich brauchst.«

»Na schön«, knurrte ich und warf mich für den Sturmangriff auf das Nebenzimmer in die Brust. »Mach dir ja keine Vorwürfe, wenn du mich in Einzelteilen auf den Badezimmerfliesen wiederfindest. Wen kümmern schon solche Kleinigkeiten …«

Wie ein kampflustiger Stier stampfte ich eine Weile durch die Wohnung und suchte nach Anzeichen dafür, dass der Typ tatsächlich da war. Das Einzige, was mir ins Auge stach, war eine leere Flasche »Ketel One« in der Spüle. Hatte Lily es wirklich geschafft, in der Zeit von Mitternacht bis jetzt eine Literflasche Wodka zu kaufen, zu köpfen und zu killen? Ich klopfte an ihre Tür. Keine Antwort. Zweiter Versuch, etwas nachdrücklicher, auf den eine männliche Stimme mit dem nahe liegenden Kommentar reagierte, es hätte geklopft. Als weiter nichts kam, drehte ich den Türknopf.

»Hallo? Jemand zu Hause?« Das Vorhaben, nicht in den Raum zu spähen, hielt ich keine fünf Sekunden durch. Mein Blick schweifte über zwei Paar verknäuelte Jeans am Boden, einen BH, der am Schreibtischstuhl baumelte, und den überquellenden Aschenbecher, der die Bude stinken ließ wie nach einer Studentenparty; dann wanderte er ohne Umschweife zum Bett, wo meine beste Freundin mit dem Rücken zu mir auf der Seite lag, nackt wie Gott sie geschaffen hatte. Daneben, fast verschwindend in ihrem Bettzeug, ein kränklich wirkender Typ mit Schweißspur anstelle eines Oberlippenbarts und fettiger Kopfbehaarung. Mit den unzähligen verschlungenen, grausigen Tattoos hob er sich kaum von Lilys blaugrün karierter Tagesdecke ab. Ein Goldring zierte seine Augenbraue, von den Ohren hing jede Menge Glitzermetall, und aus seinem Kinn sprossen zwei kleine, vorne abgerundete Stacheln. Gnädigerweise trug er Boxershorts, die allerdings so schmutzig, schmuddelig und schmierig aussahen, dass ich – na ja, beinahe – lieber darauf verzichtet hätte. Er nahm einen Zug aus seiner Zigarette, ließ lässig den Rauch entweichen, als wäre er Humphrey Bogart persönlich, und nickte vage in meine Richtung.

»Ho«, sagte er und wedelte mir mit seiner Fluppe zu. »Was dagegen, wennssu die Tür zumachs, Schätzchen?«

Wie bitte? »Schätzchen«? Dieser Schleimbeutel von Australier wollte *mir* frech kommen?

»Was rauchst du denn da – *Crack*?« Wozu noch länger gute Manieren heucheln. Angst hatte ich sowieso keine. Er war kleiner als ich und wog keine 60 Kilo – das Schlimmste, was mir nach augenblicklicher Einschätzung der Lage passieren konnte, war, dass er mich anfasste. Was er mit Lily vermutlich ausgiebig getan hatte – eine Vorstellung, die mir Schauer über den Rücken jagte, doch meine süße Freundin schlief in seinem Windschatten ungerührt weiter. »Was zum Teufel bildest du dir eigentlich ein? Das hier ist *meine* Wohnung, und du verzischst dich jetzt, und zwar pronto!«, trumpfte ich auf, vom Zeitdruck ungemein beflügelt: Immerhin blieb mir noch genau eine Stunde, um mich für den bislang stressigsten Abend meiner Karriere in Schale zu schmeißen; nebenbei noch einen ausgeflippten Junkie aus der Wohnung zu schmeißen, davon war in der Spielanleitung keine Rede gewesen.

»*Maaaaaaaaaannn*. Jetzt reg dich mal ab«, hauchte er und

nahm einen weiteren Zug. »Sieht doch nicht so aus, als ob deine Freundin hier mich schon raushaben wollte ...«

»Würde sie sehr wohl, wenn sie REIN ZUFÄLLIG BEI BE-WUSSTSEIN WÄRE, DU ARSCHLOCH«, brüllte ich; bei der – nicht ganz unwahrscheinlichen – Vorstellung, dass Lily mit diesem Subjekt Matratzensport betrieben hatte, standen mir die Haare zu Berge. »Ich versichere dir, dass ich für uns beide spreche, wenn ich dich auffordere, DICH VERDAMMT NOCH MAL AUS UNSERER WOHNUNG ZU VERPISSEN!«

Eine Hand legte sich auf meine Schulter, ich fuhr herum und sah in Alex' besorgtes Gesicht. Er prüfte die Lage. »Vorschlag, Andy: Du gehst unter die Dusche, und ich kümmere mich um das hier, okay?« Man konnte Alex beim besten Willen nicht als Muskelprotz bezeichnen, aber verglichen mit dem ausgemergelten Dreckhäufchen, das sich da soeben mit seinem Gesichtsschmuck aus dem Klempnerladen am nackten Rücken meiner besten Freundin schubberte, wirkte er wie ein Profiringer.

»ER« – ich zeigte hin, um Missverständnisse auszuschließen – »SOLL. RAUS. AUS. MEINER. WOHNUNG.«

»Ich weiß, und ich glaube, er wollte auch gerade gehen, nicht wahr, mein Freund?« Alex sprach in dem beruhigenden Tonfall, wie er gern für den Umgang mit tollwütigen Hunden empfohlen wird.

»*Maaaaaannn*, jetzt mach mal keinen Stress hier. Hab doch bloß'n bisschen Spaß mit Lily gehabt, weiter nix. Sie hat mich gestern Abend im Au Bar voll angebaggert – könnt ihr jeden nach fragen. Wollte unbedingt, dass ich noch mit zu ihr komme.«

»Das bezweifle ich ja gar nicht«, sagte Alex besänftigend. »Sie kann wirklich ein liebes, nettes Mädchen sein, aber manchmal trinkt sie eben so viel, dass sie nicht mehr weiß, was sie tut. Und deshalb muss ich als ihr Freund dich bitten, jetzt zu gehen.«

Freak Boy quetschte seine Zigarette im Aschenbecher zu Brei und nahm theatralisch die Hände hoch. »Mann, ist doch kein

Problem. Ich spring bloß schnell unter die Dusche, sag meiner kleinen Lily hier noch schön auf Wiedersehen, und dann mach ich mich auf die Socken.« Er schwang die Beine aus dem Bett und griff nach dem Handtuch, das neben dem Schreibtisch hing.

Alex nahm es ihm im gleichen Schwung wieder weg und sah ihm fest in die Augen. »Nein. Besser, du gehst gleich. Auf der Stelle.« So hatte ich ihn in den fast drei Jahren, die ich ihn nun schon kannte, noch nie erlebt. In seiner vollen Größe pflanzte er sich vor Freak Boy auf und ließ die Drohung wirken.

»Mann, ist ja gut. Bin schon weg«, gurrte der nach einem Blick auf Alex, dem er kaum bis zum Kinn reichte. »Zieh mich bloß schnell an, und dann raus.« Er fischte die Jeans vom Boden und zog sein abgeschnittenes T-Shirt unter Lilys nach wie vor entblößtem Leib hervor. Sie rührte sich und bekam ein paar Sekunden später mit einiger Mühe die Augen auf.

»Deck sie zu!«, schnauzte Alex, dem seine neue Rolle als Schwarzer Mann mittlerweile offensichtlich Spaß machte. Wortlos zog Freak Boy ihr die Decke über die Schultern, bis nur noch ihr wirrer schwarzer Lockenschopf zu sehen war.

»Was'n los?«, krächzte Lily und mühte sich tapfer, die Augen offen zu halten. Sie drehte sich ganz um und sah mich zornbebend in der Tür stehen, derweil Alex sich weiter bedrohlich in die Brust warf und Freak Boy zusah, seine blau und kanariengelb gemusterten Diadoras zugebunden zu kriegen und Leine zu ziehen, bevor es so richtig ungemütlich wurde. Zu spät. Ihr Blick blieb an ihm hängen.

»Wer zum Teufel ist denn das?«, fragte sie und schoss hoch, ohne zu merken, dass sie splitternackt dasaß. Alex und ich schauten unwillkürlich weg, während sie, Entsetzen im Blick, nach der Decke angelte; Freak Boy hingegen beglotzte lüstern grinsend ihre Brüste.

»Baby, soll das heißen, du weißt nicht mehr, wer ich bin?« Sein schwerer australischer Akzent verlor mit jeder Sekunde an Charme. »Gestern Nacht hast du's aber noch ganz gut gewusst.«

Er machte Anstalten, sich zu ihr aufs Bett zu setzen. Alex packte ihn am Arm und zog ihn hoch.

»Raus. Sofort. Sonst muss ich nachhelfen«, kommandierte er, sehr süß und sehr von sich eingenommen in seiner Rolle als starker Held.

Freak Boy nahm die Hände hoch und gab Schnalzgeräusche von sich. »Bin schon weg. Ruf doch mal an, Lily. Du warst echt stark letzte Nacht.« Er machte einen schnellen Abgang, dicht gefolgt von meinem Liebsten. »Mann, die hat vielleicht Pfeffer«, hörte ich ihn noch zu Alex sagen, bevor die Wohnungstür zuschlug. Lily hatte die Bemerkung offenbar nicht mitgekriegt. Sie war mittlerweile aus dem Bett heraus und hatte ein T-Shirt übergezogen.

»Lily, wer in drei Teufels Namen war denn das? So eine Null ist mir im Leben noch nicht untergekommen, ganz abgesehen davon, dass man allein bei seinem Anblick das kalte Kotzen kriegt.«

Sie schüttelte langsam den Kopf und versuchte sich offenbar angestrengt zu erinnern, wo ihr der Knabe über den Weg gelaufen war. »Zum Kotzen. Stimmt, er ist echt zum Kotzen, und ich habe keinen blassen Schimmer, was eigentlich passiert ist. Ich weiß noch, wie du gestern Abend weg bist und dass ich mich mit irgendeinem netten Kerl im Anzug unterhalten habe – wir haben uns ein paar Fläschchen Jägermeister gegeben, weiß auch nicht genau warum – und das war's.«

»Mensch Lily, wie blau musst du eigentlich gewesen sein, dass du mit so einem Fiesling ins Bett steigst, und dann auch noch in unserer Wohnung!« Ich fasste nur in Worte, was auf der Hand lag – dachte ich. Doch sie riss verblüfft die Augen auf.

»Meinst du wirklich, ich bin mit ihm im Bett gewesen?«, fragte sie zaghaft, als wollte sie die nackten Tatsachen nicht wahrhaben.

Mir fiel wieder ein, was Alex vor ein paar Monaten gesagt hatte: Lily trank mehr als normal – alle Anzeichen sprachen

dafür. Sie ließ regelmäßig Seminare ausfallen, war in der Aus-
nüchterungszelle gelandet und hatte zu schlechter Letzt den
grauenvollsten Mutanten der Spezies Mann angeschleppt, der
mir je unter die Augen gekommen war. Mir fiel auch die Nachricht wieder ein, die ein Professor ihr unmittelbar nach den Ab-
schlussprüfungen auf unser Band gesprochen hatte: Irgendwie
ging es darum, dass Lilys Hausarbeit absolut brillant sei, er ihr
aber trotzdem nicht die Bestnote geben könne, weil sie zu viele
Seminare geschwänzt und sämtliche Arbeiten zu spät abgeliefert
habe. Ich beschloss, mich vorsichtig an die Sache heranzutasten.
»Lil, Süße, der Kerl ist, glaube ich, nicht das Problem. Es liegt
wohl eher am Trinken.«

Sie bürstete sich die Haare, und erst jetzt fiel mir auf, dass sie
frisch aus dem Bett kam – Freitagabend um sechs. Sie legte keinen Widerspruch ein, also redete ich weiter.

»Grundsätzlich hab ich ja kein Problem damit«, sagte ich in
dem Bemühen, eine offene Konfrontation zu vermeiden. »Gegen ein Gläschen hier oder da ist natürlich nichts einzuwenden. Ich hab nur das Gefühl, als wäre es bei dir in letzter Zeit ein
bisschen außer Kontrolle geraten, weißt du. Gab's irgendwelche
Probleme in der Uni?«

Sie wollte antworten, doch da steckte Alex den Kopf zur Tür
herein, sagte: »Sie ist dran«, hielt mir mein plärrendes Handy
hin und war schon wieder verschwunden. *Herrrrrg-!* Die Frau
hatte ein wahrhaft begnadetes Talent, mir alles und jedes zu ver-
sauen.

»Sorry«, sagte ich zu Lily und beäugte dabei argwöhnisch
das Display, auf dem wieder und wieder hektisch »MP HANDY«
blinkte. »Meistens braucht sie nur eine Sekunde, um mich nie-
derzumachen, also vergiss nicht, was du sagen wolltest.« Lily legte die Bürste weg und sah mir beim Telefonieren zu.

»Büro Miran-« Nicht schon wieder diese Nummer. »Andrea
hier«, korrigierte ich und wappnete mich innerlich gegen das
Sperrfeuer.

»Andrea, Sie wissen, dass ich Sie heute Abend um halb sieben an Ort und Stelle erwarte?«, kläffte sie unter Verzicht auf einleitende oder verbindliche Worte.

»Öh, ähm, Sie hatten doch vorher sieben Uhr gesagt. Ich muss noch –«

»Ich sagte halb sieben, und ich sage es noch einmal. *Haaaalb siiiiebänn.* Verstanden?« Klick. Sie hatte ausgeschaltet. Ich schaute auf meine Armbanduhr. Fünf nach sechs. Was nun?

»Ich soll in 25 Minuten da sein«, ließ ich die Allgemeinheit wissen.

Lily griff die Ablenkung dankbar auf. »Na, dann geben wir uns mal dran, hm?«

»Wir sind mitten im Gespräch, und das hier ist wichtig. Was wolltest du vorhin sagen?« Die Worte stimmten alle, aber wir wussten beide, dass ich in Gedanken schon Lichtjahre weit weg war. Duschen war gestrichen; ich hatte noch genau 15 Minuten, um mich ausgehfein zu machen und in den Wagen zu verfrachten.

»Komm jetzt, Andy, du musst los. Wir reden später darüber.«

Und wieder blieb mir nichts übrig, als in Windeseile, mit fliegendem Puls, loszulegen: ins Kleid steigen, mir einmal mit der Bürste durchs Haar fahren und nebenbei den Bildern von den Abendgästen, die Emily freundlicherweise für mich ausgedruckt hatte, den einen oder anderen passenden Namen zuordnen. Lily sah dem ganzen Wirbel milde amüsiert zu, doch ich wusste, dass die Geschichte mit Freak Boy ihr Kummer machte, und fühlte mich scheußlich, weil ich sie auf Eis legen musste. Alex telefonierte mit seinem kleinen Bruder und versuchte, ihn zu überzeugen, dass ihre Mutter keine grausame Hexe war, nur weil sie ihm in seinem zarten Alter die Neun-Uhr-Vorstellung im Kino verboten hatte.

Ich verabschiedete mich mit einem Kuss auf die Wange; er pfiff durch die Zähne und sagte, wahrscheinlich würde er ein paar Leute zum Abendessen treffen, aber falls ich später dazustoßen wolle, solle ich anrufen. So schnell es eben ging, stöckelte ich zurück ins Wohnzimmer, wo Lily mich mit einem Prachtstück aus schwarzer Seide erwartete. Ich sah sie fragend an.

»Eine Stola, für deinen großen Auftritt«, trällerte sie und schüttelte sie aus wie ein Bettlaken. »Meine kleine Andy soll genauso fein rausgeputzt sein wie all diese dumpfdödeligen Geldsäcke aus Carolina, bei denen du heute Abend Serviermädchen spielen musst. Hat mir meine Großmutter vor Jahren anlässlich von Erics Hochzeit geschenkt. Ich kann mich immer noch nicht entscheiden, ob ich sie schön oder scheußlich finde, aber zu den ganzen Smokings passt sie allemal, und sie ist von Chanel, das sollte reichen.«

Ich fiel ihr um den Hals. »Versprich mir bloß, falls ich mich unsterblich blamiere und Miranda mich dafür umbringt, dass du das Kleid hier verbrennst und mich in meinen ollen Sweatpants von Brown begraben lässt. Gib mir dein Wort darauf!«

»Du siehst fantastisch aus, Andy, echt. Hätte ich ja nie gedacht, dass ich mal erleben würde, wie du in einer Robe von Oscar de la Renta zu einer Party von Miranda Priestly gehst, aber hey, man kauft es dir glatt ab. Und jetzt los.«

Sie drückte mir die grässlich aufdringliche Tasche von Judith Leiber mit der elend langen Klimperkette in die Hand und hielt mir die Tür zum Flur auf. »Viel Spaß!«

Das Auto wartete vor dem Eingang, und während der Fahrer schon die Tür aufhielt, pfiff John, der sich allmählich zur Perversion in Person mauserte, mir hinterher.

»Mach sie alle, Puppe«, rief er mir nach und winkte affektiert dazu. »Bis später am Abend.« Er hatte natürlich keine Ahnung, wohin ich wollte, aber es war immerhin tröstlich, dass er mich vor dem Frühstück zurückerwartete. *Vielleicht wird es ja gar nicht so schlimm*, dachte ich und ließ mich auf die üppig gepolsterte Rückbank der Limousine sinken. Doch bei der ersten Berührung mit dem eiskalten Lederbezug fuhr ich wieder hoch. *Und was, wenn es genauso ätzend wird, wie ich's mir vorstelle?*

Bis der Fahrer herausgesprungen und um die Karre herumgesaust war, um mir die Tür aufzuhalten, hatte ich es längst bis zum Bordstein geschafft. Ich war schon einmal im Metropolitan Museum of Art gewesen, im Rahmen einer klassischen Ein-Tages-Sightseeingtour durch New York mit meiner Mom und Jill. Von den Ausstellungen wusste ich absolut nichts mehr – bloß noch, wie fürchterlich meine neuen Schuhe schon auf dem Weg zum Museum gedrückt hatten –, aber ich erinnerte mich an die schier endlose weiße Treppe zum Eingang und an das Gefühl, dass ich ewig und drei Tage brauchen würde, um sie zu erklimmen.

Sie stand noch so da, wie ich sie im Gedächtnis hatte, doch im diffusen Dämmerlicht wirkte sie gänzlich anders auf mich. An diesem Abend erschien der prächtige Aufgang über alle Zweifel erhaben und majestätisch, schöner als die Spanische Treppe oder die vor der Unibibliothek von Columbia, schöner noch als das Ehrfurcht gebietende, weit ausladende Prachtgebilde, das zum Capitol in Washington hinaufführte. Ungefähr auf Höhe der zehnten marmorweißen Stufe begann meine Begeisterung sich allerdings rapide zu verflüchtigen. Welcher abgefeimte Sadist konnte bloß auf die perfide Idee verfallen, eine Frau mit hautenger, bodenlanger Robe und spitzen Absätzen auf diesem Höllenparcours himmelan zu jagen? Nachdem ich meinen Hass nicht gut an dem Architekten oder seinem Auftraggeber vom Museum auslassen konnte, richtete ich ihn wohl oder übel auf Miranda, die ja ohnehin – direkt oder indirekt – für alles Elend und Ungemach in meinem Leben verantwortlich zeichnete.

Meinem Gefühl nach trennten mich mindestens 1000 Höhenmeter vom Gipfel; mir huschte durchs Gedächtnis, was dieser Feldwebel von Trainerin beim Spinning im Fitnessstudio damals immer in abgehacktem Ton von ihrem Minifahrrad heruntergebellt hatte (als ich für so was noch Zeit hatte): »Pumpen, pum-pen, und at-men, at-men! Strampeln, Leute, rauf auf den Hügel. Gleich habt ihr's! Nicht nachlassen! Strampelt um euer Leben!« Mit geschlossenen Augen versuchte ich mir vorzustellen, ich hätte statt mörderischer Absätze Pedale unter den Füßen, spürte den Wind im Haar, radelte die Trainerin über den Haufen, egal, nur weiter, weiter hinauf. Hauptsache, ich vergaß den tierischen Schmerz, der vom kleinen Zeh bis zur Ferse und wieder zurück raste. Zehn Stufen noch, mehr nicht, bloß noch zehn, o Gott, wieso wurde es so nass um meine Füße? Würde ich in durchgeschwitzter Designer-Robe und mit Blut im Schuh vor Miranda hintreten müssen? O bitte, bitte, sag, dass es gleich geschafft ist und ... geschafft. Oben. Keine Weltklassesprinterin hätte sich beim Gewinn ihrer ersten Goldmedaille stolzer fühlen können als ich. Ich holte Luft bis in die Zehenspitzen, verkniff mir buchstäblich die Siegerzigarette, nach der mir die Finger juckten, und trug eine neue Schicht schokobraunen Kussmund-Lipgloss auf. Jetzt war Dame spielen angesagt.

Der Wachmann hielt mir mit einer leichten Verbeugung lächelnd die Tür auf. Vermutlich hielt er mich für einen Gast.

»Hi, Miss, Sie sind bestimmt Andrea. Wenn Sie einen Augenblick dort Platz nehmen wollen, Ilana wird gleich bei Ihnen sein.« Mit dem Rücken zu mir sprach er diskret in ein Mikrofon an seinem Ärmel und nickte bestätigend, als die Antwort aus dem Hörer ertönte. »Ja, ganz recht, da drüben, Miss. Sie kommt, so schnell sie kann.«

Ich hielt Umschau in dem großzügig dimensionierten Eingangsbereich. Den Stress, mich tatsächlich hinzusetzen und hinterher das Kleid wieder in Form bringen zu müssen, wollte ich mir allerdings nicht antun. Außerdem, wann hatte ich schon mal Gelegenheit, außerhalb der Öffnungszeiten weit und breit, so wie es schien, die einzige Besucherin des Metropolitan Museum of Art zu sein? Die Kassenhäuschen waren verwaist und die Ausstellungsbereiche im Erdgeschoss lagen im Dunkeln, aber alles atmete Geschichte und Kultur. Die Stille dröhnte mir förmlich in den Ohren.

Nachdem ich fast eine Viertelstunde lang alle Ecken und Enden ausgespäht hatte, stets bestrebt, mich nicht zu weit von dem wachsamen Geheimdienstanwärter zu entfernen, schritt eine unauffällig wirkende junge Frau in einem langen blauen Kleid durch das imposante Foyer auf mich zu. Es überraschte mich, wie schlicht sie daherkam, wo sie doch immerhin den glamourösen Posten einer Veranstaltungsleiterin bekleidete. Sofort kam ich mir lächerlich vor, wie ein Mädchen aus der Provinz, das sich für eine Galaveranstaltung aufgebrezelt hatte – und was war ich schließlich anderes? Ilana hingegen hatte es, wie ich zu Recht vermutete, nicht einmal für nötig befunden, aus ihrem Bürodress in etwas Eleganteres zu schlüpfen.

»Wozu der Umstand?«, meinte sie lachend, als ich sie später darauf ansprach. »Die Leute sind ja nicht hier, weil sie *mich* sehen wollen.« Ihr glattes braunes Haar war frisch gewaschen, doch die Frisur ohne jeden Pfiff, und ihre flachen braunen Schuhe waren geradezu empörend unmodisch. Aber nach einem Blick in ihre strahlend blauen, freundlichen Augen war von meiner Seite aus alles klar.

»Sie müssen Ilana sein.« Mein Gefühl sagte mir, dass in dieser Situation ausnahmsweise ich die Tonangebende war und das Heft in die Hand nehmen sollte. »Ich bin Andrea, Mirandas Assistentin, und wenn ich in irgendeiner Weise behilflich sein kann –«

So erleichtert, wie sie dreinblickte, drängte sich mir die Frage auf, was sie wohl von Miranda hatte einstecken müssen. Den Möglichkeiten waren keine Grenzen gesetzt, und ganz bestimmt hatte meine Chefin sie wegen ihres biederen Aufzugs aufs Korn genommen. Mich schauderte bei dem Gedanken, welche Boshaftigkeiten sie einem solch lieben Mädel an den Kopf geworfen haben mochte … Genau dieses Mädel sah mich jetzt aus großen Unschuldsaugen an und verkündete vernehmlich: »Ihre Chefin ist eine ausgemachte Zimtzicke.«

Ich brauchte einen Moment, um mich von dem Schock zu erholen. »Stimmt«, sagte ich, und wir mussten beide lachen.

»Was kann ich für Sie tun? Miranda wird mich mit ihren inneren Sensoren binnen zehn Sekunden hier aufgespürt haben, also sollte ich den Eindruck erwecken, als täte ich etwas.«

»Ich zeige Ihnen die Tafel«, sagte sie und steuerte durch einen unbeleuchteten Flur auf die ägyptische Abteilung zu. »Die haut Sie vom Stuhl.«

Wir endeten in einem der kleineren Säle, der ungefähr die Ausmaße eines Tennisplatzes hatte und heute die Kulisse für einen rechteckigen Tisch mit 24 Gedecken abgab. Robert Isabell war sein Geld wert, kein Zweifel. Er war *der* New Yorker Partyplaner, der einzige, der mit traumwandlerischer Sicherheit stets genau den richtigen Ton traf und dabei kein Detail außer Acht ließ: immer auf der Höhe der Zeit, ohne jedem x-beliebigen Trend hinterher zu hecheln, schöpfte er aus dem Vollen, ohne je zu dick aufzutragen, und war herausragend, ohne es auf die Spitze zu treiben. Miranda ließ jede ihrer Veranstaltungen von Robert inszenieren, aber ich kannte seine Arbeit bisher nur von der Party zum zehnten Geburtstag von Cassidy und Caroline. Dazu hatte er Mirandas im Kolonialstil gehaltenes Wohnzimmer in eine schicke Downtown-Lounge verwandelt (tutti completti mit einer Bar für Softdrinks – aus Martinigläsern natürlich –, üppig gepolsterten Wildledersitzgarnituren und einem marokkanisch anmutenden, beheizten Tanzzelt auf der Terrasse), aber das hier verschlug mir wahr und wahrhaftig den Atem.

Alles erstrahlte in Weiß. Zart weiß, samtig weiß, blendend weiß, körnig weiß und satt weiß. Aus der Mitte des Tischs (so hatte es den Anschein) sprossen köstlich üppige, milchweiße Pfingstrosensträuße in genau der richtigen Konversationshöhe. Elfenbeinweißes Porzellan, in sich gemustert, ruhte auf frisch gestärktem weißem Linnen, und weiß lackierte Eichenstühle mit hohen Lehnen und weiß gebleichten Wildlederbezügen thronten über einem speziell für den Anlass ausgelegten, dicken weißen Teppich. Weiße Votivkerzen in schlichten weißen Porzellanhaltern bestrahlten die Pfingstrosen von unten (wundersamerweise ohne sie zu anzukokeln) und verströmten ein bei aller Helligkeit letztlich dezentes, unaufdringliches Licht. Für Farbe im Raum sorgten einzig die ringsum gehängten Leinwände mit kunstvollen Szenen aus der ägyptischen Frühzeit in satten Blau-, Grün- und Goldtönen. Das Reinweiß der Tafel stand in wohl überlegtem, erlesenem Kontrast zu den anrührend detaillierten Bildern.

Als ich den Kopf drehte, um die superbe Kombination aus jedem Blickwinkel würdigen zu können (»Dieser Robert ist wirklich ein Genie!«), stach mir eine flammende Gestalt ins Auge. Dort in der Ecke, bleistiftgerade, stand Miranda in dem eigens für diesen Abend georderten, auf Taille gearbeiteten und vorgereinigten strassbesetzten Traum von Chanel in Rot.

Zu sagen, die ganze Chose sei jeden Penny wert gewesen, schien vielleicht etwas anmaßend angesichts der Tatsache, dass die Pennies sich zu mehreren 10000 Dollar aufaddierten – aber sie sah schlicht atemberaubend aus: ein lebendes Kunstobjekt, mit stolz gerecktem Kinn und makellos gestrafften Muskeln, ein klassizistisches Relief in Perlen und Seide von Chanel. Schön im eigentlichen Sinn war sie mit ihren Knopfaugen, dem streng gefassten Haar und den harten Zügen nicht zu nennen, aber trotzdem übte sie eine ganz unbeschreibliche, unerklärliche Wirkung auf mich aus: So gern ich mir den Anschein gegeben hätte, cool zu bleiben und das Ambiente zu bewundern, ich konnte keinen Blick von ihr wenden.

Wie üblich riss mich der Klang ihrer Stimme aus meiner Versunkenheit. »Aan-dreh-aa, Sie kennen die Namen und Gesichter unserer Abendgäste? Ich gehe davon aus, dass Sie sich ihre Porträts namentlich eingeprägt haben und mich folglich bei der Begrüßung nicht durch peinliches Gestammel blamieren werden?« Außer der Anrede deutete nichts in ihren Worten und ihrer Blickrichtung darauf hin, dass ich gemeint war.

»Ähm, ja, ich bin schon einmal durch damit.« Um ein Haar hätte ich salutiert. Und starrte sie weiter an wie unter schwerer

Hypnose. »Ich nehme es mir aber jetzt zur Sicherheit noch mal vor.« *Das will ich auch hoffen, du Knalltüte,* schien ihr Blick zu sagen. Mit Mühe wandte ich den Blick ab und verzog mich. Ilana folgte mir auf dem Fuß.

»Was war das da gerade?«, fragte sie im Flüsterton. »Porträts? Redet sie irre?«

Beide von dem dringenden Wunsch erfüllt, in Deckung zu gehen, verzogen wir uns im nächsten unbeleuchteten Flur auf eine unbequeme Holzbank. »Ach das. Ja – normalerweise hätte ich mich die ganze letzte Woche damit beschäftigt, Bilder von den Gästen aufzutreiben und sie mir einzuprägen, damit ich sie heute Abend alle namentlich begrüßen kann«, erklärte ich. Ilana starrte mich in ungläubigem Entsetzen an. »Aber nachdem sie mir erst heute gesagt hat, dass ich anwesend sein soll, hatte ich nur ein paar Minuten im Auto, um sie mir anzusehen. Was denn?«, setzte ich nach. »Erstaunt Sie das etwa? Nicht doch. Für eine Party von Miranda ist das völlig normal.«

»Ich dachte bloß, heute Abend würden keine Berühmtheiten erwartet«, sagte sie in Anspielung auf Mirandas sonstige Veranstaltungen in diesen heiligen Hallen. Als bedeutender Mäzenatin wurde Miranda häufig das Sonderprivileg zuteil, das Metropolitan Museum of Art für Privatfeste und Cocktailempfänge mieten zu dürfen. Mr. Tomlinson hatte nur einmal anzufragen brauchen – und Miranda überschlug sich schier, um die Party für ihren Schwager zum spektakulärsten Ereignis in der Geschichte des Hauses zu gestalten. Dort zu dinieren, würde die reichen Südstaatler und ihre Vorzeigefrauen nachhaltig beeindrucken, vermutete sie – und zwar durchaus zu Recht.

»Ja, so auf Anhieb kennt man wohl keinen von der Bagage – halt ein Haufen Milliardäre mit netten kleinen Anwesen südlich der Mason-Dixon-Linie. Normalerweise finde ich bei solchen Anlässen die Porträts der Gäste irgendwo online oder in *Women's Wear Daily* oder so. Ich meine, ein Bild von Königin Nur, von Michael Bloomberg oder von Yohji Yamamoto ist zur

Not relativ leicht aufzutreiben. Aber Mr. und Mrs. Packard, aus irgendeinem noblen Vorort von Charleston oder wo zum Teufel sie eben wohnen? Mirandas zweite Assistentin hat sich drangemacht, während das restliche Büro damit zugange war, mich für heute Abend auszustaffieren; die meisten Gäste waren dann schließlich auch in den lokalen Klatschspalten und auf diversen Websites von Firmen ausfindig zu machen, aber es hat sie echt den letzten Nerv gekostet.«

Ilana starrte mich unverwandt fassungslos an. Irgendwie war mir klar, dass ich mich wie eine aufgezogene Puppe anhörte, trotzdem konnte ich nicht aufhören. Ihr unverhohlenes Entsetzen machte für mich alles nur noch schlimmer.

»Es ist nur noch ein Paar übrig, aber das werde ich dann wohl per Ausschlussverfahren identifizieren«, sagte ich.

»Meine Güte, es ist mir ein Rätsel, wie Sie das schaffen. Mir stinkt es ja schon, dass ich meinen Freitagabend opfern muss, aber Ihren Job würde ich im Leben nicht hinkriegen. Wie halten Sie das bloß aus? Sich so anpflaumen, so mit sich umspringen zu lassen?«

Ich stutzte kurz – mit dieser Frage hatte sie mich kalt erwischt. Niemand hatte bisher je aus freien Stücken etwas Negatives über meinen Job geäußert. Immer hatte ich geglaubt, unter den Millionen junger Frauen, die angeblich ihr Leben geben würden, um an meiner Stelle zu sein, sei ich die einzige, die meine Situation nicht ganz so uneingeschränkt rosig sah. Ihr geschockter Blick traf mich mehr als die aberhundert Idioten, mit denen ich mich täglich in der Arbeit herumschlug; ihr reines, unverfälschtes Mitleid ließ einen Damm in meinem Inneren brechen. Was in all den Monaten unmenschlicher Plackerei für eine unmenschliche Herrin unterdrückt worden war, aufgehoben für einen passenderen Moment, kam nun mit Macht hoch. Ich brach in Tränen aus.

Die arme Ilana wusste vor Schreck nicht mehr aus noch ein. »Ach herrje, Sie Ärmste! Es tut mir ja so Leid! Das wollte ich doch nicht. Sie haben wirklich einen Heiligenschein verdient dafür, dass Sie es mit dieser Hexe aufnehmen, hören Sie? Kommen Sie mit, hier entlang.« Sie nahm mich bei der Hand und zog mich in ein Büro am Ende eines weiteren unbeleuchteten Flurs. »So, und jetzt setzen Sie sich mal einen Augenblick ganz ruhig hin und lassen es sich egal sein, wie diese ganzen Gipsköpfe aussehen.«

Ich schniefte und kam mir dämlich vor.

»Sie brauchen sich nicht komisch vorzukommen deswegen, okay? Ich habe den Eindruck, als würde das schon ganz, ganz lange in Ihnen rumoren. Es tut doch gut, sich gelegentlich mal richtig auszuweinen.«

Während ich mich mühte, mir die Wimperntusche von den Wangen zu reiben, kramte sie in ihrem Schreibtisch herum. »Ah, da«, sagte sie dann triumphierend. »Für Sie, bevor ich es vernichte; und sollten Sie in Versuchung geraten, irgendwem davon zu erzählen, mache ich Sie zu Hackfleisch. Aber jetzt sehen Sie – und staunen Sie.« Lächelnd gab sie mir einen braunen Umschlag, versiegelt mit einem Aufkleber, der den Inhalt als »Vertraulich« markierte.

Ich riss das Siegel ab und zog einen grünen Schnellhefter hervor. Er enthielt ein Foto – genauer gesagt eine Farbkopie – von Miranda, hingerekelt auf den schwellenden Sitzpolstern eines Luxusrestaurants. Ich erkannte das Bild sofort: ein berühmter Gesellschaftsfotograf hatte es unlängst bei einer Geburtstagsparty für Donna Karan im Pastis aufgenommen. Im *New York Magazine* war es bereits erschienen, andere würden folgen. Sie trug darauf eins ihrer Markenzeichen, den braunweiß gefleckten Trenchcoat, in dem sie mich immer an eine Schlange erinnerte.

Offenbar nicht nur mich, denn in dieser – bearbeiteten – Version hatte irgendwer mit viel Gefühl und Fachkenntnis das rasselnde Ende einer Klapperschlange passgerecht genau dort eingefügt, wo normalerweise die Beine hingehörten. Das Ergebnis war mehr als überzeugend: Miranda die Schlange, das markante

Kinn auf die Hand gestützt, lang ausgestreckt auf der ledernen Sitzbank, über deren Kante das halb aufgerollte Klapperschwanzende hing. Perfekt.

»Super, oder?« Ilana beugte sich über meine Schulter. »Meine Kollegin Linda kam mal irgendwann nachmittags zu mir ins Büro gestampft, nachdem sie den ganzen Tag mit Miranda am Telefon gehangen hatte, um auszumachen, in welchem Saal das Diner stattfinden sollte. Linda hatte ihr einen empfohlen, weil er einfach genau die richtige Größe hat und bei weitem der schönste ist, aber Miranda bestand auf einem anderen, der näher am Museumsshop liegt. Das Ganze ging tagelang hin und her, schließlich und endlich bekam Linda die Genehmigung vom Vorstand und rief in ihrer Begeisterung sofort bei Miranda an, um ihr mitzuteilen, dass alles wunschgemäß geregelt sei. Und nun raten Sie mal, was dann passierte ...«

»Na, was wohl? Sie hatte es sich mittlerweile anders überlegt.« Mich ließ es kalt, sie nicht. »Sie hat sich haarscharf und exakt für Lindas ursprüngliche Variante entschieden, aber erst als sie sicher war, dass jeder vor ihr Männchen machen würde.«

»Treffer und versenkt. Ich habe mich gefühlt wie Rumpelstilzchen persönlich. Da wirft das Museum alle seine Prinzipien über Bord – Herrgott noch mal, bei uns könnte der Präsident der Vereinigten Staaten antanzen und fragen, ob er hier mit dem Außenminister dinieren kann, keine Chance! – und da meint Ihre Chefin, sie könnte einfach hier hereingestampft kommen, uns alle herumscheuchen und uns das Leben zur Hölle machen, so oft und so lange es ihr beliebt. Na egal, das hier war jedenfalls von mir als kleine Aufheiterung für Linda gedacht. Wissen Sie, was sie damit gemacht hat? Es auf dem Kopierer verkleinert, damit es in ihre Geldbörse passt! Ich hab mir gedacht, vielleicht gibt Ihnen das ein bisschen Auftrieb. Und sei's bloß, um Ihnen zu sagen, dass Sie nicht allein sind. An vorderster Front, das wohl, aber nicht allein.«

Ich schob das Bild wieder in seinen vertraulichen Umschlag

und gab es Ilana zurück. »Sie sind wirklich ein Goldstück«, sagte ich und legte ihr die Hand auf die Schulter. »Ich ziehe meinen Hut vor Ihnen. Wenn ich verspreche, niemandem je ein Sterbenswörtchen zu verraten, woher ich sie habe, bekomme ich dann eine Kopie? In diese blöde Leiber-Tasche passt sie vermutlich nicht rein, aber ich hätte für mein Leben gern ein Exemplar davon. Bittebitte.«

Mit einem Lächeln gewährte sie mir die Bitte, ich schrieb ihr meine Adresse auf, und nach einer kurzen Wiederherstellung meines Make-ups wandelten wir gemeinsam (ich humpelnd, sie festen Schrittes) zurück ins Foyer. Die Zeiger standen mittlerweile fast auf sieben; die Gäste mussten jeden Moment eintreffen. Miranda und BTB unterhielten sich mit dem Bruder-Schwager-Bräutigam-und-Ehrengast; so wie er aussah, hatte er seine Schulzeit tief im Süden, umringt von schmachtenden Blondinen, mit Fußball, Football, Lacrosse und Rugby herumgebracht. Die schmachtende Blondine, die ihm augenblicklich still zur Seite stand, war 26 und seine Braut. Sie hielt einen Schwenker mit irgendwas drin in der Hand und honorierte die Witzchen ihres Verlobten mit beifälligem Kichern.

Miranda, die an BTBs Arm hing, übte sich in falschem Lächeln der Sonderklasse. Auch ohne zu hören, worüber sie sich unterhielten, wusste ich, dass sie bestenfalls einsilbige Antworten zu den passenden Gelegenheiten einstreute. Gesellschaftliche Umgangsformen waren nicht ihre starke Seite, Smalltalk fand sie unerträglich – aber heute Abend würde sie mit Sicherheit sämtliche Register ziehen. Mir war aufgefallen, dass sich all ihre so genannten Freunde in zwei Kategorien aufteilen ließen: Die Anzahl derjenigen, die sie als höher stehend einstufte und unbedingt beeindrucken wollte, war kurz und beinhaltete maßgebliche Persönlichkeiten wie Irv Ravitz, Oscar de la Renta, Hillary Clinton sowie sämtliche bedeutenden Kinostars. Der Rest stand unter ihr – und musste permanent daran erinnert werden: Alle Mitarbeiterinnen von *Runway*, Familienmitglieder, Eltern von Freunden ihrer Töchter – so sie nicht zufällig Kategorie Nummer eins angehörten –, nahezu alle Designer und andere Magazinherausgeber sowie ausnahmslos sämtliche Angehörige des Dienstleistungsgewerbes im In- und Ausland. Der heutige Abend versprach schon deshalb amüsant zu werden, weil die Gäste eigentlich zur zweiten Kategorie gehörten, wegen ihrer Verbindung mit Mr. Tomlinson und seinem Bruder jedoch wie die erste Garnitur behandelt werden mussten. Die seltenen Gelegenheiten, bei denen ich Zeuge sein durfte, wie Miranda mit ihrem nicht vorhandenen natürlichen Charme bei anderen Eindruck zu schinden versuchte, genoss ich stets in vollen Zügen.

Die ersten Gäste fühlte ich kommen, bevor sie in mein Gesichtsfeld traten. Die Spannung im Raum war mit Händen zu greifen. Meine Farbausdrucke im Kopf, eilte ich auf das Paar zu und bot der Dame an, für die Zwischenlagerung ihrer Pelzstola Sorge zu tragen. »Mr. und Mrs. Wilkinson, wir freuen uns sehr, dass Sie uns heute Abend die Ehre geben. Bitte, darf ich Ihnen das abnehmen. Ilana begleitet Sie ins Atrium, dort werden die Cocktails serviert.« Hoffentlich glotzte ich während meines Monologs nicht allzu unverhohlen, aber so was bekam man wahrhaftig nicht alle Tage zu sehen. Frauen in Nuttenkleidung, Männer in Frauenkleidung und Models ganz ohne jede Bekleidung – all das hatte ich auf anderen Parties von Miranda bereits erlebt, doch diese Kostümierungen hier waren mir neu. Klar, ich wusste, dass sich hier und heute nicht die New Yorker Modeschickeria traf; aber was da hereinschneite, erinnerte weniger (wie man vielleicht hätte erwarten können) an den *Dallas*-Clan als an fein herausgeputzte Sonntagsausflügler aus einem Heimatfilm.

Mr. Tomlinsons Bruder, an sich eine eindrucksvolle Erscheinung mit silbernem Haar, verstieg sich (wohlgemerkt, im Mai) zu einem weißen Frack mit kariertem Einstecktuch und einem Spazierstock. Seine Verlobte steckte in einem bauschigen, rüschigen Albtraum aus gerafftem grünen Taft, der ihren Atombusen so weit aus dem Ausschnitt quellen ließ, dass sie Gefahr lief, an ihren eigenen Silikonbrüsten zu ersticken. Neben dem Karfunkel an ihrer linken Hand erschienen die Suppenschüsseln von Diamanten, die an ihren Ohren baumelten, nicht weiter der Rede wert. Sie hatte Haare wie Zähne mit Wasserstoff gebleicht und stakste auf Schwindel erregend hohen, bleistiftdünnen Absätzen herum wie ein altgedienter Abwehrspieler der National Football League.

»Ach, ihr Lieben, wie schön, dass ihr ein bisschen Zeit für unsere kleine Party erübrigen konntet. Es geht doch nichts über Partys, oder?«, näselte Miranda in ihrem besten britischen Falsett. Die zukünftige Mrs. Tomlinson, unversehens auf Tuchfühlung mit der berühmt-berüchtigten Miranda Priestly, schien einer Ohnmacht nahe. Peinlich berührt angesichts dieser Verzückung begab sich die ganze jämmerliche Bagage, mit Miranda als Anführerin, ins Atrium.

Der restliche Abend verlief in etwa so, wie er begonnen hatte. Ich entrang meinem Gedächtnis die Namen aller Anwesenden und manövrierte mich tapfer um die Klippen der bösesten Ausrutscher herum. Wohl verlor das Aufgebot an weißen Smokings, Chiffongewändern, hochtoupierten Frisuren, hochkarätigen Juwelen und kaum der Pubertät entwachsenen Kindfrauen für mich Stunde um Stunde an Unterhaltungswert, aber Miranda faszinierte mich ohne Ende. Sie war ganz Dame, Neidobjekt aller Frauen, die an jenem Abend im Museum zugegen waren und sich nach ihrem Status wie ihrer Eleganz verzehrten, wohl wissend, dass beides um kein Geld in der Welt zu kaufen war.

Als sie mich zwischen zweitem und drittem Gang, wie gewohnt ohne ein Dankeschön oder einen Gruß zur Nacht, entließ (»Aan-dreh-aa, wir benötigen Sie heute Abend nicht weiter. Sie können gehen«), ertappte ich mich zum ersten Mal bei einem ehrlichen, spontanen Lächeln. Ilana hatte sich offenbar schon unbemerkt verzogen. Der Wagen war binnen zehn Minuten zur Stelle – ich hatte zwar kurz erwogen, die U-Bahn zu nehmen, doch die Oscar-Robe und meine Füße sprachen nachhaltig dagegen –, und ich fiel abgekämpft, aber friedlich, auf den Rücksitz.

Auf dem Weg zum Lift hielt John mich auf und händigte mir einen braunen Umschlag aus. »Ist vor ein paar Minuten gekommen. Steht ›Eilig‹ drauf.« Ich bedankte mich, setzte mich in ein Eck des Foyers und überlegte, wer mir wohl Freitagnacht um zehn dringende Post zukommen ließ. Ich riss den Umschlag auf und zog eine Karte heraus:

*Liebste Andrea,*

*das war wirklich ein supernettes Zusammentreffen heute Abend! Lassen Sie uns doch nächste Woche einmal miteinander Sushi essen gehen oder so?! Beiliegendes habe ich Ihnen auf dem Heimweg noch schnell vorbeigebracht – dachte mir, Sie könnten eine kleine Aufheiterung gebrauchen, nach diesem Abend. Viel Spaß damit.*

*Gruß und Kuss,*
*Ilana*

»Beiliegendes« war das auf Din-A-4 vergrößerte Foto von Miranda der Schlange. Ich nahm es mir zur Brust, nachdem ich die Manolos weggeschlenkert hatte, und begutachtete besonders Mirandas Augen, während ich meine armen gemarterten Füße massierte. Auf dem Bild blickte sie einschüchternd drein, gemein und widerwärtig, genauso, wie ich sie kannte. Aber heute Abend hatte sie auch traurig und einsam ausgesehen. Was würde es denn bringen, das Bild an den Kühlschrank zu hängen und mich mit Lily und Alex darüber lustig zu machen? Davon taten meine Füße auch nicht weniger weh und war mein Freitagabend nicht weniger versaut. Ich zerriss es und humpelte zum Aufzug.

# 15

»Andrea, hier ist Emily«, krächzte eine Stimme aus dem Telefon. »Hörst du mich?« Es war Monate her, dass Emily mich so spät am Abend zu Hause angerufen hatte; hier musste ein echter Notfall vorliegen.

»Ja, klar. Du klingst ja grauenhaft«, sagte ich und schoss vom Kissen hoch, nur von dem einen Gedanken beseelt: was Miranda angestellt haben mochte, um sie in so einen Zustand zu versetzen. Beim letzten Mal hatte sie sie Samstagnacht um elf angerufen und von Emily verlangt, für sie und Mr. Tomlinson ein Privatflugzeug zu chartern, weil ihr Linienflug von Miami nach New York wegen schlechter Wetterbedingungen gestrichen worden war. Emily wollte gerade aufbrechen und ihren Geburtstag feiern; ihr Hilferuf auf dem Anrufbeantworter erreichte mich erst am nächsten Tag. Als ich sie endlich zurückrief, war sie immer noch in Tränen aufgelöst.

»Ich hab meine eigene Geburtstagsparty verpasst, Andrea«, greinte sie los, kaum dass sie abgehoben hatte. »Meine eigene Geburtstagsparty, bloß weil ich einen Flug für sie organisieren musste!«

»Und wieso konnten sie nicht irgendwo im Hotel übernachten und es wie jeder Normalmensch am nächsten Tag wieder versuchen?« Die Frage war rhetorisch, wir wussten es beide.

»Sieben Minuten nach ihrem ersten Anruf hatte ich für sie Penthouse-Suiten im Shore Club, im Albion und im Delano reserviert, weil ich dachte, das kann sie doch im Leben nicht ernst meinen – Herrgott noch mal, es war Samstagnacht. Wie zum Teufel soll man Samstagnacht um elf einen Flug chartern?«

»Die Alternative hat ihr vermutlich nicht so richtig gefallen?«, fragte ich in besänftigendem Ton und fühlte mich einerseits grässlich schuldig, weil ich nicht zur Stelle gewesen war, andererseits im siebten Himmel, dass dieses Geschoss mich verfehlt hatte.

»Ganz und gar nicht. Sie rief alle zehn Minuten an und wollte wissen, warum ich noch immer nichts für sie gefunden hätte, und in der Zeit musste ich die anderen immer auf Warteschleife schalten, und bis ich mit Miranda durch war, hatten sie wieder aufgelegt.« Sie holte hörbar Luft. »Ein Albtraum.«

»Und, was war dann schließlich? Ich wage kaum zu fragen.«

»Was war? Frag lieber, was *nicht* war! Ich habe bei jeder einzelnen Chartergesellschaft im Staate Florida angerufen und, wen wundert's, Samstagnacht um zwölf kein Schwein mehr ans Telefon gekriegt. Ich hab mit freien Piloten per Funk verhandelt, Inland-Fluggesellschaften kontaktiert und zum Schluss so eine Art Oberguru vom Miami International Airport an der Strippe gehabt und ihm verklickert, dass ich binnen der nächsten Stunde gern zwei Leute nach New York geflogen haben möchte. Weißt du, was er gemacht hat?«

»Na?«

»Er hat gelacht. Wie bekloppt. Ich wäre eine Strohfrau für Terroristen, für Drogenschmuggler, für Was-weiß-Ich, hat er behauptet. Eher würde 20-mal hintereinander der Blitz in mich fahren, als dass ich mir um diese Zeit, ganz gleich zu welchem Preis, noch ein Flugzeug samt Piloten unter den Nagel reißen könnte. Und falls ich mir einfallen lassen sollte, noch mal anzurufen, sähe er sich gezwungen, meine Anfrage an das FBI weiterzuleiten. Wie findest du das?« Mittlerweile war sie auf der Brüllebene angelangt. »Ist es zu fassen, Scheiße noch mal? Das FBI!«

»Und das hat Miranda schätzungsweise auch prima gefallen?«

»Ja, das fand sie gaaanz, gaaanz toll. Mochte 20 Minuten lang nicht glauben, dass sich ihr kein einziges Flugzeug zu Füßen legen wollte. Und ich musste ihr ständig versichern, es läge nicht daran, dass alles ausgebucht wäre, sondern dass um diese späte Stunde vielleicht schlicht und einfach kein Charterflug mehr zu ergattern war.«

»Und dann?« Die Geschichte konnte kein Happy End haben.

»Ungefähr um halb zwei morgens hatte sie sich endlich damit abgefunden, dass sie in der Nacht nicht mehr nach Hause kommen würde – nicht, dass es irgendwas ausgemacht hätte, die Zwillinge waren sowieso bei ihrem Vater und das Kindermädchen den ganzen Sonntag verfügbar, falls sie es gebraucht hätten –, und dann sollte ich ihr ein Ticket für die Frühmaschine besorgen.«

Das kapierte ich nicht. Wenn ihr Flug gestrichen worden war, würde die Fluggesellschaft sie doch ohnehin auf den frühesten Flieger am folgenden Tag gebucht haben, insbesondere in Anbetracht ihres Premium-Vorzugs-Plus-Gold-Platin-Diamant-Business-VIP-Vielflieger-Status sowie der stattlichen Summe, die ihre Erste-Klasse-Tickets gekostet hatten. Ich brachte diesen Einwand vor.

»Ja, klar, Continental hatte sie auf ihre erste Maschine um zehn vor sieben umgebucht. Aber als Miranda spitzkriegte, dass irgendwer sich einen Platz in dem Delta-Flug um 6 Uhr 35 geangelt hatte, drehte sie total durch. Ich wäre eine absolute Null, und wozu sie eigentlich eine Assistentin hätte, die nicht mal zu so was Simplem imstande sei wie ein Privatflugzeug zu organisieren.« Schniefend nahm sie einen Schluck irgendwas, vermutlich Kaffee.

»O mein Gott, ich weiß, was jetzt kommt. Du hast doch nicht –«

»Doch, habe ich.«

»Nein. Das kann nicht dein Ernst sein. Für 15 Minuten?«

»Ja! Was hatte ich denn für eine Wahl? Sie war stinksauer auf mich – und so sah es wenigstens so aus, als täte ich was. Die paar tausend Piepen extra – Peanuts. Sie wirkte beinahe *vergnügt*, als wir auflegten. Herz, was willst du mehr?«

Wir mussten beide lachen. Den Rest brauchte Emily mir nicht zu erzählen: dass sie also in Gottes Namen zwei zusätzliche Business-Class-Tickets für den Delta-Flug besorgt hatte, nur damit Miranda endlich den Schnabel hielt und nach dem ganzen, entwürdigenden Hickhack wieder Friede, Freude, Eierkuchen herrschte.

Ich erstickte fast vor Gelächter. »Warte. Du hast also einen Wagen organisiert, der sie zum Delano bringen sollte –«

»– da war es mittlerweile kurz vor drei morgens, und in den vergangenen vier Stunden hatte sie mich exakt 22-mal auf dem Handy angerufen. Der Fahrer wartete, während die beiden in ihrer Penthouse-Suite duschten und sich umzogen, und dann fuhr er sie umgehend wieder zurück zum Flughafen, damit sie pünktlich für den *früheren* Flug zur Stelle waren.«

»Ach komm jetzt, hör auf!«, heulte ich zwischen zwei Lachkrämpfen angesichts ihrer bestrickenden Schilderung. »Das ist doch alles nicht wahr.«

Emily mühte sich, ernst zu bleiben. »Na, was denn, was denn? Das Beste fehlt ja noch.«

»Lass hören, bitte lass hören!« Ich war schier außer mir; endlich mal was, worüber Emily und ich zusammen lachen konnten. Gutes Gefühl: Wir waren ein Team, ein Doppelgespann im Kampf gegen die Tyrannin. In diesem Moment ging mir zum ersten Mal auf, wie anders das Jahr hätte verlaufen können, wenn Emily und ich echte Freundinnen geworden wären, einander hinreichend gedeckt, geschützt und vertraut hätten, um gemeinsam Front gegen Miranda zu machen. Damit wäre vielem vermutlich die Spitze genommen worden, aber von seltenen Ausnahmen wie dieser abgesehen lagen wir uns eigentlich ständig in den Haaren.

»Das Beste?« Sie legte eine Kunstpause ein, auf dass unsere geteilte Freude noch ein Weilchen länger anhielt. »Sie hat's natürlich nicht geschnallt: Der Delta-Flug ging zwar früher weg, landete aber planmäßig acht Minuten *nach* dem von Continental, auf den sie ursprünglich gebucht war!«

»Jetzt aber Schluss!« Das war wirklich die Krönung. Ich kriegte mich kaum noch ein. »Das *kann* doch nur ein Witz sein!«

Als wir schließlich auflegten, stellte ich zu meinem Erstaunen fest, dass wir über eine Stunde miteinander telefoniert hatten, fast wie gute alte Freundinnen. Natürlich klappten wir am Montagmorgen sofort wieder das Visier herunter, aber irgendwie hegte ich seit jenem Wochenende geringfügig freundlichere Gefühle für Emily. Bis zu diesem Augenblick, versteht sich. Mir anzuhören, welche empörende Zumutung oder Unannehmlichkeit sie auf mich abzuladen gedachte, so weit ging meine Zuneigung nun auch wieder nicht.

»Du klingst echt übel. Bist du krank?« Ich hätte gern einen Schuss Mitgefühl beigemischt, aber es kam einfach bloß aggressiv und vorwurfsvoll heraus.

»Kann man so sagen«, brachte sie mit Mühe heraus, bevor sie in bellenden Husten verfiel. »Richtig krank.«

Mit dieser Formulierung konnte mir mittlerweile eigentlich niemand mehr kommen: Solange keine Diagnose einer hochoffiziellen, womöglich lebensbedrohlichen Erkrankung vorlag, ging es einem gut genug, um bei *Runway* auf der Matte zu stehen. Weshalb ich auch dann noch, als Emily mit Husten fertig war und erneut darauf hinwies, sie sei ernstlich krank, keinen Augenblick lang in Betracht zog, sie würde Montagmorgen nicht hinter ihrem Schreibtisch sitzen. Schließlich sollte sie am 18. Oktober zu Miranda nach Paris fliegen, und bis dahin blieb nur noch eine gute Woche. Außerdem hatte ich persönlich in dem knappen Jahr, das ich nun schon in Lohn und Brot stand, diverse Halsentzündungen, mehrere Bronchitisattacken, eine ekelhafte Lebensmittelvergiftung sowie den permanenten Raucherhusten und die ewigen Erkältungen weggesteckt, ohne auch nur einen Tag zu fehlen.

Ein einziges Mal, als ich wegen einer Halsentzündung dringend Antibiotika brauchte, hatte ich mich zum Arzt geschlichen und darauf bestanden, sofort dranzukommen (offiziell sollte ich mich bei Autohändlern nach einem neuen Wagen für Mr. Tomlinson umsehen) –, aber für irgendwelche vorbeugenden Maßnahmen war nie Zeit geblieben. Ein Dutzend Termine für Strähnchen bei Marshall, die eine oder andere kostenlose Massage in Wellness-Einrichtungen, die sich geehrt fühlten, Mirandas Assistentin als Gast bei sich begrüßen zu dürfen, sowie zahllose Maniküren, Pediküren und Schönheitsbehandlungen – aber zum Zahnarzt oder zum Gynäkologen hatte ich es in dem ganzen Jahr nicht geschafft.

»Kann ich irgendwas tun?«, fragte ich so beiläufig wie möglich und zermarterte mir derweil das Hirn, was hinter ihrem Anruf stecken mochte. Ob sie sich wohl fühlte oder nicht, spielte – was uns beide anging – nicht die geringste Rolle. So oder so würde sie Montag früh antreten.

Ein weiterer, rasselnder Hustenanfall, der sich nach Schleim in der Lunge anhörte. »Äh, ja, allerdings. O Gott, ich glaub's einfach nicht. Warum muss das ausgerechnet mir passieren?«

»Was? Was ist denn los?«

»Ich kann nicht nach Paris fliegen. Ich habe Pfeiffer'sches Drüsenfieber.«

»Was?«

»Du hast ganz richtig gehört, ich kann nicht fliegen. Heute hat der Arzt angerufen und mir die Blutergebnisse mitgeteilt, denen zufolge ich ab sofort für die kommenden drei Wochen meine Wohnung nicht mehr verlassen darf.«

Drei Wochen! Das durfte ganz einfach nicht wahr sein. Mitleid für sie kam gar nicht erst auf in mir – schließlich hatte mich in den vergangenen Monaten einzig der Gedanke aufrecht gehalten, dass sowohl Miranda wie Emily eine ganze Woche lang aus meinem Leben verschwunden sein würden. Und nun sagte sie mir, es sei Essig damit.

»Emily, sie macht Frikassee aus dir – du musst fliegen! Weiß sie es schon?«

Unheilvolles Schweigen in der Leitung. »Äh, ja, sie weiß Bescheid.«

»Du hast sie angerufen?«

»Ja. Genauer gesagt, ich habe den Arzt bei ihr anrufen lassen, weil sie meinte, Pfeiffer'sches Drüsenfieber wäre doch bloß eine Lappalie, also musste er ihr erklären, dass ich sie und alle anderen anstecken könnte, und außerdem …« Sie brach ab, doch ihr Tonfall ließ das Schlimmste vermuten.

»Außerdem was?« Mein Fluchtinstinkt arbeitete auf Hochtouren.

»Außerdem … will sie, dass du sie begleitest.«

»Dass ich sie begleite, ah ja? Das ist echt originell. Und was hat sie wirklich gesagt? Sie will dich doch wohl nicht feuern, bloß weil du krank bist?«

»Andrea, ich mein's« – ihr Satz erstickte in schleimigem Auswurf, und einen Moment lang fürchtete ich, sie würde mir unter dem Hörer wegsterben – »ernst. Absolut total ernst. Sie sagte irgendwas von wegen, die Assistentinnen, die sie vor Ort gestellt bekäme, seien dermaßen unfähig, dass sie dann schon eher mit dir vorlieb nehme.«

»Na, wenn das so ist, dann nehme ich das Angebot natürlich mit Kusshand an! Es geht doch nichts über eine ordentliche Portion Honig ums Maul, um mich zu gewinnen. Sie hätte sich wirklich nicht so überschlagen müssen. Ich werde ja ganz rot!« Was fuchste mich eigentlich mehr – dass ich nach Paris fliegen sollte oder dass Miranda mich nur deshalb dabei haben wollte, weil sie mich eine Spur weniger verblödet fand als die magersüchtigen französischen Klone … je nun, meiner selbst?

»Halt ja die Schnauze«, krächzte sie zwischen weiteren Hustenattacken, die mir allmählich auf den Nerv gingen. »Weißt du eigentlich, was für ein Scheißglück du hast? Zwei Jahre – über zwei Jahre – warte ich jetzt schon auf den Trip, und dann kann ich nicht hin. Das ist so was von absurd, dass es schon wehtut, findest du nicht?«

»Na logisch! Klischeehafter geht's gar nicht mehr: Du lebst nur für diesen Trip, ich würde lieber sterben, trotzdem fahre ich und nicht du. Was hat das Leben doch für Scherze auf Lager. Ich kriege noch Bauchmuskelkater vor Lachen«, sagte ich trocken, ohne eine Miene zu verziehen.

»Ja klar, ich find's auch voll Scheiße, aber was soll man machen? Ich habe Jeffy schon Bescheid gesagt, dass er Klamotten für dich bestellen soll. Du brauchst ganze Tonnen, für jede Modenschau, für jedes Essen und natürlich für Mirandas Party im Hotel Costes jeweils ein anderes Outfit. Allison kümmert sich um dein Make-up. Wegen Taschen, Schuhen und Schmuck musst du mit Stef reden. Du hast nur noch eine Woche, also fang gleich morgen früh damit an, okay?«

»Ich glaub's immer noch nicht, dass sie das echt von mir erwartet.«

»Glaub's lieber doch; ihr war absolut nicht nach Witzen zumute. Nachdem ich nun die ganze Woche nicht ins Büro kommen kann, müßtest du auch –«

»Was? Du kommst nicht mal ins *Büro*?« Genau wie ich hatte Emily noch keinen Tag wegen Krankheit gefehlt oder sich auch nur eine Stunde von ihrem Schreibtisch wegbewegt, solange Miranda in Reichweite war. Beim Tod ihres Urgroßvaters hatte sie das Kunststück fertig gebracht, zur Beerdigung nach Philadelphia und wieder zurückzufliegen, ohne auch nur eine Minute ihrer Arbeitszeit zu verpassen. So lief der Laden hier, Punkt. Wenn es sich nicht um Todesfälle (nur der engsten Angehörigen), schwere Verstümmelung (des eigenen Leibes) oder Atomkriege (mit direkter, von Regierungsseite bestätigter Bedrohung Manhattans) handelte, hatte man anwesend zu sein. Dem Königreich Priestly stand eine revolutionäre Umwälzung bevor.

»Andrea, ich habe Pfeiffer'sches Drüsenfieber. Ich bin hoch ansteckend. Die Sache ist echt ernst. Ich soll nicht mal irgendwo außer Haus einen Kaffee trinken gehen, geschweige denn den ganzen Tag arbeiten. Miranda hat es geschluckt, also musst du den Laden am Laufen halten. Es wird eine Heidenarbeit, alles für euren Parisaufenthalt vorzubereiten. Miranda fliegt am Mittwoch nach Mailand, und du triffst sie am Dienstag darauf in Paris.«

»Sie hat es geschluckt? Jetzt hör aber auf. Was hat sie wirklich gesagt?« Ich wollte einfach nicht glauben, dass sie etwas so Banales wie Pfeiffer'sches Drüsenfieber als Entschuldigung für einen Totalausfall akzeptiert hatte. »Mach mir wenigstens die kleine Freude. Schließlich habe ich in den nächsten Wochen hier die Hölle auf Erden.«

Emily seufzte; ich konnte *fühlen*, wie sie die Augen verdrehte. »Na ja, direkt begeistert war sie nicht. Ich habe ja gar nicht selbst mit ihr gesprochen, aber der Arzt meinte, sie habe wieder und wieder gefragt, ob das denn eine ›richtige‹ Krankheit sei. Als er ja sagte, habe sie sehr verständnisvoll reagiert.«

Ich prustete los. »Na klar, Em, na klar. Mach dir keinen Kopf, okay? Du siehst zu, dass es dir wieder besser geht, und ich kümmere mich um den Rest.«

»Ich maile dir eine Checkliste, nur zur Sicherheit, damit du nichts vergisst.«

»Werde ich nicht, darauf kannst du Gift nehmen. Sie ist im letzten Jahr viermal in Europa gewesen. Ich weiß, wie der Hase läuft. Unten bei der Bank Bargeld abheben, ein paar Tausend in Euros tauschen, noch ein paar Tausend in Reiseschecks, sämtliche Friseur- und Make-up-Termine für die Dauer ihres Aufenthalts doppelt und dreifach bestätigen lassen. Was noch? Ach ja, dem Ritz die Hölle heiß machen, damit sie ihr diesmal das richtige Handy geben, und bei den Fahrern von Anfang an klarstellen, dass Madame nicht gern wartet. Ich überlege schon, wer alles Kopien von ihrem Reiseplan braucht – den tippe ich noch, kein Problem, und ich kümmere mich auch um die Verteilung. Und sie kriegt natürlich für jeden Tag minutiös aufgelistet, was für die Zwillinge in Sachen Schule, Sport, sonstige Aktivitäten und Verabredungen auf dem Plan steht, plus die Arbeitseinteilung des gesamten Personals. Was sagst du nun? Du musst dir wirklich keine Sorgen machen – ich hab alles im Griff.«

»Denk an den Samt«, schnarrte sie mit tonloser Roboterstimme. »Und an die Schals!«

»Aber gewiss doch! Sind schon auf der Liste.« Bevor Miranda für eine Reise packte (beziehungsweise, ihre Haushälterin für sich packen ließ), besorgten Emily oder ich in einem Stoffladen tonnenschwere Rollen Samt und transportierten sie zu Miranda in die Wohnung. Dort schnitten wir sie gemeinsam mit der Haushälterin jeweils passgenau zurecht und wickelten jedes einzelne Kleidungsstück, das sie mitzunehmen gedachte, in das edle Tuch ein. Die samtigen Päckchen wurden alsdann sorgsam in Dutzenden von Vuitton-Koffern verstaut, nebst jeder Menge Extrateile, weil sie erfahrungsgemäß beim Auspacken in Paris die erste Ladung sofort in die Ecke pfefferte. Außerdem blieb normalerweise ungefähr ein halber Koffer für ein Dutzend orangefarbener Schachteln von Hermès reserviert, in denen jeweils ein einzelner weißer Schal darauf wartete, irgendwo liegen gelassen, vergessen, verlegt oder schlicht und einfach weggeworfen zu werden.

Nach halbwegs überzeugenden Mitleidsbekundungen an Emilys Adresse legte ich auf und fand Lily hingerekelt auf der Couch, eine Zigarette im Mund und ein Cocktailglas in der Hand, dessen durchsichtiger Inhalt nicht nach Wasser aussah.

»Ich dachte, hier drin würde nicht geraucht?« Ich ließ mich neben sie fallen und legte die Füße auf den zerschrammten, niedrigen Holztisch, den ich von meinen Eltern abgestaubt hatte. »Mir kann's ja egal sein, *du* wolltest es so haben.« Im Gegensatz zur Verfasserin dieser Zeilen war Lily keine echte Nikotinsüchtige; sie rauchte eigentlich nur beim Trinken und kaufte auch nie eigens Zigaretten. Nun aber lugte eine frisch entrindete

Schachtel Camel Special Lights aus der Brusttasche ihres großzügig dimensionierten Herrenhemdes. Ich deutete mit dem Kinn darauf und stupste Lily mit meinem Hausschuh an den Oberschenkel. Sie überließ mir die Packung samt Feuerzeug.

»War mir klar, dass es dir egal ist«, sagte sie nach einem genüsslichen Zug. »Ich komm einfach nicht in die Gänge, und damit kann ich mich besser konzentrieren.«

»Was steht denn an?«, fragte ich und warf ihr das Feuerzeug zurück. Nach der mageren Vorstellung vom Frühjahr nahm sie dieses Semester 17 Scheine in Angriff, um ihren Notendurchschnitt aufzupolieren. Ich sah ihr zu, wie sie einen weiteren Mund voll Rauch mit einem kräftigen Schluck Jedenfalls-kein-Wasser herunterspülte. Irgendwie war sie nicht auf der richtigen Schiene.

Sie ließ einen tiefen, bedeutungsschweren Seufzer hören. Die Zigarette hing ihr beim Sprechen aus dem Mundwinkel, jeden Moment vom Absturz bedroht. Mit ihren verwuschelten, ungewaschenen Haaren und dem verschmierten Augen-Make-up wirkte sie – einen Wimpernschlag lang – wie die typische Angeklagte in einer Gerichtsserie (oder meinethalben auch wie eine von der Gegenseite, sahen doch alle gleich aus – fettige Haare, stumpfer Blick, Gebiss und Grammatik lückenhaft). »Ein Beitrag für irgendeine x-beliebige fachidiotische Zeitschrift, den kein Schwein je lesen wird, aber ich muss ihn schreiben, damit ich was auf meiner Publikationsliste habe.«

»Gott, wie grässlich. Und wann ist Abgabetermin?«

»Morgen.« So cool wie nur was. Keine Spur von Nervosität.

»Morgen? In echt jetzt?«

Ein visueller Warnschuss in meine Richtung, ja nicht die Seiten zu wechseln: »Mhm. Morgen. Voll blöd, vor allem weil der kleine Freudianer es bearbeiten soll. Ein Doktorand in Psychologie, keine Ahnung von russischer Literatur – egal, sie haben zu wenige Lektoren, also ist er für mich zuständig. Null Chance, dass ich das noch rechtzeitig gebacken kriege. Soll er mich doch kreuzweise.« Ein weiterer Versuch, das Gesöff unter Umgehung der Geschmacksnerven hinunterzukippen. Sie verzog das Gesicht.

»Lil, was ist denn da eigentlich gelaufen? Zugegeben, es ist schon ein paar Monate her, aber beim letzten Mal hast du mir erzählt, ihr würdet es langsam angehen lassen, und er wäre ein absoluter Traum. Das war natürlich bevor du dieses, dieses *Subjekt* hier angeschleppt hast, aber…«

Visueller Warnschuss Nummer zwei, diesmal komplettiert durch einen finsteren Blick. Oft genug hatte ich den Versuch gestartet, sie auf die ganze unselige Geschichte mit Freak Boy anzusprechen, aber irgendwie hatten wir in letzter Zeit nie wirklich Zeit und Ruhe für ein Gespräch unter vier Augen gefunden. Wann immer ich das Thema anschnitt, lenkte sie sofort ab. Woraus ich schloss, dass es ihr über alle Maßen peinlich war. Der Typ war ein Ekelpaket, so weit stimmten wir überein, aber dass letztlich das Saufen an der ganzen Misere Schuld hatte, dazu wollte sie sich partout nicht äußern.

»Na ja, anscheinend habe ich ihn irgendwann an dem Abend vom Au Bar aus angerufen und gebeten dahin zu kommen«, sagte sie, ohne mich anzusehen. Stattdessen konzentrierte sie sich ganz darauf, per Fernbedienung die elegische CD von Jeff Buckley in Gang zu setzen, die meinem Gefühl nach ohne Unterlass in unserer Wohnung dudelte.

»Und? Ist er gekommen und hat dich mit – äh – jemand anderem reden sehen?« Ich versuchte mich mit Kritik zurückzuhalten, um sie nicht noch weiter von mir wegzustoßen. Ganz offensichtlich ging ihr eine Menge durch den Kopf – die Probleme an der Uni, das Trinken, der scheinbar uferlose Nachschub an Kerls –, und ich wollte so sehr, dass sie sich irgendjemandem öffnete. Bisher hatte sie mir nie irgendwas verheimlicht, vielleicht auch nur, weil ich ihre einzige Vertraute war, aber in letzter Zeit war von ihr nicht viel rübergekommen. Vier Monate waren seit jenem Ereignis verstrichen, und erst jetzt brachten wir es aufs Tapet. Komisch eigentlich.

»Nein, nicht so ganz.« Sie klang bitter. »Er ist von Morningside Heights hingefahren, aber da war ich schon nicht mehr in der Bar. Dann hat er mich offenbar auf dem Handy angerufen, und Kenny hat ihn wohl ziemlich rüde abgefertigt.«

»Kenny?«

»Das *Subjekt*, das ich im Frühsommer hier angeschleppt habe, weißt du noch?« Jetzt lächelte sie, allem Sarkasmus zum Trotz.

»Ah ja. Ich schätze mal, der kleine Freudianer war begeistert?«

»Und wie. Was soll's. Wie gewonnen, so zerronnen, oder?« Husch-hoch-und-weg, war sie in der Küche, füllte ihr Glas aus der halb leeren Flasche »Ketel One« nach, garnierte es mit einem Spritzer Mineralwasser und gesellte sich wieder zu mir auf die Couch.

Eben wollte ich sie so unaufdringlich wie möglich fragen, warum sie sich Wodka in Reinform hinter die Binde goss, wenn sie am nächsten Tag einen Zeitschriftenbeitrag abliefern sollte, doch da ertönte der Summton von unten.

»Wer ist es?«, fragte ich bei John nach, den Finger auf dem Knopf.

»Mr. Fineman hätte gern Ms. Sachs gesprochen«, verkündete er, ganz in Amt und Würden angesichts der Anwesenheit Dritter.

»Ach was? Oh, super. Schicken Sie ihn rauf.«

Lily bedachte mich mit einem Blick unter hochgezogenen Augenbrauen. Nicht schon wieder dieser Text, dachte ich. »Nun krieg dich mal wieder ein«, ihre Stimme triefte vor Sarkasmus. »Freust du dich denn gar nicht, dass dein Freund so unerwartet bei dir hereinschneit?«

»Doch, doch.« Meine trotzige Erwiderung war gelogen, und wir wussten es beide. In den letzten paar Wochen hatte es sich mit Alex ziemlich zugespitzt. Ziemlich krass zugespitzt. Wir hatten alle gefährlichen Klippen einer festen Beziehung bislang geschickt umschifft und wussten nach fast vier Jahren mehr oder weniger genau, was der andere hören wollte oder zu tun hatte. Doch angesichts meiner gnadenlosen Arbeitszeiten hatte er sich in der Schule zum Engel vom Dienst gemausert, sprich: sich freiwillig als Betreuer, Nachhilfelehrer, Mentor und Leiter jedes nur denkbaren Projekts gemeldet – und was wir in der verbleibenden, gemeinsamen Zeit dann noch zustande brachten, war ungefähr so aufregend wie das Leben eines Ehepaars fünf Jahre nach der Silberhochzeit. Wie unsere Beziehung erst aussehen mochte, wenn ich mein Jahr abgedient hatte – das wollte ich mir zurzeit lieber nicht vorstellen.

Trotzdem. Jetzt hatten das Thema schon zwei mir nahe stehende Personen ausgesprochen – erst Jill (die mir gestern Abend am Telefon deswegen die Hölle heiß gemacht hatte), und nun auch noch Lily, die mir zu verstehen gab, dass sie in Alex und mir nicht mehr das Traumpaar sah – und die, zugegeben, selbst in ihrem beschickerten Zustand ganz klar merkte, dass meine Freude über Alex' Besuch sich in Grenzen hielt. Mir grauste es vor der überfälligen Aussprache wegen Paris und dem nachfolgenden, unausweichlichen Streit, den ich gern noch ein paar Tage hinausgeschoben hätte. Am liebsten, bis ich in Europa war. Aber so weit reichte Fortunas Geduld nicht. Schon pochte Alex an die Tür.

»Hi!« Ich riss die Tür auf, erwürgte ihn halb mit meiner Umarmung und trug generell eine Spur zu dick auf. »Welche Überraschung!«

»Komme ich ungelegen? Ich war gerade mit Max um die Ecke auf einen Drink und dachte mir, ich könnte mal kurz hallo sagen.«

»Ach was denkst du denn, du Dummkopf? Ich freue mich riesig. Komm rein, komm rein.« Der äußere Schein war gewahrt, aber jeder Seelenklempner hätte vom Lehnstuhl weg den Finger darauf legen können, dass all mein Überschwang lediglich dazu diente, den inneren Mangel an Begeisterung zu überdecken.

Er holte sich ein Bier aus dem Kühlschrank, gab Lily ein Küsschen auf die Wange und machte es sich in dem grellorangen Sessel bequem, den meine Eltern in weiser Voraussicht seit den 70er-Jahren für einen ihrer Sprösslinge aufgehoben hatten. »Und, wie läuft's so?«, fragte er mit einer Kopfbewegung Richtung Stereoanlage, aus der eine herz- und steinerweichende Version von »Hallelujah« plärrte.

Lily hob die Schultern. »Auf den letzten Drücker, wie üblich«

»Ach übrigens, ich muss euch was erzählen«, warf ich so enthusiastisch wie möglich ein, um Alex und mich glauben zu machen, dass es sich tatsächlich um etwas Erfreuliches handelte. Da hatte ich ihm so zugesetzt – und er sich so eingesetzt –, alles für das Ehemaligentreffen unter Dach und Fach zu bringen: Es war Grausamkeit pur, ihm nun, weniger als zehn Tage vor dem Ereignis, eine Abfuhr zu erteilen. Einen ganzen Abend lang hatten wir überlegt, wer an unserem großen Sonntagsbrunch teilnehmen sollte, und wir wussten auch schon haargenau, wo und mit wem wir am Samstag vor dem Spiel von Brown gegen Dartmouth ein Picknick im offenen Kombi machen würden.

Beide sahen mich alarmiert an. »Ja? Was gibt's denn?«, quetschte Alex sich schließlich ab.

»Also! Gerade habe ich gehört, dass ich für eine Woche nach Paris fliegen soll!«, sagte ich mit so viel Überschwang, als hätte ich soeben einem eigentlich unfruchtbaren Paar Zwillinge in Aussicht gestellt.

»Was? Wohin?« Lily wirkte leicht verwirrt und nicht ganz bei der Sache; ihr Interesse hielt sich offenbar in Grenzen.

»Was? *Wieso?*«, fragte Alex gleichzeitig. Hätte ich verkündet, mein Syphilistest sei positiv ausgefallen, wäre aus seiner Miene vermutlich ähnlich viel Freude abzulesen gewesen.

»Emily hat Pfeiffer'sches Drüsenfieber, und Miranda will, dass ich sie zu den Modenschauen begleite. Ist das nicht eine Wucht?«, erklärte ich mit aufgesetzt munterem Lächeln. Allmählich ging mir die Puste aus. Es war übel genug, dass ich fliegen musste, aber Alex davon zu überzeugen, was für eine fantastische Chance das war, machte alles nur noch zehnmal schlimmer.

»Das verstehe ich nicht. Sie geht doch jedes Jahr zu Tausenden von Modenschauen, oder?«, fragte er. Ich nickte. »Und warum musst du dann plötzlich mit?«

Lily hatte sich offensichtlich ausgeklinkt und Zuflucht zu einem Exemplar des *New Yorker* aus meinem Bestand der letzten fünf Jahre genommen.

»Sie veranstaltet doch bei den Frühjahrsmodenschauen in Paris diese Wahnsinnsparty und möchte einfach eine von ihren amerikanischen Assistentinnen dabei haben. Erst fliegt sie nach Mailand, und dann treffen wir uns in Paris. Um, ja, um alles zu koordinieren.«

»Und diese amerikanische Assistentin musst ausgerechnet du sein, und das heißt, du kannst nicht zum Ehemaligentreffen kommen«, stellte er tonlos fest.

»Na ja, normalerweise läuft es anders. Das Ganze ist ein riesengroßes Privileg, also darf eigentlich nur die erste Assistentin hin, aber da Emily nun mal krank ist, werde eben ich fliegen. Und zwar nächsten Dienstag, und damit kann ich am Wochenende nicht zu dem Ehemaligentreffen. Es tut mir wirklich wahnsinnig Leid.« Ich stand auf und setzte mich neben ihn auf die Couch, aber er machte sich sofort stocksteif.

»Ach, so einfach ist das also? Hör mal, ich habe das Zimmer komplett im Voraus bezahlt, sonst wäre uns der Sonderpreis flöten gegangen. Außerdem habe ich meine ganze Planung umgeschmissen, bloß damit ich mit dir fahren kann. Meine Mom muss sich einen anderen Babysitter suchen, weil *du* zu dem Treffen wolltest. Aber *Runway* geht natürlich vor, oder?« In all den Jahren, die wir nun schon zusammen waren, hatte ich ihn noch nie so wütend erlebt. Selbst Lily blickte von ihrem Magazin hoch, erfasste die Lage und sah schleunigst zu, dass sie aus dem Zimmer kam, bevor hier der dritte Weltkrieg ausbrach.

Ich machte Anstalten, meinen Kopf in seinen Schoß zu legen, aber er schlug die Beine übereinander und hob abwehrend die Hand. »Im Ernst, Andrea« – so nannte er mich nur, wenn er ernsthaft aufgebracht war – »ist das alles denn wirklich die Sache wert? Sei mal eine Sekunde lang ehrlich zu mir. Ist es dir das wert?«

»Was heißt: das alles? Ein Ehemaligentreffen, das es noch dutzendfach geben wird, zu verpassen, weil mein Job etwas von mir verlangt? Ein Job, der mir Türen öffnet, von denen ich nie zu träumen gewagt habe, und zwar rascher als je erwartet? Ja! Das ist es wert.«

Er ließ das Kinn auf die Brust sinken. Einen Augenblick lang dachte ich, er weinte, aber als er wieder aufsah, stand ihm der blanke Zorn ins Gesicht geschrieben.

»Meinst du vielleicht, ich würde nicht lieber mit dir nach Connecticut fahren, als eine volle Woche lang Tag für Tag 24 Stunden am Stück die Sklavin zu spielen?«, schrie ich ohne einen Gedanken daran, dass Lily noch irgendwo in der Wohnung war. »Glaubst du im Ernst, ich wollte nach Paris? Aber was wäre die Alternative?«

»Die Alternative? Das ist ja wohl ein Witz! Andy, nur für den Fall, dass du es noch nicht bemerkt haben solltest, dieser Job ist doch längst kein simpler Job mehr – er hat dich gefressen, mit Haut und Haaren!«, brüllte er zurück und lief vom Hals bis über die Ohren rot an. Normal fand ich das total süß, fallweise sogar sexy, aber heute Abend wollte ich einfach bloß noch ins Bett und schlafen.

»Alex, hör zu, ich weiß –«

»Nein, jetzt hörst *du* mir gefälligst zu! Lass mich mal für eine Sekunde außen vor – auch wenn's dir schwer fällt, was ich bezweifle – okay, vergiss, dass wir uns praktisch nie mehr sehen, weil du immer so elend lange arbeitest und ständig bei irgendwelchen Notfällen einspringen musst. Aber was ist mit deinen Eltern? Wann hast du die eigentlich zum letzten Mal gesehen? Und deine Schwester? Ist dir klar, dass du deinen neugeborenen Neffen bislang noch gar nicht zu Gesicht bekommen hast? Hat das alles denn nichts mehr zu bedeuten?« Er senkte die Stimme und beugte sich näher zu mir hin. Doch statt des erwarteten Versöhnungsversuchs kam die nächste Frage: »Und was ist mit Lily? Ist dir vielleicht noch nicht aufgefallen, dass deine beste Freundin sich zur Vollalkoholikerin entwickelt hat?« Sofort setzte er auf meinen offenkundigen Schock noch eins drauf. »Oder willst du etwa im Ernst behaupten, dass du nichts davon mitgekriegt hast? Das ist doch klar wie Kloßbrühe, Andy.«

»Ja, klar trinkt sie. So wie du und ich und alle anderen, die wir kennen. Lily ist Studentin, und unter Studenten ist das völlig normal, Alex. Was führst du dich deswegen so auf?« Laut ausgesprochen klang es noch lahmer, als es ohnehin war. Alex schüttelte bloß den Kopf. Nach einer Weile brach er das Schweigen.

»Du kapierst es einfach nicht, Andy. Ich weiß nicht genau, wie es so weit kommen konnte, aber ich habe das Gefühl, als würde ich dich gar nicht mehr kennen. Ich glaube, es ist eine Auszeit angesagt.«

»Was? Was sagst du? Es ist aus?« Erst jetzt, viel zu spät, ging mir auf, wie ernst es Alex damit war. Er war immer so verständnisvoll, so lieb, so jederzeit verfügbar gewesen, dass ich mit der Zeit davon ausging, er würde immer da sein, um mir am Ende eines langen Tages geduldig zuzuhören und mich wahlweise zu beruhigen oder aufzumuntern, wenn der Rest der Welt wieder einmal kräftig auf mich eingedroschen hatte. Das einzige Problem daran war, dass ich selbst dabei nur sehr wenig zum Gelingen der Beziehung beigetragen hatte.

»Nein, nein, nicht aus. Bloß eine Auszeit. Ich denke, es würde uns nicht schaden, unsere Beziehung mal neu zu überdenken. Du bist mit mir in letzter Zeit ganz offensichtlich nicht glücklich, und ich muss sagen, meine Begeisterung für dich hält sich auch in Grenzen. Vielleicht tut ein bisschen Abstand uns beiden ja gut.«

»›Tut uns gut?‹ Würde uns ›nicht schaden‹?« Seine abgedroschenen Formulierungen und die Idee, »eine Auszeit« könnte uns wieder näher zusammenbringen, machten mich schier rasend. Musste er denn partout so selbstsüchtig sein und ausgerechnet jetzt damit ankommen, wo ich mein Jahr bei *Runway* (hoffentlich) so gut wie abgesessen hatte und kurz vor der bislang größten Herausforderung in meiner Karriere stand? Eben hatten mich noch Trauer und Betroffenheit angewandelt, doch jetzt war ich schlicht verärgert. »Na schön. Nehmen wir also eine Auszeit«, stieß ich sarkastisch, ja böse hervor. »Und schnaufen tief durch. Hört sich doch nach einem guten Plan an.«

In seinen großen braunen Augen waren ungläubige Überraschung und Kränkung zu lesen; er presste sie fest zusammen, als wollte er mein Gesicht um keinen Preis mehr sehen. »Okay, Andy. Dann befreie ich dich jetzt von meiner deprimierenden Gegenwart und gehe. Ich wünsche dir viel Spaß in Paris, ganz ehrlich. Bis bald.« Er küsste mich auf die Wange, als wäre ich Lily oder meine Mutter, und ließ mich völlig verdattert sitzen.

»Und wenn wir noch mal darüber reden?« Ich versuchte ganz ruhig zu bleiben. Wollte er denn wirklich und wahrhaftig gehen?

Er drehte sich um und sagte mit einem traurigen Lächeln: »Heute nicht mehr, Andy. Das hätten wir in den letzten paar Monaten, im ganzen letzten *Jahr* tun sollen. Jetzt alles in einen Abend zu stopfen, bringt nichts. Denk über das Ganze nach, okay? Ich melde mich in ein paar Wochen bei dir, wenn du wieder gut gelandet bist. Und viel Glück in Paris – du machst das super, das weiß ich.« Er ging zur Tür hinaus und schloss sie leise hinter sich.

Ich rannte schnurstracks in Lilys Zimmer, um mir von ihr bestätigen zu lassen, dass er überreagierte, dass ich nach Paris musste, weil es das Beste für meine Zukunft war, dass sie kein Alkoholproblem hatte und dass ich keine schlechte Schwester war, bloß weil ich außer Landes ging, nachdem Jill eben gerade ihr erstes Kind bekommen hatte. Aber Lily war, vollständig bekleidet, auf ihrer Tagesdecke weggesackt. Das leere Cocktailglas stand auf dem Nachttisch, der aufgeklappte Laptop neben ihr auf dem Bett. Ob sie wohl schon was fabriziert hatte? Na bravo! Die Kopfzeile war da: Name der Studentin und des betreuenden Professors, Nummer des Doktorandenseminars und (mutmaßlicher) Arbeitstitel des Beitrags: »Die psychologischen Folgewirkungen der emotionalen Verstrickung von Autor und Leser«. Ich prustete laut los, aber sie rührte sich nicht; also beförderte ich den Laptop zurück auf ihren Schreibtisch, stellte den Wecker auf sieben und machte das Licht aus.

Kaum war ich in meinem Zimmer, klingelte das Handy. Nach den üblichen fünf Anfangsschrecksekunden, in denen ich jedes Mal zitterte, dass SIE es war, klappte ich es blitzartig auf; es konnte nur Alex sein. Unmöglich, dass er die Dinge so im Raum stehen ließ: er, der ohne Gutenachtkuss und »Träum was Schönes« keinesfalls einschlafen konnte. Ausgeschlossen, dass er so mir nichts, dir nichts davonspazierte und kein Problem mit der Vorstellung hatte, wochenlang nichts von mir zu hören.

»Hi, Baby«, hauchte ich in den Hörer. So sehr ich ihn – ganz akut – vermisste, war ich fürs Erste doch auch froh, ihn bloß am Telefon zu haben. Mir brummte der Schädel, die Schultern klebten mir förmlich an den Ohren, so verkrampft fühlten sie sich an: Sag doch einfach, dass das Ganze ein Riesenfehler war und du dich morgen wieder meldest. »Schön, dass du anrufst.«

»›Baby‹? Wow! Was sind denn das für rasante Fortschritte, Andy. Vorsicht, am Ende komme ich noch auf die Idee, dass Sie mir nicht ganz abgeneigt sind.« – Christian, der Süßholzraspler, mit hörbarem Grinsen in der Stimme.

»Ach, Sie sind's.«

»Puh – nicht gerade die herzlichste Begrüßung, an die ich mich erinnern kann. Was ist los, Andy? Täuscht der Eindruck, oder blocken Sie mich in letzter Zeit ab?!«

»Kein Gedanke«, log ich. »Ich hatte bloß einen miesen Tag. Wie üblich. Was gibt's?«

Er lachte. »Na, na, na. Jetzt aber. Kein Grund, Trübsal zu blasen. Sie sind auf der Überholspur zum großen Glück. Apropos, ich rufe an, weil ich fragen wollte, ob Sie Lust hätten, morgen Abend zu einer Preisverleihung und Lesung vom PEN-Club mitzukommen. Sind bestimmt viele interessante Leute dabei, und ich würde Sie gerne mal wieder zu Gesicht bekommen – aus rein beruflichen Interessen natürlich.«

Für jemandem wie mich, der in *Cosmo* haufenweise Artikel zum Thema »Woran man erkennt, dass er es ernst meint« las, mussten spätestens an diesem Punkt die Warnglocken läuten. Taten sie auch, aber ich ließ sie bimmeln. Nach diesem elend langen Tag gab ich mich – bloß für ein paar Minuten – der Illusion hin, er könnte es am Ende vielleicht, vielleicht doch aufrichtig meinen. Scheiß drauf. Es tat gut, ein paar Worte mit einem männlichen Wesen zu wechseln, das nicht auf mir herumhackte, sich allerdings auch nicht groß darum scherte, dass ich vergeben war. Die Einladung würde ich so oder so nicht annehmen, aber ein kleiner, unschuldiger Telefonflirt tat keinem weh.

»Nein, wirklich?«, fragte ich kokett. »Erzählen Sie mehr.«

»Ich kann Ihnen gern alle Gründe herunterbeten, Andy, warum Sie mitkommen sollten, und Nummer eins lautet schlicht: Ich weiß, was gut für Sie ist. Punkt.« Gott, was war er doch arrogant. Warum sprang ich bloß so darauf an?

Spiel eröffnet. Im vollen Galopp hinaus aufs Feld, und sämtlichen berechtigten Vorbehalten zum Trotz verblasste alles – die Parisreise, Lilys bedenkliche kleine Schwäche für Wodka und Alex' trauriger Blick – vor den Funken, die aus unserer spritzigen Konversation schlugen.

**16** Geplant war, dass Miranda eine Woche lang mit vor Ort gestellten Assistentinnen die Modenschauen in Mailand absolvierte und dann gleichzeitig mit mir Dienstag früh in Paris eintraf, auf dass wir wie gute alte Freundinnen (ha, ha) gemeinsam ihre Party bis ins letzte Detail minutiös durchplanen konnten. Nachdem Delta nicht gewillt war, Emilys Ticket ohne viel Hin und Her auf mich umzuschreiben, hatte ich, um weiteren Streit und Frust zu vermeiden, einfach um Ausstellung eines neuen Flugscheins gebeten. 2200 Dollar – weil Modewoche war und ich Last Minute buchte. Ich musste ganz kurz schlucken, bevor ich mit der Nummer der Firmenkreditkarte herausrückte. *Was soll's*, dachte ich dann. *So viel haut Miranda in einer Woche locker für Friseur und Make-up auf den Kopf.*

Als Mirandas Juniorassistentin war ich bei *Runway* in der Kategorie menschlicher Lebensformen ganz unten angesiedelt. Andererseits rangierten Emily und ich ganz oben, wenn es um den Zugang zur Weltherrscherin über die Mode ging: Wir entschieden, wer Termine eingeräumt bekam und wann (vorzugsweise frühmorgens, dann war das Make-up noch frisch und die Garderobe faltenfrei) und wessen Nachrichten weitergeleitet wurden (wer es nicht bis ins Bulletin schaffte, war so gut wie tot).

Das hieß, wenn eine von uns Hilfe brauchte, stand die gesamte Belegschaft Gewehr bei Fuß, uns beizustehen. Gleichzeitig waren wir uns natürlich der leise verstörenden Tatsache bewusst, dass genau dieses Gesocks nicht die mindesten Skrupel hätte, uns mit einer Limousine von Elias-Clark plattfahren zu lassen, wenn wir nicht zufällig für Miranda Priestly arbeiteten. Doch nach Stand der Dinge apportierten sie gehorsam auf Befehl wie vorschriftsmäßig abgerichtete Hündchen.

Die Arbeit an der bevorstehenden Ausgabe wurde abrupt eingestellt: Nun ging es einzig darum, mich ordentlich ausstaffiert nach Paris zu verschicken. Drei Klapperschnepfen aus der Modeabteilung stellten in Windeseile eine Ausstattung zusammen, die jedem Anlass Rechnung trug, zu dem Miranda meine Anwesenheit für erforderlich halten mochte. Bis zum Zeitpunkt meines Abflugs versprach mir Lucia, die Fashion-Chefin, noch ein komplettes Handbuch mit professionellen Kohleskizzen sämtlicher Teile aus dem eben kompilierten Fundus in jeder nur erdenklichen Zusammenstellung, mit maximalem Schick- und minimalem Peinlichkeitsfaktor. Anders gesagt: Solange ich bloß ja nicht auf mein eigenes Gespür in Sachen Auswahl und Kombination vertraute, bestand für mich eine – wenn auch verschwindend geringe – Chance auf eine präsentable Erscheinung.

Würde ich unter Umständen Miranda in ein Bistro begleiten und dort steif und stumm wie eine Mumie in der Ecke stehen müssen, während sie an einem Glas Bordeaux nippte? Hose mit Aufschlägen von Theory in Graphit und ein schwarzseidener Rollkragenpullover von Celine. Im Tennisclub mit von der Partie sein, wenn sie ihre Privatstunden absolvierte, und sie dort mit Wasser sowie, auf Anforderung, mit weißen Schals versorgen, falls sie *sche-witzen* sollte? Sportliches Outfit, komplett von Kopf bis Fuß: Kapuzenjacke mit Reißverschluss (bauchfrei, natürlich), darunter ein halbes Netzhemd für 185 Dollar, Work-Out-Pants und Wildlederturnschuhe – alles von Prada. Und wenn ich vielleicht – ganz vielleicht – tatsächlich bei einer der Modenschauen in der ersten Reihe saß, wie mir alle unverdrossen prophezeiten? Den Möglichkeiten waren keine Grenzen gesetzt. Mein Favorit bisher (wir schrieben immerhin erst Montag, spätnachmittags) war ein Schulmädchenfaltenrock von Anna Sui mit einer sehr durchsichtigen und sehr gerüschten weißen Bluse von Miu Miu, dazu höchst aufreizende, halbhohe Stiefel von Christian Laboutin und ein geradezu unanständig eng anliegender Lederblazer von Katayone Adeli. Meine Express-Jeans und die Loafer von Franco Sarto verstaubten seit Monaten in meinem Schrank, und, ehrlich gesagt, vermisste ich sie noch nicht einmal sonderlich.

Weiterhin machte ich die Entdeckung, dass Allison den Titel »Beauty-Editor« zu Recht trug: Sie war eine ganze Schönheitsindustrie in Person. Binnen 24 Stunden nach »Inkenntnissetzung«, dass ich diverses Make-up und pfundweise Tipps brauchte, hatte sie ein Rundum-sicher-und-sorglos-Kosmetikpaket zusammengestellt. Das überdimensionale »Beautycase« von Burberry, das bei keiner Fluggesellschaft als Handgepäck durchgegangen wäre, enthielt Lidschatten, Lotionen, Lipgloss, Cremes, Konturstifte und Make-up in allen erdenklichen Varianten, matte, glänzende, wischfeste und farblose Lippenstifte sowie Mascara in sechs Schattierungen von hellblau bis tiefschwarz plus Wimpernformer und zwei Bürstchen, falls (Schreck lass nach!) etwas klumpte.

Verschiedenste Puder, die meinem Gefühl nach die Hälfte des Gesamtsortiments ausmachten und laut Packungsbeilage wahlweise Augenlider, Hauttönung und Wangen fixierten, akzentuierten, betonten oder kaschierten, ließen mit ihrer Vielfalt und subtilen Nuancierung jede Malerpalette vor Neid erblassen: die einen sollten bronzieren, die anderen unterstreichen, wieder andere verstärken, vergrößern oder abtönen. Ich hatte freie Wahl, mir in flüssiger oder fester Form, mit Puder oder einer beliebigen Kombination aller drei Substanzen zu den gewünschten frischen Farben zu verhelfen. Der absolute Hammer war die Grundierung: als hätte mir jemand ein Stück Haut von der Backe gepellt und eine Großpackung in exakt demselben Farbton zusammengemixt. Ob es nun »Glanz verleihen« oder »unreine Partien abdecken« sollte – jedes einzelne dieser winzigen Fläschchen traf meinen Hautton besser als, seien wir ehrlich, das, was ich diesbezüglich selbst zu bieten hatte. In einem unwesentlich kleineren karierten Köfferchen war das notwendige Zubehör verstaut: Wattebäusche, Wattepads, Q-Tips, Schwämmchen, annähernd zwei Dutzend Applikatoren, Reinigungstücher, zwei verschiedene Sorten Augenmake-up-Entferner (feuchtigkeitsspendend und ohne Ölzusatz) sowie nicht weniger als zwölf (in Worten: ZWÖLF) Feuchtigkeitslotionen (fürs Gesicht, für den Körper, mit Tiefenwirkung, mit Sonnenschutzfaktor 15, mit Schimmereffekt, mit Tönung, parfümiert, unparfümiert, hypoallergen, antibakteriell und – gesetzt den Fall, dass die fiese Pariser Oktobersonne mich wider Erwarten doch noch zu fassen bekam – mit Aloe Vera).

In einer Seitentasche des kleineren Koffers steckten darüber hinaus großformatige Ausdrucke mit vorgefertigten Gesichtern, die Allison zur praktischen Veranschaulichung des beigefügten Make-ups jeweils perfekt zurechtgeschminkt hatte. Eine dieser visagistischen Visionen trug den befremdlichen Titel »Glanz und Entspannung zur Kaminstunde«, unter den irgendwer in fetten Lettern hingerotzt hatte: FÜR FORMELLE ANLÄSSE UNGEEIGNET! Was nach Meinung des unbekannten Kommentators hieß: zarte Mattgrundierung, mit dunklerem Puder leicht abgetönt und gekrönt von zwei Tupfern Rouge in Flüssig- oder Cremeform; dazu, sehr sexy, dunkel umrandete Augen mit viel Lidschatten, stark getuschte, tintenschwarze Wimpern und augenscheinlich nachlässig aufgetragener, farbiger Lipgloss mit Extraglanzkraft. »Nie im Leben bringe ich das so hin«, raunte ich Allison zu.

»So weit kommt es hoffentlich auch gar nicht«, zischte sie wütend – und klang gleichzeitig so gestresst, dass ich fürchtete, sie würde vor Verzweiflung über das Ausmaß meiner Arroganz jeden Moment in die Knie brechen.

»Nicht? Und warum habe ich dann hier fast zwei Dutzend

Pappgesichter mit verschiedensten Vorschlägen, wie das ganze Zeug zu gebrauchen ist?«

Ein vernichtender Blick. Hätte genauso gut von Miranda stammen können.

»Andrea. Komm auf den Teppich. Das ist doch nur für Notfälle gedacht – wenn Miranda in letzter Minute darauf besteht, dass du sie irgendwohin begleiten sollst, oder wenn deine Friseurin oder Visagistin ausfällt. Ach, wo wir gerade davon reden, ich wollte dir doch noch zeigen, was ich an Haarzeug eingepackt habe.«

Während Allison mich im Gebrauch vier verschiedener Sorten von Rundbürsten zum Formföhnen unterwies, mühte ich mich, den Sinn ihrer eben geäußerten Worte zu begreifen. Demnach standen auch mir eine Friseurin und eine Visagistin zu? Ich hatte lediglich die Equipage für Miranda gebucht – wer hatte *mich* bei dem Ganzen entsprechend eingeplant?

»Das Büro in Paris«, entgegnete Allison seufzend. »Verstehst du, du repräsentierst *Runway*, und damit nimmt Miranda es sehr genau. Dir stehen einige der glanzvollsten Ereignisse auf diesem Planeten bevor, Seite an Seite mit Miranda Priestly. Und du willst doch nicht im Ernst behaupten, dass du den entsprechenden Look dafür selbst hinbekommst?«

»Nein, nie im Leben. Dabei brauche ich auf jeden Fall professionelle Hilfe. Vielen Dank.«

Allison nagelte mich weitere zwei Stunden fest, bis sie ganz sicher davon ausgehen konnte, dass selbst dann, wenn einer der insgesamt 14 für die Woche angesetzten Friseur- und Make-up-Termine unter den Tisch fiel, ich unsere Chefin nicht dadurch unsterblich blamierte, dass ich mir Wimperntusche auf die Lippen schmierte oder mir links und rechts das Haar abrasierte und den Rest zu einem Irokesenschnitt aufstachelte. Als wir endlich fertig waren, hoffte ich eine Sekunde in die Cafeteria flitzen und mir eine kalorienträchtige Suppe schnappen zu dürfen – doch schon griff Allison zu dem ihr noch vertrauten Apparat, der nun

Emily gehörte, und wählte die Nummer von Stef in der Abteilung für Accessoires.

»Hi, ich bin durch mit ihr, und sie ist gerade hier. Willst du raufkommen?«

»Warte! Ich brauche noch was zu Mittag, bevor Miranda zurückkommt!«

Allison verdrehte die Augen, genau wie Emily. Lag es irgendwie an der Position, dass erste Assistentinnen es so gut draufhatten, genervt zu wirken? »Na schön. Nein, nein, ich habe mit Andrea gesprochen«, sagte sie ins Telefon und betrachtete mich – welche Überraschung – mit den gleichen hochgezogenen Augenbrauen wie Emily. »Offenbar hat sie *Hunger.* Ich weiß. Ja, ich weiß. Ich hab's ihr gesagt, aber anscheinend besteht sie darauf, etwas zu... *essen.*«

Binnen drei Minuten war ich mit einer großen Schüssel Broccolicremesuppe mit Cheddar zurück im Büro und erspähte Miranda hinter ihrem Schreibtisch, die den Hörer so angeekelt von sich weghielt, als ob Scharen von Blutegeln daran klebten. Ob ich wohl so lange überleben würde, bis sie heute Abend endlich planmäßig nach Mailand flog?

»Andrea, das Telefon klingelt, aber wenn ich abnehme – nachdem Sie offensichtlich kein Interesse dafür aufbringen –, meldet sich niemand. Können Sie mir dieses Phänomen erklären?«, fragte sie.

Konnte ich schon, natürlich, aber nicht gerade ihr. Selten, aber doch kam es vor, dass Miranda als Einzige im Büro war und ans Telefon ging. Verständlicherweise waren die Anrufer dermaßen geschockt, wenn sie ihre Stimme hörten, dass sie prompt wieder auflegten. Kein Mensch war darauf gefasst, sie tatsächlich an den Apparat zu bekommen, denn die Chance, durchgestellt zu werden, war gleich null. Während meiner kurzen Abwesenheit hatte ich schon dutzendweise E-Mails von Redakteurinnen und Assistentinnen bekommen, die mich überflüssigerweise davon informierten, dass Miranda schon wieder ans Telefon gegangen sei. »Wo seid ihr, Mädels?«, hieß es unisono in den panischen Anfragen. »Sie geht selbst ans Telefon!!!«

Ich murmelte irgendwas in der Art, dass mir das auch hin und wieder passierte, aber Miranda war schon nicht mehr bei der Sache. Ihr Blick wanderte von mir zur der Suppenschüssel in meiner Hand. Ein sahnig grünes Rinnsal tröpfelte seitlich daran herunter. Ekel machte sich auf ihrer Miene breit, als ihr aufging, dass ich nicht nur etwas Essbares in Händen hielt, sondern ganz offensichtlich auch vorhatte, es zu mir zu nehmen.

»Schaffen Sie das weg«, herrschte sie mich aus fünf Metern Entfernung an. »Allein der Geruch macht mich schon krank.«

Ich warf das anstößige Objekt in den Mülleimer und sandte ihm hungrige Blicke hinterher, bis ihre Stimme mich mit einem Ruck in die Realität zurückholte.

»Ich bin jetzt bereit für die Durchsichten!«, schrillte sie. Nun, da ihr Reich wieder frei von Lebensmitteln war, saß sie etwas entspannter in ihrem Sessel. »Und sobald wir hier fertig sind, rufen Sie die Leute zur Features-Besprechung zusammen.«

Jedes Wort schickte eine Flutwelle von Adrenalin durch meinen Körper: Nie war ich mir sicher, was sie eigentlich genau wollte – und folglich auch immer im Ungewissen, ob ich das Richtige traf oder nicht. Eigentlich fiel die Einteilung der Durchsichten und der wöchentlichen Besprechungen in Emilys Ressort; ein Blick in ihren Terminkalender ergab für heute, drei Uhr, folgende Eintragung: *Durchsicht Aufnahmen Sedona, Lucia/Helen.* Ich wählte Lucias Durchwahl und schnarrte, sobald ihre Assistentin abgehoben hatte, in militärischem Kommandoton: »Sie ist jetzt so weit.«

Helen legte kommentarlos auf, was hieß, dass sie und Lucia so gut wie auf halber Strecke waren. Sofern sie sich nicht binnen 20, maximal 25 Sekunden einfanden, würde ich ausgeschickt werden, um sie aufzuspüren und von Angesicht zu Angesicht an etwas zu erinnern, was sie mittlerweile eigentlich wissen mussten: Wenn ich anrief und sagte: »Miranda ist jetzt so weit«, dann hieß das *jetzt* und keine 30 Sekunden später. Das war grundsätzlich einfach bloß ärgerlich, wurde einem allerdings durch die vermaledeite Auflage, so spitze Stilettos wie möglich zu tragen, noch weiter vermiest. Derartig gehbehindert das Büro in wilder Hetze nach Leuten abzugrasen, die sich aller Wahrscheinlichkeit nach vor Miranda ins letzte Loch flüchteten, war ohnehin kein Spaß; richtig lustig wurde es aber erst, wenn sie sich in der Toilette versteckten. Was Mann oder Frau dort auch normalerweise zu suchen hatten, es zählte nicht als Entschuldigung, nicht zur bestimmten Zeit am bestimmten Ort zu sein: Also musste ich vorpreschen, mitunter auf der Suche nach bekanntem Schuhwerk sogar unter den Kabinentüren durchspähen, und die Ertappten so höflich wie demütig darum ersuchen, zum Ende zu kommen und sich ins Büro von Miranda Priestly zu verfügen. Und zwar zackig.

Zum Glück für alle Beteiligten fand sich Helen binnen Sekunden ein; sie rollte einen überladenen Kleiderständer mit schwerer Schlagseite vor sich her und hatte seinen Zwilling im Schlepptau. Nach kurzem Zögern walzte sie, auf einen unmerklichen Wink von Miranda hin, die beiden Gestelle durch die Doppeltür und weiter über das Teppichdickicht.

»Ist das alles? Zwei Ständer?«, fragte Miranda, kurz von ihren Korrekturen aufblickend.

Es traf Helen offensichtlich überraschend, direkt angeredet zu werden, denn Miranda sprach grundsätzlich nicht mit anderen Assistentinnen als ihren eigenen. Aber da Lucia mit ihren Ständern noch nicht zur Stelle war, musste wohl sie gemeint sein.

»Ähm, nein. Lucia kommt jede Sekunde und bringt die anderen beiden. Soll ich, öh, schon mal anfangen und Ihnen zeigen, was wir bestellt haben?«, fragte Helen nervös und zog ihr geripptes Tank-Top über den Bahnenrock.

»Nein.«

Dann kam es: »Aan-dreh-aa! Holen Sie Lucia. Auf meiner Armbanduhr ist es drei. Ich habe Besseres zu tun als hier zu sitzen und zu warten, bis die Dame so weit ist.« Was nicht ganz stimmte, denn sie las noch immer Korrektur, und seit meinem ersten Anruf waren höchstens 35 Sekunden vergangen. Aber den Hinweis darauf sparte ich mir lieber.

»Nicht nötig, Miranda, bin schon da«, ertönte ein atemloses Piepsen, als ich eben aufstand, um auf die Suche zu gehen. Lucia schob und zog zwei weitere Ständer an mir vorbei. »Tut mir Leid, wirklich. Wir haben noch auf einen letzten Mantel von YSL gewartet.«

Sie baute die nach Gattungen sortierten Kleiderständer (Blusen, Oberbekleidung, Hosen/Röcke und Kleider) im Halbkreis vor Mirandas Schreibtisch auf und entließ Helen mit einer Handbewegung. Dann gingen Miranda und Lucia jedes einzelne Stück durch und bekriegten sich, was davon für die geplanten Modeaufnahmen in Sedona, Arizona, in Frage kam und was nicht. Lucia plädierte heftig für einen »schicken Cowgirl-Look«, der sich ihrer Meinung nach vor den roten Felsformationen hervorragend machen würde, doch Miranda bügelte sie ein ums andere Mal mit der rüden Bemerkung nieder, »Cowgirl-Schick« sei ein Widerspruch in sich, sie bevorzuge »Schick pur«. Vielleicht hatte sie bei der Party von BTBs Bruder fürs Erste genügend »Cowgirl-Schick« schlucken müssen. Ich klinkte mich aus der Diskussion aus und wachte erst wieder auf, als Miranda mir auftrug, die Zuständigen für die Durchsicht der Accessoires zusammenzutrommeln.

Sicherheitshalber sah ich sofort noch einmal in Emilys Terminkalender nach, aber es stimmte schon: Dort stand für heute nichts von einer Sichtung der Accessoires. Also rief ich Stef an, teilte ihr mit, dass Miranda so weit war, und betete zu Gott, Emily möge bloß vergessen haben, den Termin einzutragen.

Vergebens. Sie hatten die Durchsicht erst für den morgigen Spätnachmittag auf dem Plan; mindestens ein Viertel dessen, was sie benötigten, war von den PR-Firmen noch gar nicht geliefert worden.

»Keine Chance. Nicht zu schaffen«, erklärte Stef und klang dabei weit weniger überzeugend als ihre Worte glauben machten.

»Und was zum Teufel soll ich ihr jetzt sagen?«, flüsterte ich zurück.

»Sag ihr die Wahrheit: Die Durchsicht ist erst für morgen angesetzt, und ein Großteil von dem Zeug ist noch nicht da. Ich mein, im Ernst! Wir warten im Augenblick noch auf eine Abendtasche, eine Unterarmtasche, drei verschiedene Fransenportemonnaies, vier Paar Schuhe, zwei Halsketten, drei –«

»Okay, okay, ich sag's ihr. Aber du bleibst beim Telefon und hebst ab, wenn ich zurückrufe. Und ich an deiner Stelle würde zusehen, dass du fertig wirst. Ich möchte wetten, es ist ihr ziemlich egal, für wann die Durchsicht angesetzt war.«

Stef warf mich kommentarlos aus der Leitung, ich schleppte mich zurück und wartete brav an der Tür, bis Miranda mich zur Kenntnis nahm. Als sie abwartend in meine Richtung blickte, sagte ich: »Miranda, ich habe gerade mit Stef gesprochen, und sie hat gesagt, die Durchsicht sollte erst morgen stattfinden, deswegen fehlt ihnen noch Etliches. Aber es müsste alles bis –«

»Aan-dreh-aa, ohne Schuhe, Taschen und Schmuck kann ich mir unmöglich ein Bild davon machen, wie die Garderobe an den Models wirkt, und morgen bin ich bereits in Italien. Sagen Sie Stef, sie soll mir vorlegen, was sie da hat, und mir von dem Rest Fotos zeigen!« Damit wandte sie sich wieder Lucia und ihren Ständern zu.

Stef diese erfreuliche Nachricht zu überbringen, erinnerte mich lebhaft an die schöne Redewendung: »Für jemanden den Kopf hinhalten«. Sie flippte total aus.

»Ich kann doch verdammt noch mal nicht in 30 Sekunden alles für eine Durchsicht zusammenstellen, kapierst du das nicht? Vergiss es einfach! Vier von meinen fünf Assistentinnen sind gerade nicht da, und die fünfte ist ein Vollidiot. Andrea, was, verdammte Scheiße noch mal, soll ich machen?« Sie war völlig hysterisch, aber es blieb nicht viel Verhandlungsspielraum.

»Okay, schön«, zwitscherte ich mit einem Blick zu Miranda, die ein Talent dafür hatte, alles mitzukriegen. »Dann sage ich Miranda, dass du gleich da bist.« Ich legte auf, bevor sie sich in Tränen auflöste.

Wie erwartet, war Stef zweieinhalb Minuten später zur Stelle, begleitet von ihrer einen vollidiotischen Assistentin und zwei Leihstücken, einer Fashion-Assistentin und James, dem Beauty-Experten, alle verschreckt blickend und mit unförmigen Weidenkörben beladen. Wie geprügelte Hunde standen sie vor meinem Schreibtisch herum, bis die Herrin sie mit einem weiteren unmerklichen Nicken zum Kotau vorließ. Da Miranda offensichtlich nicht gewillt schien, ihr Büro je wieder zu verlassen, mussten sämtliche schwer beladenen Kleiderständer, rollenden Schuhcontainer und überbordenden Accessoires-Körbe vor sie hin geschleppt werden.

Endlich hatten die Accessoires-Vertreter ihre Ware hübsch ordentlich in Reih und Glied auf dem Teppich zur Inspektion ausgelegt – und Mirandas Büro damit in eine Art Beduinenbasar verwandelt, der allerdings mehr von Madison Avenue als von Scharm-el-Scheich an sich hatte. Der Reihe nach präsentierten sie ihr Gürtel aus Schlangenhaut zu 2000 Dollar, versuchten ihr eine große Tasche von Kelly anzudrehen, sie von einem kurzen Cocktailkleid von Fendi zu überzeugen oder ihr die Vorzüge von Chiffon nahe zu bringen. Stef hatte – binnen 30 Sekunden und trotz des lückenhaften Bestands – eine nahezu perfekte Kollektion zur Durchsicht auf die Beine gestellt. Das Fehlende war durch Gegenstände aus früheren Shootings aufgefüllt; was an ihre Stelle treten würde, so erläuterte sie Miranda, war ähnlich, aber noch besser. Alle Redakteurinnen bei *Runway* waren Meisterinnen ihres Fachs, doch Miranda schlug sie um Längen. Sie spielte die reservierte Kundin, die kühlen Blickes, ohne auch nur einen Hauch von Interesse zu heucheln, von einem prachtvollen Stand zum nächsten schritt. Hatte sie endlich, Gott sei's gedankt, eine Entscheidung gefällt, deutete sie gebieterisch auf das Gewünschte und die Redakteurinnen nickten unterwürfig (»Allerdings, eine vorzügliche Wahl«, »O gewiss, genau das Passende«). Dann packten sie ihre Waren wieder zusammen und verfügten sich schleunigst zurück in ihre jeweiligen Abteilungen, bevor Miranda es sich wieder anders überlegte.

Die ganze Tortur dauerte nur ein paar Minuten, aber danach machte bei uns allen die Panik einer tiefen Erschöpfung Platz. Miranda hatte am Vormittag verlauten lassen, dass sie heute schon gegen vier gehen würde, um vor der großen Reise noch ein paar Stunden mit den Zwillingen zu verbringen. Also sagte ich zur Erleichterung der gesamten Abteilung die Features-Besprechung ab. Exakt um zwei Minuten vor vier begann sie zusammenzupacken – keine allzu große Anstrengung, da ich ihr alles Wichtige und Gewichtige abends rechtzeitig vor dem Abflug in die Wohnung bringen sollte. Im Grunde hatte sie nichts weiter zu tun, als die Gucci-Brieftasche und das Motorola-Handy in die Fendi-Tasche zu werfen, die sie ständig zweckentfremdete. In den vergangenen Wochen hatte dieses 10 000-Dollar-Prachtstück übrigens Cassidy als Schultasche gedient und dabei etliche Perlen sowie einen Griff verloren. Zum Schluss war es auf meinem Schreibtisch gelandet: Ich sollte es, so Mirandas Anweisung, entweder reparieren lassen oder wegwerfen, wenn nichts mehr zu retten war. Tapfer hatte ich der Versuchung widerstanden, ihr weiszumachen, die Tasche sei hin, damit ich sie mir unter den Nagel reißen konnte. Stattdessen machte ich eine Lederwarenreparatur ausfindig, die ihr das Ding für lächerliche 25 Dollar wieder instand setzte.

Nachdem sie endlich draußen war, griff ich unwillkürlich zum Telefon, um mich bei Alex auszuheulen. Die halbe Nummer war schon eingetippt, als mir einfiel, was wir vereinbart hatten. Der erste Tag seit über drei Jahren, an dem wir nichts voneinander hören würden. Ich saß da, den Hörer in der Hand, starrte auf eine E-Mail, die er noch tags zuvor geschickt und mit »Alles Liebe« unterschrieben hatte, und fragte mich, ob es nicht ein entsetzlicher Fehler gewesen war, in diese Auszeit einzuwilligen. Dann wählte ich erneut, um ihm zu sagen, dass wir noch mal über alles reden und herausfinden sollten, wo was schief gelaufen war – und dass ich bereit war, die Verantwortung für meinen Anteil am schleichenden, stetigen Niedergang unserer Beziehung zu übernehmen. Doch bevor es am anderen Ende überhaupt klingeln konnte, stand schon Stef vor meinem Schreibtisch, nach überstandener Durchsicht auf Hochtouren und bewaffnet mit dem ultimativen Accessoires-Schlachtplan für Paris. Es galt, Schuhe und Taschen, Gürtel und Schmuck, Strumpfwaren und Sonnenbrillen durchzudiskutieren, also legte ich den Hörer zurück auf die Gabel und versuchte konzentriert ihren Instruktionen zu lauschen.

Ein siebenstündiger Flug im Zwischendeck, dazu die Kluft aus hautengen Lederhosen, offenen Riemchensandalen, Blazer und Tank-Top – doch nein: Wider Erwarten war es reisetechnisch nicht der unterste Kreis der Hölle, sondern im Gegenteil die entspannteste Zeit seit langem. Nachdem Miranda und ich beide gleichzeitig auf unterschiedlichen Wegen – sie von Mailand, ich von New York – Paris ansteuerten, war ich unversehens in der einmalig glücklichen Lage, sieben Stunden ganz und gar für mich zu haben: Unerreichbar zu sein, einen gesegneten Tag lang.

Aus mir immer noch unverständlichen Gründen hatten meine Eltern auf die Neuigkeit meiner Paris-Reise nicht halb so begeistert reagiert wie erwartet.

»Ach ja?«, lautete der berüchtigt knappe – und vielsagende – Kommentar meiner Mutter. »Du fliegst ausgerechnet jetzt nach Paris?«

»Was meinst du mit ›ausgerechnet jetzt‹?«

»Je nun, der Termin für eine Reise nach Europa scheint augenblicklich nicht ganz glücklich gewählt, weiter nichts«, – eine vage

Formulierung, hinter der sich die übliche jüdische Mutter-Tochter-Schuldzuweisung auftürmte.

»Und wieso, wenn ich fragen darf? Wann wäre es denn genehm?«

»Nun sei doch nicht gleich so gereizt, Andy. Du hast dich bloß einfach so lange nicht mehr blicken lassen – das soll kein Vorwurf sein, Dad und ich wissen schon, dass du mehr als genug zu tun hast –, aber willst du dir nicht wenigstens mal deinen neuen Neffen begucken? Er ist schon ein paar Monate auf der Welt, und du hast noch keinen Blick auf ihn geworfen?!«

»Mom! Hör auf, mir Schuldgefühle einzureden. Ich möchte ja liebend gern Bekanntschaft mit Isaac schließen, aber zurzeit geht es einfach nicht, du weißt schon –«

»Dad und ich zahlen dir auch das Ticket nach Houston, das haben wir dir doch gesagt?«

»Ja! Ungefähr 1000-mal. Ich weiß es, und ich weiß es zu schätzen. Ich weiß bloß nicht, wie ich es arbeitsmäßig auf die Reihe kriegen soll, nachdem jetzt auch noch Emily ausgefallen ist. Es geht nicht ums Geld – ich kann einfach nicht so mir nichts, dir nichts auf und davon, nicht mal am Wochenende. Fändet ihr es denn sinnvoll, dass ich einmal quer über den Kontinent – und gleich wieder zurück jette, nur falls Miranda mich Samstagmorgen dazu verdonnert, ihr Zeug von der Reinigung zu holen?«

»Nein, natürlich nicht, Andy, ich dachte bloß, das heißt, wir beide dachten bloß, dass du in den kommenden Wochen vielleicht ein paar Tage bei ihnen einschieben könntest, nachdem Miranda jetzt doch weg ist und so weiter, und wenn, dann hätten Dad und ich die Gelegenheit auch gleich zu einem Besuch wahrgenommen. Aber jetzt fliegst du ja nach Paris.«

Aus ihrem Tonfall klang heraus, was sie wirklich dachte. »Aber jetzt fliegst du ja nach Paris« hieß so viel wie: »Du düst ab nach Europa und scherst dich einen Dreck um all deine familiären Verpflichtungen.«

»Mutter, damit ein für alle Mal klar ist: Ich fliege nicht in Urlaub. Ich würde 1000-mal lieber meinen kleinen Neffen kennen lernen als Paris. Die Entscheidung darüber liegt absolut nicht in meiner Hand, wie ihr wohl wisst, auch wenn ihr euch damit schwer tut. Die Sache ist ganz einfach die: Entweder fliege ich überübermorgen auf eine Woche zu Miranda nach Paris, oder ich fliege aus dem Job. Seht ihr eine Alternative? Falls ja, wüsste ich sie gerne.«

Nach geraumem Schweigen sagte sie: »Nein, natürlich nicht, Schätzchen. Wir verstehen dich ja. Ich hoffe bloß – na ja, ich hoffe bloß, dass es dir gut dabei geht.«

»Was soll denn das wieder heißen?«, blaffte ich.

»Nichts weiter«, setzte sie rasch nach. »Wirklich nur, dass es Dad und mir einzig darum zu tun ist, dass es dir gut geht, und dass du in letzter Zeit, äh, den Eindruck gemacht hast, als würdest du dich, äh, ziemlich unter Druck setzen. Ist denn so weit alles okay?«

Sie klang so offenkundig bemüht, dass ich ein bisschen Leine ließ. »Ja, Mom, alles so weit, so gut. Wenn du's genau wissen willst, ich bin wirklich nicht scharf darauf, nach Paris zu fliegen. Die Woche wird höllisch, und zwar rund um die Uhr. Aber mein Jahr ist ja bald um, und dann ist Schluss mit frustig.«

»Ich weiß, Liebes, ich weiß, dass du hart zu knabbern hattest in diesem Jahr. Ich hoffe ja nur, dass es sich am Ende für dich auszahlt. Nichts weiter.«

»Ja. Ich auch.«

Wir legten in gegenseitigem Einvernehmen auf, trotzdem wurde ich das ungute Gefühl nicht los, dass meine eigenen Eltern von mir enttäuscht waren.

Die Gepäckausgabe in Paris war der Albtraum, doch hinter der Zollkontrolle stach mir sogleich ein elegant gekleideter Chauffeur ins Auge, der ein Schild mit meinem Namen durch die Gegend schwenkte. Sobald die Fahrertür ins Schloss gefallen war, versah er mich mit einem Handy.

»Ms. Priestly hat darum ersucht, dass Sie sich gleich nach

Ihrer Ankunft bei ihr melden möchten. Ich habe mir erlaubt, die Nummer des Hotels in das Kurzwahlverzeichnis einzugeben. Sie logiert in der Coco-Chanel-Suite.«

»Ähm, oh, okay. Danke. Dann rufe ich wohl mal gleich an«, äußerte ich überflüssigerweise.

Und *wie* überflüssigerweise – bevor ich überhaupt auf die Sterntaste und die Eins drücken konnte, plärrte das Handy schon los und blinkte rot wie bei einem Großalarm. Ohne den Fahrer und seinen erwartungsvollen Blick hätte ich den Anruf vermutlich stumm geschaltet und fürs Erste ignoriert, aber ich wurde das Gefühl nicht los, dass er geheißen war, mich scharf im Auge zu behalten. Irgendwas an seiner Miene suggerierte, dass ich mir nichts Gutes tat, wenn ich den Anruf schlicht überging.

»Hallo? Hier spricht Andrea Sachs«, sagte ich in meinem professionellsten Tonfall und schloss gleichzeitig Wetten mit mir selbst ab, wer, außer Miranda, es wohl noch sein konnte.

»Aan-dreh-aa! Welche Zeit zeigt Ihre Armbanduhr momentan an?«

War das eine Fangfrage? Kam als Nächstes der Vorwurf, ich sei zu spät dran?

»Öh, lassen Sie mich nachsehen. Sie steht auf Viertel nach fünf morgens, aber ich habe sie natürlich noch nicht auf Pariser Zeit umgestellt. Also sollte sie Viertel nach elf vormittags anzeigen«, sagte ich gut gelaunt in der Hoffnung, damit einen gelungenen (und nicht zu kühnen) Auftakt zur ersten von vielen Unterhaltungen in dieser endlosen Woche gesetzt zu haben.

»Danke für Ihre epischen Ausführungen, Aan-dreh-aa. Und darf ich weiter fragen, was genau Sie in den letzten 35 Minuten getrieben haben?«

»Ja, also, Miranda, der Flug hatte ein paar Minuten Verspätung und dann musste ich noch –«

»Darf ich Sie darauf hinweisen, dass laut dem von *Ihnen* für mich erstellten Reiseplan Ihr Flieger um 10 Uhr 35 gelandet ist?«

»Ja, das war die planmäßige Ankunft, aber, verstehen Sie –«

»Ich muss mich nicht von Ihnen belehren lassen, was ich verstehe und was nicht, Aan-dreh-ah. Jedenfalls ist dergleichen mit Sicherheit nicht das, was ich unter einem akzeptablen Verhalten für die kommende Woche verstehe. Ist das so weit klar?«

»Ja, natürlich. Es tut mir Leid.« Mein Herz beschleunigte dem Gefühl nach auf eine Million Schläge pro Minute, und ich spürte, wie ich rot anlief. Rot vor Scham, dass jemand so mit mir sprach, doch mehr noch, dass ich so mit mir umspringen ließ. Soeben hatte ich mich – allen Ernstes – dafür entschuldigt, dass ich nicht für eine pünktliche Landung meines internationalen Flugs gesorgt hatte und weiterhin zu blöd gewesen war, mich an der französischen Zollkontrolle vorbeizudrücken.

Ich presste mein Gesicht unbeholfen ans Fenster der Limousine und spähte hinaus in das Leben und Treiben auf den Straßen von Paris. Wie hoch gewachsen die Frauen erschienen, wie elegant die Männer, und praktisch alle waren schön gekleidet, schlank und von edler Haltung. Es war nicht mein erster Besuch in der Stadt; aber vom Rücksitz einer Nobelkarosse betrachtet wirkte sie mit ihren schicken kleinen Boutiquen und den charmanten Straßencafés doch anders als aus der Perspektive einer Rucksacktouristin, die damals am anderen Ende der Stadt in einer Art Jugendherberge Unterkunft gefunden hatte. *Könnte ich mich durchaus dran gewöhnen*, dachte ich. Der Fahrer vollführte Verrenkungen auf seinem Sitz, um mir zu zeigen, wo die Wasservorräte gelagert waren – nur für den Fall, dass ich Durst verspürte.

Schließlich hielt der Wagen vor dem Hoteleingang, und ein soignierter Kavalier im (soweit ich das beurteilen konnte) Maßanzug hielt mir den Schlag auf.

»Mademoiselle Sachs, welches Vergnügen, endlich Ihre Bekanntschaft zu machen. Mein Name ist Gerard Renaud.« Seine Stimme klang sanft und Vertrauen erweckend; das Silberhaar und die tiefen Falten im Gesicht zeigten an, dass er sehr viel älter war, als ich nach dem Telefonat mit dem mir damals noch unbekannten Herrn von der Rezeption vermutet hatte.

»Monsieur Renaud, toll, Sie endlich kennen zu lernen!« Plötzlich hatte ich nur noch einen Wunsch: in ein schönes, weiches Bett zu kriechen und mich nach dem langen Flug ordentlich auszuschlafen. Doch diese Hoffnung machte Monsieur Renaud sogleich zunichte.

»Mademoiselle Andrea, Madame Priestly wünscht Sie in ihrer Suite zu sprechen, und zwar unverzüglich, wie ich fürchte – bevor Sie sich noch in der Ihren eingerichtet haben.« Es war ihm sichtlich unangenehm, und einen kurzen Augenblick lang tat er mir noch mehr Leid als ich mir selbst. Ganz offenkundig fühlte er sich unwohl in seiner Rolle als Überbringer schlechter Nachrichten.

»Ach du Scheiße. Na toll«, knurrte ich und merkte zu spät, welche Pein ich Monsieur Renaud damit bereitete. Ich kleisterte mir ein gewinnendes Lächeln ins Gesicht und fing von vorne an. »Bitte entschuldigen Sie, ich habe einen schrecklich langen Flug hinter mir. Könnte ich denn wohl erfahren, wo ich Miranda finde?«

»Aber gewiss, Mademoiselle. Sie befindet sich augenblicklich in ihrer Suite und bekundete, so mein Eindruck, nachhaltiges Interesse an einem raschen Zusammentreffen mit Ihnen.« Fast schien es mir, als rollte Monsieur Renaud ganz leicht mit den Augen; am Telefon hatte er immer so bestürzend untadelig geklungen, aber jetzt beschlichen mich Zweifel. Natürlich beherrschte er seine Rolle viel zu gut, um sich eine Blöße zu geben oder sich gar einen verbalen Ausrutscher zu leisten, aber: Ich zog die Möglichkeit in Betracht, dass Miranda ihm ebenso von Herzen zuwider war wie mir. Konkrete Beweise konnte ich zwar nicht vorlegen, andererseits: War es denn denkbar, dass irgendwer sie *nicht* verabscheute?

Lächelnd bugsierte Monsieur Renaud mich in den offenen Fahrstuhl, erteilte Anweisungen in Französisch und sagte mir

Adieu. Der Page eskortierte mich zu Mirandas Suite und überließ mich nach dem Anklopfen fluchtartig meinem Schicksal, einsam und allein im Angesicht der Tyrannin.

Ob sie wohl selbst an die Tür kam? Kaum vorstellbar. In den elf Monaten, die ich nun schon in ihrer Wohnung ein und aus ging, hatte ich sie noch nie bei etwas erwischt, das auch nur entfernt nach Arbeit aussah – und darunter fielen auch solch gewöhnliche Verrichtungen wie An-die-Tür-Gehen, Jacke-aus-dem-Schrank-Nehmen, oder Sich-ein-Glas-Wasser-Eingießen. Als habe sie zum orthodoxen Judentum zurückgefunden und feierte alle Tage Sabbat – mit mir als Sabbat-Goi, dem die verbotenen Tätigkeiten aufgehalst wurden.

Ein hübsches Zimmermädchen in Uniform ließ mich ein. Als sie kurz und bedrückt den Kopf hob, sah ich, dass ihre Augen in Tränen schwammen.

»Aan-dreh-aa!«, ertönte es aus den unergründlichen Tiefen des grandiosesten Wohnraums, den ich mir vorstellen konnte. »Aan-dreh-aa, mein Chanel-Kostüm muss für heute Abend dringend gebügelt werden. Der Flug hat es praktisch ruiniert. Man sollte doch meinen, die von der Concorde wüssten, wie man mit Gepäck umgeht, aber meine Sachen sehen furchtbar aus. Dann rufen Sie in der Horace Mann an, und vergewissern Sie sich, dass die Mädchen pünktlich zur Schule gekommen sind. Das machen Sie künftig jeden Morgen – ich traue dieser Annabelle nicht über den Weg. Sehen Sie zu, dass Sie abends sowohl mit Caroline als auch mit Cassidy sprechen und eine Liste der anstehenden Hausaufgaben und Prüfungen erstellen. Ich wünsche allmorgendlich vor dem Frühstück einen schriftlichen Bericht. Ach ja, und verbinden Sie mich unverzüglich mit Senator Schumer, es ist dringend. Zuletzt nehmen Sie sich diesen Schwachkopf Renaud zur Brust und erklären ihm, dass ich erwarte, von ihm für die Zeit meines Aufenthalts mit kompetentem Personal versorgt zu werden. Falls das unüberwindliche Schwierigkeiten bereiten sollte, wird der Hoteldirektor sicherlich gern einspringen. Das einfältige Ding, das er mir da geschickt hat, ist mental stark beschränkt.«

Ich schaute zu dem bedauernswerten Mädchen, das wie ein in die Ecke getriebener Hamster zitternd im Eingangsbereich stand und die Tränen hinunterzuschlucken versuchte. Nachdem davon auszugehen war, dass sie Englisch verstand, schenkte ich ihr den mitleidigsten Blick, den ich auf Lager hatte, doch sie bebte bloß weiter wie Espenlaub. Dann sah ich mich um und gab mir verzweifelt Mühe, mich an all das zu erinnern, was Miranda soeben heruntergerasselt hatte.

»Wird erledigt«, rief ich ungefähr in die Richtung, aus der ihre Stimme ertönt war, irgendwo hinter dem Stutzflügel und den liebevoll über die Grundfläche eines Einfamilienhauses verteilten 17 separaten Blumenarrangements. »Bin gleich wieder da, mit allem, um was Sie gebeten haben.« Innerlich schalt ich mich für die Konstruktion mit »um was«, dann hielt ich ein letztes Mal Umschau in der sagenhaften Wohnlandschaft. Sie überstieg an Pracht und Luxus ohne Zweifel alles, was ich bis dahin je gesehen hatte: Brokatvorhänge, dicke, cremefarbene Teppichböden, schwere Tagesdecken aus Damast auf dem King-Size-Bett und vergoldete Statuetten, diskret auf Mahagoniregalen und -tischen platziert. Nur ein Flachbildschirm-Fernsehgerät und eine durchgestylte Stereoanlage in Silbermetallic ließen ahnen, dass der gesamte Raum nicht im letzten Jahrhundert von Meisterhand gestaltet worden war.

Ich drückte mich an dem bibbernden Zimmermädchen vorbei. Im Hotelflur stieß ich wieder auf den feigen Pagen.

»Würden Sie mir wohl bitte mein Zimmer zeigen?«, bat ich so höflich wie nur möglich, doch er, offenkundig überzeugt, dass ich ebenfalls Hackfleisch aus ihm machen würde, huschte abermals weit voraus. Nach etwa 20 Metern öffnete er eine Tür, auf der keine Nummer stand.

»Hier, Mademoiselle, ich hoffe, es ist alles zu Ihrer Zufriedenheit.«

Es war fast bis aufs Haar eine Replik von Mirandas Suite, nur dass der Wohnraum kleiner und die Schlafstatt ein französisches Bett war. Den Platz des Stutzflügels nahm hier ein großer Mahagonischreibtisch ein, bestückt mit imposanter Telefonanlage, elegantem Desktopcomputer, Laserdrucker, Scanner und Fax; im Übrigen aber waren sich die Räumlichkeiten in ihrer großzügigen, behaglichen Ausstattung verblüffend ähnlich.

»Diese Tür führt über einen privaten Verbindungsgang direkt von Ihrer Suite zu der von Ms. Priestly«, erläuterte er und wollte sie schon öffnen.

»Nein, danke, nicht nötig! Es genügt, dass ich Bescheid weiß.« Ich versuchte die Gravur auf dem Namensschild zu entziffern, das diskret an der Brusttasche seines perfekt gebügelten Diensthemds befestigt war. »Danke sehr, äh, Stephan.« Ich grub in meiner Tasche nach einem kleinen Trinkgeld und stellte bei der Gelegenheit fest, dass ich schlicht vergessen hatte, Euros einzutauschen. »Oh, tut mir Leid, ich, äh, ich habe nur Dollars. Ist das okay?«

Er lief scharlachrot an und holte zu weitschweifigen Beschwichtigungen aus. »O nein, Miss, bitte, bemühen Sie sich nicht. Für dergleichen Details trägt Ms. Priestly bei der Abreise Sorge. Darf ich Ihnen aber, da Sie außerhalb des Hotels hiesige Währung benötigen, noch dies hier zeigen?« Er ging zu dem Mordstrumm von Schreibtisch, zog die oberste Schublade heraus und überreichte mir einen Umschlag mit dem französischen Logo von *Runway*. Darin ein Bündel Euroscheine im Wert von insgesamt rund 4000 Dollar sowie eine Karte von Briget Jardin, der Chefredakteurin und geplagten Hauptverantwortlichen für Planung und Durchführung sowohl der Reise als solcher wie auch von Mirandas bevorstehender Party:

*Andrea, Schätzchen, wie schön, dass Sie mit von der Partie sind! Beiliegend Euros für Ihren Aufenthalt in Paris. Ich habe mit Monsieur Renaud gesprochen und vereinbart, dass er sich*

*rund um die Uhr für Miranda bereithält. Unten finden Sie eine*
*Liste mit den Nummern, unter denen er im Hotel und privat zu*
*erreichen ist, weiterhin die Nummern des Küchenchefs, des Fit-*
*nesstrainers, des Verantwortlichen für den Limousinenservice*
*und natürlich des Hoteldirektors. Alle haben Miranda schon*
*mehrfach anlässlich der Modenschauen betreut, insofern sollte*
*es dahingehend keine Probleme geben. Ich bin natürlich immer*
*im Büro oder, falls nötig, auch per Handy, Fax, Piepser oder*
*unter meiner Privatnummer zu erreichen, wenn Sie oder Mi-*
*randa irgendetwas brauchen. Sollten wir uns vorher nicht*
*sehen, freue ich mich, Sie anlässlich der großen Soiree am Sams-*
*tag persönlich kennen zu lernen. Herzlichst, Briget*

Unter den Geldscheinen steckte ein zusammengefalteter Brief-
bogen von *Runway* mit einer Liste von nahezu hundert Rufnum-
mern, die sämtliche Eventualitäten eines Aufenthalts in Paris
abdeckten: vom angesagtesten Floristen bis zum Notfallchirur-
gen. Genau die gleiche Aufzählung fand sich auf der letzten
Seite des minutiösen Reiseplans, den ich für Miranda erstellt
hatte – unter Verwendung täglich aktualisierter, von Briget ge-
treulich gefaxter Informationen. Mithin konnte eigentlich nur
noch der Ausbruch des dritten Weltkriegs Miranda Priestly daran hindern, die Frühjahrskollektion mit einem Minimum an
Stress, Ärger und Sorge in Augenschein zu nehmen.

»Vielen, vielen Dank, Stephan. Das ist wirklich eine große
Hilfe.« Ich schälte trotz und alledem ein paar Scheine von
dem Bündel für ihn ab, doch höflich wie er war, tat er, als hätte
er sie nicht gesehen, und verdrückte sich eilig wieder Richtung Flur. Immerhin wirkte er mittlerweile erfreulich weniger verschreckt als noch vor Minuten bei unserer ersten Begegnung.

Nach einer ersten Orientierungsrunde in meinem neuen
Reich glückte es mir in relativ kurzer Zeit, sämtliche Leute aufzutreiben, nach denen es Miranda vorhin gelüstet hatte; nun

endlich witterte ich eine Chance, mein müdes Haupt kurz auf dem fein gewirkten Leinenkissen abzulegen, doch kaum hatte ich die Augen geschlossen – klingelte das Telefon.

»Aan-dreh-aa, kommen Sie unverzüglich zu mir aufs Zimmer«, kläffte sie und war auch schon wieder aus der Leitung.

»Ja, Miranda, natürlich, Miranda, danke für die höfliche Anfrage. Es ist mir ein Vergnügen«, schwallte ich ins Leere, hievte meinen jetlaggeschädigten, scheinbar tonnenschweren Körper aus dem Bett und stakste unter Aufbietung aller noch verbliebener Konzentration über den absatzgefährdenden Teppichboden unseres kleinen Privatkorridors. Und wieder machte mir ein Zimmermädchen auf, als ich anklopfte.

»Aan-dreh-aa! Eben hat mich eine Assistentin von Briget angerufen und gefragt, wie viel Zeit sie für meine Ansprache bei dem Brunch heute einkalkulieren soll?« Sie blätterte in einer Kopie von *Women's Wear Daily*, die irgendwer – vermutlich Allison, noch in leidiger Erinnerung an ihren vorherigen Job – ihr vorsorglich aus dem Büro zugefaxt hatte; zwei bildschöne Männer waren mit ihrem Haar und Make-up beschäftigt, derweil neben ihr auf dem antiken Tisch eine Käseplatte wartete.

Ansprache? Was für eine Ansprache? Außer Modenschauen stand für heute lediglich irgendeine Art Preisverleihung mit anschließender Häppchenfütterung auf dem Programm, die Miranda wie üblich nach einer Viertelstunde verlassen würde, um nicht vor Langeweile einzugehen.

»Entschuldigung – Sie sagten eine Ansprache?«

»Ganz recht.« Sie klappte die Zeitung zu, legte sie gemächlich einmal zusammen und pfefferte sie dann wütend zu Boden, knapp an einem der beiden Beaus vorbei, die vor ihr knieten. »Warum zum Teufel hat mich niemand davon informiert, dass ich bei dem Mittagsempfang heute irgend so einen dämlichen Preis überreicht bekomme?«, zischte sie mit hassverzerrter Miene. So hatte ich sie noch nie erlebt. Unlust? Na klar. Unzufriedenheit? Aber immer doch. Ärger, Frust, allgemeines Unbehagen? Keine Frage, tagaus, tagein, in jeder Minute. Aber dermaßen *angekotzt* hatte sie noch nie gewirkt.

»Öh, Miranda, tut mir wirklich Leid, aber die Einladung mit der Bitte um Antwort kam eigentlich von Brigets Büro, und sie haben nie –«

»Schweigen Sie. Schweigen Sie augenblicklich still! Ich bekomme von Ihnen nichts als Ausflüchte zu hören. *Sie* sind meine Assistentin, *Sie* sind diejenige, die ich mit der Organisation für Paris betraut habe, *Sie* sollten mich über dergleichen auf dem Laufenden halten.« Ihre Stimme schwoll immer mehr an. Die leise auf Englisch gestellte Anfrage des Visagisten, ob wir einen Moment unter vier Augen wünschten, ging in Mirandas Wutanfall vollständig unter. »Es ist jetzt Punkt zwölf. In einer Dreiviertelstunde muss ich aufbrechen. Bis dahin erwarte ich eine knappe, prägnante Ansprache, ausformuliert und leserlich getippt hier im Hotelzimmer vorgelegt zu bekommen. Sollten Sie sich nicht dazu in der Lage sehen, dürfen Sie die Heimreise antreten. *Und zwar unwiderruflich.* Das wäre alles.«

Ich stöckelte in neuer Rekordzeit durch den Flur und riss noch unterwegs die Klappe meines weltweit funktionierenden Handys auf. Mit fliegenden Fingern Brigets Büronummer einzutippen, war fast ein Ding der Unmöglichkeit, aber irgendwie kam ich durch. Eine ihrer Assistentinnen hob ab.

»Ich brauche Briget!«, kreischte ich mit sich überschlagender Stimme. »Wo ist sie? *Wo ist sie?* Ich muss mit ihr reden. *Auf der Stelle!*«

Am anderen Ende der Leitung herrschte kurzes, erschrecktes Schweigen. »Andrea? Sind Sie es?«

»Ja, und ich brauche Briget. Hier brennt's – wo zum Teufel ist sie?«

»Bei einer Modenschau, aber keine Sorge, sie hat ihr Handy immer eingeschaltet. Sind Sie im Hotel? Sie ruft Sie gleich zurück.«

Es dauerte nur ein paar Sekunden, bis das Telefon auf dem

Schreibtisch klingelte, aber mir kam es vor wie eine Woche.

»Andrea«, zwitscherte sie in ihrem süßen französischen Akzent.
»Was gibt es, meine Liebe? Monique hat gesagt, Sie sind ganz außer sich.«

»Außer mir? Allerdings, da können Sie Gift drauf nehmen! Briget, wie konnten Sie mir das antun? Ihr Büro hat uns diesen Scheißempfang aufs Auge gedrückt, und kein Schwein hat mich davon informiert, dass sie nicht nur einen Preis kriegt, sondern auch noch eine Rede halten soll?!«

»Beruhigen Sie sich, Andrea. Wir haben ganz sicher mitge-teilt –«

»Und wer darf sie schreiben? Ich! Hören Sie? Ich habe genau 45 Minuten, um eine Dankrede für einen Preis, von dem ich nichts weiß, in einer Sprache, von der ich nichts verstehe, zu schreiben. Sonst bin ich erledigt. Also, was soll ich machen?«

»Erst mal entspannen. Ich helfe Ihnen da durch. Zunächst einmal, die Zeremonie findet direkt bei Ihnen im Ritz statt, in einem der Salons.«

»In einem der was? Was für Saloons?« Ich hatte noch keine Gelegenheit gehabt, mich weiter im Hotel umzusehen, aber eine Westernkneipe stand hier eigentlich nicht zu vermuten.

»Das ist Französisch für – ach, wie heißt es bei Ihnen? Ver-anstaltungsräume. Sie muss also einfach nur nach unten ge-hen. Die Französische Modekommission ist eine Pariser Organi-sation, die alljährlich anlässlich der Modenschauen ihre Preise verleiht, weil zu der Zeit ohnehin alle in der Stadt sind. *Runway* wird in der Kategorie Modereportage ausgezeichnet. Es ist keine, wie sagt man bei Ihnen, keine große Sache, eigentlich bloß eine Formalität.«

»Na super, wenigstens weiß ich jetzt, worum sich's dreht. Und was genau soll ich nun schreiben? Wie wär's: Sie diktieren mir das Ganze auf Englisch herunter, und ich lasse es mir von Mon-sieur Renaud übersetzen, okay? Legen Sie los. Ich bin so weit.« Meine Stimme klang wieder etwas selbstbewusster, aber den

Stift festzuhalten, bereitete mir noch Mühe. Vor lauter Erschöpfung, Anspannung und Hunger verschwamm mir der auf dem Tisch bereitliegende, hoteleigene Schreibblock vor Augen.

»Andrea, Sie haben schon wieder Glück.«

»Ach was? Zurzeit fühle ich mich eigentlich nicht gerade vom Glück verfolgt, Briget.«

»Diese Veranstaltungen finden immer auf Englisch statt. Es ist keine Übersetzung nötig. Also, Sie schreiben mit, ja?«

»Ja, ja, ich schreibe mit«, murmelte ich. Eigentlich meine allererste Chance, Miranda zu beweisen, dass ich noch zu mehr taugte als bloß zum Kaffeeholen – aber in der Hektik ging diese Erkenntnis total unter.

Nachdem ich aufgelegt und das Ganze in Rekordgeschwindigkeit heruntergetippt hatte – Schreibmaschineschreiben war so ziemlich das einzige sinnvolle Fach meiner gesamten High-School-Zeit gewesen –, überschlug ich, dass Miranda zum Ablesen höchstens drei Minuten brauchen würde. In wilder Hast leerte ich ein halbes Fläschchen San Pellegrino und schlang dazu ein paar Erdbeeren hinunter, die ein wohlmeinender Zeitgenosse auf meiner Minibar deponiert hatte. *Ein Cheeseburger wäre mir lieber gewesen*, dachte ich. Irgendwo in meinem Gepäck, das sauber aufgestapelt in der Ecke stand, war ein Twix verstaut, aber ich hatte keine Zeit mehr, danach zu fahnden. Seit Erhalt meines Marschbefehls waren exakt 40 Minuten verstrichen: Nun stand die Probe aufs Exempel an.

Ein wieder anderes, aber nicht weniger verschreckt wirkendes Zimmermädchen führte mich in den Wohnraum. Natürlich hätte ich stehen bleiben sollen, doch die Lederhose, aus der ich seit gestern nicht mehr herausgekommen war, klebte mir förmlich an den Beinen, und die Riemchensandalen – im Flugzeug noch kein großes Problem – schienen sich mittlerweile in lange, biegsame Rasierklingen verwandelt zu haben, die gnadenlos in Fersen und Zehen einschnitten. Also beschloss ich, auf den schwellenden Polstern der Couch Platz zu nehmen. Kaum hatten meine schmerzenden Knie dankbar nachgegeben und meine Pobacken mit dem Kissen Bekanntschaft geschlossen, als auch schon Mirandas Schlafzimmertür aufflog und ich mich instinktiv wieder hochrappelte.

»Wo ist meine Ansprache?«, fragte sie automatisch bei meinem Anblick; in ihrem Schlepptau befand sich ein weiteres Zimmermädchen, das ihr einen einzelnen, vergessenen Ohrring nachtrug. »Sie haben doch wohl etwas aufgesetzt?« Sie trug eines ihrer klassischen Chanel-Kostüme – Rundkragen mit Pelzbesatz – und eine mehrreihige Kette aus ungewöhnlich großen Perlen um den Hals.

»Aber natürlich, Miranda«, sagte ich stolz. »Ich denke, es wird passen.« Nachdem sie keine Anstalten machte, sich des Blattes zu bemächtigen, ging ich zu ihr hin, doch bevor ich es ihr noch hinhalten konnte, riss sie es mir aus der Hand. Erst als ihre Augen nicht mehr über das Papier huschten, fiel mir auf, dass ich die ganze Zeit den Atem angehalten hatte.

»Gut. Es ist gut. Mit Sicherheit nichts Bahnbrechendes, aber so weit, so gut. Gehen wir.« Sie hängte sich eine passende, gesteppte Handtasche von Chanel über die Schulter.

»Pardon?«

»Ich sagte, gehen wir. Diese alberne kleine Veranstaltung beginnt in 15 Minuten, und mit etwas Glück sind wir in 20 wieder draußen. Dergleichen hasse ich wirklich wie die Pest.«

Meine Ohren trogen mich nicht: Sie hatte »Gehen« und »wir« gesagt, also sollte ich mit. Ich starrte an mir herunter und dachte: wenn sie – offensichtlich, sonst hätte sie was gesagt – kein Problem mit den Lederhosen und dem passenden Blazer hatte, wer war ich dann, mir darüber Gedanken zu machen? Vermutlich würden Heerscharen von Assistentinnen um ihre Chefinnen herumscharwenzeln, und was wir dabei trugen, interessierte letztlich keine Menschenseele.

Der »Salon« war, genau wie von Briget beschrieben, ein typischer Veranstaltungsraum mit ein paar Dutzend runden Tischchen und einem leicht erhöhten Podiumsbereich. Ich verzog mich ganz nach hinten und sah mir dort mit diversen anderen Kolleginnen einen megaöden, total uninteressanten Videoflop an, in dem es darum ging, auf welche Weise die Mode unser aller Leben beeinflusst. In der darauf folgenden halben Stunde hielten etliche weitere Leute das Mikrofon in Beschlag, und dann, bevor auch nur die erste Preisverleihung in Angriff genommen worden war, trat eine ganze Armee von Kellnern mit Salatschälchen und Weingläsern auf den Plan. Ich warf ahnungsvolle Blicke Richtung Miranda, die es fertigbrachte, gleichzeitig gelangweilt und gereizt zu wirken, und verdünnisierte mich so gut wie möglich hinter dem eingetopften Baum, der mir bislang beim Kampf gegen den Schlaf tröstlichen Halt geboten hatte. Keine Ahnung, wie oft mir die Augen schon zugefallen waren, bis auch meine Nackenmuskeln endgültig den Dienst aufkündigten und mir das Kinn auf die Brust fiel. Erst ihre Stimme rief mich zurück ins Hier und Jetzt.

»Aan-dreaa! Ich habe keine Zeit für diesen Mumpitz«, wisperte sie vernehmlich genug, dass ein paar Klapperschnepfen am Tisch nebenan zu uns hersahen. »Man hat mich von dieser Preisverleihung weder unterrichtet noch entsprechend darauf vorbereitet. Ich gehe.« Damit kehrte sie mir den Rücken zu und steuerte Richtung Ausgang.

Ich stolperte hinterher. Sie an der Schulter zurückzureißen, verkniff ich mir allerdings wohlweislich. »Miranda? Miranda?« Sie nahm mich einfach nicht zur Kenntnis. »Miranda? Wer soll denn dann im Namen von *Runway* den Preis entgegennehmen?«, flüsterte ich so diskret wie möglich, ohne ganz unter die Hörgrenze abzusinken.

Sie fuhr herum und nahm mich direkt aufs Korn. »Was geht mich das an? Meinethalben erledigen Sie das.« Und ohne ein weiteres Wort war sie verschwunden.

O-mein-Gott. Das durfte einfach nicht wahr sein. Gleich würde ich in meinem eigenen, unspektakulären, billigen Bettzeug aufwachen und zu der Erkenntnis gelangen, dass der ganze Tag, ach was, das ganze Jahr, nichts weiter als ein Horrortraum der Sonderklasse gewesen war. Die Frau erwartete doch nicht im Ernst, dass ich – die *Junior*assistentin – mich die Stufen hochschleppte und einen Preis für die beste Modereportage entgegennahm? Hektisch hielt ich Ausschau, ob vielleicht noch jemand von *Runway* zugegen war. Leider nein. Ich ließ mich auf einen Stuhl fallen und überlegte: Sollte ich Emily oder Briget zu Rate ziehen? Oder ganz einfach ebenfalls das Weite suchen, nachdem Miranda so offensichtlich nichts an dieser ehrenvollen Verleihung gelegen war. Eben hatte ich auf dem Handy die Büronummer von Briget eingetippt (vielleicht schaffte sie es ja noch rechtzeitig, den Scheißpreis selbst in Empfang zu nehmen), da hörte ich von der Bühne: »...verneigen wir uns vor der amerikanischen Redaktion von *Runway* in Hochachtung für ihre treffenden, unterhaltsamen und stets informativen Modereportagen. Ein herzliches Willkommen der weltberühmten Herausgeberin, einer lebenden Ikone der Modewelt, Ms. Miranda Priestly!«

Der aufbrandende Applaus ließ meinen Herzschlag stocken. Mir blieb weder Zeit nachzudenken noch Briget, Miranda oder, am nahe liegendsten, mich selbst (weil ich Dämlack diesen gottverfluchten Job überhaupt angenommen hatte) zu verwünschen. *Links-rechts-links-rechts* erklommen meine Beine ohne eigenes Zutun und irgendwelche Zwischenfälle die drei Stufen bis hinauf zum Podium. Ich befand mich im akuten Schockzustand – sonst wäre mir sicherlich aufgefallen, dass der enthusiastische Beifall zu geisterhaftem Schweigen verstummte, weil kein Mensch wusste, wer zum Henker ich eigentlich war. Aber irgendwie hatte mich eine höhere Macht beim Wickel, die mich zwang, lächelnden Angesichts die Plakette aus den Händen des verkniffen dreinblickenden Vorsitzenden entgegenzunehmen und sie zittrig vor mir auf dem Rednerpult abzulegen. Erst als ich aufsah und hunderte neugieriger, bohrender, verwirrter Blicke auf mich gerichtet sah, wusste ich mit Bestimmtheit, dass mein letztes Stündlein geschlagen hatte.

Die Stille währte nach meinem Dafürhalten vielleicht zehn, höchstens fünfzehn Sekunden, aber sie war so überwältigend, so allumfassend, dass ich mich ernsthaft fragte, ob ich nicht vielleicht doch schon tot war. Kein Sterbenswörtchen war zu hören, kein Silberbesteck kratzte verschämt über einen Teller, kein Glas stieß klingend ans andere, und keiner der Anwesenden erkundigte sich auch nur im Flüsterton, wer denn da für Miranda Priestly einsprang. Sie saßen bloß da und starrten mich an, bis ich endlich irgendetwas sagen musste. Von der erst vor einer Stunde niedergeschriebenen Rede war mir kein Wort mehr in Erinnerung: Hilf dir selbst, dann hilft dir Gott.

»Hallo«, setzte ich an; meine Stimme hallte mir in den Ohren. Ob es am Mikrofon lag oder daran, dass mir das Herz bis zum Hals schlug – egal; jedenfalls hatte ich sie nicht im mindesten unter Kontrolle. »Mein Name ist Andrea Sachs, und ich bin Mir- äh, ich arbeite für *Runway*. Leider Gottes ist Miranda, äh, Ms. Priestly, augenblicklich verhindert, aber ich bin gerne bereit, den Preis in ihrem Namen – und natürlich im Namen aller Mitarbeiter von *Runway* – entgegenzunehmen. Ich danke – äh« – mir wollte weder der Name der Organisation noch ihres Präsidenten einfallen – »Ihnen allen von Herzen für diese, äh, diese außerordentliche Ehre. Ich weiß, dass ich für alle spreche, wenn ich sage, dass wir uns sehr geehrt fühlen.« Gott im Himmel, was war das bloß für ein idiotisches Gestammel! Und trotz meiner alles beherrschenden Nervosität, entging mir nicht, dass sich im Publikum Unruhe breitmachte. Ohne ein weiteres Wort stieg ich so würdevoll wie möglich vom Podium herunter und merkte erst beim Hinterausgang, dass ich die Plakette liegengelassen hatte. Eine Hotelangestellte trug sie mir gnadenlos bis ins Foyer nach und drückte sie mir in die Hand. Kaum war sie weg, ersuchte ich einen der Portiers, mir das Ding aus den Augen zu schaffen. Achselzuckend steckte er es in seine Tasche.

*Dieses Biest!*, war alles, was ich in meiner Wut und Erschöpfung noch denken konnte. Wie gern hätte ich abgefeimte Wege ersonnen, sie vom Leben zum Tode zu bringen. Mein Handy klingelte – wer konnte das wohl sein? Ich stellte es auf »stumm« und bestellte an der Rezeption einen Gin Tonic. »Bitte, und zwar jetzt und gleich und hier. Bitte.« Die Frau musterte mich kurz und nickte. Ich kippte mir den Drink in zwei langen Zügen hinter die Binde und begab mich zurück in die oberen Etagen unter die Knute meiner Herrin. Zwei Uhr nachmittags, mein erster Tag in Paris und ein Gefühl, als wollte ich am liebsten sterben. Bloß dass Sterben nicht in Frage kam.

# 17

»Hotelsuite von Miranda Priestly«, machte ich von meinem neuen Pariser Büro aus Meldung. Die grandiosen vier Stunden, die mir zum Ausschlafen bewilligt worden waren, hatten um sechs Uhr morgens mit dem Notruf eines Lagerfeld-Assistenten ein jähes Ende gefunden. Bei der Gelegenheit ging mir auf, dass offenbar sämtliche Anrufe für Miranda direkt in *mein* Hotelzimmer umgeleitet wurden. Seit ich den Fuß über die Schwelle gesetzt hatte, klingelte das Telefon ohne Unterlass, die zwei Dutzend bereits vorhandenen Botschaften auf dem Anrufbeantworter einmal außer Acht gelassen. Ganz Paris mitsamt dem Umland wusste anscheinend, dass Miranda anlässlich der großen Modenschauen hier logierte.

»Hi, ich bin's. Wie geht's Miranda? Ist alles okay? Schon was in die Hose gegangen? Wo ist sie, wieso bist du nicht bei ihr?«

»Hey, Em! Danke für deine freundliche Anteilnahme. Wie geht's denn dir überhaupt?«

»Was? Ach, ganz gut. Noch ein bisschen wacklig, aber es wird allmählich wieder. Egal. Was ist mit *ihr*?«

»Ja, danke, mir geht's auch gut, lieb, dass du dich erkundigst. Ja, der Flug war elend lang, und ich habe noch keine 20 Minuten am Stück geschlafen, weil dauernd das Telefon klingelt und, ach ja, ich habe mir vor einem Publikum, das eigentlich gern Miranda erlebt hätte, ihr aber offenbar nicht interessant genug war, eine komplette Rede aus dem Ärmel geschüttelt, weil ich von der, die ich vorher noch schnell geschrieben hatte, kein Wort mehr wusste. Hab mich vor versammelter Mannschaft komplett zum Deppen gemacht und bin vor Angst beinahe gestorben, aber sonst ist alles paletti.«

»Andrea! Hör auf mit dem Geblödel! Ich mache mir wirklich ernsthafte Sorgen. Schließlich war nicht viel Zeit, um das Ganze vorzubereiten, und du weißt, wenn irgendwas schiefläuft, gibt sie sowieso mir die Schuld.«

»Emily, nimm's bitte nicht persönlich, aber ich kann momentan nicht mit dir reden. Ich kann einfach nicht.«

»Wieso? Stimmt irgendwas nicht? Wie ist ihr Meeting gestern gelaufen? Ist sie pünktlich hingekommen? Hast du alles, was du brauchst? Und denkst du daran, dich immer passend anzuziehen? Vergiss nicht, du bist da drüben die Repräsentantin von *Runway*, und du sollst auch danach aussehen.«

»Emily, ich muss jetzt Schluss machen.«

»Andrea! Da stimmt doch irgendwas nicht. Erzähl, was hast du so getrieben?«

»Also – in meiner üppigen Freizeit habe ich grob gerechnet bisher ein halbes Dutzend Massagen, zwei Kosmetikbehandlungen und ein paar Maniküren absolviert. Miranda und ich lassen uns hier gemeinsam verwöhnen und verstehen uns blendend. Sie gibt sich größte Mühe, mich nicht zu sehr einzuspannen, weil sie meint, ich soll lieber die Chance nützen und diese herrliche Stadt in vollen Zügen genießen. Also, die meiste Zeit sind wir faul und lassen es uns gut gehen, trinken köstlichen Wein, gehen shoppen und so. Das Übliche eben.«

»Andrea! Hör zu, das ist absolut nicht komisch. Jetzt mal im Ernst, was zum Geier geht bei euch ab?« Je aufgebrachter sie klang, desto besser fühlte ich mich.

»Emily, was soll ich schon groß sagen? Was willst du hören? Wie es bisher so gelaufen ist? Also gut. Hauptsächlich habe ich mich mit der Frage abgeplagt, wie ich zum Schlafen kommen soll, wenn unaufhörlich das Telefon klingelt, und wie ich mir gleichzeitig zwischen zwei und sechs Uhr morgens genügend Futter in den Rachen stopfen kann, um die restlichen 20 Stunden durchzuhalten. Scheiße, Em, hier geht's zu wie im Ramadan, von Sonnenaufgang bis Sonnenuntergang gibt es nicht das kleinste Krümelchen. Was du hier alles verpasst – du kannst dir echt Leid tun.«

Es blinkte auf der anderen Leitung, und ich schaltete Emily auf Warteschleife. Jedes Mal wenn es klingelte, dachte ich unwillkürlich, es wäre Alex, der mir sagen wollte, dass alles wieder gut werden würde. Seit meiner Ankunft hatte ich ihn zweimal mit meinem internationalen Handy angerufen, aber wie in Juxzeiten als Teenager jedes Mal aufgelegt, sobald er sich meldete. Noch nie hatten wir so lange nichts voneinander hören lassen; einerseits wollte ich wissen, wie es ihm ging, andererseits musste ich mir auch eingestehen, dass das Leben erheblich einfacher lief, seit wir den Streitereien und gegenseitigen Vorwürfen Einhalt geboten hatten. Trotzdem hielt ich wieder einmal den Atem an – bis Mirandas Stimme mir ins Ohr kreischte.

»Aan-dreh-aa, wann soll Lucia eintreffen?«

»Oh, hallo Miranda. Moment, ich schaue schnell in ihrem Reiseplan nach. Ah ja, hier steht, dass sie heute direkt von dem Shooting in Stockholm herfliegt. Sie müsste schon im Hotel sein.«

»Verbinden Sie mich.«

»Ja, Miranda, einen Augenblick, bitte.«

Ich klinkte mich wieder bei Emily ein. »SIE ist es, bleib dran. – Miranda? Ich habe jetzt Lucias Nummer da und verbinde Sie.«

»Warten Sie, Aan-dreh-aa. Ich verlasse das Hotel in 20 Minuten und bin den ganzen Tag unterwegs. Bis ich zurückkomme, brauche ich ein paar Schals und einen neuen Koch. Er sollte mindestens zehn Jahre Erfahrung vorwiegend in französischer Küche vorzuweisen haben und vier Abende pro Woche für die Familie sowie zweimal im Monat für Dinnerpartys zur Verfügung stehen. So, und jetzt verbinden Sie mich mit Lucia.«

Eigentlich hätte ich ja einen Schreikrampf kriegen müssen,

weil Miranda allen Ernstes von mir verlangte, ihr von Paris aus einen neuen Koch für New York zu verschaffen, aber ich dachte nur an eins: Gleich verließ sie das Hotel – ohne mich – und war bis abends weg. Zurück zu Emily mit der frohen Botschaft, dass Miranda einen neuen Koch wünschte.

»Ich kümmere mich darum, Andy«, würgte sie unter Husten heraus. »Ich sondiere schon mal das Feld, und dann kannst du dir die aussichtsreichsten Kandidaten vornehmen. Finde aber erst mal heraus, ob Miranda mit der Vorstellungsrunde warten will, bis sie wieder hier ist, oder ob du lieber schon vorher ein paar einfliegen lassen sollst, okay?«

»Das kann nicht dein Ernst sein.«

»O doch. Cara zum Beispiel hat Miranda letztes Jahr angeheuert, während sie in Marbella war. Das vorige Kindermädchen hatte sie einfach sitzen gelassen, und sie sagte, ich solle ihr die drei Finalistinnen schicken, damit sie sofort wieder jemanden hätte. Also frag nach, okay?«

»Alles klar«, brummte ich. »Und danke.«

Nach dem ganzen Geschwafel über Massagen bekam ich plötzlich Lust, mir selbst mal eine zu gönnen. Der nächste freie Termin, so erfuhr ich am Telefon, war erst am frühen Abend; zur Überbrückung ließ ich mir ein Riesenfrühstück aufs Zimmer servieren. Bis der Page erschien, hatte ich mich in einen der hoteleigenen, plüschigen Morgenmäntel gehüllt, die passenden Schlappen dazu angezogen und rüstete mich innerlich für ein köstlich duftendes Schlemmermahl mit Omelett, Croissants, Plundergebäck, Muffins, Bratkartoffeln, Frühstücksflocken und Crêpes. Pappsatt und randvoll mit Tee watschelte ich zurück zu dem bislang schmählich vernachlässigten Bett und war so schnell weg, dass ich später ernsthaft überlegte, ob mir wohl jemand was in den Orangensaft getan hatte.

Die Massage bildete die Krönung dieses herrlich entspannten Tages. Miranda hatte nur einmal – ein einziges Mal! – angerufen und mich aus dem Schlaf gerissen, weil sie für den nächsten Tag eine Reservierung zum Mittagessen haben wollte. *Gar nicht mal so übel*, dachte ich, während die Masseurin mit starker Hand meine verspannten Nackenmuskeln durchknetete. *Hat durchaus auch Vorteile, das Ganze.* Ich war gerade wieder am Wegdösen, als das Handy, das ich nur höchst widerwillig mitgenommen hatte, penetrant zu klingeln anfing.

»Hallo?«, sagte ich in munterem Tonfall, aus dem sich nicht schließen ließ, dass ich mich gerade als schläfrige Aktstudie in Öl auf dem Tisch rekelte.

»Aan-dreh-aa. Verlegen Sie meinen Friseur- und Make-up-Termin vor und sagen Sie den Leuten von Ungaro Bescheid, dass ich heute Abend verhindert bin. Ich gehe stattdessen auf eine kleine Cocktailparty, und Sie kommen mit. Halten Sie sich in einer Stunde bereit.«

»Äh, ja, äh, klar«, stammelte ich und versuchte gleichzeitig die Information zu verdauen, dass ich tatsächlich mit ihr irgendwohin ging. Bei der Erinnerung an das letzte Mal, als sie mich brandeilig herbeizitiert hatte – gestern war das gewesen, gestern –, durchzuckte es mich, und ich schnappte nach Luft wie ein Karpfen auf dem Trockenen. Ich sprach der Masseurin meinen Dank aus und setzte ihre Dienste auf die Hotelrechnung, obwohl ich sie nur zehn Minuten in Anspruch genommen hatte. Dann sprintete ich nach oben: Wie war diese neue Hürde am elegantesten zu überwinden? Und wie viel Neues konnte noch kommen, bevor ich automatisch müde abwinkte? Nicht mehr viel.

Binnen Minuten hatte ich Mirandas Friseur- und Make-up-Termin verlegt. (Sie wurde von zwei Schwulen betreut, die direkt den Hochglanzseiten von *Maxim* entsprungen zu sein schienen, wohingegen die Restaurierungsarbeiten an mir von einer missmutigen Person durchgeführt wurden, deren verzweifelte Miene bei meinem ersten Anblick mir noch immer in den Knochen steckte.)

»Kein Pro-bläm«, quiekte Julien. »Wiieer sind ssur Stelle, wie sagen Sie? Pünktlisch auf die Minute! Wir 'alten uns diese Woche frei, falls Madame Priestly uns ssu andere Zeiten benötischt!«

Dann piepste ich wieder Briget an und überließ ihr die Absage bei den Leuten von Ungaro. Zeit für den Gang zum Schrank. Das Skizzenbuch mit meinen verschiedenen »Looks« lag auf dem Nachttisch bereit, um verwirrten Opfern der Modewelt wie mir Trost und Rat zu spenden. Was um Himmels willen hatten all die Haupt- und Unterpunkte zu bedeuten?

Modenschauen:
1. Tagsüber
2. Abends

Mahlzeiten:
1. Frühstückmeetings
2. Mittagessen
   A. Zwanglos (Hotel oder Bistro)
   B. Formell (Das »Espadon« im Ritz)

3. Dinner
   A. Zwanglos (Bistro, Zimmerservice)
   B. Halbformell (gehobenes Restaurant, zwanglose Dinnerparty)
   C. Formell (Restaurant »Le Grand Vefour«, formelle Dinnerparty)

Partys:
1. Zwanglos (Champagnerfrühstück, Fünfuhrtee)
2. Schick (Cocktailpartys bei Non-VIPs, Buchpräsentationen, Stehempfänge)
3. Elegant (VIP-Cocktailpartys, sämtliche Veranstaltungen in Museen oder Galerien, Partys der Designer-Teams nach den Modenschauen)

Verschiedenes:

1. Transport vom und zum Flughafen
2. Sportveranstaltungen (Trainerstunden, Turniere etc.)
3. Einkaufsbummel
4. Erledigungen
   A. Couture-Salons
   B. Geschäfte und Boutiquen der gehobenen Klasse
   C. Delikatessenläden, Fitnesseinrichtungen oder Kosmetikberatungen

So weit ich sehen konnte, fehlten Hinweise für den Fall, dass unklar blieb, ob die Veranstalter VIPs waren oder nicht. Hier tat sich natürlich eine bedrohlich große, potenzielle Fehlerquelle auf: das bevorstehende Ereignis ließ sich auf die Kategorie »Partys« einengen, was schon mal ein guter erster Schritt war, aber dann geriet ich in die Grauzone. Fiel die Party schlicht unter »Schick«, sprich: Unterpunkt zwei, oder handelte es sich tatsächlich um den verschärften Fall von Unterpunkt drei, was hieße, dass einer der hocheleganten Fummel angesagt war? Statt präziser Instruktionen zum Thema »Grauzone« bzw. »Nicht genau definiert« fand sich lediglich gegen Ende der Auflistung eine von unbekannter Hand offenbar in letzter Minute hingekritzelte Notiz: *In Zweifelsfällen (tunlichst zu vermeiden) gilt für High-Class-Events: Weniger ist mehr.* Alsdann hatte ich das Problem wohl weitgehend eingekreist: Kategorie »Partys«, Unterpunkt »Schick«. Fragte sich bloß noch, welches von den sechs Outfits, die Lucia für diese spezifische Kombination vorgesehen hatte, sich an mir am wenigsten lächerlich ausnehmen würde.

Nach einem überaus peinlichen Vorlauf mit einem Tank-Top im Feather-Look und bis zum Oberschenkel reichenden Lacklederstiefeln entschied ich mich schließlich für Seite 33: fließender, weiter Patchworkrock von Roberto Cavalli mit Girlie-Shirt und schwarzen Bikerstiefeln von Dolce & Gabbana.

Scharf, sexy, schick – aber nicht zu elegant – und ohne dass ich wie ein aufgeputzter Pfau, ein Relikt der 80er oder gar nuttig daherkam. Herz, was willst du mehr? Eben durchwühlte ich die Taschenkollektion nach einem passenden Begleitstück, als die bärbeißige Friseurin und Visagistin eintrudelte und sich stirn-runzelnd daran machte, die Katastrophe, die ich in ihren Augen ganz offensichtlich darstellte, auf ein erträgliches Maß zu redu-zieren.

»Äh, meinen Sie, Sie könnten das da unter meinen Augen vielleicht ein bisschen aufhellen?« Ich formulierte meinen Vor-stoß bewusst zaghaft, um nur ja nicht den Eindruck zu erwecken, ich wollte ihr ins meisterliche Handwerk pfuschen. Wahrschein-lich wäre es schlauer gewesen, ich hätte selbst zu Pinsel und Schwamm gegriffen, vor allem, nachdem mir mehr Arbeitshilfen und Instruktionen zur Verfügung standen als den NASA-Wissen-schaftlern zum Bau der Space Shuttle. Aber dieser weibliche Dra-goner vom Schminkregiment war auf Knopfdruck zur Stelle, ob es mir nun passte oder nicht.

»Nichts da!«, bellte sie, offensichtlich nicht von dem glei-chen Wunsch nach feinfühligem Vorgehen getrieben wie ich. »So sieht es besser aus.«

Sie betonte meine Augenringe mit einem letzten, balkendi-cken schwarzen Strich und verschwand so fix, wie sie gekommen war. Ich schnappte mir die Gucci-Tasche im Alligator-Look und fand mich 15 Minuten vor der mutmaßlichen Abfahrtszeit im Foyer ein, um doppelt und dreifach sicherzugehen, dass der Fah-rer bereitstand. Ich debattierte gerade mit Renaud, ob wir wohl getrennt fahren sollten, damit Miranda nicht in die Verlegen-heit kam, mit mir sprechen zu müssen, oder ob sie das Risiko ein-gehen würde, mit ihrer Assistentin zusammen auf dem Rücksitz zu hocken und sich am Ende von ihr etwas einzufangen – da er-schien sie. In aller Ruhe musterte sie mich von Kopf bis Fuß – und verzog keine Miene. Ich hatte bestanden! Zum ersten Mal, seit ich für sie arbeitete, weder der übliche, zutiefst angewiderte

Blick noch zumindest ein ätzender Kommentar – und das ohne größeren Aufwand: ein Spezialeinsatz der Moderedakteurinnen in New York, ein Trupp Pariser Haarkünstler und Visagisten sowie der Großteil dessen, was die Welt derzeit an Haute Couture zu bieten hatte, mehr war dazu nicht nötig gewesen.

»Ist der Wagen schon da, Aan-dreh-aa?« In ihrem kurzen, gesmokten Cocktailkleid aus Samt sah sie umwerfend aus.

»Ja, Ms. Priestly, bitte hier entlang«, schaltete Monsieur Renaud sich gewandt ein und geleitete uns an einer Gruppe vorbei, die offensichtlich ebenfalls zu den Modenschauen aus Amerika angereist war: superhippe Redaktionstypen, die in ehrfürchtiges Schweigen verfielen, als wir an ihnen vorbeimarschierten, Miranda zwei Schritte voraus, eine dünne, auffallende und hoffnungslos verkniffene Erscheinung. Ich musste beinahe rennen, um hinterherzukommen, obwohl ich 15 Zentimeter größer war als sie. Beim Wagen angekommen, zögerte ich, bis ihr Blick »Na? Worauf zum Teufel warten Sie noch?« signalisierte, erst dann schlüpfte ich nach ihr auf die Rückbank der Limousine.

Gott sei Dank schien der Fahrer zu wissen, wo es hinging: In der letzten Stunde hatte mich die Schreckensvision geplagt, dass Miranda mich am Ende fragen würde, wo die geheimnisvolle Cocktailparty eigentlich stattfand. Doch sie ließ mich in Ruhe und schärfte stattdessen Mr. BTB übers Handy ein, am Samstag ja so rechtzeitig einzutreffen, dass noch reichlich Zeit zum Umziehen und für einen Drink vor der großen Party blieb. Im Weiteren ging es darum, ob er Caroline und Cassidy im Privatjet seiner Firma nach Paris mitnehmen solle oder nicht: Da er erst Montag zurückflog, würden sie einen Tag Schule verpassen, wovon Miranda nichts wissen wollte. Als wir am Boulevard Saint Germain vor einem überaus edlen Apartementhaus hielten, stellte ich mir erstmals die Frage, was ich hier heute Abend eigentlich verloren hatte. Miranda hütete sich stets, Emily, mich oder sonst jemanden vom Personal in aller Öffentlichkeit zu schikanieren (womit sie in gewisser Hinsicht erkennen ließ, dass sie grundsätzlich sehr wohl wusste, was sie uns antat). Nachdem sie mich also nicht gut herumscheuchen konnte, um ihr Drinks zu holen, jemanden an die Strippe zu kriegen oder ihr Zeug zur Reinigung zu schaffen – was wurde dann, außer gepflegtem Herumstehen, von mir erwartet?

»Aan-dreh-aa, die Gastgeber sind ein befreundetes Ehepaar aus unserer Zeit in Paris. Sie haben mich gebeten, eine Assistentin mitzubringen, die sich um ihren Sohn kümmern soll, damit er sich nicht wie üblich bei solchen Anlässen langweilt. Sie beide werden sicherlich gut miteinander auskommen.« Sie wartete, bis der Fahrer ihr die Tür aufhielt, und entstieg sodann mit ihren göttlichen Jimmy-Choo-Pumps anmutig dem Wagen. Während ich noch mit dem Griff an meiner Seite kämpfte, war sie schon die drei Stufen hinauf und überließ ihren Mantel dem erwartungsvoll dreinblickenden Butler. Also ließ ich mich für einen Augenblick auf den weichen Ledersitz zurückfallen und kaute auf dem Leckerbissen von Information herum, den sie mir eben so lässig hingeworfen hatte. Die Frisur, das Make-up, die Umplanung, die panische Suche nach dem richtigen Look, die Motorradbrautstiefel – dafür, dass ich den ganzen Abend auf irgendeinen stinkreichen, verwöhnten Rotzlöffel (noch dazu einen *französischen*) aufpassen sollte?

Wieder und wieder hielt ich mir vor, dass mich nur noch wenige Monate vom *New Yorker* trennten; bald erhielt ich den Lohn für mein Sklavenjahr, und auf dem Weg zu meinem Traumjob würde ein öder Abend mehr oder weniger mich nicht umbringen. Doch es half nichts. Plötzlich wollte ich bloß noch zusammengerollt bei meinen Eltern auf der Couch liegen und mir von meiner Mom einen Becher Tee in der Mikrowelle wärmen lassen, während Dad das Scrabble-Spiel aufbaute. Wollte auch Jill und Kyle dabeihaben, mit dem Baby, das vor sich hin gluckste und mich angrinste, wollte von Alex am Telefon hören, dass er mich liebte. Niemand würde sich über meine fleckigen Jogginghosen oder meine schockierend unpedikürten Zehen aufregen, und ich würde in aller Ruhe ein dickes, fettes Schokoladeneclair vertilgen dürfen. Keine Menschenseele dort wusste etwas von Modenschauen irgendwo überm großen Teich oder wollte auch nur eine Silbe davon hören. Aber all das schien unendlich fern, Lichtjahre weit weg; momentan musste ich mich stattdessen mit einem Rattenschwanz von Leuten herumschlagen, die für den Laufsteg lebten und starben. Und mit einem garantiert hoffnungslos verzogenen kleinen Bengel, der auf Französisch in der Gegend herumplärrte.

Endlich schleppte ich meinen spärlich, aber schick bekleideten Leib durch den kleinen Vorgarten zum Eingang, vor dem kein Butler mehr wartete. Aus einem offenen Fenster drang durchaus flotte Live-Musik, es roch nach Duftkerzen. Ich holte einmal tief Luft und griff nach dem Klopfer, doch da schwang die Tür wie von selbst auf. Eins steht fest: nie, niemals in meinem jungen Leben war ich so verdutzt wie an jenem Abend, als Christian mich lächelnd in Empfang nahm.

»Andy, mein Herz, wie schön, dass du kommen konntest.« Er beugte sich vor und küsste mich auf den Mund – reichlich frech, wenn man bedenkt, dass ich ihn in ungläubigem Staunen sperrangelweit aufgerissen hatte.

»Was tust du denn hier?«

Grinsend schob er sich die unvermeidliche Locke aus der Stirn. »Das könnte ich genauso gut dich fragen. Nachdem du mir überallhin nachzulaufen scheinst, drängt sich mir der Verdacht auf, dass du etwas von mir willst.«

Ganz Dame, wurde ich erst rot und schnaubte dann laut. »Ja, wahrscheinlich. Allerdings bin ich hier nicht zu Gast, sondern lediglich ein pikfein angezogener Babysitter. Miranda hat gesagt, ich solle mitkommen, und mir erst in letzter Sekunde eröffnet, dass ich heute Abend auf den Sohn der Gastgeber aufpassen darf. Wenn du mich also bitte entschuldigen willst, damit ich mich vergewissere, ob der kleine Teufelsbraten genügend Milch und Buntstifte zur freien Verfügung hat.«

»Ach, ich bin mir ziemlich sicher, ihm fehlt nichts zu seinem Glück, höchstens noch ein Kuss von seiner Babysitterin.« Er nahm mein Gesicht zwischen seine Hände und küsste mich erneut. Ich öffnete den Mund, um ihn zu fragen, was zum Teufel hier eigentlich vorging, doch er verstand meinen Protestversuch als Entgegenkommen und ließ seine Zunge in meinen Mund wandern.

»Christian!«, zischte ich gedämpft; Miranda würde vermutlich nicht lange fackeln, wenn sie mich dabei erwischte, wie ich auf einer ihrer Partys mit irgendeinem hergelaufenen Kerl herummachte. »Was soll der Scheiß? Lass mich los!« Ich wand mich aus seinem Griff, doch er ließ ungerührt weiter dieses anbetungswürdige Lächeln sehen, das mich zur Weißglut brachte.

»Meine liebe Andy, du scheinst mir heute ein klein wenig schwer von Begriff. Das hier ist *mein* Haus, und die Gastgeber sind *meine* Eltern. Schlau wie ich bin, habe ich ihnen aufgetragen, deine Chefin zu bitten, dass sie dich mitbringen soll. Hat sie etwa behauptet, ich wäre erst zehn? Oder ist das auf deinem Mist gewachsen?«

»Das ist ein Scherz. Bitte sag, dass das ein Scherz ist!«

»Mitnichten. Lustig, oder? Nachdem ich dich sonst offenbar nicht zu fassen kriege, dachte ich, vielleicht klappt es ja auf diesem Wege. Meine Stiefmutter ist Fotografin, sie arbeitet häufig für die französische *Runway* und hat sich mit Miranda angefreundet, als die in Paris war. Also habe ich einfach durch sie ausrichten lassen, dass ihr vereinsamter Sohn nichts gegen ein bisschen Gesellschaft in Form einer attraktiven Assistentin einzuwenden hätte. Hat Wunder gewirkt. Komm, lass uns was trinken.« Er platzierte mir eine Hand ins Kreuz und dirigierte mich zu einer massiven Eichenholzbar im Wohnzimmer, hinter der drei livrierte Barkeeper mit dem Ausschank von Martini, Scotch und edlem Perlwasser in eleganten Champagnerflöten beschäftigt waren.

»Jetzt noch mal im Klartext: Ich muss also heute nicht den Babysitter spielen? Du hast nicht zufällig noch einen kleinen Bruder oder so was?« Es überstieg mein Fassungsvermögen, dass ich mit Miranda Priestly zu einer Party fuhr und den ganzen Abend nichts weiter zu tun haben sollte, als mit einem berühmten Schriftsteller zu turteln, der ebenso klug wie sexy war. Vielleicht hatten sie mich ja eingeladen, damit ich zur Unterhaltung der Gäste tanzte oder sang? Oder ihnen ging ein Serviermädchen ab, und ich war diejenige, die am leichtesten in letzter Minute einspringen konnte? Vielleicht führte uns der Weg ja auch zur Garderobe, wo ich das Mädchen ablösen durfte, das da jetzt so müde und gelangweilt hockte? Mein Hirn weigerte sich schlichtweg, Christian seine Story abzukaufen.

»Also, ich würde sagen, deine Qualitäten als Babysitter könnten heute durchaus noch zum Einsatz kommen, denn ich gedenke jede Menge Aufmerksamkeit zu fordern. Trotzdem wird der Abend für dich wohl nicht ganz so schrecklich werden wie befürchtet. Warte hier einen Moment.« Er küsste mich auf die Wange und verschwand in der Menge der Partygäste, die zum Großteil aus distinguiert wirkenden Herren und vage der Kunstszene zuzurechnenden, eleganten Frauen zwischen 40 und 60 bestand: offenbar eine Mischung aus Bankern und Mitarbeitern diverser Magazine, abgerundet von ein paar Designern, Fotografen und Models. Das Stadthaus, in dem dieser illustre Kreis sich zusammengefunden hatte, mündete nach hinten in einen kleinen, stilvoll gemauerten Hof, in dem ein Geiger sanfte Melodien bei Kerzenlicht spielte. Ich spähte hinaus und erkannte auf Anhieb Anna Wintour; in ihrem cremefarbenen, seidenen Hängerkleid und den strassbesetzten Manolo-Sandalen sah sie einfach traumhaft aus. Sie unterhielt sich angeregt mit jemandem, der ihr Freund sein mochte; ob er sie amüsierte, gleichgültig ließ oder zu Tränen rührte, ließ sich hinter der riesigen Sonnenbrille von Chanel allerdings nicht ausmachen. Die Presse zog gern Vergleiche zwischen Anna und Miranda, was ihre Launen und Unarten betraf, aber ich persönlich war der festen

Überzeugung, dass kein Mensch auch nur annähernd so unerträglich sein konnte wie diese meine Chefin.

Ein paar *Vogue*-Redakteurinnen (schätzte ich) beäugten Anna von hinten so matt und misstrauisch wie unsere Redaktionsschnepfen Miranda; neben ihnen stand Donatella Versace, das Gesicht so mit Make-up zugekleistert, die Kleider so hauteng am Leib, dass sie gar nicht mehr derart hätte kreischen müssen, wie sie es tat, um als lebende Karikatur ihrer selbst durchzugehen. Sie wirkte ungefähr so echt wie ein Picasso aus dem Kaufhaus.

Ich nippte an dem Glas Champagner, das mir so unerwartet zuteil geworden war, während sich neben mir ein Italiener (ausnahmsweise kein gut aussehender) in blumiger Prosa über seine lebenslange Leidenschaft für den weiblichen Körper verbreitete, bis Christian wieder auftauchte.

»Lass dich für eine Minute entführen«, sagte er und manövrierte mich ein weiteres Mal elegant durch das Getümmel. Mit seinen genau richtig verwaschenen Diesel-Jeans, dem weißen T-Shirt unter dem dunklen Sportsakko und den Loafers von Gucci fügte er sich nahtlos ein in diese Welt des schönen Scheins.

»Wo soll's denn hingehen?«, fragte ich, weiterhin auf der Hut vor Miranda; ganz gleich, was Christian behauptete, ich hatte immer noch das Gefühl, als müsste ich eigentlich in der Ecke stehen, Faxe verschicken und die neuesten Änderungen in den Reiseplan einarbeiten.

»Erst einmal bekommst du noch einen Drink, und ich vielleicht auch. Und dann bringe ich dir das Tanzen bei.«

»Wie kommst du auf die Idee, dass ich nicht tanzen kann? Rein zufällig bin ich eine begnadete Tänzerin.«

Von irgendwo zauberte er ein weiteres Glas Champagner her und reichte es mir. Die flotten Klänge, die ich schon von draußen vernommen hatte, stammten von einer sechsköpfigen Band, die den paar Dutzend Gästen unter 35 in einem fantastisch kastanienbraun getäfelten Salon einheizte. Wie auf ein Stichwort stimmten sie »Let's Get It On« an, und Christian zog mich an sich. Sein Duftwasser roch leicht männlich-arrogant, irgendwas Gediegenes wie Polo Sport. Seine Hüften bewegten sich in natürlichem Einklang mit der Musik, das Denken war ausgeschaltet, wir glitten ganz einfach zusammen über das Parkett, und er sang mir leise ins Ohr. Der übrige Raum verschwamm – vage bekam ich mit, dass noch andere auf der improvisierten Tanzfläche unterwegs waren und irgendwo ein Toast ausgebracht wurde, aber für mich war das einzig Greifbare in diesem Moment Christian. Im letzten, hintersten Winkel meines Hirns erinnerte mich etwas bohrend und mahnend, dass jener Körper, der sich da an mich schmiegte, nicht Alex gehörte, doch was spielte das schon für eine Rolle. Keine, jedenfalls nicht heute Abend.

Es war schon nach eins, als mir wieder einfiel, dass ich ja eigentlich mit Miranda da war. Ich hatte sie seit Stunden nicht mehr gesehen; sicher war sie, ohne einen Gedanken an mich zu verschwenden, längst zurück im Hotel. Doch als ich mich schließlich von der Couch im Arbeitszimmer von Christians Vater hochrappelte, entdeckte ich sie beim fröhlichen Plausch mit Karl Lagerfeld und Gwyneth Paltrow, alle drei offenbar unbekümmert ob der Tatsache, dass sie in wenigen Stunden gute Miene zur Modenschau von Christian Dior machen mussten. Sollte ich mich dazugesellen? Doch Miranda hatte mich schon gesichtet.

»Aan-dreh-aa! Kommen Sie her!« Ihre Stimme hatte beinahe etwas Ausgelassenes und übertönte mühelos das Getöse der anderen Partygäste, die in den letzten Stunden merklich auf Touren gekommen waren, nicht zuletzt dank der Fürsorge der lächelnden Barkeeper. Mir war vom Champagner so warm und wohl zumute, dass ich selbst über Mirandas albernen britischen Akzent hinweghörte. Besser konnte der Abend eigentlich nicht mehr werden, dachte ich, und doch – da stand sie und war offensichtlich gewillt, mich ihren hochberühmten Freunden vorzu-stellen.

»Ja, Miranda?«, gurrte ich in meinem schmeichlerischsten, Vielen-Dank-dass-ich-hier-sein-darf-Ton. Sie sah nicht mal an-satzweise in meine Richtung.

»Holen Sie mir ein San Pellegrino, und dann lassen Sie den Wagen vorfahren. Ich bin bereit zur Abfahrt.« Die zwei Frauen und der Mann neben ihr fingen an zu kichern, und ich lief knall-rot an.

»Gewiss. Ich bin gleich wieder da.« Das Wasser nahm sie ohne das kleinste Dankeschön entgegen, dann bahnte ich mir meinen Weg durch die gelichtete Menge zum Wagen. Ob ich mich noch bei Christians Eltern bedanken sollte? Vielleicht doch besser nicht. An der Eingangstür lehnte er selbst, offenbar rundum zu-frieden mit sich und der Welt.

»Und, meine kleine Andy, hast du dich nett amüsiert mit mir?« Er lallte ein ganz kleines Bisschen, was seinem Charme je-doch keinerlei Abbruch tat.

»War so weit in Ordnung, schätze ich mal.«

»Bloß in Ordnung? Das hört sich ja an, als hätte ich dir heu-te Abend noch die oberen Etagen zeigen sollen? Alles zu seiner Zeit, meine Süße, alles zu seiner Zeit.«

Ich gab ihm einen Klaps auf den Arm. »Nun bilde dir mal ja nichts ein, Christian. Sag deinen Eltern schönen Dank von mir.« Diesmal ergriff ich die Initiative und küsste ihn auf die Wange, bevor er seinerseits tätig werden konnte. »Gute Nacht.«

»Kleines Biest!« Sein Lallen war jetzt etwas ausgeprägter. »Du bist ein richtiges kleines Biest. Wetten, das gefällt deinem Freund an dir?« Er lächelte, aber es war nicht fies gemeint. Für ihn gehörte all das einfach zu seiner Flirtmasche dazu, doch die Anspielung auf Alex ernüchterte mich kurzfristig. Gleichzeitig ging mir auf, dass ich mich seit Jahren nicht mehr so gut amü-siert hatte. Trinken, Tanzen, seine Hände auf meinem Rücken, die mich näher zu ihm hin zogen – an diesem einen Abend hatte ich mich lebendiger gefühlt als in all den Monaten zusammen, die ich nun schon für *Runway* arbeitete und die aus nichts als Frust, Schikane und Erschöpfung bis ins Mark bestanden hatten. Vielleicht geht Lily deswegen so oft auf die Piste, dachte ich: Typen, Feiern, am ganzen Leib spüren, dass du jung und am Leben bist. Ich konnte es kaum erwarten, ihr am Telefon alles brühwarm zu erzählen.

Fünf Minuten später gesellte Miranda sich zu mir auf den Rücksitz der Limousine. Sie wirkte beinahe vergnügt. Ob sie beschwipst war? Nein, ausgeschlossen. Sie nippte höchstens mal hier und da, und auch das nur, wenn der gesellschaftliche Anlass es erforderte. Perrier und San Pellegrino zog sie Champagner allemal vor, und für einen Milchshake oder einen Milchkaffee ließ sie jeden Cosmo stehen.

Erst nahm sie mich ein Weilchen wegen des Terminplans für den kommenden Tag in die Mangel (zum Glück hatte ich in meiner Tasche eine Kopie dabei), aber dann drehte sie sich zu mir und sah mich zum ersten Mal an diesem Abend richtig an.

»Emily – äh, Aan-dreh-aa, wie lange arbeiten Sie jetzt schon für mich?«

Ein Schuss von der Breitseite – und mein benebeltes Hirn weigerte sich, auf die Schnelle das Motiv zu erraten, das dahinter stehen konnte. Ein komisches Gefühl, mit einem Mal etwas anderes gefragt zu werden als immer nur, warum ich Volltrottel irgendwas nicht geschwind genug gefunden, besorgt oder gefaxt hatte. Bis dato hatte sie mir nie eine persönliche Frage gestellt. Sofern ihr die Details meines Einstellungsgesprächs nicht noch gegenwärtig waren – was unwahrscheinlich schien, so wie sie an meinem ersten Arbeitstag durch mich hindurch gesehen hatte –, wusste sie weder, ob – und wenn ja, wo – ich aufs College gegangen war, ob – und wenn ja, wo – ich in Manhattan wohnte und ob ich in den wenigen kostbaren Stunden des Tages, in denen ich mir nicht für sie die Hacken ablief, noch irgendwas unternahm – und wenn ja, was. Und doch, trotz aller wohl fundierter Bedenken sagte mir meine Intuition, dass es in diesem Gespräch möglicherweise, nur ganz möglicherweise, tatsächlich um mich gehen mochte.

»Nächsten Monat wird es ein Jahr, Miranda.«

»Und haben Sie das Gefühl, dabei einiges gelernt zu haben, das Ihnen künftig von Nutzen sein könnte?« Angesichts ihres stechenden Blicks verkniff ich mir unverzüglich den Drang herunterzurattern, was ich alles »gelernt« hatte: Mit wenigen bis null Anhaltspunkten in einer Millionenstadt ein einzelnes Geschäft zu finden oder aus einem Dutzend Zeitungen eine Restaurantkritik herauszufiltern. Einfühlsam auf zickige Mädels zu reagieren, die vor Beginn der Pubertät bereits über mehr Lebenserfahrung verfügten als meine Eltern im Doppelpack. Von dem Pakistani, der das Essen ins Haus lieferte, bis hin zum Chefredakteur eines wichtigen Verlags jedermann mit Betteln, Brüllen, Beschwatzen, Vollheulen, Vollsülzen, vollem Charmeeinsatz oder nacktem Druck dahin zu bringen, dass ich haarscharf und exakt zum richtigen Zeitpunkt das Richtige bekam. Und dann natürlich noch die Kunst, jede Herausforderung binnen weniger als einer Stunde zu meistern, weil Wendungen wie »Ich weiß nicht« – oder »Das geht nicht« als billige Ausflüchte galten. Kein Zweifel, es war ein sehr lehrreiches Jahr gewesen.

»Aber ja, natürlich«, sprudelte ich los. »In dem einen Jahr bei Ihnen habe ich mehr gelernt, als ich mir von jedem anderen Job hätte erhoffen können. Es ist wirklich spannend mitzubekommen, wie ein so großes – ein so gigantisches – Magazin zustande kommt, der Produktionsablauf, die ganzen verschiedenen Aufgabenbereiche. Und natürlich auch vor Ort zu erleben, wie Sie das alles managen, wie viele Entscheidungen Sie treffen müssen – es ist ein Wahnsinnsjahr gewesen, und ich bin Ihnen so dankbar dafür, Miranda!« So dankbar, dass meine Arbeitszeiten mir nicht erlaubten, einen Zahnarzt aufzusuchen, obwohl die zwei Backenzähne mir seit Wochen das Leben zur Hölle machten, aber was sollte es. Dafür wusste ich jetzt alles über den Zauberschuhkünstler Jimmy Choo.

Kaufte sie mir den Schmus ab? Offenbar ja, jedenfalls nickte sie gravitätisch. »Nun, Sie wissen ja, Aan-dreh-aa, wenn ein Jahr verstrichen ist und meine Mädels sich gut geführt haben, erachte ich sie einer Beförderung für wert.«

Das Herz klopfte mir bis zum Hals. War es endlich so weit? Würde sie mir im nächsten Atemzug mitteilen, sie hätte bereits alles in die Wege geleitet und mir einen Posten beim *New Yorker* gesichert? Auch wenn sie keine Ahnung hatte, dass ich einen Mord begehen würde, um dort arbeiten zu dürfen? Vielleicht hatte sie ja einfach erspürt, was mein Herzensanliegen war.

»Ich habe natürlich so meine Bedenken, was Sie betrifft. Ihr mangelnder Enthusiasmus ist mir ebenso wenig entgangen wie Ihr Seufzen und Fratzenschneiden, wenn ich Ihnen etwas in Ihren Augen Unzumutbares auftrage. Ich will hoffen, dass sich darin lediglich Ihre Unreife manifestiert, nachdem Sie sich in anderen Bereichen als halbwegs kompetent erwiesen haben. Woran genau wären Sie denn interessiert?«

Halbwegs kompetent! Ebenso gut hätte sie mich zur intelligentesten, kultiviertesten, hinreißendsten und fähigsten Vertreterin meiner Altersstufe erklären können, die ihr je untergekommen war. Miranda Priestly hatte mir soeben mitgeteilt, dass sie mich für halbwegs kompetent hielt!

»Ja, also – nicht, dass ich nichts für Mode übrig hätte, klarer Fall, wer hätte das nicht?«, beeilte ich mich anzufügen, immer ihre Miene im Fadenkreuz, die wie üblich so gut wie nichts verriet. »Es ist bloß so, dass ich immer davon geträumt habe, selbst zu schreiben, insofern wäre das ein Gebiet, in das ich, äh, gern meine Fühler ausstrecken würde.«

Sie faltete die Hände im Schoß und guckte durchs Fenster. Nach 45 Sekunden verlor ich offenbar rapide an Unterhaltungswert. »Nun, ich weiß natürlich nicht, ob Sie auch nur einen Funken Talent haben, aber von mir aus können Sie zur Probe ja einmal den einen oder anderen Kurztext für uns schreiben. Vielleicht eine Theaterkritik oder eine Notiz unter der Rubrik Gesellschaftsereignisse. Natürlich nur, solange es Ihre Tätigkeit in meinem Dienst nicht beeinträchtigt und außerhalb der Arbeitszeiten stattfindet.«

»Ja sicher, sicher doch. Das wäre fantastisch!« Wir führten eine richtiggehende Unterhaltung, und bis jetzt war noch keinmal ein Wort wie »Frühstück« oder »Reinigung« gefallen. Nachdem es so gut lief, musste ich es einfach versuchen: »Mein Traum wäre, eines Tages für den *New Yorker* zu arbeiten.«

Mit einem Schlag war sie wieder ganz da und richtete erneut ihren Blick auf mich. »Was reizt Sie denn daran? Völlig glanzlos, reines Handwerk.« Für den Fall, dass die Frage rhetorisch gemeint war, ging ich lieber auf Nummer sicher und hielt den Mund.

Ich hatte nur noch ungefähr 20 Sekunden: Erstens waren wir schon fast beim Hotel und zweitens ließ ihr ohnehin flüchtiges Interesse an meiner Person fühlbar nach. Während sie die eingegangenen Anrufe auf ihrem Handy durchscrollte, bemerkte sie ganz nebenbei: »Hmmm, der *New Yorker*. Condé Nast.« Ich nickte heftig, aber sie nahm meine Anfeuerungsversuche nicht zur Kenntnis. »Da kenne ich natürlich eine Menge Leute. Wir warten ab, wie der Rest der Reise verläuft, und vielleicht rufe ich dann einmal dort an, wenn wir zurück sind.«

Der Wagen hielt vor dem Hotel. Monsieur Renaud war schneller als der Page und riss höchstpersönlich für Miranda den Schlag auf.

»Meine Damen! Ich hoffe, Sie hatten einen angenehmen Abend«, säuselte er und mühte sich nach Kräften, seinen abgekämpften Zustand mit einem Lächeln zu kaschieren.

»Wir brauchen den Wagen morgen früh um neun für die Schau von Dior. Ich habe um halb neun eine Frühstücksbesprechung im Foyer. Bis dahin wünsche ich nicht gestört zu werden«, blaffte sie, nun wieder ganz sie selbst. Alle Anflüge von Menschlichkeit waren verdampft wie ein Tropfen auf einem heißen Stein. Sie ließ mir keine Chance, ein Schlusswort zu sprechen oder mich zumindest untertänigst für unsere Unterhaltung zu bedanken, sondern verschwand schnurstracks nach oben. Ich tauschte einen müden, teilnahmsvollen Blick mit Monsieur Renaud und nahm den anderen Aufzug.

Das Silbertablett mit den appetitlich arrangierten Pralinés auf meinem Nachttisch war das i-Tüpfelchen dieses so völlig unerwartet grandiosen Abends, an dem ich vor mir selbst als Model durchgegangen war, heftig mit einem der heißesten Typen, die ich persönlich kannte, geflirtet hatte und von Miranda Priestly als halbwegs kompetent eingestuft worden war. Endlich schien sich alles zusammenzufügen; erste zarte Anzeichen deuteten darauf hin, dass die Opfer des vergangenen Jahres sich also wohl doch gelohnt hatten. Ich ließ mich so, wie ich war, aufs Bett fallen und starrte an die Decke. Nicht zu fassen: ich hatte Miranda tatsächlich ins Gesicht gesagt, dass ich für den *New Yorker* arbeiten wollte, und sie hatte mich weder ausgelacht noch angebrüllt, war in keinster Weise ausgeflippt und hatte mich nicht einmal mit dem spöttischen Hinweis abgefertigt, dass ich dummes Gänschen besser zusehen sollte, bei *Runway* Karriere zu machen. Es kam mir wirklich fast so vor, als hätte sie mich angehört und *verstanden*. Verstanden und ihr Okay gegeben. Es wollte mir einfach nicht ins Hirn.

Beim Ausziehen ließ ich mir Zeit und kostete in Gedanken den Abend noch einmal aus; sah Christian vor mir, wie er mich durchs Haus und übers Parkett geführt hatte, seinen Schlafzimmerblick, die ewige Locke, und Mirandas unmerkliches Nicken, als ich ihr anvertraute, dass ich vom Schreiben träumte. Was für ein Abend. Einer der besten in jüngster Zeit. Hier in Paris war es mittlerweile halb vier, in New York demnach halb zehn – die ideale Zeit, um Lily noch zu erwischen, bevor sie zu ihrem Zug durch die Gemeinde aufbrach. Doch statt einfach ihre Nummer zu wählen und das hartnäckige Blinken zu ignorieren, das – na welche Überraschung – eine volle Mailbox signalisierte, schnappte ich mir pflichtbewusst und doch frohgemut einen Bogen Hotelbriefpapier und zückte den Kugelschreiber. Jede Menge nervtötende Anfragen nervtötender Zeitgenossen, so sicher wie das Amen im Gebet – doch was konnten sie Aschenputtel nach dem Tanz mit ihrem Traumprinzen an diesem Abend schon noch anhaben?

Die ersten drei Nachrichten waren Bestätigungen von Monsieur Renaud und seinen Assistenten bezüglich diverser Chauffeurdienste und Termine für den bereits angebrochenen Tag. Alle endeten mit einem Gutenachtgruß, was mich rührte. Offenbar betrachteten die Herren mich als menschliches Wesen und nicht bloß als gesichtslose Sklavin. Zwischendurch ertappte ich mich bei einem Gefühl zwischen Hoffen und Bangen, ob wohl etwas von Alex dabei war. Prompt erklang an vierter Stelle seine Stimme.

»Hi, Andy, ich bin's, Alex. Tut mir Leid, dass ich dich da drüben belästige, ich weiß, dass du irrsinnig zu tun hast, aber es gibt etwas zu besprechen, also ruf mich bitte auf meinem Handy zurück, sobald du die Botschaft gekriegt hast. Macht nichts, wenn's später wird, aber ruf an, okay? Äh, okay. Ciao.«

Kein »Ich liebe dich«, kein »Du fehlst mir« oder »Hoffentlich bist du bald wieder da«, aber dergleichen fiel wohl unter die Kategorie »Unangebracht«, wenn man sich für eine Auszeit entschieden hatte. Ich löschte die Nachricht und beschloss, einer spontanen Eingebung folgend, den Rückruf auf morgen zu verschieben. So dringend hatte seine Stimme auch wieder nicht geklungen, und jetzt, um halb vier Uhr früh nach einem traumhaften Abend, war ich nicht mehr in der besten Verfassung für ein ausgedehntes Gespräch über den »derzeitigen Stand unserer Beziehung«.

Die letzte Botschaft stammte von meiner Mom und gab mir ähnlich viele Rätsel auf.

»Hallo, Schätzchen, hier ist Mom. Bei uns ist es jetzt ungefähr acht Uhr, keine Ahnung, wie spät es bei euch ist. Hör zu, es ist nichts Schlimmes – alles so weit in Ordnung –, aber es wäre schön, wenn du zurückrufen könntest. Wir bleiben noch ein Weilchen auf, es kann also ruhig später werden, aber bitte auf jeden Fall möglichst noch heute. Wir hoffen beide, dass du dich gut amüsierst, und wir reden dann später. Alles Liebe!«

Seltsam. Sehr seltsam. Sowohl Alex wie meine Mutter hatten von sich aus in Paris angerufen und darum ersucht, dass ich sie notfalls mitten in der Nacht zurückrief. Nachdem »lange aufbleiben« für meine Eltern hieß, sich maximal bis zu Lettermans Eingangsgeschwafel wach zu halten, wusste ich, dass irgendwas im Busch war. Andererseits hatte sich keiner von beiden sonderlich beunruhigt oder völlig von der Rolle angehört. Am besten, ich gönnte mir erst mal ein ausgiebiges, genüssliches Schaumbad mit allem, was das Ritz diesbezüglich zu bieten hatte, und tankte dabei genügend auf, um mir irgendwelchen Quark von meiner Mutter anzuhören oder mit Alex den Stand der Dinge zu diskutieren, ohne dass mein himmlischer Abend komplett im Eimer war.

Ein schönes heißes Bad und aller Luxus, den man von der Juniorausgabe der Coco-Chanel-Suite im Pariser Ritz erwarten durfte, einschließlich der zart duftenden Feuchtigkeitslotion, mit der ich mich hinterher einrieb. Zu guter Letzt hüllte ich meinen rundum verhätschelten Leib in den flauschigsten Frotteebademantel, den er je zu spüren bekommen hatte, und wählte, ohne weiter nachzudenken, zuerst die Nummer meiner Eltern. Ein Fehler, wie sich herausstellte: schon das »Hallo«, mit dem Mom sich meldete, klang schwer gestresst.

»Hey, ich bin's. Ist alles okay? Ich wollte mich sowieso morgen rühren, hier war bisher bloß einfach die Hölle los. Aber ich habe echt einen Superabend hinter mir!« Irgendwelches Gesülze über Christian konnte ich mir sparen, nachdem meine armen Eltern noch gar nichts von den Komplikationen mit Alex wussten, aber dass Miranda meine Idee eines Wechsels zum *New Yorker* offenbar wohlwollend zur Kenntnis genommen hatte, würde sie beide sicherlich in Hochstimmung versetzen.

»Schatz, ich möchte dich nicht gern unterbrechen, aber es ist etwas passiert. Wir haben heute einen Anruf vom Lenox Hill Hospital bekommen, das ist in der 77. Straße, glaube ich, und wie es klang, hat Lily einen Unfall gehabt.«

Abgedroschene Phrase hin oder her – einen Augenblick lang blieb mir das Herz stehen. »Was? Was redest du da? Was für ein Unfall?«

Aus ihrer mühsam beherrschten Stimme und der bewusst sachlichen Wortwahl hörte ich heraus, welche Anstrengung es sie kostete, so ruhig und souverän zu klingen, wie Dad es ihr für das Gespräch mit mir zweifellos nahe gelegt hatte. »Ein Autounfall, Liebes. Ich fürchte, es ist ziemlich ernst. Lily saß am Steuer – sie hatte noch jemanden bei sich, einen Kommilitonen, glaube ich – und ist in der verkehrten Richtung in eine Einbahnstraße abgebogen. Dann ist sie offenbar mit ungefähr 65 Sachen frontal auf ein Taxi geprallt. Der Polizeibeamte, mit dem ich gesprochen habe, meinte, es sei ein Wunder, dass sie überhaupt noch am Leben ist.«

»Ich verstehe kein Wort. Wann ist das passiert? Kommt sie wieder auf den Damm?« Vor lauter unterdrücktem Schluchzen konnte ich kaum noch reden, denn so sehr meine Mutter sich auch bemühte, ruhig zu bleiben: Jedes ihrer sorgsam gewählten Worte verdeutlichte mir den Ernst der Lage. »Mom, wo ist sie denn? Kommt sie durch?«

Erst jetzt merkte ich, dass meine Mutter ebenfalls weinte – nur ganz still. »Andy, ich gebe dir deinen Vater. Er weiß das Neueste von den Ärzten. Hab dich lieb, Schätzchen.« Den letzten Satz quetschte sie so gerade noch heraus.

»Hallo Liebes, wie geht's? Tut mir Leid, dass wir nichts Besseres zu berichten haben.« Die Stimme meines Dads klang tief und beruhigend, und einen Augenblick lang gab ich mich der

Illusion hin, es würde alles wieder ins Lot kommen. Lily hatte sich nicht den Hals, sondern höchstens das Bein oder ein, zwei Rippen gebrochen; und die paar Schrammen im Gesicht stichelte ihr der von allen Seiten empfohlene plastische Chirurg in null Komma nichts wieder zusammen. Auf alle Fälle war es nichts Ernstes.

»Dad, jetzt sag mir bitte, was ist denn nun eigentlich passiert? Mom hat erzählt, Lily wäre mit vollem Karacho in ein Taxi geknallt? Das kapiere ich nicht. Erstens hat Lily überhaupt kein Auto, und zweitens hasst sie Autofahren wie die Pest. Nie im Leben würde sie kreuz und quer durch Manhattan gondeln. Wie habt ihr davon erfahren? Wer hat bei euch angerufen? Und was ist mit ihr?« Ich war schon wieder kurz vor einem hysterischen Anfall, und wieder klang Dad so sanft und gleichzeitig bestimmt, dass ich mich beruhigte.

»Jetzt schnauf mal tief durch, dann erzähle ich dir alles, was ich weiß. Der Unfall war gestern, aber wir haben erst heute davon gehört.«

»Gestern! Gestern? Und kein Mensch hat mir Bescheid gesagt?«

»Herzchen, sie *haben* ja bei dir angerufen. Der Arzt hat gesagt, dass Lily dich in ihrem Terminplaner als erste Adresse in Notfällen angegeben hat, weil ihre Großmutter doch nicht mehr so gut beieinander ist. Jedenfalls hat es das Krankenhaus wohl bei dir privat und auf deinem normalen Handy versucht, aber natürlich ohne Erfolg. Und nachdem sich binnen 24 Stunden niemand meldete, haben sie sich Lilys Terminplaner noch mal vorgenommen und festgestellt, dass wir den gleichen Nachnamen haben wie du, und dann hier angerufen, um herauszufinden, wo du zu erreichen bist. Aber Mom und ich wussten nicht mehr, in welchem Hotel du wohnst, deswegen haben wir wiederum bei Alex nachgefragt.«

»Ich werde wahnsinnig. Von gestern bis heute: War sie die ganze Zeit allein? Ist sie immer noch im Krankenhaus?« Ich kam mit Fragen gar nicht hinterher, und die Antworten ließen für mein Gefühl elend auf sich warten. Herausgehört hatte ich bisher nur, dass ich offenbar der wichtigste Mensch in Lilys Leben war, nachdem sie unter dieser Rubrik für Notfälle, die man in Gottes Namen ausfüllte, aber doch nie und nimmer ernst nahm, meine Nummer angegeben hatte. Nun also hatte sie mich – allein mangels Alternativen – dringend gebraucht, und ich war nirgends auffindbar gewesen. Das Schluchzen war mir vergangen, doch die Tränen rannen trotzig weiter in heißen Strömen über meine Wangen, und meine Kehle fühlte sich an, als hätte jemand den Kloß darin mit Bimsstein entfernen wollen.

»Ja, sie ist noch im Krankenhaus. Ich will jetzt ganz offen mit dir sprechen, Andy. Es ist keineswegs sicher, ob sie durchkommt.«

»Was? Was soll das heißen? Kann mir vielleicht endlich mal jemand was Konkretes sagen?«

»Liebes, ich habe bestimmt ein halbes Dutzend mal mit ihrem Arzt gesprochen, und ich weiß sie dort in den allerbesten Händen. Aber die Sache ist die, dass Lily im Koma liegt, Schätzchen. Der Arzt hat mir zwar versichert, dass –«

»Im Koma? Lily liegt im Koma?« Was war das für ein hanebüchenes Gefasel: Die Wörter schienen nicht den mindesten Sinn zu ergeben.

»Liebes, beruhige dich. Ich weiß, es ist ein schwerer Schock für dich, und ich hätte es dir tausendmal lieber nicht am Telefon sagen müssen. Wir haben schon überlegt, ob wir damit warten sollen, bis du wieder da bist, aber es sind ja noch etliche Tage, und da dachten wir, du solltest es doch lieber gleich wissen. Aber du sollst auch wissen, dass Mom und ich alles tun, was in unseren Kräften steht, damit sie möglichst gut versorgt wird. Sie hat für uns ja immer mit zur Familie gehört, das weißt du, und wir lassen sie jetzt natürlich auch nicht allein.«

»O Gott, ich muss zurück, Dad, ich muss zurück! Sie hat niemanden außer mir, und ich sitze hier, am anderen Ende des Atlantiks. Ach, Scheiße, aber übermorgen ist diese dämliche

Party, wegen der ich überhaupt hier bin, und Miranda feuert mich unter Garantie, wenn ich da nicht aufkreuze. Was mache ich bloß? Was mache ich bloß?«

»Andy, bei dir ist es schon reichlich spät. Ich glaube, es wäre das Beste, wenn du dich ein Weilchen schlafen legst und die Dinge noch mal in Ruhe überdenkst. Ganz klar, am liebsten würdest du auf der Stelle herkommen, das weiß ich; aber bedenke dabei auch, dass Lily momentan nicht bei Bewusstsein ist. Laut Aussage des Arztes stehen die Chancen zwar mehr als gut, dass sie binnen der nächsten 48 bis maximal 72 Stunden aufwachen wird und ihr Körper diese Zeit lediglich zu einer Art verlängertem Heilschlaf braucht, aber mit letzter Sicherheit lässt sich da gar nichts sagen«, fügte er leise an.

»Und wenn sie aufwacht? Ist sie vermutlich hirngeschädigt oder gelähmt oder wer weiß was? O Gott, ich halt's nicht aus.«

»Sie wissen es schlicht noch nicht. Offenbar reagieren ihre Füße und Beine auf Reize, was darauf hindeutet, dass keine Lähmung vorliegt, aber sie hat etliche Schwellungen am Kopf, die man erst einordnen kann, wenn sie wieder bei Bewusstsein ist. Wir müssen einfach abwarten.«

Wir redeten noch kurz weiter, dann legte ich abrupt auf und wählte hastig Alex' Handynummer.

»Hi, ich bin's. Warst du schon bei ihr?«, überfiel ich ihn ohne jede Einleitung, ganz Klein-Miranda.

»Andy. Hi. Du weißt also Bescheid?«

»Ja, ich habe gerade mit meinen Eltern gesprochen. Warst du schon bei ihr?«

»Ja, ich bin momentan im Krankenhaus. Sie lassen mich zwar nicht in ihr Zimmer, weil gerade keine Besuchszeit ist und ich nicht zur Familie gehöre, aber ich wollte trotzdem da sein, nur für den Fall, dass sie aufwacht.« Er klang so weit, weit weg, ganz in seinen eigenen Gedanken gefangen.

»Was ist denn nun eigentlich passiert? Meine Mom hat irgendwas erzählt von wegen, sie wäre falsch herum in eine Einbahnstraße gefahren und auf ein Taxi draufgebrettert oder so was? Das kann doch wohl nicht sein?«

»Ach Mann, es ist echt ein Albtraum« – seufzend bequemte er sich dazu, mir endlich die Geschichte von A bis Z zu erzählen, nachdem sich bisher offenbar niemand sonst dazu bereit gefunden hatte. »Ganz genau blicke ich zwar auch noch nicht durch, aber ich habe mit dem Typen geredet, der bei ihr im Auto saß, Benjamin heißt er, der, den sie damals im College absoviert hat, weil er auf flotte Dreier stand, weißt du noch?«

»Na logo, der arbeitet jetzt im gleichen Gebäude wie ich. Ich sehe ihn gelegentlich. Was zum Teufel hatte denn der da zu suchen? Lily findet ihn zum Kotzen – über die Sache damals ist sie nie so richtig weggekommen.«

»Ja, das dachte ich auch, aber wie es scheint, haben sie sich in letzter Zeit öfter getroffen und waren eben auch gestern Abend zusammen aus. Er hat erzählt, dass sie Karten für das Phish-Konzert im Nassau Coliseum hatten und zusammen hingefahren sind. Vermutlich hat er dabei zu viel geraucht, also hat Lily sich erbarmt und hinter das Steuer geklemmt. Ging auch alles problemlos, bis sie mitten in der Stadt bei Rot über die Ampel gefahren und verkehrt herum in die Madison Avenue eingebogen ist, direkt in den entgegenkommenden Verkehr hinein. Frontalzusammenstoß auf der Fahrerseite mit einem Taxi und na ja, so weiter und so fort.« Ihm versagte die Stimme, und da wusste ich, dass es schlimmer stand, als irgendwer bislang hatte durchblicken lassen.

In der vergangenen halben Stunde hatte ich nacheinander Mom, Dad und Alex mit allen anstehenden Fragen bombardiert – außer mit der offenkundigsten: Warum war Lily bei Rot über die Ampel gefahren und gegen die Fahrtrichtung abgebogen? Wie immer wusste Alex, was mich bewegte, und nahm die Antwort vorweg.

»Ihr Blutalkoholspiegel lag fast um das Doppelte über der zulässigen Promillegrenze«, konstatierte er so trocken und deutlich formuliert wie möglich, um es nur ja nicht wiederholen zu müssen.

»O Gott.«

»Wenn – falls – sie wieder zu sich kommt, hat sie jede Menge Ärger am Hals, mal ganz abgesehen davon, dass sie wieder gesund werden muss. Zum Glück ist der Taxifahrer mit ein paar Beulen und Prellungen davongekommen, und Benjamins linkes Bein ist zwar Schrott, aber sie meinen, es wird wieder. Wir müssen einfach abwarten, was mit Lily ist. Wann kommst du?«

»Was?« Ich mümmelte noch daran, dass Lily sich mit einem Typen, der meinem Eindruck nach bei ihr ein für alle Mal unten durch war, dermaßen die Kante gegeben hatte, dass sie nun als Komapatientin das Krankenhaus bevölkerte.

»Ich habe gefragt, wann du kommst?« Ich schwieg, er setzte nach. »Du kommst doch wohl her? Oder willst du im Ernst in Paris bleiben und deine beste Freundin auf Erden im Hospital vor sich hin siechen lassen?«

»Was soll das heißen, Alex? Soll das heißen, dass ich Schuld bin, weil ich es nicht habe kommen sehen? Dass sie nur deshalb im Hospital gelandet ist, weil ich zurzeit in Paris bin? Dass das Ganze nicht passiert wäre, wenn ich gewusst hätte, dass sie Benjamin wieder aus der Mottenkiste geholt hat? Was jetzt? Was genau willst du mir sagen?« Meine Stimme überschlug sich, aber nach all dem Gefühlswirrwarr am frühen Morgen verspürte ich nur noch das eine, überwältigende Bedürfnis, irgendjemanden anzuschreien.

»Das hast du gesagt, nicht ich. Ich bin lediglich davon ausgegangen, dass du natürlich so schnell wie möglich zu ihr willst. Ich breche nicht den Stab über dich, Andy – das weißt du. Und ich weiß natürlich auch, dass es für dich schon schrecklich spät ist und du in den nächsten paar Stunden ohnehin nichts unternehmen kannst. Ruf mich doch einfach an, wenn du weißt, wann du ankommst. Dann hole ich dich vom Flughafen ab, und wir fahren direkt zum Krankenhaus.«

»Schön. Danke, dass du dich um sie kümmerst. Ich weiß das wirklich zu schätzen, und Lily auch, ganz sicher. Ich melde mich, wenn feststeht, wie es weitergeht.«

»Okay, Andy. Du fehlst mir. Und ich weiß, dass du das Richtige tun wirst.« Die Leitung war tot, ehe ich ihn wegen dieser Bemerkung zerpflücken konnte.

Das Richtige tun? Das *Richtige?* Was zum Teufel sollte das jetzt wieder? Offenbar ging er davon aus, dass ich auf seinen Wink mit dem Zaunpfahl hin ins nächste Flugzeug springen würde. Zum Kotzen, genau wie sein gönnerhafter, salbungsvoller Tonfall, bei dem ich mir sofort wie ein kleines Schulmädchen vorkam, das er gerade beim Schwätzen ertappt hatte. Zum Kotzen, dass er jetzt bei Lily war, bei *meiner* Freundin, dass er als Kontaktperson zwischen meinen eigenen Eltern und mir fungierte, dass er wieder mal auf seinem hohen moralischen Ross saß und das letzte Wort hatte. Vorbei die Zeiten, in denen ein solches Gespräch mit ihm mir die tröstliche Gewissheit gegeben hätte, dass wir das Ganze gemeinsam durchstehen würden und nicht als Angehörige zweier feindlicher Lager. Wann war unsere Beziehung so ins Trudeln geraten?

Ich brachte nicht mehr die Kraft auf, ihn auf das Offenkundige hinzuweisen: Wenn ich früher abreiste, war ich meinen Job los und hatte mich fast ein volles Jahr lang umsonst abgerackert. Bisher hatte ich den entsetzlichen Gedanken verdrängt, aber nun stand er mir ganz klar vor Augen: Ob ich da war oder nicht, hatte für Lily im Augenblick keinerlei Bedeutung, weil sie bewusstlos im Krankenhaus lag. Verschiedene Optionen wirbelten mir durch den Kopf. Sollte ich bleiben, bis die Party vorbei war, und dann versuchen, Miranda verständlich zu machen, was passiert war, damit sie mich gehen ließ, ohne mich zu feuern? Oder, wenn Lily zwischenzeitlich wieder wach wurde und aufnahmebereit schien, konnte ihr dann nicht jemand erklären, dass ich so bald wie möglich kommen würde, was zu dem Zeitpunkt vermutlich nur noch ein paar Tage bedeutete? In den düsteren

Morgenstunden nach einem langen, durchtanzten Abend mit sehr viel Schampus und der Nachricht, dass meine beste Freundin nach einer Trunkenheitsfahrt im Koma lag, klangen diese Lösungsmöglichkeiten eigentlich ganz vernünftig, aber irgendwo tief in meinem Inneren wusste ich, dass sie alle beide nichts taugten.

»Aan-dreh-aa, sagen Sie in der Schule Bescheid, dass die Mädchen am Montag nicht kommen, weil sie noch bei mir in Paris sind, und schreiben Sie auf, was sie alles nachholen müssen. Dann verlegen Sie den Restauranttermin für heute Abend auf halb neun, und wenn es nicht passt, sagen Sie ganz ab. Haben Sie das Buch aufgetrieben, nach dem ich Sie gestern gefragt habe? Ich brauche vier Exemplare – zwei in Französisch, zwei in Englisch – und zwar vor dem Treffen zum Dinner. Ach ja, und die Endfassung des gedruckten Menüs für die Party morgen – ich will meine Änderungen noch einmal durchgehen. Auf keinen Fall irgendwas mit Sushi, ist das klar?«

»Ja, Miranda«, sagte ich und kritzelte alles mit rasender Geschwindigkeit in das Notizbuch von Smythson, das mir die Accessoires-Abteilung in weiser Voraussicht zu meinem Sortiment von Taschen, Schuhen, Gürteln und Schmuck dazugepackt hatte. Ich fuhr zur ersten Dior-Modenschau meines Lebens, und neben mir spuckte Miranda im Maschinengewehrtempo Instruktionen aus, ohne Rücksicht darauf, dass ich keine zwei Stunden geschlafen hatte. Um Viertel vor acht hatte eine männliche Nachwuchskraft im Auftrag von Monsieur Renaud bei mir angeklopft und persönlich dafür Sorge getragen, dass ich auch tatsächlich aufstand und – sechs Minuten früher als ausgemacht – vollständig bekleidet zur Stelle war, um Miranda zu der Modenschau zu begleiten. Es handelte sich um einen sehr höflichen jungen Mann, der taktvoll darüber hinwegsah, dass ich schlicht auf der Tagesdecke kollabiert war, und sogar die grelle Beleuchtung dämpfte, die mich beim Schlafen offenbar nicht gestört hatte. Mir blieben 25 Minuten, um zu duschen, Allisons kleinen Modeberater zu konsultieren, mich anzuziehen und zu schminken (der Dragoner stand so früh am Morgen noch nicht zur Verfügung).

Mein leichter Kater war nichts im Vergleich zu dem stechenden Schmerz, der mich durchzuckte, als mir die Telefonate der vergangenen Nacht wieder einfielen. Lily! Ich musste Alex oder meine Eltern anrufen und hören, ob sich in den letzten paar Stunden – Gott, es kam mir vor wie eine Woche – irgendwas getan hatte, aber dazu fehlte die Zeit.

Auf der Fahrt nach unten kam ich zu dem Schluss, dass ich nur noch einen, einen einzigen lausigen Tag bleiben musste. Sobald die Party überstanden war, würde ich zu Lily fahren. Vielleicht konnte ich ja, wenn Emily wieder einsatzbereit war, sogar ein Weilchen freinehmen und Lily tatkräftig zur Seite stehen, damit sie den Unfall und seine unvermeidlichen, unangenehmen Folgen möglichst gut verkraftete. Meine Eltern und Alex würden die Stellung halten, bis ich käme – *es ist ja nicht so, als stünde sie ganz allein da*, hielt ich mir vor. Und hier ging es um mein Leben. Meine Karriere, meine gesamte Zukunft stand auf dem Spiel; was konnten da zwei Tage – für jemanden, der noch gar nicht bei Bewusstsein war – schon groß ausmachen? Aber für mich – und ganz gewiss für Miranda – machten sie ungeheuerlich viel aus.

Irgendwie schaffte ich es noch vor Miranda auf den Rücksitz der Limousine. Sie warf einen scharfen Blick auf meinen Chiffonrock, enthielt sich aber zunächst jeden Kommentars zu meinem Aufzug. Gerade hatte ich das Notizbuch wieder in der Tasche von Bottega Venetta verstaut, da klingelte mein neues, weltübergreifendes Handy. Ich wollte es schon auf stumm schalten, doch ihre Majestät bedeutete mir, den Anruf entgegenzunehmen.

»Hallo?« Ich behielt Miranda im Auge, die im Tagesplan blätterte und tat, als höre sie nicht zu.

»Hi, Liebes.« Mein Dad. »Wollte dir nur kurz das Neueste berichten.«

»Okay.« Mir war so kreuzunwohl dabei, in Mirandas Gegenwart zu telefonieren, dass ich meine Antworten auf das Allernötigste beschränkte.

»Eben hat der Arzt angerufen und gesagt, es sieht so aus, als würde Lily bald wieder zu sich kommen. Ist das nicht wunderbar? Ich dachte, dass du doch sicher darüber Bescheid wissen wolltest.«

»Ja, natürlich. Das ist wirklich wunderbar.«

»Hast du schon entschieden, ob du kommst?«

»Äh, nein, noch nicht. Miranda veranstaltet morgen Abend eine Party, und dabei braucht sie unbedingt meine Hilfe, deswegen … Du hör mal, Dad, tut mir Leid, aber im Moment ist es gerade ungünstig. Kann ich dich zurückrufen?«

»Sicher, jederzeit.« Es sollte neutral klingen, aber ich hörte die Enttäuschung aus seiner Stimme heraus.

»Fein. Danke für den Anruf. Bye.«

»Wer war das?«, erkundigte sich Miranda, die Augen immer noch auf ihr Programm gerichtet. Es hatte angefangen zu regnen, und in dem Pladdern der Tropfen auf dem Autodach ging ihre Stimme fast unter.

»Hmm? Ach, das war mein Vater. Aus Amerika.« Was redete ich da für ein Blech? Aus *Amerika*?

»Und was war sein Anliegen, das mit Ihren Aufgaben bei der Party morgen Abend kollidiert?«

Mir schossen eine Million Ausflüchte durch den Kopf, aber es blieb keine Zeit, auch nur eine davon logisch weiterzuspinnen – zumal sie nun ausnahmsweise ganz Ohr war. Also Augen zu und durch.

»Ach, nichts weiter. Eine Freundin von mir hatte einen Unfall. Sie liegt im Krankenhaus. Im Koma, genauer gesagt. Und da wollte er mir eben erzählen, wie es ihr geht, und fragen, ob ich heimkomme.«

Sie hörte sich das an, nickte bedächtig und griff dann nach der neuesten Ausgabe des *International Herald Tribune*, die der aufmerksame Fahrer bereitgelegt hatte. »Aha.« Kein »Das tut mir aber Leid«, kein »Und, wie geht es Ihrer Freundin?« – nur eine eisige, nichts sagende Bemerkung und ein Blick wie frisch gespitzte Bleistifte.

»Aber ich fahre nicht, definitiv nicht. Ich weiß, wie wichtig es ist, dass ich morgen bei der Party zur Stelle bin. Ich habe lange darüber nachgedacht, und ich wollte Ihnen sagen, dass ich mich der Verpflichtung Ihnen und meiner Arbeit gegenüber als würdig erweisen werde, und das heißt, ich bleibe.«

Schweigen. Dann, mit einem leisen Lächeln: »Aan-dreh-aa, ich begrüße Ihre Entscheidung sehr. Es ist erfreulich, dass Sie die richtigen Prioritäten setzen. Ich muss nämlich sagen, dass ich anfangs bei Ihnen so meine Bedenken hatte. Zum einen haben Sie ganz offenkundig keinen blassen Schimmer von Mode und, schlimmer noch, bringen auch keinen Funken Interesse dafür auf. Zum anderen ist mir keineswegs entgangen, wie nachhaltig und nuanciert Sie Ihr Missfallen ob jedes Ansinnens von meiner Seite bekunden, das Sie Ihrerseits lieber nicht weiter verfolgen würden. Was die Arbeit betrifft, haben Sie sich als angemessen kompetent erwiesen, aber Ihre Einstellung lässt doch noch einiges zu wünschen übrig.«

»Oh, Miranda, wenn Sie bitte –«

»Lassen Sie mich ausreden! Was ich sagen wollte: Nun, da Sie echtes Engagement demonstrieren, sehe ich mich sehr viel geneigter, Ihnen zu dem Ziel zu verhelfen, das Sie anstreben. Sie können stolz auf sich sein, Aan-dreh-aa.« Ein Monolog von solcher Länge, Tiefe und Gewichtigkeit – ich war der Ohnmacht nahe, ob vor Freude oder Pein, wer wollte das sagen: Doch sie ging noch einen Schritt weiter. Mit einer Geste, die für eine Frau ihres Kalibers in jeder Hinsicht ganz und gar undenkbar erschien. Sie legte ihre Hand auf meine und sagte: »In Ihrem Alter war ich ganz genauso.« Mir fiel nicht die kleinste passende Silbe zur Erwiderung ein, und da hielten wir auch schon mit quiet-schenden Reifen vor dem Carrousel du Louvre, und der Fahrer sprintete heraus, um uns die Türen aufzuhalten. Ich schnappte mir ihre und meine Tasche und hätte gern gewusst, ob dieser Augenblick die Krönung oder den Tiefpunkt meines bisherigen Lebens darstellte.

Meine erste Pariser Modenschau ist mir nur verschwommen in Erinnerung. Es war ziemlich finster, so viel weiß ich noch, und die Musik wirkte übertrieben laut angesichts all der höchst de-zent zur Schau gestellten Eleganz, aber wenn ich heute an jenen zweistündigen Einblick in eine bizarre Welt zurückdenke, spüre ich nur wieder, wie dreckig es mir damals ging. In den von Joce-lyn passend zu meinem Outfit – eng anliegender Kaschmirpullo-ver von Malo über einem Chiffonrock – liebevoll ausgesuchten Stiefeln von Chanel fühlten sich meine Füße an wie durch den Reißwolf gedreht. Verkatert, verängstigt und halb verhungert, wie ich war, schlug mir mein Brummschädel massiv auf den Ma-gen. Zusammen mit einer Meute drittklassiger Reporter und anderem Geschmeiß, das keines Sitzplatzes für würdig erachtet worden war, versuchte ich aus der letzten Reihe Miranda im Blick zu behalten und gleichzeitig die unauffälligsten Winkel zu eruieren, in denen ich zur Not meiner Übelkeit freien Lauf lassen konnte. *In Ihrem Alter war ich ganz genauso. In Ihrem Al-ter war ich ganz genauso. In Ihrem Alter war ich ganz genauso.* Die Worte dröhnten mir im Takt zu dem steten, unablässigen Po-chen durch Schläfen und Stirn.

Nahezu eine volle Stunde ließ Miranda mich in Ruhe, doch dann war Schluss mit lustig. Wohlgemerkt, wir befanden uns in ein und demselben Raum, aber sie griff zum Handy, um bei mir ein San Pellegrino zu bestellen. Von dem Moment an klin-gelte es durchschnittlich alle zehn Minuten, und jede Anfrage löste eine weitere akute Schmerzattacke in meinem geplagten Hirn aus. *Klingeling.* »Verbinden Sie mich mit Mr. Tomlinson in seinem Flieger.« (16 Versuche, aber BTB wollte einfach nicht drangehen.) *Klingeling.* »Nur zur Erinnerung an alle *Runway*-Redakteurinnen, die zurzeit in Paris sind: Ihr Aufenthalt hier bedeutet keinerlei Entbindung von ihren gewöhnlichen Pflichten. Ich will alles zum ursprünglich vereinbarten Abgabetermin vorliegen haben!« (Die paar Adressatinnen, die ich unter ihren verschiedenen Pariser Hotelnummern zu fassen bekam, lachten bloß und legten auf.) *Klingeling.* »Besorgen Sie mir auf der Stelle ein anständiges Putensandwich – ich kann keinen Schinken mehr sehen.« (Fünf Kilometer mit meinen Folterstiefeln kreuz und quer durch die Pampa, allein beim Gedanken an Putenbrust drehte es mir den Magen um, aber anders als in Amerika, wo es das Zeug an jeder Ecke gab, war hier nichts zu holen – was sie zweifellos wusste, diese Sadistin, denn in New York hatte sie mich nie um so etwas geschickt.) *Klingeling.* »Ich erwarte fertig ausgearbeitete Dossiers zu den bislang viel versprechendsten drei Köchen in meiner Suite, wenn wir von der Modenschau zurück sind.« (Emily führte sich auf, als wollte ich ihr ans Leben, versprach aber schließlich, alles an Informationen zu faxen, was sie bisher über potenzielle Kandidaten in Erfahrung gebracht hatte. Zu »Dossiers« durfte ich sie dann selbst verarbeiten.) *Klingeling! Klingeling! Klingeling! In Ihrem Alter war ich ganz genauso.*

Fußlahm und grün im Gesicht nahm ich vor den Klappergestellen, die über den Laufsteg flanierten, Reißaus, um schnell eine zu rauchen. Kaum hatte ich das Feuerzeug angeworfen, ließ sich – was sonst – mein Handy schrill vernehmen. »Aan-dreh-aa! Aan-dreh-aa! Wo stecken Sie denn, zum Kuckuck noch mal?«

Zerstreut zertrat ich die noch gar nicht angezündete Zigarette und schlüpfte wieder hinein; noch eine Umdrehung meiner Magenwände, und das Unheil war nicht mehr aufzuhalten, fragte sich bloß, wann genau und wo.

»Ganz hinten an der Wand.« Bis ich fertig gesprochen hatte, stimmte es sogar. »Unmittelbar links von der Tür. Sehen Sie mich?«

Sie drehte den Kopf hin und her, bis sie mich schließlich ausgemacht hatte. Ich wollte das Telefon ausschalten, doch ihre Flüsterstimme drang weiter unüberhörbar an mein Ohr. »Rühren Sie sich nicht vom Fleck, verstanden? Ihnen als meiner Assistentin sollte doch wohl klar sein, dass Sie sich zu meiner Verfügung zu halten haben, statt draußen herumzutändeln, wenn ich Sie brauche. Das ist inakzeptabel, Aan-dreh-aa!« Sie bahnte sich ihren Weg bis nach hinten und baute sich vor mir auf. Derweil stolzierte eine Frau in einem bodenlangen, unten leicht ausgestellten Empirekleid aus Silberlametta (so sah es jedenfalls aus) durch die ehrfürchtig staunende Menge, und die Musik wechselte von irgendeiner Art bizarrem gregorianischen Gesang zu lupenreinem Heavy Metal. Mein Herz machte den Taktwechsel prompt mit. Miranda spuckte zwar weiter Gehässigkeiten aus, als sie bei mir angelangt war, aber wenigstens klappte sie jetzt endlich ihr Handy zu. Ich tat es ihr nach.

»Aan-dreh-aa, wir haben da ein ernstes Problem. Das heißt, *Sie* haben ein ernstes Problem. Soeben erhielt ich einen Anruf von Mr. Tomlinson. Annabelle hat ihn darauf aufmerksam gemacht, dass die Pässe der Zwillinge letzte Woche abgelaufen sind.«

»Oh, tatsächlich?«, war alles, was ich herausbrachte, ohne meinen nicht vorhandenen Mageninhalt hinterherzuschicken, aber damit war sie natürlich nicht zufrieden. Vor Zorn traten ihr die Augen aus dem Kopf.

»*Oh, tatsächlich?*«, äffte sie mich nach, in einem Ton, der die Umstehenden bewog, nach einer tollwütigen Hyäne Ausschau zu halten. »Oh, tatsächlich? Ist das alles, was Sie dazu beizusteuern haben?«

»Nein, nein, natürlich nicht, Miranda. Ich habe es nicht so gemeint. Kann ich irgendetwas tun?«

»*Kann ich irgendetwas tun?*« Nun hörte sie sich an wie ein quengeliges Kleinkind. Jedem anderen Erdenbewohner hätte ich dafür mit Wonne eine gelangt. »Allerdings, das können Sie glauben,

Aan-dreh-aa. Nachdem Sie ganz offensichtlich nicht imstande sind, dergleichen im Vorfeld zu erledigen, werden Sie zusehen müssen, dass die Pässe rechtzeitig bis zum Abflug der Zwillinge heute Abend erneuert sind. Es kommt nicht in Frage, dass meine eigenen Töchter die morgige Party verpassen, haben Sie mich verstanden?«

Eine gute Frage. Ich verstand beim besten Willen nicht, wieso es meine Schuld sein sollte, dass zwei Zehnjährige über ungültige Pässe verfügten, um die sich, rein theoretisch, zwei Elternteile, ein Stiefvater und ein rund um die Uhr erreichbares Kindermädchen hätten kümmern können, aber ich verstand auch, dass es letztlich keine Rolle spielte. In Mirandas Augen war ich schuld, und das genügte. Auf keinen Fall würde sie verstehen wollen, dass es mit dem Flug der Mädchen Essig war. Ich konnte zwar aus dem Stand Wunder vollbringen und Unmögliches sofort erledigen, aber binnen weniger als drei Stunden vom Ausland aus den Bundesbehörden Reisedokumente aus dem Kreuz zu leiern, das war nicht drin. Punkt. Aus. Ende. Nach einem vollen Jahr im Dienste von Miranda die erste wirklich und wahrhaftig unlösbare Aufgabe: Sie konnte mich noch so lange anblaffen, unter Druck setzen oder niedermachen, es war schlicht und einfach nicht drin. *In Ihrem Alter war ich ganz genauso.*

Scheiß auf sie. Scheiß auf Paris. Scheiß auf Modenschauen und die endlosen Spielchen Marke »Ich bin fetter als du.« Scheiß auf die ganze Meute, die Mirandas Gehabe tolerierte, weil sie die Kunst beherrschte, talentierte Fotografen in Kombination mit sündteuren Klamotten in gelungene Shootings für ein Modemagazin zu verwandeln. Scheiß drauf, dass sie überhaupt auf die Idee kam, mich mit sich zu vergleichen. Und Recht damit hatte. Was zum Teufel tat ich eigentlich hier, wieso ließ ich mich von dieser allen Freuden des Lebens abholden Teufelin dermaßen schikanieren und knechten? Damit ich vielleicht, ganz vielleicht, in 30 Jahren wieder genau hier saß, umgeben von Heerscharen, die mir notgedrungen die Füße küssten, und meinerseits eine Assistentin zur Schnecke machen konnte, die mich dafür zur Hölle wünschte?

Ich schnappte mir mein Handy und tippte drauflos. Miranda wurde fuchsteufelswild.

»Aan-dreh-aa!«, zischte sie wie eine aufs Äußerste gereizte Schlange, wahrte jedoch nach wie vor, ganz Dame, die Contenance. »Was tun Sie da? Ich sage Ihnen, dass meine Töchter umgehend neue Pässe benötigen, und Sie befinden den Zeitpunkt für geeignet, ein Schwätzchen am Telefon zu halten? Sind Sie der gänzlich irrigen Meinung, ich hätte Sie etwa zu diesem Zweck nach Paris kommen lassen?«

Nach dem dritten Klingeln hob meine Mutter ab. Ich überfiel sie umstandslos.

»Mom, ich nehme den nächsten Flieger, den ich kriegen kann. Ich rufe an, wenn ich in New York bin. Ich komme nach Hause.« Ohne eine Antwort abzuwarten, klappte ich das Handy zu und stellte mich Mirandas ehrlich verblüfftem Blick. Kopfweh hin, Übelkeit her, ich musste einfach grinsen, als ich sie ausnahmsweise einmal so ganz und gar sprachlos vor mir stehen sah. Leider Gottes berappelte sie sich schnell wieder. Hätte ich mich ihr augenblicklich zu Füßen geworfen und alles zu erklären versucht, wäre mir vielleicht der Hauch einer Chance geblieben, aber mittlerweile war es mir absolut scheißegal, ob ich den Job behielt oder nicht.

»Aan-dreh-ah, ist Ihnen die Tragweite Ihrer Handlungen bewusst? Ist Ihnen klar, dass ich, wenn Sie so ohne weiteres auf und davon gehen, gezwungen bin —«

»Leck mich, Miranda. Leck mich am Arsch.«

Sie schnappte pfeifend nach Luft und schlug entsetzt die Hand vor den Mund; das Spektakel erregte die Aufmerksamkeit der umstehenden Klapperschnepfen, sie flüsterten miteinander und zeigten mit Fingern auf diese Null von Assistentin, die – man höre, und zwar laut und deutlich – einer der großen lebenden Legenden in der Modewelt derart unverfroren die Stirn geboten hatte.

»Aan-dreh-aa!« Ich entwand meinen Oberarm ihrem Klauengriff und setzte ein Lächeln auf, das von Paris bis Dakar reichte. Es war an der Zeit, diesem unhöflichen Geflüster in Gesellschaft ein Ende zu setzen.

»Tut mir sehr Leid, Miranda«, verkündete ich in normaler Lautstärke und, zum ersten Mal seit meiner Landung in Paris, mit fester Stimme, »aber ich werde bei der Party morgen wohl nicht zugegen sein können. Das verstehen Sie sicher, oder? Jedenfalls wünsche ich Ihnen viel Vergnügen, es wird bestimmt sehr hübsch. Das wäre alles.« Bevor sie zu einer Antwort ansetzen konnte, schulterte ich meine Tasche und stolzierte ungeachtet der stechenden Schmerzen, die mich von der Ferse bis zu den Zehenspitzen durchzuckten, hinaus auf die Straße, um mir ein Taxi zu schnappen. Nie in meinem ganzen Leben hatte ich mich besser gefühlt. Ich war unterwegs nach Hause.

# 18

»Jill, jetzt lass doch deine Schwester in Ruhe!« Die Stimme meiner Mutter hätte Tote aufwecken können. »Ich glaube, sie schläft noch.« Und dann plärrte es von unten die Treppe hoch: »Andy? Schläfst du noch?«

Ich zwängte ein Lid weit genug auf, um nach der Uhr zu schielen. Viertel nach acht. Morgens. Grundgütiger, was dachten sich diese Leute bloß?

Ich musste gehörig Schwung nehmen, bis ich endlich zum Sitzen kam. Jede Faser meines Leibs bat und bettelte darum, bloß noch ein kleines Bisschen weiterschlafen zu dürfen.

»Morgen!« Lächelnd drehte Lily sich zu mir um, ihr Gesicht nur Zentimeter vor meiner Nase. »Die Frühbrigade ruft zum Einsatz.« Jill, Kyle und der Kleine waren zu Thanksgiving angereist, weshalb Lily Jills Kinderzimmer hatte räumen müssen. Derzeit nächtigte sie auf dem ausziehbaren Unterteil meines eigenen Jugendbetts.

»Was gibt's da zu meckern? Ich weiß zwar nicht wieso, aber du siehst zu dieser frühen Stunde eigentlich ganz froh und munter aus.« Sie lag auf einen Ellbogen gestützt im Bett, las Zeitung und nahm immer wieder mal einen Schluck Kaffee aus der Tasse, die neben ihr am Boden stand.

»Ich höre schon seit Ewigkeiten Isaac beim Brüllen zu.«

»Hat er gebrüllt? Echt?«

»Sag bloß nicht, du hättest ihn nicht gehört. Seit halb sieben geht das in einem fort. Er ist ja wirklich ein Schnuckelchen, aber dieser Morgenterror muss bald mal ein Ende haben.«

»Mädels!«, schrie meine Mutter erneut durchs Treppenhaus. »Ist da oben schon wer wach? Macht nichts, wenn ihr noch schlaft, sagt mir bloß Bescheid, so oder so, damit ich weiß, wie viele Waffeln ich auftauen soll!«

»So oder so? Ich bring sie um, Lil.« Dann brüllte ich durch die geschlossene Tür: »Wir schlafen noch, merkst du das denn nicht? Tief und fest, kann noch Stunden dauern. Wir hören weder das Baby noch dich noch sonst was!« Lily lachte, als ich mich wieder aufs Bett fallen ließ.

»Nimm's locker«, sagte sie, ganz untypisch ernst. »Sie freuen sich einfach, dass du wieder zu Hause bist, und ich für mein Teil bin auch froh, hier zu sein. Es ist ja nicht mehr für lange, und immerhin haben wir uns. Halb so wild.«

»Nicht mehr für lange? Ich fühle mich jetzt schon reif für die Klapsmühle.« Ich schlüpfte aus einem von Alex' alten Sporthemden, das mir als Nachthemd diente, und zog ein Sweatshirt über. Die Jeans, die ich nun schon seit Wochen Tag für Tag trug, lag zusammengeknäuelt neben meinem Schrank; mittlerweile saß sie um die Hüften herum etwas strammer. Nachdem ich nicht mehr bloß von Kaffee, Zigaretten und Suppe im Schnelldurchgang leben musste, hatte mein Körper die Chance genutzt und sich die zehn Pfund wieder draufgepackt, die mir bei *Runway* abhanden gekommen waren. Und das Tolle dabei war: Es machte mir nicht die Bohne aus; laut Lily und meinen Eltern sah ich nicht fett, sondern gut aus, und das nahm ich ihnen ohne weiteres ab.

Lily zog sich eine Jogginghose über die Boxershorts, in denen sie geschlafen hatte, und knotete ein buntes Tuch um ihre Locken. Die strenge Frisur gab den Blick auf die bösen roten Stellen frei, an denen ihre Stirn unsanft Bekanntschaft mit Splittern von der Windschutzscheibe geschlossen hatte, aber die Fäden waren schon gezogen, und der Arzt hatte ihr versprochen, dass höchstens minimale Narben zurückbleiben würden. »Na komm«, sagte sie und griff nach den Krücken, die stets in

Reichweite standen. »Schließlich fahren sie heute alle wieder, dann können wir morgen vielleicht mal anständig ausschlafen.«

»Sie gibt sowieso keine Ruhe, bis wir runterkommen, oder?«, brummelte ich und half ihr beim Aufstehen. Der Gips um ihren rechten Knöchel war von meiner gesamten Familie mehr oder weniger fantasievoll bemalt worden.

»So ist es.«

Meine Schwester erschien in der Tür, auf dem Arm das vollgesabberte Baby, das bei unserem Anblick zufrieden gluckste. »Schaut mal, wer da ist«, flötete sie und ließ den Kleinen zu seinem Entzücken ein bisschen auf und ab hopsen. »Isaac, sag deiner Tante Andy, sie soll nicht so hässlich und garstig zu uns sein, wo wir doch alle ganz bald fahren. Machst du das für deine Mami, Schätzchen? Hm?«

Isaac tat sein Bestes und ließ ein sehr niedliches Babyniesen vernehmen. Jill strahlte, als wäre er soeben zu voller Männlichkeit erblüht und hätte uns Sonette von Shakespeare vorgetragen. »Hast du das gesehen, Andy? Hast du das *gehört*? Ach mein Süßer, was bist du doch für ein Goldschatz!«

»Guten Morgen«, brummte ich und gab ihr einen Kuss auf die Wange. »Ich will nicht, dass ihr schon fahrt, das weißt du doch? Und Isaac darf herzlich gerne bleiben, so lange er will, vorausgesetzt er schläft von Mitternacht bis zehn Uhr morgens, wie sich das gehört. Mann, von mir aus kann sogar Kyle weiter hier herumhängen, er muss nur versprechen, nicht den Mund aufzumachen. Na, was sagst du? So kompliziert ist es doch gar nicht mit uns.«

Lily war schon über die Treppe nach unten zu meinen Eltern gehumpelt, die sich von Kyle verabschiedeten, bevor sie zur Arbeit fuhren.

Ich machte unsere Betten. Lily war aus dem Koma erwacht, als ich noch im Flugzeug saß, und nach Alex hatte ich sie als zweite wieder bei Bewusstsein gesehen. Sie hatten sie in der Folge von Kopf bis Fuß scheibchenweise mit allen nur erdenklichen

Tests unter die Lupe genommen, aber abgesehen von ein paar Platzwunden im Gesicht, am Hals und an der Brust sowie dem gebrochenen Fuß fehlte ihr absolut nichts. Sie sah natürlich furchtbar aus, aber das war nach dem Ringelpiez mit einem entgegenkommenden Fahrzeug nun auch nicht anders zu erwarten gewesen. Jedenfalls war sie schon wieder ganz munter auf den Beinen und für jemanden, der knapp an der Katastrophe vorbeigeschrammt war, geradezu unverschämt gut drauf.

Mein Dad hatte die Idee gehabt, dass wir unser Apartment von November bis einschließlich Dezember untervermieten und in der Zeit bei ihnen wohnen sollten. Ich war zwar nicht gerade erbaut davon, aber angesichts meines Kontostands blieb mir wenig anderes übrig. Außerdem schien es Lily ganz recht zu sein, ein Weilchen aus der Stadt mit ihrem Klatsch und Tratsch wegzukommen und abzuwarten, bis die Wogen sich etwas geglättet hatten. Wir hatten die Bude im Internet als perfekte »Ferienwohnung« im Herzen von New York angepriesen und waren wie vom Donner gerührt, als ein älteres schwedisches Ehepaar, dessen Kinder alle in der Stadt lebten, anstandslos den vollen von uns verlangten Preis akzeptierte – 600 Dollar mehr pro Monat, als wir selbst dafür zahlten. Mit dem Überschuss ließ es sich für uns mehr als gut leben, zumal meine Eltern uns Essen, frische Wäsche und einen nur leicht ramponierten Toyota zur Verfügung stellten. Die Schweden blieben bis Anfang Januar – dann begann für Lily wieder das Semester und für mich, tja, was auch immer.

Die offizielle Kündigung war durch Emily erfolgt. Nicht, dass über die Fortsetzung meines Beschäftigungsverhältnisses nach meinem kleinen verbalen Ausrutscher noch irgendwelche Zweifel bestanden hätten, aber Miranda hatte mir unbedingt noch eine verpassen müssen. Sprich: Es dauerte keine drei Minuten, bis die von mir so heiß geliebte, gnadenlos effiziente *Runway*-Maschinerie in Gang gesetzt war.

Eben saß ich im Taxi und befreite meinen linken Fuß von dem Würgegriff des Sadomaso-Stiefels, als das Telefon klingelte. Instinktiv fuhr ich zusammen, doch dann fiel mir unsere kleine Szene wieder ein. Es *konnte* nicht sie sein. Blitzschnell legte ich in Gedanken eine tabellarische Liste an: eine Minute, bis Miranda den Mund wieder zugeklappt und sich gefangen hatte, um den Gaffern ringsum kein Schauspiel zu bieten; eine weitere Minute, um ihr Handy zu finden und Emily zu Hause anzurufen, eine dritte, um ihr die unappetitlichen Details meiner historischen Entgleisung darzulegen, und die letzte schließlich für Emilys Versicherung, sie würde »persönlich dafür Sorge tragen, dass alle nötigen Maßnahmen ergriffen wurden«. Genau. Auch wenn die Rufnummernanzeige bei internationalen Verbindungen nicht funktionierte – es bestand nicht der leiseste Zweifel, wer da am Apparat war.

»Hi, Em, wie geht's?«, trällerte ich und massierte meinen bloßen Fuß, sorgsam darauf bedacht, ihn nicht in Berührung mit dem versifften Boden des Taxis kommen zu lassen.

Auf solch munteres Gezwitscher war sie offenbar nicht gefasst. »Andrea?«

»Ja, ich bin's, am Apparat. Was gibt's? Ich hab's ziemlich eilig, also ...« Sollte ich sie unverblümt fragen, ob sie anrief, um mir zu kündigen? Ach, dieses eine Mal konnte ich ihr Zeit zum Luftholen lassen. Derweil wappnete ich mich für die Gardinenpredigt, die unweigerlich auf mein Haupt niedergehen würde – wie konntest du sie und mich und *Runway* und die ganze Welt der Mode bloß so enttäuschen und blamieren, bla, bla, bla, aber es kam nichts dergleichen.

»Ja, ach so, natürlich. Ich habe also gerade mit Miranda gesprochen ...« Sie ließ den Satz verklingen, als hoffte sie, ich würde ihn fortsetzen und ihr erklären, dass das Ganze ein großer Irrtum war und ich in den seither verstrichenen vier Minuten alles wieder ausgebügelt hatte.

»Und hast gehört, was passiert ist, nehme ich an?«

»Äh, ja. Andy, was ist denn bloß los?«

»Das sollte ich vielleicht dich fragen, hm?«

Schweigen.

»Hör zu, Em, ich werde das Gefühl nicht los, dass du meine Entlassungspapiere vor dir liegen hast. Ist schon okay – ich weiß, dass die Entscheidung nicht auf deinem Mist gewachsen ist. Also sie hat dir gesagt, dass du mich abservieren sollst?« Obwohl ich mich so leicht fühlte wie seit Monaten nicht mehr, hielt ich unwillkürlich den Atem an; vielleicht schlug das Schicksal ja doch Kapriolen, und Miranda hatte meine rüde Abfuhr nicht als unverschämt, sondern als höchst eindrucksvoll empfunden.

»Ja. Ich soll dir mitteilen, dass du fristlos gekündigt bist und dein Zimmer im Ritz räumen sollst, bevor sie von der Modenschau zurück ist.« Sie sprach leise, mit einem Anflug von Bedauern in der Stimme. Vielleicht sah sie innerlich schon all die Stunden, Tage und Wochen vor sich, die es sie kosten würde, wieder eine Nachfolgerin zu finden und anzulernen, aber irgendwie klang es, als steckte noch mehr dahinter.

»Ich werde dir fehlen, stimmt's, Em? Komm, spuck's schon aus. Ich sag's auch keinem weiter. Wenn's nach mir geht, hat das Gespräch nie stattgefunden. Du lässt mich nicht gerne ziehen, was?«

Wunder über Wunder: Sie lachte. »Was hast du zu ihr gesagt? Von ihr war immer nur zu hören, du hättest dich sehr derb und undamenhaft benommen. Genaueres konnte ich nicht aus ihr herauskitzeln.«

»Ach, wahrscheinlich weil ich ihr gesagt habe, dass sie mich am Arsch lecken kann.«

»Ist nicht wahr!«

»Was meinst du, warum du mich feuern sollst? Glaube mir, es ist wahr.«

»O mein Gott.«

»Tja, ich müsste lügen, wenn ich nicht zugäbe, dass es der großartigste Moment in meinem ganzen kläglichen bisherigen

Leben war. Aber jetzt stehe ich natürlich blöd da: von der mächtigsten Frau im Verlagsgeschäft vor die Tür gesetzt. Mein so gut wie ausgereiztes Kreditkonto wieder aufzufüllen, kann ich mir wohl erst mal abschminken, und mit neuen Jobs in der Magazinbranche sieht es auch düster aus. Vielleicht sollte ich mich im feindlichen Lager bewerben? Die würden mich doch mit Kusshand nehmen?«

»Logo. Schick Anna Wintour deine Unterlagen – sie und Miranda konnten sich noch nie besonders riechen.«

»Mhm. Ich denke drüber nach. Du, Emily, wir sind uns deswegen aber nicht böse, oder?« Natürlich war uns beiden klar, dass wir außer Miranda Priestly nichts, aber auch rein gar nichts gemeinsam hatten, doch ich wollte die Gunst der Stunde nutzen.

»Nein, wo denkst du hin«, sagte sie gekünstelt – wohl wissend, dass ich von nun an in ihren Kreisen nicht einmal mehr mit spitzen Fingern angefasst werden würde. Ab heute musste Emily so tun, als wäre ich Luft für sie, aber damit konnte ich leben. Vielleicht würden wir in zehn Jahren, wenn sie bei der Modenschau von Michael Kors in der ersten Reihe saß, während ich immer noch bei Filene's einkaufen und im Benihana essen ging, über die ganze Sache herzlich lachen. Vielleicht aber auch nicht.

»Ich würde ja gern weiter mit dir schwatzen, aber im Moment sitze ich ziemlich in der Scheiße. Ich muss mir überlegen, wie ich am schnellsten nach Hause komme. Meinst du, ich kann das Ticket für den Rückflug noch benutzen? Sie kann mich doch nicht gut feuern und im Ausland auf dem Trockenen sitzen lassen?«

»Verständlich wäre es durchaus, Andrea.« Aha! Eine letzte Spitze. Tröstlich zu wissen, dass letztlich doch alles beim Alten blieb. »Schließlich hast ja eigentlich du sie sitzen lassen – hast sie durch dein Benehmen gezwungen, dich zu feuern. Aber so rachsüchtig wird sie schon nicht sein. Stell uns einfach die Um-

buchungsgebühr in Rechnung, ich deichsle das dann irgendwie.«

»Danke, Em. Das ist echt nett von dir. Und dir auch viel
Glück. Du wirst bestimmt mal eine super Moderedakteurin.«

»Wirklich? Glaubst du?«, fragte sie eifrig. Mir war zwar
schleierhaft, wieso sie irgendwas auf die Meinung der größten
Modeniete aller Zeiten gab, aber sie klang ganz aus dem Häuschen.

»Auf jeden Fall. Da beißt die Maus keinen Faden ab.«

Kaum war ich mit Emily fertig, rief Christian an – und wusste natürlich schon Bescheid. Unglaublich. Ließ sich von mir
aber mit Wonne die pikanten Einzelheiten schildern und deckte mich mit Versprechungen und Angeboten ein – eine Kombination, bei der mir wieder übel wurde. Ich ließ ihn so cool
wie möglich abfahren und versprach lediglich, mich zu melden,
wenn mir danach war.

Monsieur Renaud und sein Gefolge wussten offenbar, o
Wunder, noch nichts von meinem unrühmlichen Abgang. Jedenfalls überschlugen sie sich fast vor Beflissenheit, als ihnen zu
Ohren kam, dass ich wegen eines Notfalls in der Familie unverzüglich die Heimreise antreten musste. Die blitzfix vom Hotel
zusammengetrommelte Kleinarmee brauchte genau eine halbe
Stunde, um mir einen Platz im nächsten Flieger nach New York
zu sichern, meinen Krempel zusammenzupacken und mich auf
den Rücksitz einer mit allen feuchtfröhlichen Freuden des Lebens ausgestatteten Limousine Richtung Charles de Gaulle
zu verfrachten. Der Fahrer schien durchaus zu einem Schwätzchen aufgelegt, aber meine Antworten fielen eher einsilbig aus:
Ich wollte die verbleibenden Minuten meines Daseins als mie-
sest bezahlte, aber höchst privilegierte Assistentin der freien
Welt ganz und gar auskosten. Ein letzter, langer, genüsslicher
Schluck von diesem köstlich trockenen Gesöff aus einer eleganten Champagnerflöte. Ich hatte 11 Monate und 44 Wochen –
umgerechnet gut 3000 Arbeitsstunden – gebraucht, um endgül-

tig zu dem Schluss zu kommen, dass aus mir im Leben kein Spiegelbild von Miranda Priestly werden würde.

Hinter dem Zoll fand ich diesmal keinen Fahrer in Livree mit hochgehaltenem Schild vor, sondern meine Eltern, die bei meinem Anblick strahlten wie zwei Honigkuchenpferde. Wir fielen uns in die Arme, und sobald sie sich von dem Schock über mein Outfit erholt hatten (hautenge, völlig verwaschene D&G-Jeans, Pumps mit Pfennigabsätzen und eine total durchsichtige Bluse – hey, das stand so unter der Kategorie »Verschiedenes«, Unterpunkt »Transport vom und zum Flughafen« und war bei weitem das Passendste, was die Belegschaft von *Runway* mir für eine Flugreise mitgegeben hatte), rückten sie mit der frohen Botschaft heraus: Lily war wach und bei vollem Bewusstsein. Wir fuhren auf direktem Weg ins Krankenhaus, und kaum war ich zur Tür herein, durfte ich mich von meiner frisch aus dem Koma erwachten Freundin wegen meines Aufzugs schwach anreden lassen.

Nach ihrer Entlassung musste sie sich natürlich noch mit den Gerichten herumschlagen: Immerhin war sie volltrunken und mit überhöhter Geschwindigkeit entgegen der Einbahnstraße gefahren. Doch da die übrigen Beteiligten mit leichten Blessuren davongekommen waren, hatte der Richter ein Höchstmaß an Milde walten lassen und ihr lediglich einen Termin bei der Suchtberatung zur Auflage gemacht sowie sie zu ungefähr 30 Jahren gemeinnütziger Arbeit verdonnert. Der Eintrag wegen des Trunkenheitsdelikts allerdings würde ihr bleiben. Wir redeten nicht viel darüber – sie gab immer noch nicht gern zu, dass sie ein Alkoholproblem hatte –, aber als ich sie von der ersten Gruppensitzung im East Village wieder abholte, meinte sie immerhin, es sei ganz cool gewesen, nicht zu viel Gefühlsduselei, aber natürlich irgendwie doch »total nervig«. Ich quittierte Letzteres mit Emilys tödlichem Spezialblick, worauf sie einräumte, es seien ein paar ganz süße Typen dabei, und es könne ja nicht schaden, wenn sie zur Abwechslung mal einen netten

Abend lang nüchtern bliebe. Na bitte. Meine Eltern hatten sie überredet, zum Dekan ihrer Fakultät von Columbia zu gehen und Klartext zu reden. Zunächst graute es ihr natürlich davor, aber letztlich erwies es sich als guter Schritt: Er beurlaubte sie für den Rest des Semesters, ohne dass sie damit als durchgefallen galt, und klärte mit der Finanzabteilung ab, dass sie sich im Frühjahr mit ihrem Stipendium zurückmelden konnte.

Wie es aussah, renkten sich Lilys Leben und unsere Freundschaft also allmählich wieder ein. Was man von meiner Beziehung zu Alex nicht sagen konnte. Er hatte an Lilys Bett gesessen, als ich ins Zimmer platzte, und ehrlich gestanden wäre es mir lieber gewesen, meine Eltern hätten derweil nicht diskret in der Cafeteria gewartet. Nach der steifen Begrüßung gab es natürlich erst mal ein großes Buhei um Lily, aber in der halben Stunde, bis er die Jacke anzog und sich allseits winkend verabschiedete, hatten wir kein vernünftiges Wort miteinander gewechselt. Ich rief ihn von zu Hause an, hörte jedoch nicht mehr als seine Mailbox. Nach etlichen weiteren Probeanrufen erwischte ich ihn schließlich kurz vor dem Schlafengehen.

»Hi!«, sagte ich so gewinnend und souverän wie möglich.

»Hey.« Mein Liebreiz prallte offenbar wirkungslos an ihm ab.

»Hör zu, sie ist auch deine Freundin, ich weiß, und für dich ist so was absolut selbstverständlich, aber ich weiß gar nicht, wie ich dir für alles danken soll, ganz ehrlich: Du hast mich aufgespürt, meinen Eltern geholfen, stundenlang bei Lily am Bett gesessen ...«

»Kein Problem. Das ist doch völlig normal, Freunden in der Not beizustehen. Alles halb so wild.« Völlig normal, ja klar, außer für jemanden, der sich mit seinen völlig verschobenen Prioritäten für den Nabel der Welt hielt und rein zufällig gerade mit ihm telefonierte.

»Alex, bitte, können wir nicht einfach reden, ohne –«

»Nein. Da gibt's im Moment nichts zu reden. Das ganze letzte Jahr habe ich darauf gewartet, manchmal sogar darum gebettelt, aber von dir kam einfach nichts. Irgendwann in der Zeit ist mir die Andy abhanden gekommen, in die ich mich mal verliebt habe. Ich weiß nicht, wie und wann genau es passiert ist, jedenfalls bist du ganz sicher nicht mehr die gleiche, die du vor diesem Job warst. ›Meine‹ Andy wäre nie und nimmer auf die Idee verfallen, eine Modenschau oder eine Party oder sonst was könnte wichtiger sein als eine Freundin, die sie dringend – und zwar wirklich dringend – nötig hat. Klar freue ich mich, dass du hergekommen bist und einsiehst, dass es das einzig Richtige war, aber jetzt brauche ich erst mal wieder Zeit, um mir zu überlegen, wo ich und du, wo wir beide eigentlich stehen. Für mich ist das nichts Neues, Andy. Es geht schon sehr, sehr lange so – du warst bloß immer zu beschäftigt, um es mitzukriegen.«

»Alex, du hast mir noch nicht die kleinste Chance gegeben, mich in Ruhe mit dir hinzusetzen und dir zu erklären, was gelaufen ist. Kann sein, dass du Recht hast und ich nicht mehr die bin, die ich war. Ich glaub's zwar nicht – und selbst wenn ich mich verändert habe, dann vielleicht nicht unbedingt *nur* zum Schlechteren. Sind wir denn wirklich so weit auseinander gedriftet?«

Noch vor Lily war *er* mein bester Freund, so viel wusste ich mit Bestimmtheit; aber mehr war er für mich schon seit vielen Monaten nicht mehr gewesen. Es stimmte, was er sagte, und es war an der Zeit, ihm das einzugestehen, auch wenn's schwer fiel. Ich holte tief Luft.

»Du hast Recht.«

»Habe ich das? Meinst du?«

»Ja. Ich habe mich dir gegenüber abscheulich selbstsüchtig und unfair benommen.«

»Und was jetzt?« Er klang nicht nach gebrochenem Herzen, bloß resigniert.

»Weiß auch nicht. Wir reden nicht mehr miteinander? Wir sehen uns nicht mehr? Keine Ahnung, wie das funktionieren soll. Ich will, dass du weiter zu meinem Leben gehörst, und ich kann mir nicht vorstellen, dass ich ganz aus deinem verschwinde.«

»Ich auch nicht. Aber ich bin mir nicht sicher, wie lange wir das durchhalten. Wir sind ja damals gleich zusammengekommen, und ob wir es nun schaffen, ›gute Freunde zu werden‹? Scheint mir unwahrscheinlich, aber wer weiß? Vielleicht wenn wir es uns lange und gut überlegt haben...«

An jenem ersten Abend nach meiner Rückkehr heulte ich wie ein Schlosshund, nicht nur wegen Alex, sondern weil so vieles im vergangenen Jahr sich verändert und verschoben hatte. Als unbedarftes kleines Aschenputtel hatte es mich zu Elias-Clark verschlagen – und mit einer mittleren Portion Lebenserfahrung sowie der Erkenntnis, dass ich immer noch ein Aschenputtel war, wieder hinausgeweht. Doch in der Zwischenzeit hatte ich mehr erlebt als in 100 anderen Anfängerjobs. Und prangte auf meinem Lebenslauf nun auch der Schandfleck »Kündigung«, hatte mein Freund mir auch den Laufpass gegeben und war mir nichts Greifbares geblieben außer einem Koffer (na gut, vier Koffern, von Louis Vuitton), randvoll mit atemberaubenden Designerklamotten – vielleicht hatte das Ganze sich ja trotzdem gelohnt?

Ich stellte das Handy stumm, fischte ein altes Notizbuch aus der untersten Schreibtischschublade und fing an zu schreiben.

Mein Vater hatte sich schon in sein Büro verdrückt, und meine Mutter erwischte ich gerade noch auf dem Weg zur Garage, nachdem ich mich endlich die Treppe hinuntergeschleppt hatte.

»Morgen, Schätzchen. Wusste nicht, dass du schon wach bist! Ich muss los. Jills Flug geht um zwölf, also seht zu, dass ihr zeitig loskommt. Falls irgendwas schief geht, ich habe das Handy dabei. Ach so, ja, seid ihr beide, Lily und du, heute Abend zum Essen da?«

»Frag mich nicht. Ich bin gerade aufgestanden und habe noch

keinen Schluck Kaffee intus. Könnten wir die Entscheidung über das Abendessen nicht vielleicht ein Weilchen vertagen?«

Meine patzige Antwort verpuffte ins Nichts – Mom war schon halb aus der Tür, bis ich überhaupt den Mund aufgemacht hatte. Lily, Jill, Kyle und der Kleine saßen schweigend um den Küchentisch versammelt, jeder in einen Teil der *Times* vertieft. In ihrer Mitte stand ein Teller mit Waffeln, bei deren saft- und kraftlosem Anblick einem augenblicklich der Appetit verging, dazu eine Flasche vom billigsten Ahornsirup und, frisch aus dem Kühlschrank, ein Stück steinharte Butter. Allgemeinen Beifall fand offenbar nur der Kaffee, den mein Vater traditionsgemäß mitsamt dem Frühstücksgebäck allmorgendlich von Dunkin Donuts mitbrachte, weil er (wer wollte es ihm verübeln) allem misstraute, was meine Mutter von eigener Hand zubereitet und gebraut hatte. Ich spießte eine Waffel mit der Gabel auf und wollte sie auf dem Pappteller klein schneiden, doch schon beim ersten Anlauf zerfiel sie in ihre breiigen Bestandteile.

»Wer soll denn das essen. Hat Dad heute keine Donuts mitgebracht?«

»Doch, aber die hat er im Schrank vor seinem Büro versteckt«, knödelte Kyle. »Wollte nicht, dass deine Mutter sie sieht. Magst du sie holen?«

Das Telefon riss mich aus meiner Suche nach dem verborgenen Schatz.

»Hallo?« Wenigstens meldete ich mich nicht mehr mit »Büro Miranda Priestly«, aber den supergenervten Ton hatte ich immer noch gut drauf.

»Hallo. Ich hätte gern Andrea Sachs gesprochen.«

»Am Apparat. Mit wem habe ich das Vergnügen?«

»Andrea, hi, hier spricht Loretta Andriano vom Magazin *Seventeen.*«

Holla. Ich hatte mir 200 Zeilen für eine »fiktionale« Story über eine 16jährige abgerungen, die vor lauter Lernen für die Aufnahmeprüfung zum College Freunde und Familie schmäh-

lich vernachlässigt. Schwachsinn, in zwei Stunden herunterge-
rissen, aber ich glaubte den richtigen Ton zwischen komisch und
anrührend getroffen zu haben. Ging es etwa darum?

»Hi! Wie geht's?«

»Danke, gut. Ihre Story ist bei mir auf dem Schreibtisch gelandet, und ich muss sagen, sie gefällt mir nicht schlecht. Muss
natürlich noch mal überarbeitet werden, und an der Sprache
ist auch noch Etliches zu feilen – das Gros unserer Leserschaft
ist unter 13 – aber ich würde sie gern in der Februarausgabe bringen.«

»Im Ernst?« Das war ja fast zu schön, um wahr zu sein. Ich
hatte die Story an ein Dutzend Teeny-Magazine sowie, als etwas
ausgereiftere Version, an weitere zwei Dutzend Frauenzeitschrif-
ten eingesandt, bisher aber von nichts und niemanden auch nur
ein Sterbenswörtchen gehört.

»Aber ja. Wir zahlen pro Zeile 15,00, und Sie müssten uns
dann bitte noch ein paar Steuerformulare ausfüllen. Sie haben
ja schon Erfahrung als freie Autorin?«

»So gesehen, nein, aber ich habe vorher für *Runway* gearbeitet.« Was die Bemerkung nützen sollte, wusste ich selber nicht –
in der ganzen Zeit dort hatte ich höchstens gefälschte Akten-
notizen verfasst, um andere damit in Angst und Schrecken zu
versetzen; aber Loretta schien die klaffende Lücke in meiner lo-
gischen Argumentation nicht aufzufallen.

»Ach, tatsächlich? Ich habe gleich nach dem College als Modeassistentin bei *Runway* angefangen. In dem einen Jahr habe ich
mehr gelernt als in den fünf danach.«

»Es war wirklich eine unnachahmliche Erfahrung. Ein echter
Glücksfall für mich.«

»Und was haben Sie dort gemacht?«

»Ich war persönliche Assistentin von Miranda Priestly.«

»Wirklich? Sie armes Ding, davon wusste ich ja gar nichts.
Moment mal – waren Sie das, die Miranda neulich in Paris gefeuert hat?«

O Gott – das war ein schwerer Fehler gewesen. Ein paar Tage nach meiner Rückkehr hatte die *Times* auf ihrer Klatschseite eine gar nicht mal so kurze Notiz über den ganzen Schlamassel gebracht, aus »gut unterrichteten Kreisen«: Wahrscheinlich eine der Klapperschnepfen, die mein unmögliches Auftreten aus nächster Nähe miterlebt hatten. So exakt wie ich dort zitiert wurde, war kaum eine andere Quelle denkbar. Und natürlich war ich nicht die Einzige, die den Artikel gelesen hatte. Mir schwante, dass Lorettas Begeisterung für meine Story sich damit schlagartig in Luft auflösen würde, aber jetzt gab es kein Zurück mehr.

»Äh, ja. Aber es war eigentlich gar nicht so schlimm, wie es sich anhörte. In dem Artikel haben sie wirklich maßlos übertrieben.«

»Na, ich hoffe doch nicht! Irgendwer musste diesem Weib schließlich mal Bescheid stoßen, und wenn Sie es waren, dann Hut ab! Sie hat mir in dem einen Jahr bei *Runway* das Leben zur Hölle gemacht, und dabei hatte ich nicht mal direkt mit ihr zu tun.

Hören Sie, ich muss jetzt zu einem Presselunch, aber wie wär's, machen wir einen Termin aus? Dann könnten Sie bei der Gelegenheit den notwendigen Papierkram erledigen, und ich wollte Sie ohnehin kennen lernen. Wenn Sie noch andere Texte haben, die Ihrer Meinung nach für das Magazin geeignet wären, dann bringen Sie sie einfach mit.«

»Ja gerne. Herzlich gerne.« Wir vereinbarten ein Treffen für kommenden Freitag um drei, und ich legte auf, immer noch völlig baff. Kyle und Jill hatten Lily den Kleinen aufs Auge gedrückt, bis sie fertig mit Anziehen und Packen waren, und er war in eine Art Dauergreinen verfallen, das sich anhörte, als könnte es jede Sekunde in hysterisches Gebrüll umschlagen. Ich schälte ihn aus seinem Sitz, legte ihn mir über die Schulter und massierte ihm durch den Frotteestrampler hindurch den Rücken, bis er sich, o Wunder, wieder beruhigte.

»Nie im Leben rätst du, wer das war«, trällerte ich und hopste mit Isaac durchs Zimmer. »Eine Redakteurin von *Seventeen* – sie wollen mich, schwarz auf weiß!«

»Halt die Luft an! Sie drucken deine Lebensgeschichte?«

»Nein, nicht meine – ›Jennifers‹ Lebensgeschichte. Mickrige 200 Zeilen, nicht der Rede wert, aber immerhin ein Anfang.«

»Ach, red doch nicht. Junges Mädchen schnappt über, weil sie was erreicht hat, und stößt schließlich alle vor den Kopf, die eine wichtige Rolle in ihrem Leben spielen. Jennifers Story. Ganz klar.« Lily schaffte es, gleichzeitig zu grinsen und mit den Augen zu rollen.

»Na ja, und wenn. Läppische Details. Was zählt, ist: Sie bringen sie in der Februarausgabe, und sie löhnen 3000 Dollar dafür. Ist das nicht der Wahnsinn?«

»Glückwunsch, Andy. Im Ernst, das ist echt der Hammer. Und damit kannst du dann hausieren gehen, nicht?«

»Ge-nau. Es ist zwar nicht der *New Yorker*, aber fürs Erste ganz okay. Wenn ich noch mehr von der Sorte unterbringe, vielleicht in verschiedenen anderen Magazinen, dann wird's vielleicht doch noch was mit mir. Am Freitag treffe ich mich mit der Redakteurin, und ich soll alles mitbringen, was ich bisher so geschrieben habe. Und sie hat nicht mal gefragt, ob ich Französisch kann. Außerdem hasst sie Miranda. Ich glaube, mit der werde ich gut zurechtkommen.«

Ich fuhr die Texanergang zum Flughafen, besorgte Lily und mir auf dem Rückweg zwei vollfette, leckere Lunchpakete von Burger King, damit die Frühstücksdonuts sich in unserem Magen nicht so allein fühlten, und brachte den restlichen Tag – sowie die beiden folgenden – am Schreibtisch zu, auf dass ich meiner neuen Verbündeten gegen Miranda auch etwas vorzulegen hatte.

*19* »Einen großen Vanillecappuccino, bitte.«
Den Mann hinter der Theke kannte ich nicht. Es war ja auch
schon fast fünf Monate her, seit ich hier, im Starbucks an der
57. Straße, zum letzten Mal mit einem Tablett voller Kaffeebecher und Snacks so schnell wie möglich hinausgewankt war,
bevor Miranda mich feuerte, weil ich einmal zwischendurch
Luft geholt hatte. Rückblickend fand ich es tausendmal besser, für ein aus tiefstem Herzen gebrülltes »Leck mich am Arsch«
gefeuert worden zu sein als dafür, statt Rohrzuckerwürfeln zwei
Päckchen Süßstoff erwischt zu haben. Im Endergebnis das Gleiche, aber ein ungleich anderer Spielverlauf.

Wer hätte gedacht, dass das Personal bei Starbucks so häufig wechselte? Von den Typen, die da an den Espressomaschi-
nen zugange waren, kam mir kein einziger auch nur entfernt
bekannt vor – was die ganze Zeit, die ich hier zugebracht hatte,
in noch weitere Ferne rückte. Ich strich meine schwarze Hose
(guter Schnitt, aber kein Designerstück) glatt und vergewisserte
mich, dass die Aufschläge kein Sammelbecken für allen Dreck
und Schneematsch der Stadt abgaben. Zwar wusste ich die ganze Belegschaft eines Modemagazins vehement gegen mich, fand
aber trotzdem, dass ich für das sage und schreibe zweite Vorstellungsgespräch meines Lebens verdammt gut aussah. Erstens war
mir mittlerweile klar, dass in dieser Branche keine Menschenseele Kostüme trug, und zweitens hatte mich dieses Jahr in der
dünnen Luft der Haute Couture, wahrscheinlich durch simple
Osmose, doch irgendwie verändert.

Der Cappuccino war eine Spur zu heiß, aber bei diesem nass-kalten Wetter einfach ein Gedicht. Die einbrechende Dämme-rung legte sich über die Stadt wie eine schwere Schneewolke – normalerweise eine Stimmung, die Depressionen bei mir her-vorrief. Immerhin schrieben wir den deprimierendsten Monat des Jahres (Februar), und an Tagen wie diesem verkrochen selbst optimistische Naturen sich zähneklappernd unter der Bettde-cke, während die Pessimisten ohne eine extra Hand voll Auf-munterungspillen nicht mal ansatzweise eine Chance hatten. Aber im Starbucks herrschte freundliches Licht und kein großes Gedränge; ich schmiegte mich in einen der wuchtigen grünen Sessel und versuchte nicht daran zu denken, wer hier wohl zu-letzt seinen ungewaschenen Haarschopf an den Polstern abge-wischt hatte.

In den zurückliegenden drei Monaten war Loretta zu mei-ner Mentorin, meiner großen Stütze und Retterin geworden. Wir hatten uns auf Anhieb blendend verstanden, und seit jenem ersten Kennenlernen hatte sie mich liebevoll unter ihre Fittiche genommen. Schon als ich ihr eigentlich geräumiges, aber zum Bersten voll gestopftes Büro betrat und sah, dass sie – schluck! – fett war, beschlich mich dunkel das Gefühl, dass ich sie liebens-wert finden könnte. Sie bot mir einen Platz an und las Wort für Wort, was ich in der vergangenen Woche zu Papier gebracht hatte: humoristische Schilderungen von Modenschauen, böse Bemerkungen zum Leben einer Promi-Assistentin und eine hof-fentlich einfühlsam geschriebene Story, wie es dahin kommen kann – oder wie man es nicht so weit kommen lässt –, dass eine Beziehung, in der die Partner einander umständehalber kaum sehen, nach drei Jahren den Bach hinuntergeht. Es war wie im Bilderbuch, übelster Kitsch; aber Loretta und ich hatten uns schlicht gesucht und gefunden, redeten uns die Albträume über *Runway* von der Seele (die mich noch nach wie vor heimsuch-ten: in dem letzten wurden meine Eltern von der Pariser Mode-polizei auf offener Straße wegen des Tragens von Shorts erschossen, und Miranda setzte es irgendwie durch, mich ganz legal zu adoptieren) und stellten rasch fest, dass uns außer sieben Jahren Altersunterschied nichts trennte.

Dank meines genialen Einfalls, die gesamte *Runway*-Garderobe an einen der überkandidelten Second-Hand-Läden in der Madison Avenue zu verhökern, verfügte ich über ein kleines Vermögen und konnte es mir leisten, für einen Apfel und ein Ei zu schreiben; Hauptsache, mein Name wurde erwähnt. Ich hatte lange abgewartet, ob Emily oder Jocelyn nicht doch irgendwann anrufen und mir mitteilen würden, der Kurier zur Abholung der Sachen sei bereits unterwegs. Doch da sich absolut nichts tat, durfte ich wohl frei über das Zeug verfügen. Beiseite legte ich nur das Wickelkleid von Diane Von Furstenburg. Den Inhalt meiner Schreibtischschubladen hatte Emily in Kisten gekippt und mir per Post zugeschickt. Bei der Durchsicht stieß ich auf den Brief von Anita Alvarez, der glühenden *Runway*-Verehrerin, der ich die erträumte Robe hatte schicken wollen. Bisher war ich nie dazu gekommen, aber jetzt wickelte ich das wild gemusterte Kleid in Seidenpapier, warf noch ein Paar Manolos und ein paar Zeilen in Mirandas Handschrift dazu – dieses Talent besaß ich zu meinem Verdruss offenbar immer noch. Einmal im Leben wenigstens sollte das Mädel ein richtig schönes Teil sein Eigen nennen und genießen. Und, wichtiger noch: glauben, dass es da draußen in der großen weiten Welt jemanden gab, dem sie nicht egal war.

Bis auf das eine, diesem wohltätigen Zwecke zugedachten Kleid hatte ich nur die engen, supersexy D&G-Jeans und die klassische, gesteppte Handtasche an der Kette behalten, wobei ich letztere an Mom weiterreichte (»O Schätzchen, ist die schön. Was ist das noch mal für eine Marke?«). Alles andere, die transparenten Tops, die Lederhosen, die Stiefel mit Stachelbesatz und die Riemchensandalen, machte ich zu klingender Münze. Die Frau an der Kasse rief die Geschäftsinhaberin zu Hilfe, und schließlich einigten sie sich darauf, den Laden ein paar

Stunden lang dicht zu machen, um mein Hamstergut in aller Ruhe zu sichten. Allein die Behältnisse von Louis Vuitton – zwei große Koffer, eine mittelgroße Reisetasche und ein überdimensionaler Schrankkoffer – brachten mir sechs Riesen ein, und als die Damen unter viel aufgeregtem Gekicher und Getuschel ihre Musterung endlich abgeschlossen hatten, rauschte ich mit einem Scheck über etwas mehr als 38 000 Dollar davon. Damit waren, meinen Berechnungen nach, Miete und sogar Verpflegung für ein Jahr gesichert, in dem ich sorgenfrei an meiner Schriftstellerkarriere feilen konnte. Dann schneite auch noch Loretta in mein Leben, und die Sonne ging auf.

Vier Sachen war ich schon an sie losgeworden – einen Klappentext, zwei Beiträge zu je 50 Zeilen und die ursprüngliche, längere Story. Doch damit nicht genug, schien sie förmlich besessen davon, mir Kontakte zu verschaffen und sich aus eigenem Antrieb mit Kollegen von anderen Magazinen in Verbindung zu setzen, die möglicherweise an freien Beiträgen interessiert waren. Und genau deshalb war ich an diesem grauen Wintertag im Starbucks gelandet – auf dem Weg zu Elias-Clark. Loretta hatte mir zugeredet wie einem störrischen Gaul und mir tausendmal versichert, Miranda würde sich nicht auf mich stürzen, sobald ich das Gebäude betrat, und mich mit einem gezielten Pfeil aus dem Blasrohr zur Strecke bringen; trotzdem war ich nervös. Nicht mehr starr vor Angst wie früher, als ein harmloses Handyklingeln genügte, um mein Herz Flickflack schlagen zu lassen, aber immer noch ziemlich zappelig bei der Vorstellung (so unwahrscheinlich sie auch schien), Miranda irgendwo über den Weg zu laufen – ihr oder Emily oder sonst wem, außer James: Als Einziger hatte der sich in der Zwischenzeit regelmäßig bei mir gemeldet.

Irgendwie war Loretta auf die Idee verfallen, bei ihrer alten Zimmergenossin aus Collegetagen anzurufen, die, wie der Zufall wollte, bei *The Buzz* als Redakteurin für die Stadtnachrichten arbeitete. Loretta teilte ihr mit, sie hätte *die* neue Autorin entdeckt – das sollte dann wohl ich sein. Sie vereinbarte mit ihr das heutige Vorstellungsgespräch und warnte die Dame sogar vor, dass Miranda mir den Stuhl vor die Tür gesetzt hatte, was diese mit einem Hohnlachen und der Bemerkung quittierte, wenn sie niemanden nähmen, der irgendwann mal von Miranda gefeuert worden sei, könnten sie ihre Beiträge mehr oder weniger selbst schreiben.

Vom Cappuccino gestärkt und belebt klemmte ich mir die Mappe mit meinen gesammelten Werken unter den Arm und steuerte, diesmal ganz in Ruhe, ohne hektisch klingelndes Handy und eine Wagenladung Kaffee auf dem Tablett, das Elias-Clark-Gebäude an. Von draußen checkte ich kurz, ob auch ja keine Klapperschnepfen Marke *Runway* in der Lobby herumgeisterten, und stemmte mich dann mit geballter Kraft gegen das Trägheitsmoment der Drehtür. Fünf Monate, seit ich mich zuletzt hier durchgekämpft hatte, und alles war wie immer: Ahmed hinter der Kasse in seinem Zeitungskiosk, ein Hochglanzposter, das für das kommende Wochenende eine Party von *Chic* im Lotus verhieß. Statt mich ordnungsgemäß als externe Besucherin anzumelden, spazierte ich instinktiv direkt auf die Drehkreuze zu. Und vernahm sogleich eine vertraute Stimme: *I can't remember if I cried when I read about his widowed bride, but something touched me deep inside, the day, the music died. And we were singing…«* American Pie! *Ist das süß von ihm*, dachte ich. Das Abschiedslied, das ich nie hatte singen können. Ich drehte mich um und sah Eduardo, feist und verschwitzt wie eh und je. Doch sein Grinsen galt nicht mir. Vor dem Drehkreuz ganz in seiner Nähe stand eine klapperdürre junge Frau mit pechschwarzem Haar und grünen Augen. Sie trug eine todschicke, enge Nadelstreifenhose, ein bauchfreies Tank-Top, ein Kaffeetablett, eine Tüte, aus der die Zeitungen und Zeitschriften oben herausquollen, drei komplette Outfits an Kleiderbügeln und einen Matchsack mit dem aufgedruckten Monogramm »MP«. Gerade hatte ich geschnallt, was hier Sache war, da fing ihr Handy an zu klingeln. Sie fuhr zusammen und sah aus, als würde sie jeden Moment in Tränen ausbrechen. Doch so sehr sie auch auf das Drehkreuz eindrosch, es half nichts. Mit einem tiefen Seufzer begann sie zu singen: »Bye, bye, Miss American Pie, drove my Chevy to the levee, but the levee was dry; and good old boys were drinking whiskey and rye, singing this will be the day that I die, this will be the day that I die ...« Ich sah noch mal zu Eduardo hin. Jetzt lächelte er mir verstohlen zu und zwinkerte. Und noch bevor die hübsche Brünette mit Singen fertig war, drückte er auf den Summer und ließ mich durch, als gehörte ich zu den Schönen und Wichtigen dieser Welt.

# Danksagung

Mein Dank geht an die vier Menschen, die dazu beigetragen haben, dass mein Traum Wirklichkeit werden konnte:

*Stacy Creamer* – meine Lektorin. Wenn Sie das Buch nicht mögen, geben Sie Stacy die Schuld – sie hat die lustigsten Stellen herausgestrichen.

*Charles Salzberg* – Autor und Lehrer. Er hat mich angespornt, nicht aufzugeben. Wenn Ihnen das Ergebnis nicht gefällt, geben Sie ihm eine Mitschuld.

*Deborah Schneider* – Agentin der Sonderklasse. Sie beteuert ständig, dass sie mindestens fünfzehn Prozent von allem liebt, was ich tue, sage und – vor allem – schreibe.

*Richard David Story* – mein ehemaliger Chef. Seit ich ihn nicht mehr jeden Morgen vor 9 Uhr ertragen muss, ist er mir sehr ans Herz gewachsen.

Danken möchte ich auch allen, die mir zwar in keiner Weise geholfen, dafür aber versprochen haben, ganz viele Bücher zu kaufen, wenn ich sie namentlich erwähne:

Dave Baiada, Dan Barasch, Heather Bergida, Lynn Bernstein, Dan Braun, Beth Buschman-Kelly, Helen Coster, Audrey Diamond, Lydia Fakundiny, Wendy Finerman, Chris Fonzone, Kelly Gillespie, Simone Girner, Cathy Gleason, Jon Goldstein, Eliza Harris, Peter Hedges, Julie Hootkin, Bernie Kelberg, Alli Kirshner, John Knecht, Anna Weber Kneitel, Jaime Lewisohn, Bill McCarthy, Dana McMakin, Ricki Miller, Daryl Nierenberg, Wittney Rachlin, Drew Reed, Edgar Rosenberg, Brian Seitchik, Jonathan Seitchik, Marni Senofonte, Shalom Shoer, Josh Ufberg, Kyle White und Richard Willis.

Ein besonderer Dank geht an Leah Jacobs, Jon Roth, Joan und Abe Lichtenstein und die Weisbergers: Shirley und Ed, Judy, David und Pam, Mike und Michele.

# Nachweis

# Sophie Kinsella bei Goldmann

Mehr Informationen unter www.goldmann-verlag.de